*Ouvrage publié sous la direction*
*de Charles Ronsac*

274 -0288

Ouvrage traduit avec le concours du Centre national du livre

# DENIS BRIAN

# EINSTEIN
# LE GÉNIE, L'HOMME

Traduit de l'anglais (États-Unis) par Bernard Seytre

ROBERT LAFFONT

Titre original : EINSTEIN A LIFE
© Denis Brian, 1996
Traduction française : Éditions Robert Laffont, S.A., Paris, 1997

ISBN 2-221-08179-X
(édition originale : 0-471-11459-6 John Wiley & Sons, Inc., New York)
Tous droits réservés. Ouvrage publié avec l'accord de John Wiley & Sons, Inc.

À Martine, Danielle, Alex
et Emma, avec amour.

# Préface

Après la mort d'Einstein en 1955, son ami intime et exécuteur testamentaire Otto Nathan frustra les auteurs qui voulaient étudier la vie du disparu en cachant ce qu'il considérait comme trop personnel ou trop révélateur. Il menaça de poursuites ceux qui publieraient de nouveaux documents qu'ils auraient trouvés par eux-mêmes. Le lieu de dispersion des cendres d'Einstein était un secret gardé par une poignée de ses proches, tandis qu'on conservait son cerveau dans le vain espoir d'y découvrir la source de son génie.

Nathan, gardien de la flamme, polissait l'image du saint laïque qui avait été son ami. L'ancienne secrétaire toute dévouée d'Einstein, Helen Dukas, l'aidait dans son entreprise.

Dukas survécut aux deux femmes d'Einstein. Elle demeura auprès de lui pendant vingt-sept ans et l'assista dans ses derniers jours. Elle sauvegarda le moindre bout de papier reçu dans son courrier et les copies de ses réponses compatissantes, spirituelles ou acides. Elle alla jusqu'à compiler des lettres anonymes d'insultes ou de menaces, et à récupérer des notes dans des corbeilles à papier. La majorité de ces documents sont aujourd'hui archivés. Mais tout ce qui était discutable fut inaccessible aux chercheurs tant que Nathan et Dukas en eurent la maîtrise.

« Nathan et Dukas estimaient, peut-être à juste titre, qu'il fallait protéger Einstein (et son souvenir) », explique le spécialiste d'Einstein Robert Schulmann, de l'université de Boston. « Einstein lui-même décrivait Dukas comme son cerbère. Nul n'en savait sur lui autant qu'elle. » Mais quand on lui demandait de parler d'Einstein, elle répondait invariablement : « Je ne peux rien dire de plus. Tout est dans les livres. »

Tout n'était pas dans les livres. Les quelque quatre cents ouvrages parus sur Einstein et son œuvre ne racontent qu'une partie de la vérité. Comme Walter Moore le souligne dans sa lumineuse biographie de l'ami d'Einstein Erwin Schrödinger, en citant Montaigne : « Notre vie se partage entre folie et prudence ; en écrivant uniquement sur ce qui est révéré et autorisé, on laissera la moitié de côté[1]. » Mon ambition est d'équilibrer l'équation en restituant le mieux possible la moitié manquante, de dévoiler des secrets longtemps conservés. Je n'ai nulle intention de diminuer l'homme ; je veux l'élargir.

J'ai eu de la chance dans mon travail. Une décision de justice libéra les Archives Einstein, des griffes d'Otto Nathan quelques années avant son décès en 1987. On dispose désormais de milliers de documents — les originaux à Jérusalem et des copies à Princeton et Boston — qui fournissent des informations sur les idées d'Einstein et sur des faits inconnus de sa vie privée. Une partie de la correspondance d'Albert avec sa seconde femme, Elsa, et ses fils est toujours sous clef, ainsi que d'autres documents jugés trop sensibles pour des yeux contemporains. Ils ne seront probablement pas accessibles avant des décennies.

Des sources jamais exploitées, notamment des amis intimes d'Einstein qui parlent librement aujourd'hui après la disparition des principaux protagonistes, m'ont brossé un portrait d'Einstein moins aseptisé et plus authentique que jamais.

On l'aima et on le détesta sans mesure. Un admirateur le considéra comme le plus grand Juif depuis Jésus, un autre, depuis Moïse. On le traita de « saint juif ». Pour ses adversaires, c'était un escroc qui volait les idées de ses collègues. D'autres virent en lui un humaniste de la famille du Mahātmā Gandhi et d'Albert Schweitzer, tandis que les nazis autant que le FBI le tinrent pour un ennemi de l'État à cause de ses opinions politiques libérales, de son militantisme pour un gouvernement mondial, et de ses engagements à gauche. Deux femmes découvrirent quel mauvais mari il faisait et on crut parfois qu'il était misogyne — mais certainement pas son amie Dorothy Commins qui se rappela s'être dit, en le regardant dans les yeux : « Voici le plus noble des êtres vivants. » De telles discordances expliquent peut-être une réflexion d'Einstein : « Il y a une immense disproportion entre ce que l'on est et ce que les autres pensent qu'on est. »

Ses spéculations scientifiques déroutaient un public qui, sans rien comprendre à ce qu'il disait, était quand même assoiffé de la moindre information à son sujet.

Une face occultée de la vie d'Einstein est son attitude envers les femmes. Helen Dukas aurait pu parler. Elle s'en garda. Elle collabora à la biographie bien informée mais dithyrambique de Banesh

10

Hoffmann, *Albert Einstein : Creator and Rebel**. Le même duo commémora le centième anniversaire de la naissance d'Einstein avec *Albert Einstein : The Human Side*, qui ne faisait pas une allusion à sa vie sentimentale, aux orages de son premier mariage et aux imperfections du second, pour se limiter à des lettres amusantes ou charmantes qu'il avait reçues ou écrites.

La biographie type de Ronald Clark concède que « Einstein trouva toute sa vie du plaisir à la compagnie des femmes, mais cela n'alla guère plus loin[2] ». Cela alla plus loin, mais Clark et les autres biographes ne pouvaient révéler les aventures d'Einstein car les sources étaient dissimulées par l'agence de sécurité Nathan-Dukas. Cette situation se prolongea jusqu'en 1982, quand l'ensemble des archives fut, selon les vœux d'Einstein, remis à l'Université hébraïque. *Subtle is the Lord, The Science and Life of Albert Einstein***, publié la même année par Abraham Pais sans être soumis aux règles de Nathan, fut le premier ouvrage à aborder le côté humain de son sujet.

Roger Highfield et Paul Carter se livrèrent onze ans plus tard, dans *The Private Lives of Albert Einstein*, à une exhumation énergique. John Carey, dans le *Sunday Times* de Londres, applaudit l'originalité de recherches au cours desquelles ils avaient interrogé la petite-fille adoptive d'Einstein, Evelyn, et retrouvé son ancienne femme de ménage. Mais Carey concluait que c'était un « travail de remueurs de vase » dans lequel « Einstein ne pouvait rien faire de bon et méprisait les femmes tout en attendant qu'elles lui courent après. (...) Peut-être battait-il Mileva [sa première femme]. (...) Peut-être mourut-il de syphilis, mais aucune source médicale ne permet de l'affirmer[3] ».

Les archives nous permettent heureusement d'assembler les pièces manquantes de la vie d'Einstein. On y trouve la correspondance qu'il échangea avec deux femmes qu'il aima, et des preuves irréfutables de l'existence d'une fille naturelle. Il est pour la première fois possible de raconter presque tout, souvent du point de vue vivant des protagonistes.

La vie d'Einstein telle que je la découvris était faite de triomphes et d'ironies tragiques. Le savant emporté par son esprit aux confins de l'univers avait un fils schizophrène incapable de traverser la rue. Le pacifiste qui n'aurait, littéralement, pas fait de mal à une mouche se sentit obligé de faire pression pour la fabrication d'une bombe dévastatrice. L'humaniste qui manifestait son intérêt et sa compas-

---

\* *Einstein, créature et rebelle.* Éd. du Seuil, 1979.
\*\* *Einstein, une vie.* Interéditions, 1993.

sion envers les enfants d'inconnus négligea ses propres fils et garda secrète la naissance de son premier enfant. L'amoureux de la solitude était constamment entouré de femmes, poursuivi par la presse et assailli par des foules. Le démocrate convaincu fut continuellement accusé d'être communiste ou manipulé par les communistes.

Ce récit surprendra ceux qui veulent inébranlablement voir en lui un saint laïque exclusivement voué à la recherche et à la résolution des mystères cosmiques. Il étonnera parce qu'il explore ce que les précédents biographes ont laissé de côté ou couvert superficiellement — sa vie privée, le Einstein de tous les jours. Il révèle un personnage beaucoup plus attirant, complexe et discutable. Il se dresse toujours dans toute sa gloire, mais avec une auréole légèrement de guingois. Il n'en est, bien sûr, pas moins un génie, mais un génie peut-être plus attachant.

Denis BRIAN

West Palm Beach, Floride, et Rockport, Massachusetts,<br>octobre 1995.

# 1

# Enfance et jeunesse

*1879-1895*
*De la naissance à 16 ans*

« Trop gros ! Beaucoup trop gros ! » s'exclama la grand-mère d'Albert Einstein à la naissance du bébé, le 14 mars 1879 à Ulm, en Allemagne[1]. Une tête difforme et enflée surmontait un corps obèse. Les parents inquiets consultèrent un médecin qui leur assura que les déformations disparaîtraient avec le temps. Il avait raison. Tout devint normal en quelques mois, à l'exception de l'arrière du crâne qui demeura bizarrement anguleux.

Mais les parents n'étaient pas au bout de leurs soucis. La suite est controversée. Einstein lui-même racontera qu'il n'avait pas commencé à parler avant l'âge de trois ans et que sa famille craignait qu'il ne fût retardé. Il s'était consciemment limité à un gazouillement de bébé tant qu'il n'avait pas été capable d'articuler des phrases complètes. Il maintiendra cette version toute sa vie, expliquant par exemple en 1954, un an avant sa mort : « Mes parents se sont inquiétés parce que j'ai commencé à parler relativement tard. Ils ont même consulté un médecin. Je ne peux pas vous dire quel âge j'avais à l'époque, mais certainement au moins trois ans. »

Son récit est contredit par une lettre de sa grand-mère Jette Koch, qui était folle de lui. Revenant de chez les Einstein alors qu'Albert avait seulement deux ans et trois mois, elle écrivit à un parent : « Il a été vraiment sage et adorable, et nous n'avons pas

13

arrêté de nous extasier de ses idées amusantes[2]. » Comment aurait-il pu communiquer des idées amusantes sans parler ?

La sœur cadette d'Einstein, Maja, née le 18 novembre 1881, abonde dans le sens de leur grand-mère. Elle rapporte, sans doute d'après ce que ses parents lui ont dit, qu'à sa naissance Albert, à qui on avait promis qu'il aurait un nouveau bébé avec lequel jouer, l'accueillit d'un « Où sont les roues ? » mécontent. Pas mal pour un « retardé » de deux ans et demi !

Il semble incontestable qu'Albert parla tard, mais pas autant qu'il voulut bien le dire. Il réservait pour quelques privilégiés un langage visiblement acquis. C'était l'équivalent chez l'enfant d'un adulte introspectif.

Le couple Einstein avait de nombreux parents dans le sud de l'Allemagne, mais Albert n'a pas connu ses grands-parents paternels. Le père de Hermann, Abraham Einstein, qui laissa la réputation d'un homme bien et intelligent, et sa mère, Hindel, moururent tous deux quand Albert était encore bébé. Son grand-père maternel, Julius Derzbacher, boulanger dur au labeur de la petite ville de Cannstatt, prit le nom de Koch et fit fortune dans le commerce des céréales. Il était associé avec son frère et leurs deux familles partageaient la même maison. Maja raconta que « leurs femmes partageaient aussi la cuisine qu'elles faisaient à tour de rôle... une semaine chacune. Ce genre de répartition des tâches est déjà rare, pas seulement en Allemagne, mais la leur est d'autant plus remarquable qu'elle a duré pendant des dizaines d'années sans la moindre dispute[3] ». La grand-mère d'Albert, Jette, celle qui s'alarma tant à sa naissance, était le pilier de cette harmonie. C'était une femme gentille et sensible que tout le monde aimait, et dont l'humour désarmait les explosions de colère de son mari.

Le père d'Albert, Hermann, habituellement inébranlable, se faisait du souci pour l'entreprise familiale d'électrochimie. Son frère et associé, Jakob, lui avait proposé d'abandonner le navire avant qu'il ne coule. Pourquoi rester dans un coin perdu ? L'intérêt d'Ulm se limitait à une cathédrale et à son orgue, le plus puissant du pays. La florissante capitale politique et intellectuelle de l'Allemagne du Sud, Munich, leur tendait les bras, à moins de cent cinquante kilomètres de là. Le jeune frère dynamique et ambitieux décrivait une métropole vibrante qui réclamait à cor et à cri le passage du gaz à la lumière électrique. Et Hermann marcha.

Les Einstein quittèrent leur petit appartement pour une grande maison accueillante partagée avec Jakob, au milieu d'un jardin ombragé, dans la banlieue de Munich. Les deux frères ajoutèrent la plomberie à leur affaire électrochimique, en prévoyant d'employer leurs bénéfices pour produire et commercialiser une dynamo que Jakob venait d'inventer.

Malgré ses inquiétudes des premières semaines, le couple Einstein ne passa guère de temps à dorloter son premier-né, qui apprit très tôt à se débrouiller seul. Selon sa sœur, le petit Albert n'avait pas encore quatre ans que ses parents l'encourageaient déjà à se promener dans le quartier et même à traverser la rue. Après l'avoir surveillé en douce les premières fois pour vérifier qu'il regardait des deux côtés, ils le livrèrent à lui-même. Même si la circulation se limitait à des voitures à chevaux, l'aventure n'était pas sans risque pour un enfant de quatre ans.

Munich offrait d'autres possibilités qu'Ulm, mais la concurrence y était féroce. Et les frères Einstein connurent de nouvelles difficultés. Hermann réagit avec son sang-froid habituel, apparemment convaincu que, si ses affaires ne s'arrangeaient pas, son riche beau-père lui lancerait à temps une bouée de secours.

Tout cela n'empêcha pas Pauline d'entreprendre de transmettre à Albert sa passion pour la musique. Elle lui acheta un violon et engagea un professeur. Le garçon refusa brutalement de coopérer et, dans une crise de colère, alla jusqu'à lancer une chaise sur l'enseignante qui se sauva illico pour ne jamais revenir. La mère, têtue, trouva un remplaçant. Le petit Albert était de son côté toujours prompt à s'exprimer avec la première arme qui passait à portée de sa main. Mais le nouveau professeur était plus dur à cuire que le premier et les leçons se poursuivirent sous la contrainte.

Dans les rares occasions où il rencontrait des enfants de son âge, Albert redevenait le spectateur muet et renfermé de ses premières années. Sa famille le considérait comme un gentil petit garçon qui ne se chamaillait jamais et ne se mêlait des querelles des autres enfants que pour les séparer. Le premier professeur de musique avait découvert l'autre Albert. C'était au tour de la jeune sœur de faire les frais de la férocité du garçon.

Maja évita maintes blessures en détectant la survenue des crises de rage de son frère à la teinte jaune que prenait la figure de celui-ci, et en se mettant à l'abri à temps. Le signal d'alarme n'était, hélas ! pas d'une fiabilité absolue car une boule de bowling lui frôla un jour la tête et elle reçut, une autre fois, un coup de binette sur le crâne.

Elle dira avec raillerie des années plus tard, quand son frère se sera converti en un pacifiste incapable d'écraser une mouche : « Il faut avoir la tête dure pour être la sœur d'un penseur[4]. »

Le « penseur » se manifesta brusquement à l'âge de cinq ans chez ce jeune Jekyll and Hyde, à l'occasion d'une maladie qui le cloua

15

au lit. Son père lui offrit une boussole pour le distraire. Intrigué et perplexe, Albert s'abstint de la jeter sur sa sœur et la secoua, la retourna, en espérant la prendre par surprise. Quelle force invisible pouvait bien diriger constamment l'aiguille vers le nord ? On aurait dit un pigeon voyageur muni d'un instrument de direction interne. Il se colleta avec le mystère pendant longtemps en essayant de trouver la solution par lui-même.

Ses instituteurs furent loin de le considérer comme un penseur lorsqu'il entra à l'école primaire, deux ans plus tard, et ravivèrent même les craintes d'arriération mentale. Sa mère avait peut-être eu tort de lui faire prendre des cours particuliers à domicile jusqu'à l'âge de sept ans. Le précepteur avait certes diagnostiqué avec emphase que son fils était un petit prodige, mais, en prolongeant l'isolement du jeune garçon, elle avait contribué à façonner l'inadapté qu'il était déjà enclin à devenir.

Son manque total d'intérêt envers le sport et ses manœuvres pour échapper aux cours d'éducation physique le coupèrent de ses camarades de classe. Quant aux enseignants, ils le considérèrent comme stupide à cause de son comportement étrange et de son incapacité à apprendre par cœur. Il ne répondait jamais aux questions de la manière claire et concise attendue par les maîtres, mais toujours avec hésitation. Et après avoir fini de parler il continuait à bouger les lèvres en répétant silencieusement les mots.

C'était visiblement sa façon de se plier aux méthodes d'enseignement machinal. Des coups de règle sur les doigts sanctionnaient les mauvaises réponses. Albert jouait sur le temps pour préparer ses réponses et s'éviter souffrance et humiliation. Et après avoir répondu il s'examinait en silence pour vérifier qu'il ne s'était pas trompé.

La crainte avait jusque-là suffi aux instituteurs prussiens pour fabriquer sans anicroche le produit désiré : des sujets obéissants et disciplinés. Albert leur échappait. Ils étaient incapables de comprendre qu'ils avaient en face d'eux un génie en herbe.

Ces années d'école préfiguraient sa vie entière. Délaissant ce qui l'ennuyait, il s'absorbait en revanche dans ce qui l'intéressait avec la concentration d'un horloger. Par exemple, Maja l'observa un jour en train d'édifier lentement et avec précaution un château de cartes. Elle avait vu d'autres gens pratiquer l'exercice et s'y était elle-même essayée, mais ses constructions n'avaient jamais dépassé quatre étages avant de s'effondrer. Son frère s'acharna jusqu'à ce que son édifice atteignît la hauteur impressionnante de quatorze niveaux.

Au bout de deux années d'école primaire, il montrait un talent pour les mathématiques et le latin, dont la logique lui plaisait, mais il était désespérant dans les autres matières, où il s'attirait reproches et coups de règle sur les doigts. Il répondait par un léger sourire.

Les mauvais bulletins scolaires et les brimades échouèrent à briser son esprit têtu et indépendant. Une photo de classe datant de 1889, alors qu'il avait neuf ans, est un merveilleux témoignage de son élasticité. Debout au premier rang, troisième à partir de la droite, Albert Einstein est le seul des vingt-trois élèves à sourire ! Tous les autres ont l'air abattu, brisé, effrayé même, comme s'ils posaient dans un *casting* pour *Oliver Twist*. Albert Einstein, le paria, est le seul rayon de lumière d'une scène misérable.

La photo fut peut-être prise un jeudi. Cela expliquerait le sourire. En effet, un étudiant en médecine sans le sou vint régulièrement, pendant des années, déjeuner chez les Einstein ce jour-là, selon une pratique charitable des Juifs de la région à cette époque. Albert rattrapait largement lors de ces repas du jeudi ce qu'il manquait à l'école. L'étudiant s'appelait Max Talmud (qu'il transforma plus tard en Talmey) et était âgé de vingt et un ans. Sentant l'appétit intellectuel de l'enfant, il le nourrissait avec les dernières découvertes scientifiques, lui recommandait des livres de savants révolutionnaires et discutait avec lui de mathématiques et de philosophie, comme s'ils étaient du même âge. Une ambiance épanouissante.

Albert accomplissait des prouesses quand l'oncle Jakob arrivait aux séminaires du déjeuner avec d'astucieux problèmes mathématiques. Quand il trouvait la solution, il lançait des cris dignes d'un footballeur qui vient de marquer un but difficile. Et il fut captivé par une discipline que Jakob lui décrivait comme « une science joyeuse dans laquelle on chasse un petit animal qu'on appelle $x$ parce qu'on ignore son nom. On lui en donne un après l'avoir tué ».

Ce fut la seule chasse de la vie d'Einstein. Il expliqua un jour son aversion pour cette activité en citant « une remarque que [lui] fit Walther Rathenau [ministre des Affaires étrangères de la république de Weimar] : "Un Juif qui prétend chasser pour s'amuser est un menteur." On ne peut exprimer plus simplement le sens juif du caractère sacré de la vie[5] ».

Il eut sa première et « délicieuse » rencontre avec la géométrie à l'âge de onze ans. Sa découverte d'Euclide fut l'une des grandes joies de son existence, « un premier amour éblouissant ». (Il se rappellera clairement plus tard ces événements de sa jeune enfance. C'étaient les détails personnels, dira-t-il, qui lui échappaient.)

Dieu attendait pendant ce temps son heure dans les coulisses. Le Tout-Puissant était au mieux un personnage discret dans la famille Einstein dont les deux parents étaient agnostiques. Ils discutaient parfois des traditions juives avec leurs proches, mais le père d'Albert mettait dans le même sac avec une impartialité moqueuse les « vieilles superstitions » de toutes les religions.

Il était le seul Juif d'une classe catholique, en majorité écrasante, mais ne se sentait ni différent ni déplacé[6]. Et il ne prit pas comme une attaque personnelle le fait qu'un enseignant brandisse un énorme clou et le compare à ceux de la crucifixion, en guise de démonstration édifiante destinée à animer le cours d'instruction religieuse. Albert n'y vit qu'une mauvaise tentative pour susciter la compassion. Racontant plus tard l'anecdote à son biographe et ami Philipp Frank, il estimera qu'une illustration trop réaliste de la brutalité était davantage susceptible d'éveiller un sadisme latent que d'engendrer la pitié pour les victimes de cruautés. Crucifixion mise à part, il fut content d'étudier le christianisme. Cela lui rappelait des traditions juives qu'il entendait parfois évoquer chez lui et lui procurait le sentiment rassurant d'habiter un monde harmonieux et humain.

L'État exigeait qu'il reçût une formation religieuse. Ses origines le désignaient d'office pour des cours de judaïsme, bien que ses parents fussent non croyants. Mais nul n'était capable de lui enseigner le judaïsme, ni chez lui ni au lycée. Un parent éloigné proposa ses services et connut un succès spectaculaire.

Dire que Dieu fut une révélation pour Albert serait trop faible. Ébloui, illuminé, il abandonna les mathématiques et la science pour la sagesse de Salomon et les préceptes religieux de ses ancêtres, et se consacra au culte du maître de l'univers. L'extase religieuse le métamorphosa en un extraverti qui débitait en allant et en revenant de l'école des chansons de sa composition à la gloire du Seigneur. Ses parents stupéfiés mais indulgents firent comme si de rien n'était, se contentant de résister quand il tenta de les empêcher de manger du porc.

Au bout d'un an, la foi finit par céder le terrain à la raison. Sa fascination pour la science et la philosophie le détourna insensiblement de son prosélytisme et il défroissa ses ailes intellectuelles sous les encouragements de ses parents, de l'oncle Jakob et de l'ami Max Talmud. À treize ans, il s'attaqua seul aux mathématiques supérieures et aux hypothèses complexes d'Emmanuel Kant, une entreprise ardue à tout âge.

Kant avait avancé des idées bizarres, comme celle que toutes les planètes avaient été ou seraient un jour habitées. Et, comme un chansonnier, il pimentait son discours d'apartés cinglants, éreintant les philosophes pontifiants nichés dans les hautes tours de la spéculation, là « où il y a, en général, beaucoup de vent[7] ». Ses développements sur le temps et l'espace, qui ne sont pas des produits de l'expérience mais des élaborations dont nos esprits recouvrent les perceptions de nos sens, renforcèrent l'intérêt d'Einstein pour ces questions qui l'attiraient déjà.

Einstein aurait certainement choisi le camp de Kant dans la polémique que ce dernier eut avec un autre philosophe, Johann Wolfgang von Goethe, qui s'indigna des assertions de Kant sur les femmes. Étant lui-même fou des femmes — après avoir séduit la fiancée d'un ami, il s'était entiché d'une mère de sept enfants — Goethe répondit ainsi : « L'affirmation qu'il [Kant] a répétée à plusieurs reprises, selon laquelle les jeunes femmes cherchent à être attractives pour avoir un mari potentiel en attente dans le cas où le leur mourrait, est une plaisanterie de l'acabit de celles qu'un mauvais plaisant commet dans une soirée. Il n'y a qu'un vieux célibataire comme lui pour dire une chose pareille[8]. »

Le plaisantin de mauvais goût des uns est parfois l'humoriste préféré des autres. Les assertions de Kant n'étaient pas différentes de celles d'Einstein à l'âge adulte. Celui-ci dira par exemple un jour : « On peut concevoir que la nature ait créé un sexe sans cerveau[9]. » Mais les auteurs qui rapportent ses railleries oublient souvent son sens de l'humour toujours en éveil, ou le sourire qui accompagnait ses propos.

Kant alla jusqu'à avancer que Dieu n'existait pas. Les dévots allemands, le clergé surtout, enragèrent et certains se mirent à baptiser leurs chiens « Kant », offrant ainsi une publicité gratuite au philosophe excentrique dont le nom fut crié dans tout le pays. Mais Kant se rétracta rapidement et concéda que l'existence de Dieu était au minimum possible. (Kant douta dans la *Critique de la raison pure* et se rétracta dans la *Critique de la raison pratique*.) Einstein fit le parcours inverse. Après avoir eu la foi lorsqu'il était enfant, il rejeta toute sa vie l'idée d'un Dieu qui se tiendrait derrière les hommes. Il partageait cependant de nombreuses opinions de Kant, notamment sur le fait qu'un gouvernement mondial serait la seule façon de supprimer les guerres.

S'il abandonna sa ferveur religieuse aveugle avec l'impression qu'on lui avait fait croire en des mensonges, Einstein ne perdit toutefois jamais son respect pour les aspects moraux et esthétiques de certains enseignements chrétiens et juifs. Ne se rattachant à aucune secte, rebuté par les règles rigides et les contraintes imposées par la plupart des religions établies, il fut tout de même considéré comme profondément religieux par ses proches. On cite son émerveillement presque enfantin devant les splendeurs de l'univers, sa croyance en une harmonie suprême, sa préoccupation pour le sort des hommes et son engagement actif pour la justice sociale. Sans oublier ses allusions fréquentes à l'intelligence cosmique.

La philosophie et la science ne furent pas les seules passions qui succédèrent à sa brève aventure religieuse. Le professeur de littérature, M. Ruess, lui fit découvrir des auteurs qui deviendraient ses écrivains favoris, comme Schiller, Shakespeare ou Goethe. Son père lisait parfois à haute voix, le soir après le dîner, des passages de ces mêmes auteurs. Ruess était l'un des rares enseignants qu'Albert aimât, notamment parce qu'il ne demandait jamais d'apprendre par cœur. Einstein se rappellera cinquante ans plus tard son émotion à la lecture du poème de Goethe « Hermann et Dorothée », « le triomphe d'un art qui dissimule l'art » selon le spécialiste de Goethe, Walter Alison Phillips. Phillips poursuit : « Dans ce morceau, Goethe a pris une simple histoire villageoise, l'a reflétée dans les idées les plus fécondes de son temps et l'a racontée avec un style qu'on pourrait qualifier d'homérique. »

Ses années de cours de musique obligatoires firent d'Einstein, contre toute attente, un authentique mélomane. Il était presque aussi inséparable de son violon que de sa pipe. Personne n'y prenait autant plaisir que Maja qui passa de nombreuses soirées à écouter sa mère et son frère jouer des duos, le plus souvent des sonates de Mozart ou de Beethoven. C'était plus agréable que les coups de binette. Après le violon, Albert passa au piano qui lui plut tellement que Maja se rappelle qu'il « cherchait en permanence à inventer de nouvelles harmonies et transitions[10] ». Il utilisait aussi la musique comme aide pour son travail. Sa sœur le vit plus d'une fois résoudre un problème après une séance de violon ou de piano. Il s'arrêtait parfois soudain, l'archet à la main, en s'écriant : « Ça y est ! J'ai trouvé ! »

S'il avait seulement pu résoudre les difficultés de l'entreprise familiale avec quelques partitions de musique ! La concurrence difficile et les légèretés de Hermann qui assurait la direction ruinaient la société munichoise. Ils n'avaient même pas réalisé assez de bénéfices pour commercialiser la dynamo de Jakob.

Comme l'optimiste Hermann l'avait anticipé, la famille vint à leur rescousse. Les riches Koch de Gênes proposèrent de les aider, Jakob et lui, à monter une autre affaire, également dans l'équipement électrique. À une condition. Il devrait déménager à nouveau, hors du pays cette fois, pour s'installer en Italie. Les investisseurs auraient ainsi la possibilité de surveiller de près leur capital et de contrôler les impulsions trop généreuses de Hermann envers des gens en difficulté. L'offre fut acceptée. Albert demeurerait seul à Munich.

Ce dernier, âgé de quinze ans, sera bientôt appelé au service militaire. Et la loi exigeait des jeunes Allemands physiquement aptes qu'ils satisfassent à leurs obligations militaires avant de sortir du pays. Albert dut rester pour achever le lycée et manier le fusil pendant que le reste de la famille, y compris l'oncle Jakob, partait vers une nouvelle vie dans l'Italie ensoleillée, à Milan, non loin de la nouvelle usine de Pavie.

Il quitta avec regret sa maison chaude et accueillante et son jardin arboré, pour une existence solitaire dans un pensionnat. Il n'avait aucun ami à retrouver après les cours et son seul visiteur était un lointain parent qui passait le voir de temps à autre.

Il écrivait régulièrement à sa famille, mais sans rien laisser transpirer d'une dépression croissante. Le lycée était devenu un cauchemar. Il redoutait des enseignants qui le toléraient à peine et des camarades de classe qui lui battaient froid. On traitait comme un phénomène étrange ce garçon de bonne constitution qui ne tapait jamais dans un ballon, préférait lire que courir et n'était pas enthousiasmé par la perspective de servir dans l'armée.

Le grec était son pire supplice. Le professeur était tellement exaspéré qu'il donnait son cours comme si Albert n'existait pas. Assis au fond de la salle, celui-ci n'entendait pas toujours ce qui se disait et ne comprenait, de toute façon, certainement pas grand-chose. Il faisait acte de présence, s'ennuyait et affichait un léger rictus qui était peut-être davantage l'expression de sa gêne qu'un acte de dérision. Le maître finit par lui expliquer, dans un allemand cru, qu'il n'arriverait jamais à rien, qu'il faisait perdre son temps à tout le monde et qu'il ferait mieux de laisser tout de suite tomber le lycée.

Le garçon objecta qu'il n'avait rien fait de mal. « Mais vous êtes assis là, au fond, avec un sourire. Et cela sape le respect dû par une classe à son maître. »

Albert mourait d'envie d'exaucer les vœux du professeur de grec et de quitter le lycée. Incapable de cacher son désarroi plus longtemps, il discuta de la situation avec le médecin de famille chez lequel il se rendit pour une maladie bénigne. Le véritable Einstein n'était pas le Bouddha calme et imperturbable de l'imagerie populaire. Le docteur lui remit un certificat selon lequel il était au bord d'une dépression et devait impérativement se retaper quelque temps dans sa famille.

Albert montra la lettre du médecin à son professeur de mathématiques, l'un des rares enseignants qui auraient aimé qu'il restât, pour s'en faire un allié. L'homme, conscient de la situation, sut être compatissant. Il écrivit un mot disant que l'élève Einstein était si doué en mathématiques qu'il ne pouvait plus lui apprendre grand-chose.

Albert emporta ces sauf-conduits chez le principal du lycée. Et l'opération réussit. Il était libre. S'il avait attendu jusqu'à l'âge de seize ans, il aurait dû effectuer son service militaire avant d'être autorisé à rejoindre sa famille à l'étranger.

Il était en fait réellement au bord d'une dépression dont le retour au sein de sa famille, en Italie, fut l'efficace thérapie. Maja ne l'avait jamais vu en d'aussi bonnes dispositions. Il se fit rapidement des amis. Le moment était pourtant mal choisi. Son père, qui se démenait pour faire décoller ses nouvelles affaires, accueillit froidement un fils qui avait abandonné l'école et était une charge supplémentaire. Ils se disputaient continuellement sur son avenir. Ce qui n'empêchait pas Albert de se laisser vivre et de ne bouger que pour aller visiter des musées et des galeries d'art à Milan, ou pour découvrir le pays avec ses nouveaux compagnons.

Si on insistait, il avançait qu'il aimerait peut-être enseigner la philosophie, notamment Kant. C'en était trop pour son père que « l'absurdité de la philosophie » irritait et qui le poussait à acquérir un métier, celui d'ingénieur électricien par exemple. Ni le père ni le fils ne semblent avoir perçu l'ironie de cette recommandation d'une voie sur laquelle la famille se retrouva trois fois en faillite.

Albert se débattit férocement en clamant que la simple pensée d'un travail pratique lui était « insupportable ». Il s'accrochait à son rêve d'enseigner la philosophie, rêve que son départ du lycée avait rendu inaccessible en lui fermant les portes des universités.

Seuls des métiers pratiques lui restaient ouverts, et les meilleurs d'entre eux nécessitaient une formation dans un collège technique. Albert n'avait pas le choix.

Hermann l'emporta. Il convainquit son fils de supporter l'insupportable et de suivre des études d'ingénieur électricien.

Albert visa haut — l'École polytechnique de Zurich. C'était un collège technique suisse de réputation internationale et qui offrait accessoirement l'avantage qu'on n'était pas obligé d'achever le lycée pour y entrer. Ému par la situation critique de son père, Albert accepta, dans la foulée, de donner un coup de main à l'affaire familiale en déroute.

Maja fut stupéfaite du changement intervenu chez son frère en six mois. Le rêveur nerveux et renfermé était devenu un jeune homme agréable et ouvert, doté d'un sens de l'humour acerbe. Était-ce l'air italien ? La chaleur de la population ? Son évasion du purgatoire ?

Sa capacité à se concentrer comme un rayon laser sur ce qui

l'intéressait, quoi que ce fût, n'avait pas changé. Albert aimait à se joindre à la compagnie, muni d'une plume, d'un encrier et d'un cahier, lorsque la famille recevait des amis et que le salon bruissait de conversations et de musique. Il se coinçait dans le sofa, posait la bouteille d'encre sur l'accoudoir et se mettait à travailler sans se laisser distraire.

Son oncle préféré, Caesar Koch, montrait fièrement le projet, conçu par Albert, d'une expérience destinée à élucider les relations entre l'électricité, le magnétisme et l'éther. Le protocole dénotait une démarche d'esprit originale, même si elle n'avait aucune chance d'aboutir puisqu'on démontra plus tard que l'éther n'existait pas.

Albert tint parole et partagea son temps entre l'entreprise familiale et la préparation de son examen d'entrée. Un jour que l'oncle Jakob et un ingénieur s'acharnaient vainement depuis des heures sur des calculs nécessaires à la résolution d'un problème technique, il proposa son aide et trouva la réponse en un quart d'heure. Jakob reprit avec enthousiasme les prédictions de Caesar sur l'avenir qui attendait le jeune garçon.

Le recalage d'Albert à l'examen d'entrée de l'École polytechnique de Zurich fit d'autant plus l'effet d'un choc dans ce concert de louanges. Il avait séché sur le français, la chimie et la biologie, matières qu'il avait négligées par manque d'intérêt.

Ses oncles n'étaient pas les seuls à détecter chez lui des dons inhabituels. Le professeur de physique de l'École polytechnique, Heinrich Weber, avait été si impressionné par les excellents résultats du garçon en mathématiques et en sciences qu'il lui proposa d'assister à ses cours en auditeur libre. Prenant en considération le fait qu'Albert avait deux ans de moins que la plupart des autres candidats, le principal Albin Herzog proposa de l'admettre sans examen l'année suivante. Il lui suffisait d'obtenir le baccalauréat au lycée de son choix. L'échec s'était presque transformé en triomphe.

# Premier amour

*1895-1897*
*De 16 à 18 ans*

Les Einstein choisirent un lycée d'Aarau, une petite ville suisse nichée dans une vallée à quarante kilomètres à l'ouest de Zurich et à quelques heures de marche de la frontière allemande. La population, en majorité protestante, était germanophone et Albert n'aurait pas à apprendre une nouvelle langue. Autre avantage, un enseignant, Jost Winteler, avait proposé de loger Albert chez lui. Sa femme Pauline et lui avaient quatre fils et trois filles, mais le garçon aurait une chambre individuelle et un bureau. Albert aurait préféré n'importe quoi à la solitude d'un pensionnat. L'offre fut acceptée. Les Koch payèrent les frais de scolarité.

Les Italiens étaient les gens les plus raffinés qu'il ait jamais connus, se disait Albert tandis qu'il faisait route vers le nord de la Suisse. Et il craignait d'être à nouveau livré à la merci d'enseignants froids et rigides, dans cette région germanique.

Il se sentait comme un prisonnier en cavale retournant vers la captivité pour une année de discipline de fer et de travaux forcés. Et dans quel but ? Pour préparer quelque chose qu'il méprisait — un travail « pratique » !

Mais son humeur changea à l'approche de sa destination. L'air frais des montagnes et la traversée de prairies chatoyantes, de forêts et de vignes dissipèrent ses craintes. Il se rappellera toute sa vie cette première impression éclatante que lui fit Aarau, « oasis inoubliable dans cet oasis européen, la Suisse ».

La famille Winteler s'harmonisait parfaitement avec le décor. Les enfants le traitèrent comme l'un d'entre eux et les parents lui témoignèrent tant d'affection qu'il les appela bientôt « papa » et « maman ».

Jost Winteler, qui enseignait l'histoire et la littérature classique, donnait un aperçu de sa pédagogie durant les repas en entretenant des conversations animées et en encourageant chacun à aborder librement n'importe quel sujet. Il cherchait à attirer, plutôt qu'à s'imposer. Aarau serait un paradis comparé à Munich si les autres professeurs étaient ne serait-ce qu'un pâle reflet de Winteler.

Mais même le paradis avait ses revers. Le programme d'Albert comportait des cours de chant, de gymnastique et d'instruction militaire. L'idée de chanter ou de faire du sport en public lui répugnait et il était allergique à l'armée depuis son enfance. Gamin, le spectacle d'une troupe de soldats le faisait fondre en larmes.

Il fut rapidement soulagé d'apprendre que les deux premières matières étaient optionnelles, et que le maniement du fusil et la marche au pas n'étaient obligatoires que pour les citoyens suisses. L'expatriation avait du bon. Il était tiré d'affaire.

Il se délecta de l'atmosphère détendue dans laquelle les professeurs discutaient librement avec les lycéens de sujets controversés, y compris de politique, ce qui était impensable en Allemagne. On encourageait les élèves à concevoir et pratiquer leurs propres expériences de chimie, à la seule condition de ne pas faire exploser le bâtiment. Il se consacra surtout aux matières dans lesquelles il avait échoué à Zurich : chimie, français et biologie. Et alors que la plupart de ses camarades de classe pratiquaient le chant, il prit des leçons de violon.

Jost Winteler organisait des sorties à la campagne pour observer des oiseaux rares, le week-end, avec ses deux enfants aînés et quelques étudiants. La troupe guettait les mouvements de couleurs au milieu des jacinthes, des renoncules et des rhododendrons vermillon, dans un silence seulement troublé par les voix étouffées, les cloches des vaches et le chant des oiseaux. Albert y retrouvait Marie, la fille des Winteler. C'était une jeune femme sensible et affectueuse, qui se destinait à être enseignante comme son père. Ces expéditions étaient les seules occasions qu'avaient les deux jeunes gens d'être seuls ensemble, et ils passaient davantage de temps à se dévisager qu'à étudier la faune. Albert s'était entiché de nombreuses jeunes Italiennes qui étaient tombées sous son charme, mais avait toujours gardé ses distances et la tête froide. Il se pâmait maintenant d'amour.

Il ne se désintéressait pas pour autant des autres enfants de la famille dont il s'attirait les grâces en leur construisant des cerfs-volants faits de papier et de tiges de bois, qu'il faisait ensuite évoluer avec eux.

Peut-être passa-t-il trop de temps à s'amuser et interpréter des morceaux de musique avec Marie — elle au piano, lui au violon — car son bulletin scolaire de décembre 1895 s'orna des hauts et des bas coutumiers, hauts en mathématiques et physique, bas en français et dans presque toutes les autres matières. Le père d'Albert rassura Jost Winteler, qui s'inquiétait. Il avait l'habitude que son fils « obtienne des notes pas très bonnes à côté d'autres qui sont excellentes[1] ».

Albert semblait partager la confiance de son père. Loin de bachoter, il consacra ses loisirs des mois suivants à l'orchestre du lycée et aux expéditions ornithologiques. Il prit même une part active à une journée folklorique locale du mois de mai, au cours de laquelle un camarade de classe, Emil Ott, le vit se comporter d'une façon qui ne lui ressemblait guère.

Un simulacre de bataille à l'épée entre les élèves du lycée et des garçons de la ville était au menu de ces festivités traditionnelles. Les lycéens arboraient des costumes macabres qui visaient certainement davantage à impressionner les spectatrices que les adversaires, costumes faits de vestes d'escrime et de chapeaux hauts de forme noirs, décorés de crânes blancs. Albert accepta à la dernière minute d'entrer dans l'équipe à laquelle manquait un combattant. Ce qui est la preuve, remarqua Ott, que malgré des convictions pacifistes déjà bien ancrées Einstein n'était pas un rabat-joie. Mais un violent orage s'abattit sur le terrain avant le début des hostilités, qui furent annulées. Albert ne fut pas averti et demeura seul sur place, la pluie dégoulinant de son couvre-chef, l'épée brandie, alors que tout le monde avait couru s'abriter. Ce fut la première et la dernière fois qu'on le vit une arme à la main.

Il était, en revanche, inséparable de son violon, son « enfant chéri » selon le mot de Marie. Notamment quand il se rendait dans sa famille qui avait emménagé dans une maison modeste de Pavie, après une année milanaise tumultueuse sur le plan des affaires. Albert ne ratait jamais une occasion de jouer avec les jeunes filles du pays.

Ses lettres trahissent son souci de ménager la sensibilité de Marie à laquelle il écrivait qu'il préférait mille fois l'avoir comme partenaire. Les Italiennes pour lesquelles il avait eu le béguin peu de temps auparavant étaient maintenant des chochottes collet monté, maniérées et habillées de façon trop recherchée. Leur prétention à jouer d'une manière à la fois rapide et parfaite l'irritait. Il s'enfuyait dès qu'il le pouvait. Les rues étaient vieilles et les maisons miteuses. Seuls les enfants trouvaient grâce à ses yeux.

Un camarade de classe d'Albert, Hans Byland, contrebassiste dans l'orchestre du lycée, lui tresse des louanges. « Il jouait avec une telle flamme ! » se souvient-il. Le violon de son compagnon semblait repousser les murs de la pièce quand ils exécutaient ensemble des sonates de Mozart dans le réfectoire du lycée. La métamorphose d'Einstein était telle que Byland voyait en lui une double personnalité, la musique révélant des émotions profondes cachées par un extérieur ombrageux. Comme on lui demandait un jour s'il marquait la mesure, Einstein répondit dans un rire : « Mon Dieu, non ! Je l'ai dans le sang[2] ! »

Mais, les dernières notes retombées, il rentrait dans sa carapace protectrice et retrouvait « son attitude de philosophe amusé et son ironie spirituelle qui cinglait toute prétention ou affectation ». « Il détestait toute démonstration de sentiments et gardait la tête froide même dans une atmosphère agitée. » Byland nota aussi la chance qu'avait Albert de vivre chez les Winteler : « Le destin a voulu que ce penseur rationnel plantât sa tente dans la famille Winteler aux tendances romantiques, où il fut parfaitement heureux[3]. »

Byland décrit « un jeune homme charismatique qui marchait énergiquement, d'un pas rapide. (...) Rien n'échappait à ses yeux vifs et marron. Les gens qui l'approchaient tombaient sous le charme de sa personnalité supérieure. Une moue sarcastique de sa bouche charnue à la lèvre inférieure saillante n'incitait, en revanche, pas les philistins à se frotter à lui[4] ».

C'était aussi un causeur sophistiqué, intelligent et instruit qui avait déjà beaucoup voyagé. Car, cherchant peut-être à rattraper ses années de silence docile, Einstein exprimait désormais souvent ses pensées, aussi provocatrices fussent-elles.

Byland et lui participèrent ensemble à une expédition dans le Jura sous la conduite du professeur de géologie, Fritz Muhlberg. La géologie était tout sauf passionnante pour Albert, mais il trouvait cet enseignant original et intéressant. Des élèves qui n'appréciaient pas les manières brusques de Muhlberg se contentèrent de maugréer. Pas Einstein. Quand le géologue lui demanda de son habituel ton bourru : « Alors, Einstein, comment est-ce que les couches s'étendent, ici, de bas en haut, ou l'inverse ? », il répondit : « Ça ne change pas grand-chose pour moi, la direction dans laquelle elles s'étendent, monsieur le Professeur. »

Cette réponse impudente démontre, pour Byland, le caractère entier d'Einstein et son « amour courageux de la vérité », une disposition qui conférait à sa personnalité un certain cachet et qui, à long terme, devait impressionner « même ses détracteurs[5] ».

Ott garda le souvenir d'un camarade de bonne composition, Byland était dithyrambique sur sa personnalité dynamique et sa maîtrise du violon. Ils se divertissaient tous les deux de répliques telles que celle donnée au professeur Muhlberg. Mais ni Ott ni Byland ne pressentirent l'éclosion d'un génie.

Les occupations extrascolaires d'Einstein consistaient pourtant, par exemple, à apprendre tout seul le calcul et spéculer sur la scission de l'atome. Il commença aussi à réfléchir à la lumière, en se demandant notamment ce qui se passerait si on pouvait traverser l'espace à la vitesse d'une onde lumineuse. Ce vol imaginaire qui semblait tenir de Jules Verne plus que de la spéculation scientifique deviendrait, dix ans plus tard, une facette de la théorie de la relativité.

Les opinions divergent sur les talents de violoniste d'Einstein. Certains, comme Byland, décrivent un virtuose inspiré, alors que d'autres l'expédient comme un médiocre amateur. Il était sans doute bon musicien, sans être remarquable. Assez bon pour être distingué parmi dix étudiants qui passèrent un examen de musique au lycée, au printemps 1895. Il reçut des félicitations pour son interprétation « étincelante », jouée avec « une pénétration profonde », d'un adagio extrait d'une sonate de Beethoven.

Albert avait des raisons d'étinceler. Son amour pour Marie était réciproque et il lui écrivait des lettres dans lesquelles le garçon sarcastique admiré par Byland se dissolvait en un romantique à l'eau de rose.

Se languissant chez lui pendant les vacances de printemps, il l'appelait son « petit cœur adoré » et la remerciait pour sa « petite lettre charmante qui [m']a procuré une joie sans fin. C'est si merveilleux de pouvoir presser sur son cœur un morceau de papier que deux petits yeux si chers ont regardé avec amour et sur lequel des petites mains délicates ont glissé avec charme. Je comprends maintenant, mon petit ange, ce que sont le mal du pays et la nostalgie. Mais l'amour procure de grandes joies — beaucoup plus que la nostalgie n'engendre de douleurs. Je découvre seulement maintenant à quel point mon cher petit rayon de soleil est devenu indispensable à mon bonheur. Tu habites aussi le cœur de ma mère, même si elle ne te connaît pas ; je lui ai seulement montré deux de tes charmantes petites lettres[6] ».

Il racontait à Marie que sa mère se moquait de lui parce qu'il se désintéressait de filles qu'il trouvait ravissantes peu avant. « Tu signifies davantage pour mon âme, concluait-il, que le monde entier jusqu'ici. »

Marie quitta le domicile familial pour devenir institutrice de cours préparatoire au moment où Albert décrochait son diplôme du lycée de Aarau et entrait à l'École polytechnique de Zurich. La séparation redoubla leur passion et ils s'échangèrent une correspondance ardente et languissante. Marie écrivit qu'elle ne pouvait se retenir de chouchouter un de ses jeunes élèves qui s'appelait Albert et lui rappelait tellement son Albert à elle. Elle avait l'étrange mais délicieuse impression de plonger dans les yeux de son bien-aimé quand elle échangeait un regard avec l'enfant.

Albert suggéra brusquement d'arrêter de s'écrire. Marie était éperdue. Croyait-il qu'elle aimait un autre homme ? Elle n'aimerait que lui, pour toujours. Ne s'étaient-ils pas juré un amour éternel ? Leur correspondance amoureuse reprit une semaine plus tard avec une lettre de consolation d'Einstein.

Le cœur du garçon était en fait ailleurs. Il était attiré par une jeune Serbe de son cours de physique et son « amour éternel » pour Marie se flétrissait rapidement. Mais il continuerait d'écrire avec flamme tant qu'il ne trouverait pas les mots pour s'expliquer avec Marie.

« Mon grand, grand amour ! répondit-elle le 30 novembre 1896. Enfin, enfin je me sens heureuse, heureuse, comme seules tes adorables lettres peuvent me rendre (...). J'aimerais tellement caresser doucement ton cher front fatigué quand je t'imagine assis dans ta petite chambre, fatigué et pensif, comme tu le faisais souvent chez nous. À ces instants, je voudrais m'envoler vers mon bien-aimé et lui dire à quel point je l'aime. » Elle mourait de lui rendre visite à Zurich « pour voir où mon chéri passe ses journées à rêver. Je suis si impatiente. J'arrangerai tout à ma façon et tu aimeras deux fois plus ton petit bureau[7] ».

Elle n'accomplit jamais le voyage. Et au lieu d'aller la retrouver pendant les vacances de printemps, en 1897, Einstein se rendit à Pavie où il coula des jours insouciants avec Maja, à jouer des duos souvent interrompus par des fous rires ou à taquiner leur mère.

Incapable d'avouer la vérité à Marie, Albert s'était contenté d'arrêter de lui écrire. La jeune fille au désespoir s'adressa à la mère de son bien-aimé. Pauline Einstein, qui l'aimait beaucoup et ignorait la versatilité du cœur de son fils, répondit par une lettre pleine de petites nouvelles dans laquelle elle décrivait les morceaux de musique et les éclats de rire qui lui parvenaient de la pièce voisine.

Le fait qu'Albert ne prît pas la plume était sans aucun doute à imputer à un vieux péché familial, la paresse.

Les archives ne renferment aucune lettre d'explication d'Albert à Marie. Il écrivit en revanche à la mère de celle-ci pour décliner une invitation à venir chez eux à Aarau. Et s'il fait une allusion à la rupture dont il prend la responsabilité, il ne mentionne jamais la jeune fille par son nom :

> « Chère maman,
>
> « Je vous écris sans tarder pour couper court à une lutte interne dont l'issue est, en fait, déjà claire pour moi : je ne peux pas venir chez vous pour la Pentecôte. Ce serait plus qu'indigne de ma part de m'offrir quelques jours de bonheur au prix d'une nouvelle souffrance, alors que j'en ai déjà trop infligé, par ma faute, au cher enfant. J'ai quelque satisfaction à devoir goûter aujourd'hui un peu de la douleur que j'ai causée à la chère fille par ma légèreté et mon manque de considération envers sa sensibilité... Ma vie quotidienne a peu d'intérêt : on pourrait régler sa montre sur mon train de vie, sauf que ce serait une montre qui retarderait tous les matins. Quant à ma vie intellectuelle, elle est toujours fournie. Le samedi soir je joue de la musique avec quelques camarades, dont Byland, chez une jeune fille d'ici. Ce sont les plus belles heures de ma semaine. Byland m'a lu de nouvelles pièces de Gerhart Hauptmann, qui m'ont énormément ému. "Hanneles Himelfart" m'a fait pleurer comme un enfant, moitié de bonheur, moitié de douleur... Mille vœux pour vous et votre famille[8]. »

Marie fit plus que pleurer. Elle fut émotionnellement et physiquement brisée. Einstein était compatissant mais inflexible. Pour lui, c'était fini. Sa camarade de classe Mileva Maric serait la femme de sa vie.

Il maintiendrait toujours des relations affectives avec le reste de la famille, tout en prenant grand soin de ne jamais rencontrer Marie. Il adorait le père, Jost Winteler, qu'il admirait à la fois comme enseignant hors pair et comme libéral des plus intègres. Et il le prit pour modèle. L'influence de Jost l'amena à défier son père en choisissant la carrière enseignante et en tournant ainsi le dos à un métier « pratique ».

Enhardi par sa période dorée de Aarau, Einstein aborda les professeurs du collège de Zurich avec une simplicité joviale. Les petits autocrates n'apprécièrent pas outre mesure et le lui firent payer. Mais une poignée d'étudiants qui partageaient sa disposition d'esprit jubila de son audace et de son intelligence caustique. Il suffit de quelques conversations à l'un d'entre eux, Marcel Grossmann, pour deviner le génie naissant et raconter à ses parents qu'Albert Einstein, alors âgé de dix-huit ans, était destiné à un grand avenir[9].

# 3

# Zurich
# et l'École polytechnique

*1897-1900*
*De 18 à 21 ans*

Ses amis du collège furent stupéfaits de voir Einstein, qui avait de l'allure et de la personnalité, tourner autour de la seule fille de la classe, Mileva Maric, une personne au corps quelconque et à la démarche rendue gauche par une dislocation congénitale de la hanche, plus vieille que lui de quatre ans et dépourvue du sens de l'humour.

Leur qualité d'étrangers au milieu d'étudiants en grande majorité suisses les rapprochait peut-être. Mileva venait de Bacska, une région à majorité serbe de Hongrie, aujourd'hui rattachée à la Serbie. Ses deux parents étaient serbes. Albert avait immigré d'Allemagne après un passage par l'Italie et, ayant renoncé à la nationalité allemande, était désormais apatride.

Un des premiers biographes bien informés d'Einstein, Carl Seelig, présenta Mileva sous un jour relativement sympathique : « Son tempérament rêveur gâtait souvent sa vie et ses études. Ses contemporains trouvaient Mileva triste, laconique et méfiante. Ceux qui la connaissaient mieux appréciaient son ouverture d'esprit slave et la modestie naturelle avec laquelle elle suivait, en arrière-plan, les débats les plus animés[1]. »

Sa mélancolie venait peut-être, justement, de ce qu'elle était tou-

31

jours en retrait. Il se confirmait avec le temps que sa sœur cadette, Zorka, était atteinte d'une maladie mentale, et cela l'affligeait. Mais elle témoignait en présence d'Einstein d'une vitalité et d'une animation qu'ignoraient ses autres camarades.

Le simple fait de parvenir à étudier la physique était à verser au crédit de son talent et de sa persévérance, car c'était un domaine réservé aux hommes dans l'Empire austro-hongrois d'où elle venait, et où son père était un simple fonctionnaire propriétaire de quelques hectares de terre. Mileva avait persuadé un de ses professeurs du lycée, à Zagreb, de la laisser suivre un cours de physique dont tous les élèves étaient des garçons, mais c'était une impasse dans son pays car ses chances d'y poursuivre des études de physique étaient nulles.

Ses espoirs résidaient de l'autre côté de la frontière, dans la Suisse libérale où l'enseignement supérieur était accessible aux meilleures élèves féminines. Les notes de Mileva lui permirent d'accéder à la prestigieuse École polytechnique de Zurich, la capitale intellectuelle de la Suisse germanophone. Elle était à nouveau la seule femme de la classe.

Les relations d'Einstein avec Mileva étaient toujours de pure camaraderie, et même circonspectes, en 1897, alors qu'il avait rompu avec Marie depuis plusieurs mois. Et elles semblaient devoir rester ainsi. La femme quitta Zurich pour effectuer le semestre d'automne à l'université d'Heidelberg, à deux cent cinquante kilomètres au nord, où elle suivrait des cours de physique et de mathématiques. Il n'y avait pas l'ombre d'un sentiment amoureux entre Albert et elle quand elle prit le train pour Heidelberg et qu'il lui dit qu'elle pouvait lui écrire si elle s'ennuyait.

Et elle lui écrivit, un jour qu'un brouillard épais la retenait dans sa chambre. Pour lui dire qu'elle le retrouverait à Zurich au printemps car elle suivrait le semestre d'été à l'École polytechnique. Il répondit qu'elle devrait revenir rapidement pour rattraper les cours qu'elle avait manqués.

La séparation de Mileva aiguisa les sentiments d'Einstein. Il emporta une photo d'elle quand il se rendit à Milan pour les vacances de printemps et souffla à sa mère, en lui montrant le portrait, que c'était quelqu'un d'intelligent.

Sa sœur et sa mère le taquinaient, comme elles l'avaient fait durant sa liaison avec Marie. Il le raconta à Mileva dans une lettre émaillée de calembours à plusieurs sens malheureusement impossibles à traduire.

Mileva se plaignit souvent de la rareté de ses lettres quand les vacances les séparaient, mais il compensait l'absence de quantité par la qualité. Des détails colorés dépeignaient la vie familiale égayée par les rires et la musique. Il lui faisait partager son enthousiasme de vivre l'époque d'une révolution dans le domaine de la physique, révolution à laquelle il comptait bien participer.

Des amis familiers de ses distractions se moquaient de ses hautes ambitions. Un camarade chez lequel il oublia un jour sa valise après un week-end prédit que sa mémoire défaillante l'empêcherait d'accomplir quoi que ce soit.

Ses deux logeuses zurichoises firent les frais de ses oublis, par exemple quand il les réveillait au milieu de la nuit parce qu'il n'avait pas ses clés. Aucune n'alla jusqu'à lui demander de déguerpir.

Un objet qu'il n'oubliait jamais était son violon, dont il jouait à la moindre occasion, comme se le rappellera Susanne Markwalder, fille de sa seconde propriétaire.

Elle était chez elle par un chaud jour d'été où toutes les fenêtres du voisinage étaient ouvertes. Entendant avec ravissement une sonate de Mozart, Albert demanda qui jouait ainsi. On lui dit que c'était un professeur de piano qui habitait un grenier, à quelques pas de là. Saisissant son violon, il se précipita dehors sans écouter les mises en garde sur le fait qu'il ne portait ni cravate ni faux col, un véritable crime à l'époque. Et on ne tarda pas à entendre un violon qui accompagnait le piano en un fougueux duo de Mozart. Une vieille dame téléphona peu après à la pension pour connaître le nom de ce singulier jeune homme qui avait surgi dans son grenier en criant : « Continuez à jouer ! » Elle fut rassurée d'apprendre que l'intrus excité et à moitié habillé n'était qu'un inoffensif étudiant fanatique de Mozart.

Les tenues d'Einstein amusaient la mère de son ami et camarade de classe Jakob Ehrat chez lequel il se rendit une fois avec un morceau de tissu étrange noué autour du cou. Comme on lui demandait de quoi il s'agissait, il expliqua qu'il avait attrapé froid et avait emporté en guise d'écharpe une housse posée sur un meuble.

Les repas de midi chez la logeuse accueillaient des touristes, des étudiants étrangers et Anita Augsburg, actrice, suffragette et amateur de cigarettes et de vêtements masculins. Déjeunant en général dans sa chambre, Einstein ne les voyait pas souvent. Ses repas préférés se composaient d'une tranche de tarte aux pommes ou aux prunes achetée à une pâtisserie voisine, suivie d'un cigare.

Il se rendait fréquemment aux thés organisés par Susanne Markwalder, qui était institutrice, et raccompagnait ensuite les invitées chez elles. Il traitait Susanne avec une affection débonnaire, se moquant d'elle un jour où elle avait manqué une réplique en l'accompagnant au piano.

Une veuve et ses deux filles décidèrent un jour d'assister à une de ces séances musicales. Les trois visiteuses s'assirent sur un canapé et se mirent à tricoter, entrechoquant leurs aiguilles et soupirant bruyamment quand elles manquaient une maille, ce qui n'était pas rare. Albert referma ostensiblement sa partition et replaça dignement son instrument dans son étui. La veuve lui demandant pourquoi ils arrêtaient de jouer, il répondit : « Je ne voudrais pour rien au monde vous empêcher de travailler. »

Einstein trouva par la suite une façon bien à lui de se faire pardonner par les trois tricoteuses : accompagné d'un ténor italien, il offrit une sérénade dans le jardin à toutes les femmes de la pension.

Susanne rencontra Mileva un jour que celle-ci était venue étudier avec Albert. La jeune Serbe lui fit l'impression d'une femme effacée et sans prétentions qui détonnait auprès de l'« irrésistible », un jeune homme correct, réservé mais impulsif et qui ne mâchait pas ses mots.

Son goût pour la plaisanterie l'aidait à se tirer de situations embarrassantes. Auprès de quelqu'un qui le défiait de se marier avec une femme imparfaite, ce qui était une allusion à la claudication de Mileva, il se lança dans une tirade sur la voix magnifique de son amie. Au cours d'une soirée chez le professeur Alfred Stern, il s'empara de son violon et, s'adressant à un invité qui avait âprement discuté quelque sujet controversé, lui proposa de jouer « ce que visiblement vous aimez, Händel ». En allemand, *Händel* est un jeu de mots sur le terme « dispute ». « *Handel* » veut dire « commence » et « *Händel* », « chamailleries ».

Non qu'il fût toujours sans reproche dans de telles situations, et il le savait. Il exaspérait ses professeurs autoritaires qu'il tenait en général pour irrationnels ou ignares, et qu'irritaient ses manières indépendantes et dédaigneuses. Il fit enrager le professeur de physique Jean Pernet en jetant à la poubelle après un rapide coup d'œil les instructions officielles sur les protocoles d'expérience[2]. Un assistant auquel Pernet rapporta l'incident répliqua audacieusement que les méthodes d'Einstein étaient intéressantes et qu'il parvenait toujours à la solution. Pernet, nullement convaincu, décida de parler à Einstein. « Vous y mettez du cœur, concéda-t-il, mais vous n'arriverez jamais à rien en physique. Pour votre propre bien, vous devriez passer à quelque chose d'autre, peut-être la médecine, ou la littérature, le droit. » Le professeur de mathématiques Hermann Minkowski n'avait, lui, vraiment pas le sentiment que ce « type fainéant » mît du cœur dans ses cours.

Les habitudes décontractées d'Einstein déplaisaient également à Heinrich Weber qui avait attendu beaucoup de lui et n'aimait pas être appelé « Monsieur Weber » au lieu de « Monsieur le Professeur ». Albert était, de son côté, déçu que le cours d'histoire de la physique de Weber ne mentionnât pas les idées révolutionnaires de James Maxwell.

Maxwell était mort l'année de naissance d'Einstein, en 1879. Il était, comme Einstein, considéré comme un élève médiocre quand il était enfant. Plus tard, à l'université de Cambridge, il avait décidé, pour travailler davantage, de dormir dans l'après-midi et de se lever à neuf heures du soir pour étudier une partie de la nuit. Son erreur fut d'inclure dans son emploi du temps un jogging pratiqué aux premières lueurs du jour à travers les escaliers et couloirs des dortoirs. L'expérience s'acheva sous une pluie de chaussures lancées par des étudiants peu amènes d'avoir été réveillés. C'était le genre d'excentricité qui plaisait à Einstein.

Albert sécha les cours de Weber pour étudier pendant ce temps la théorie de Maxwell selon laquelle, d'une part, la lumière et l'électricité étaient deux aspects différents du même phénomène, et d'autre part la force électromagnétique se déplaçait dans l'espace en ondes similaires aux ondes lumineuses et à la même vitesse que la lumière. Maxwell fondait ses recherches sur les travaux de Faraday, mais les équations étaient incontestablement son œuvre. Les « équations de Maxwell », selon l'expression consacrée, devinrent rapidement la clé mathématique de nombreux mystères de l'électricité. Elles ouvrirent la voie à la radio, le radar et la télévision.

Les tentatives d'Einstein pour répondre aux critiques selon lesquelles il négligeait les travaux pratiques se retournèrent contre lui. Décidé à faire à sa façon, il ne tint pas compte des consignes et provoqua une explosion qui le blessa à la main droite. Et il se heurta ensuite au refus du professeur Weber quand il proposa une expérience sans danger et plus ambitieuse destinée à mesurer le mouvement de la terre par rapport à l'éther. C'était un signe, parmi d'autres, que Weber était passé de la position d'allié à celle d'adversaire.

Si les cours de Weber taisaient les découvertes du dernier quart de siècle, le professeur tentait de se racheter en encourageant ses étudiants à lire par eux-mêmes au-delà du point où il s'arrêtait. Einstein ne se le fit pas dire deux fois. « Il s'absorbait jour et nuit dans des livres où il apprenait l'art d'élaborer un cadre mathématique sur lequel édifier les structures de la physique[3]. » Il désertait pourtant les cours de mathématiques, excepté quelques-uns donnés par Hermann Minkowski et Carl Geiser[4].

Son excuse envers les mathématiques, s'il en avait besoin, était sa passion pour la physique (« La physique débarrassée des mathématiques devient un pur enchantement », écrit Gary Zukav, qui n'est pas lui-même un scientifique) et les hypothèses qu'il élaborait déjà, hypothèses qui le hisseraient au niveau de Galilée et Newton. Qu'il fût sur la véranda en train de fumer sa pipe en contemplant le coucher de soleil, dans un café viennois, une coupe de café glacé à la main, ou à un pique-nique dans la forêt, son imagination vagabondait parmi les théories révolutionnaires de ses contemporains. Il trouvait toujours du temps pour la musique ou son poète favori, Heine, cet ancien étudiant en droit, spirituel et lyrique. Mais ce n'était jamais au détriment de ses principales préoccupations intellectuelles. Quand il faisait de la voile sur le lac de Zurich avec la fille de sa logeuse, il prenait des notes ou lisait en attendant que le vent gonfle les voiles. Et dès qu'elles retombaient, il se replongeait dans les œuvres de Maxwell, Hertz, Kirchhoff ou Helmholtz.

Hermann Helmholtz, professeur de physique à l'université de Berlin, voulait purger la science de toute métaphysique. Il proposait de rejeter toute théorie non vérifiable par l'expérience ou l'observation et conseillait aux scientifiques de se poser deux questions : « Dans quelle mesure nos idées correspondent-elles à la vérité ? » et « Dans quelle mesure notre pensée et nos sens reflètent-ils la réalité ? ». Helmholtz mettait ses principes en pratique. Son article « Sur la conservation de l'énergie » est le socle de la thermodynamique. Cet homme aux talents étonnamment variés était aussi biologiste, médecin, mathématicien et philosophe. Il effectua un travail novateur en physiologie, acoustique, chimie, magnétisme et optique, inventant notamment l'ophtalmoscope qui permet d'examiner l'intérieur de l'œil. Ses dernières recherches, qui intéressaient particulièrement Einstein, portaient sur les relations entre la matière et l'éther. Il mourut en 1894 avant d'avoir pu tester ses hypothèses.

L'assistant de Helmholtz, Heinrich Hertz, avait confirmé en 1886 les théories de Maxwell et produit des ondes électromagnétiques, des ondes radio. Il montra qu'elles se déplaçaient à la vitesse de la lumière et pouvaient, comme la lumière, être réfléchies, réfractées et polarisées. Hertz mourut, lui aussi, en 1894.

Un autre membre du groupe de physiciens partisans d'une approche plus rigoureuse était Gustav Kirchhoff, professeur de physique à l'université de Berlin en même temps que Helmholtz. Pour lui, les théories de Newton étaient incapables d'expliquer l'abondance de phénomènes physiques identifiés dans les dernières années du XIXe siècle. Einstein découvrit par la lecture les travaux de Kirchhoff sur l'électricité, la thermodynamique et la spectroscopie.

Un ami italien qui suivait des études d'ingénieur, Michele Besso, recommanda à Einstein la lecture de *Science de la mécanique* d'Ernst Mach, où celui-ci tournait en dérision le concept d'espace et de mouvement absolus et affirmait qu'il fallait revoir les lois de Newton. Cette attitude carrée plut à Einstein. Besso estime que l'influence de Mach conduisit Einstein à penser « aux choses observables et à développer un scepticisme profond, peut-être même, indirectement, aux horloges et aux mètres d'arpenteurs[5] ».

Mach aussi avait été considéré comme un élève attardé et difficile durant son enfance en Autriche. Il devint par la suite un géant intellectuel dont l'encyclopédisme rivaliserait avec celui de Helmholtz. Son apport à la démarche scientifique est connu sous le nom de « principe d'économie de Mach », selon lequel on doit suivre le chemin le plus simple pour atteindre son but et exclure ce qui n'est pas perçu par les sens. Einstein admirait l'indépendance d'esprit de Mach, son intransigeance et sa capacité à regarder le monde avec les yeux curieux d'un enfant. Ce savant charmeur et simple séduisit le psychologue William James qui n'avait jamais connu avant de le rencontrer le sentiment d'être en présence d'un génie. Mach semblait tout savoir, sur n'importe quoi.

Outre Marcel Grossmann qui le situait au même niveau que Mach, d'autres camarades de classe appréciaient Einstein, comme Jakob Ehrat qui l'idolâtrait presque pour son honnêteté intellectuelle et sa largeur d'esprit. Ces deux Juifs s'interrogeaient sur les raisons de l'antisémitisme. Pour Einstein, les Juifs n'étaient certainement pas pires que d'autres, mais seulement différents. Ehrat rêva souvent de ces discussions avec Einstein quand leurs chemins se séparèrent après le collège. Mais ce n'étaient que des rêves, constatait-il, déçu, à son réveil.

Un autre ami était Friedrich Adler, fils du fondateur du Parti social-démocrate autrichien, le psychiatre Victor Adler. Albert considérait Friedrich comme l'esprit le plus pur et le plus idéaliste qu'il eût jamais rencontré, tandis que ce dernier aimait le brillant inadapté que ses professeurs finirent par mettre à la porte de la bibliothèque du collège. Friedrich croyait que la cause de tous les problèmes de son camarade était son incapacité à se faire bien voir des détenteurs de l'autorité. Non qu'il fût lui-même un modèle : son irrespect du pouvoir se révélera mortelle. Il sera condamné à mort quelques années plus tard pour l'assassinat du Premier ministre autrichien... Et Einstein contribuera à lui sauver la vie d'une façon pour le moins surprenante. (Les critiques de Friedrich Adler contre la théorie de la relativité soulevèrent des doutes sur sa santé mentale ; il fut déclaré irresponsable, et la peine capitale commuée en réclusion.)

En attendant, Albert ne parvenait même pas à aider ses propres parents à résoudre leurs ennuis financiers. S'en voulant, il alla jusqu'à dire à Maja que la vie de leurs parents serait plus facile s'il n'existait pas. Il se consolait en se disant qu'il n'avait jamais gaspillé d'argent, et se privait de sorties et de distractions.

Il trouvait un réconfort auprès du professeur d'histoire, Alfred Stern, sa femme et sa fille qui l'accueillirent toujours à bras ouverts. Einstein remerciera plus tard Stern pour sa gentillesse lors de ces visites thérapeutiques, en prenant soin d'affirmer qu'il n'avait, en fait, jamais perdu son optimisme et que ses démoralisations passagères étaient dues à des troubles digestifs.

La plupart de ses proches le connaissaient sous ce jour heureux. Ils appréciaient son caractère spirituel et exubérant. Sa spontanéité, sa passion pour Mozart et son ironie envers les individus pompeux et prétentieux les distrayaient.

Au cours de l'été 1899, Albert rejoignit sa mère et sa sœur en vacances au charmant hôtel Paradis de Mettmenstetten, en Suisse. La jeune belle-sœur du propriétaire de l'établissement, Anna Schmid, âgée de dix-sept ans, lui demanda son autographe. D'excellente humeur, il dépassa ses attentes en couchant sur le papier :

> *Petite fille délicate,*
> *Que puis-je écrire pour toi ici ?*
> *Je pense à beaucoup de choses*
> *Y compris un baiser*
> *Sur ta bouche minuscule.*
> *Si cela te met en colère*
> *Ne te mets pas à pleurer.*
> *La meilleure punition sera*
> *De m'en donner un à ton tour.*
> *Ce petit hommage*
> *En souvenir de ton vaurien de copain,*
>
> *Albert Einstein.*

Mais ces vers de mirliton insouciants et flirteurs ne reflétaient pas ses véritables dispositions. Sa sœur et sa mère semblaient devenir, sans qu'il comprenne pourquoi, conventionnelles et étroites d'esprit. Elles se comportaient l'une envers l'autre comme des amies brouillées restées ensemble par habitude. Albert regrettait les moments de joie familiale, quand Pauline, Maja et lui étaient pris de fous rires. Il se consolait en pensant au « calme divin » de Mileva.

Il n'avait pas compris que Mileva était la cause de ce changement d'humeur. Plus sa mère apprenait de détails sur la jeune fille, moins elle l'aimait. Et elle ne cachait jamais ses sentiments.

Albert retrouva tout de même Pauline et Maja pour six semaines de vacances dans un hôtel tranquille et charmant de Mettmensteten, où il ne fut visiblement ni trop morose ni entièrement absorbé par les spéculations scientifiques, à en croire la lettre joyeuse qu'il adressa à Julia Niggli, une jeune femme avec laquelle il avait joué des duos chez les Winteler. Il s'y livra à une autoanalyse révélatrice et peu flatteuse qui éclaire sans doute la façon dont il se comporta envers Marie Winteler durant leur brève histoire d'amour.

Julia avait confié à Einstein qu'elle était tombée amoureuse. « Garde-toi de rêver d'un bonheur éternel avec quiconque, pas même l'homme dont tu es folle », la mit-il en garde du haut de la sagesse de ses vingt ans. Il imaginait parfaitement comment son amoureux se comporterait, car il avait le même tempérament que lui. Un jour il serait maussade, un deuxième d'excellente humeur, et un troisième froid et déprimé. Et au cas où cela ne suffisait pas, Albert ajoutait que le garçon serait infidèle, ingrat et égoïste.

Rabat-joie sur le plan sentimental, Einstein était cependant toujours prêt à aider dans d'autres domaines. Julia cherchant du travail, il lui indiqua que sa tante Julie Koch de Genève voulait engager une gouvernante pour sa fille de sept ans. La gamine était, selon lui, quelque peu gâtée mais gentille et intelligente. Il prévint son amie de ce qui l'attendait si elle prenait la place. Sa tante avait deux qualités, l'intelligence et l'honnêteté, mais encore plus de défauts. À un manque de culture et à une futilité, elle alliait un caractère dominateur, rude et insensible. C'était elle qui portait la culotte. Un récent passage de cette tante dans l'hôtel où il prenait ses vacances avec sa famille, au cours de cet été 1899, l'avait confirmé dans l'idée que c'était une sorte de monstre arrogant.

Les conversations ennuyeuses des amis de sa mère qui avaient afflué à l'hôtel l'agaçaient et il s'esquivait sous le moindre prétexte pour aller se promener en montagne. Il ne pouvait, hélas ! les éviter aux repas.

Mileva, qui se trouvait chez elle en Hongrie, aurait volontiers échangé sa place avec la sienne. Une épidémie de diphtérie ravageait la ville et elle était cloîtrée à domicile en pleine vague de chaleur, avec pour seul secours l'ombre des cerisiers en fleur dans le jardin. Elle écrivit à Albert qu'elle l'enviait de pouvoir s'échapper dans la fraîcheur des montagnes.

Einstein cherchait des occasions d'éviter les casse-pieds sans froisser sa mère. Il avait promis à Julia Niggli de jouer des duos avec elle chez les Winteler, mais ce n'était pas une excuse suffisante pour s'éloigner. Un argument plus convaincant fut un arrangement passé avec le professeur Haas pour discuter avec lui, chez les Winteler, diverses questions scientifiques. Il partit pour Aarau en septembre, avec la bénédiction de sa mère.

Avant de boucler sa valise il écrivit à Mileva de ne pas s'inquiéter : il se rendrait le moins souvent possible chez les Winteler afin d'éviter de rencontrer Marie. S'il l'avait aimée, quatre ans plus tôt, il était aujourd'hui invulnérable « dans la forteresse » de sa « tranquillité d'esprit ». Il ajoutait qu'il ne tenait vraiment pas à voir Marie car elle le rendrait fou à nouveau, ce qu'il craignait « comme le feu ». La femme était-elle susceptible de l'énerver ou de le faire tomber dans ses bras ? Les deux ? Einstein ne nous le dit pas.

Quelques années plus tôt, son « cher petit rayon de soleil » était indispensable à son bonheur. Il évitait désormais de la croiser comme si sa santé mentale en dépendait.

Julia Niggli l'attendait à son arrivée chez les Winteler. Elle souhaitait davantage s'épancher sur ses problèmes de cœur que jouer de la musique, mais il parvint à l'asseoir devant un piano pour quelques duos.

Plusieurs discussions avec Haas, qui était un autre invité de la maison, justifieraient son voyage aux yeux de sa mère et de Mileva. Il ne rencontra, apparemment, jamais Marie.

De retour à Milan, il écrivit à Pauline Winteler pour la remercier de lui témoigner tant d'affection malgré la grande souffrance qu'il avait causée. Le sujet était encore trop sensible pour qu'il mentionnât Marie par son nom.

Puis il se plongea dans ses études, apprenant les lois de la thermoélectricité et inventant une façon simple de vérifier si la température d'un objet variait en fonction de sa charge électrique.

Il fit un détour par Aarau en retournant au collège à l'automne 1899, pour y déposer sa sœur qui s'installait chez les Winteler pour la durée de ses études d'enseignante. Il avait promis à Mileva que sa visite serait brève, toujours afin d'éviter Marie. Il tint parole et fut à Zurich le soir même.

Il continua à décider lui-même quels cours étaient obligatoires et à s'absenter pour mener des recherches plus captivantes. Même s'il devait écrire qu'on ne connaîtrait jamais « la véritable nature des choses », il partageait la croyance de Spinoza selon laquelle on pouvait percer jusqu'à un certain point les secrets fondamentaux de la nature. Aux cours de mathématiques, il préférait les énigmes de l'univers. Le pari était risqué car un échec à l'examen de mathématiques pouvait lui valoir l'exclusion.

Marcel Grossmann, qui assistait à tous les cours de mathématiques, venait heureusement à son secours en lui prêtant ses notes claires et détaillées à l'approche des examens. Ce qui permit à Einstein de demeurer au collège tout en se consacrant à des recherches qui allaient déboucher sur des découvertes stupéfiantes.

Einstein n'était pas le seul étudiant à s'opposer aux professeurs. Il entendit une fois une jeune fille, Margarete von Uexküll, se plaindre auprès de son professeur de physique du fait qu'il était « impossible » de rédiger des comptes rendus d'expérience en se conformant à toutes ses exigences. L'enseignant quitta la salle, furieux. Einstein s'approcha de l'étudiante et lui proposa d'écrire un compte rendu pour elle en utilisant ses notes. Cela calmera le professeur. Elle eut raison de tenter sa chance car le résultat fut celui escompté par Einstein. L'enseignant lui fit remarquer que ses exigences impossibles à remplir ne l'avaient pas empêchée de produire des résultats satisfaisants. Quant à Einstein, cela montre que quand il le voulait il pouvait donner à ses professeurs ce qu'ils attendaient.

Les troisième et quatrième années de l'École polytechnique s'écoulèrent sans qu'Einstein n'eût de nationalité. Il avait, d'abord, attendu plusieurs mois une réponse à sa demande de naturalisation suisse. Des questions personnelles du genre « Menez-vous une vie honorable ? » ou « L'un de vos grands-pères a-t-il eu la syphilis ? » l'avaient quelque peu surpris. Puis un policier avait enquêté sur sa famille et sur lui-même. La conclusion fut qu'aucun de ses aïeuls n'avait contracté le mal de Naples et qu'Albert Einstein était un « homme passionné, travailleur et très solide, qui ne boit jamais d'alcool ». Les investigations n'étaient pas achevées pour autant, mais un premier obstacle était franchi.

La préoccupation immédiate de Mileva et d'Albert était l'examen final de l'été 1900, qu'ils devaient réussir pour obtenir le diplôme leur permettant d'enseigner en collège.

Le professeur Weber compromit les chances d'Einstein trois jours avant la date fatidique en lui demandant de récrire entièrement un article parce qu'il ne l'avait pas soumis sur du papier réglementaire. Il y consacra une partie de son temps de révision. Il s'était, décidément, fait un ennemi de Weber.

Cinq étudiants se présentèrent à l'examen, dont Marcel Grossmann et Mileva, la seule femme.

Louis Kollros décrocha la meilleure note avec 60. Marcel Grossmann fut deuxième avec 57,5, suivi de près par Jakob Ehrat avec 56,5. Avec un 54, Einstein était quatrième et dernier garçon. Mileva avait la moins bonne note : 44. Elle était *ex aequo* avec Albert en physique expérimentale, avec 10, mais n'avait obtenu que 9 en physique théorique, contre 10 à son ami, 4 contre 5 en astronomie et 16 contre 18 pour sa thèse. Elle avait échoué dans la théorie des fonctions, avec un 5 contre 11 pour lui.

Mileva fut la seule recalée. Elle était effondrée. Albert l'encouragea à se représenter l'été suivant.

Ils avaient décidé de se marier. Albert annonça la nouvelle à Maja qui lui conseilla de ne rien en dire à leur mère.

Une amie de Mileva, Helene Kaufler, étudiante en histoire à l'université de Zurich, revint quelques jours plus tard d'un séjour chez les parents d'Albert, à Milan. Albert et Mileva lui demandèrent, anxieux, de leur dire franchement comment la famille réagirait à l'annonce du mariage. Helene donna d'abord la bonne nouvelle : elle aimait beaucoup la mère d'Albert et trouvait son père bel homme. Puis la mauvaise : Mme Einstein détestait Mileva.

Pour faire diversion, Albert prétendit être jaloux du commentaire flatteur sur son père. Mais Mileva le prit très mal. D'autant plus qu'Albert s'apprêtait à rejoindre sa famille en Italie pour les vacances d'été, et que sa mère aurait ainsi tout loisir de le monter contre elle. Mileva voyait en Pauline un obstacle incontournable à son mariage.

# 4

# Projets de mariage

*1900-1901*
*21 et 22 ans*

Einstein décrivit l'effet de la bombe qu'il venait de lancer à Mileva, qui attendait impatiemment ses lettres chez elle, en Hongrie. Il écrivait en correspondant de guerre, alternant instants de douleur et intervalles comiques. Pour mettre les points sur les *i* il expliqua qu'il était dans son lit, loin des yeux indiscrets et censeurs[1].

Sa sœur lui avait conseillé à son arrivée de ne pas dévoiler à leur mère où en était son « aventure », car elle y était toujours âprement opposée. Mais il n'avait pas suivi le conseil et lui avait tout dit. Le soir même, comme il discutait avec sa mère des résultats de l'examen et mentionnait l'échec de Mileva, Pauline lui demanda d'un ton désinvolte : « Qu'est-ce qu'elle va devenir ? — Ma femme », avait-il répondu sur la même intonation, avec son style direct coutumier. La réaction avait été immédiate et violente. Sa mère avait poussé un cri de désespoir, s'était jetée sur le lit et enfoui la figure dans un oreiller, en sanglots. Albert était demeuré debout à côté d'elle, stupéfait et muet. Après avoir pleuré toutes les larmes de son corps, sa mère s'était lancée dans une diatribe au cours de laquelle elle l'avait accusé de ruiner son avenir pour une fille qui n'était « même pas capable d'entrer dans une bonne famille[2] ». Toutes les tentatives pour calmer cette envolée hystérique avaient échoué et Pauline en était venue à lâcher : « Tu seras dans un sacré pétrin si elle tombe enceinte ! »

Albert avait joué l'innocent indigné en s'élevant contre la suggestion « outrageuse » qu'ils aient pu vivre dans le péché, mais ces protestations vertueuses contrastent singulièrement avec une lettre passionnée dans laquelle il décrivit à Mileva, quelques jours plus tard, toute son impatience de la serrer dans ses bras et de vivre à nouveau avec elle.

Il s'était apprêté à sortir de la chambre, courroucé, quand une amie de sa mère, Mme Bar, était entrée, ouvrant un interlude comique qui avait détendu l'atmosphère. Il décrivit la nouvelle venue avec une touche de Dickens : « Mme Bar est une pétulante petite femme pleine de vie, une mère poule du meilleur genre. » Dès son irruption « nous nous sommes entretenus avec le plus vif intérêt du temps, des nouveaux arrivants, du chahut des enfants, etc. ».

Pauline avait été plus calme le lendemain. Les dénégations d'Albert l'avaient rassurée. Ils ne couchaient pas ensemble. Une solution mutuellement acceptable était toujours possible s'ils ne se précipitaient pas au lit ensemble ou ne se mariaient pas inconsidérément. Une solution qui, Einstein le sentait bien, consisterait dans l'éloignement de Mileva. Le grand cauchemar de sa mère était qu'ils s'aiment réellement et soient décidés à vivre ensemble. En résumé, Mileva était trop vieille, pas assez féminine et pas assez saine de corps pour lui.

De telles insultes, rapportées mot pour mot, ne pouvaient que blesser Mileva. Elle fut apparemment reconnaissante envers Albert pour son honnêteté.

Pauline, tranquillisée sur les risques de grossesse, n'abandonna pas son offensive pour autant. La femme qu'il fallait à Albert n'était pas un autre « livre » ambulant comme lui. Mileva serait un déjà « vieux chameau » quand il n'aurait que trente ans. (Elle aurait, en fait, trente-trois ans.) Puis elle se mit à bouder quand elle comprit que son seul résultat était de mettre son fils en colère sans changer ses dispositions d'un iota. Maja était impatiente de partir et baignait dans le bonheur de bientôt retourner à Aarau. Einstein en était jaloux. Il ne pouvait même pas s'évader en montagne car le temps était aussi noir que son humeur.

Il se réfugia « chez Kirchhoff », dans le livre du savant Gustav Kirchhoff déjà mentionné. Ses lectures le transportaient hors du monde. Et lui enseignaient les pièges du mot « jamais ». En 1844, Auguste Comte avait prédit que l'homme ne connaîtrait jamais la composition des étoiles et des planètes. Le mystère serait éternel. En inventant le spectroscope, Kirchhoff avait démenti Comte deux ans seulement après la mort de celui-ci en 1857.

Albert n'avait pas renoncé à son vieux rêve de voyager sur une onde lumineuse et noter ses observations. La plongée dans les œuvres révolutionnaires de savants comme Kirchhoff était un succédané temporaire.

Ce n'était, en revanche, pas un succédané de la présence de Mileva, écrivit-il à celle-ci. Il se languissait de ses baisers. Un groupe de prêtres catholiques descendus à l'hôtel lui faisait pitié : ils n'avaient aucune Mileva dans leur vie. Deux clients seulement méritaient son indulgence, un jeune couple connu à Zurich, et dont la joie rayonnante le faisait peut-être songer à celle qui l'attendait. Il considérait, en bloc, toutes les autres femmes de l'hôtel comme molles, paresseuses, renfrognées et mal fagotées. Excepté sa mère, sa sœur et Mme Bar.

Il partit en montagne avec Maja dès que le temps s'éclaircit pour quelques rares journées d'air frais et de liberté. Ils s'émerveillèrent du spectacle des edelweiss jaune et blanc, dispersés sur les pentes comme des étoiles, au-dessus des névés. La pluie le ramena à la béatitude de Kirchhoff.

Il crut que sa mère, qui lui tendait désormais les lettres de Mileva sans un murmure, s'était réconciliée avec l'inévitable. Il espéra l'amadouer davantage en cédant à son insistance et en donnant un récital de violon pour les clients de l'hôtel. Son interprétation brillante aida l'auditoire à oublier l'orage qui le tenait captif. Il fut bissé avec enthousiasme.

Pauline se réjouissait du succès et de la popularité de son fils, et continuait à éviter de parler de Mileva. Mais l'accalmie fut brève car son mari prit bientôt le relais.

Ses affaires le retenant chez lui, c'est par écrit que Hermann transmit ses conseils paternels à son fils. Le fond de ses sermons, comme les appelait Albert, était qu'on ne pouvait se payer le luxe d'une femme que quand on en avait les moyens. Sans travail et sans le moindre sou, il n'était en situation de se marier à personne.

Einstein répondit ironiquement qu'en suivant ce raisonnement une femme était une mercenaire encore plus dénuée de principes qu'une prostituée.

Le trio retourna à Milan après les vacances. Les explosions de sa mère et la morale de son père n'y avaient rien changé. Albert était toujours aussi déterminé à se marier avec Mileva. Pauline suspendit la trêve instaurée pendant les derniers jours à l'hôtel.

Elle prédisait avec emportement toutes sortes de calamités. Mileva était malsaine. Elle avait ensorcelé son fils.

Les arguments rationnels et les prédictions effrayantes ayant échoué, les parents se transformèrent en un couple éploré : « Ils me pleurent, écrivit Albert à Mileva, comme si j'étais mort. » Des récits circonstanciés qui ne lui faisaient grâce d'aucun détail sur les sourires, les pleurs et les altercations alternaient avec des déclarations exaltées d'amour éternel qui reprenaient quasiment mot pour mot des serments adressés à Marie Winteler quelques années plus tôt.

Il aurait au moins pu tenter d'apaiser son père en trouvant du travail, mais il n'était pas prêt à accepter n'importe quoi. Il refusa un emploi temporaire pour lequel Jakob Ehrat pouvait le recommander, dans une compagnie d'assurances. Cette corvée stupide n'était pas pour lui.

La seule échappatoire de son esprit agité était ses études. C'est alors qu'il se lança dans la quête de toute sa vie, celle d'un idéal sans doute inaccessible, la réalité objective. Il voulait comprendre le monde, des plus petits constituants au cosmos, et savoir si les lois de la nature s'appliquaient uniformément dans tout l'univers.

Il obtint une victoire quand ses parents se résignèrent à ce qu'il passe Noël avec Mileva et se flatta auprès de celle-ci d'avoir plus d'obstination dans son petit doigt qu'à eux deux réunis. Il était convaincu que Pauline et Hermann avaient fini par abandonner de mauvaise grâce leur opposition.

Il accepta, malgré l'atmosphère tendue, de se mettre au courant du fonctionnement de l'entreprise familiale pour en prendre la direction en cas de besoin. Et il accomplit avec son père un voyage professionnel autant que d'agrément pour visiter leurs centrales électriques de Vénétie.

Albert retrouva Mileva début octobre à Zurich, où il rencontra pour la première fois la jeune sœur de celle-ci, Zorka, qu'il trouva gaie mais bornée. On ne sait si elle manifestait des signes de retard mental, mais Einstein n'y fit jamais allusion dans ses lettres.

Julie Koch ne subvenant plus à ses besoins depuis qu'il avait obtenu son diplôme, Mileva et lui ne survivaient que grâce à des cours particuliers. Les deux amoureux rêvaient d'un avenir glorieux ensemble, dans lequel ils découvriraient les secrets les mieux gardés de la nature et gagneraient assez pour s'offrir des bicyclettes et parcourir le pays. Mais Albert s'était trompé. Ses parents n'avaient pas abdiqué. Ils réussirent même à le convaincre de revenir chez eux pour Noël.

Mileva s'épancha auprès de sa confidente Helene Savic, Kaufler de son nom de jeune fille, en lui écrivant qu'elle lui donnerait d'autres détails plus tard, mais qu'elle ne voulait pas « salir » ses jours heureux de jeune mariée. Les parents d'Albert lui avaient probablement expliqué qu'une ombre de conduite inconvenante à Zurich compromettrait ses chances d'obtenir la citoyenneté suisse

— et par voie de conséquence de trouver du travail dans le pays. Âgé de vingt et un ans, il pouvait se marier sans leur autorisation ou vivre ouvertement avec Mileva. C'était risqué avec un inspecteur qui fouillait dans sa vie.

Mileva et Albert furent ragaillardis d'apprendre qu'une prestigieuse revue scientifique, *Annalen der Physik*, acceptait un article qu'il avait écrit sur la capillarité, la théorie des liquides. Einstein envoya une copie de la publication à Boltzmann, dont il avait utilisé le travail sur la deuxième loi de la thermodynamique, en espérant recevoir un commentaire en retour. Il avait une autre raison de se réjouir : le professeur Alfred Kleiner de l'université de Zurich avait accepté son sujet de thèse, la théorie cinétique des gaz.

Albert fit, avec l'accord de son père, un pas de plus pour acquérir la nationalité suisse. Il remplit une demande de naturalisation. Oui, il résidait en permanence dans le pays depuis cinq ans. Oui, il disposait de témoignages de moralité. Mais les Suisses ne prenaient rien pour argent comptant. Une enquête tatillonne l'attendait.

Einstein fut entendu le 14 décembre par un comité de huit hommes auxquels il confirma les conclusions du policier : il ne buvait pas d'alcool et vivait des revenus que lui rapportaient ses cours. Il ajouta avoir économisé huit cents francs pour payer les frais de naturalisation. Le comité approuva sa demande à laquelle il ne manquait plus désormais que l'aval du Grand Conseil municipal.

Max Planck publia l'acte de naissance de la physique moderne au moment même de la comparution d'Einstein devant le comité. Le célèbre physicien avait pris la succession de Kirchhoff comme professeur associé à l'université de Berlin, une chaire qu'Einstein occuperait à son tour. Il fit ce jour-là une communication sur son extraordinaire découverte devant la Société de physique de Berlin.

Planck étudiait, comme Einstein, les étranges propriétés de la lumière. Il avait élaboré une nouvelle théorie, qui bouleversait les idées établies, en se promenant avec son fils dans un parc berlinois. Sa théorie est dérangeante, dit-il à l'assemblée, parce qu'elle fait voler en éclats l'illusion confortable de l'harmonie du monde physique. Elle montre qu'au lieu de s'écouler en un flot régulier et ininterrompu la lumière, la chaleur et d'autres formes de radiations se déplacent en particules d'énergie, les « quanta » (du latin « combien »). Nombre de vieux concepts rassurants sur la matière, l'énergie ou les relations de cause à effet étaient remis en cause. L'univers était incertain, effrayant même. La conférence de Planck fonda la physique des particules atomiques et proposa une conception révolutionnaire du monde physique.

La première réaction d'Einstein quand il découvrit la communication de Planck quelques mois plus tard fut dubitative. Sa seconde, mieux informée, rejoignit celle de Planck lui-même. Il était profondément troublé. La théorie des quanta sera une préoccupation de toute sa vie. Il en étendra le champ en l'appliquant à toutes les énergies radiantes de l'univers, dont les ondes électromagnétiques, les rayons gamma et les rayons X. Il « ne se réconcilia jamais avec la théorie des quanta. Ce fut son démon », dit Abraham Pais, collègue et biographe d'Einstein.

Les fêtes de Noël s'écoulèrent sans confrontation majeure. De retour à Zurich avec Mileva au début de l'année, Albert coucha par écrit, pour sa thèse, un résumé de ses conversations marathon avec Michele Bosso. Le titre de ces notes était : « D'une nouvelle détermination des dimensions moléculaires ». Mileva, de son côté, révisait pour l'examen auquel elle se représentait.

Leur avenir incertain et l'irrégularité de leurs ressources contraignirent Albert à avaler sa fierté et ses principes et faire acte de candidature pour un travail pratique à Vienne.

Mileva écrivit à son amie Helene que malgré leurs problèmes son « amour » et elle s'aimaient à la folie et restaient optimistes. Ils avaient profité de chutes de neige récentes pour faire de la luge sur les pentes du Zurichberg. « Comme tu le vois, nous avons toujours les mêmes plaisirs simples. Albert descendait à une allure de tous les diables et était vraiment aux anges. »

# 5

# À la recherche d'un travail

*1901*
*21 et 22 ans*

Les chances d'Einstein étaient en chute libre quand les édiles zurichois découvrirent l'inquiétant rapport final de l'enquête le concernant. Les revenus occasionnels des cours particuliers étaient tombés à zéro et il entrait dans une catégorie à risques, celle d'un étudiant au chômage sans perspective d'emploi ni argent devant lui. Son père ne possédait aucun bien et disposait de ressources modestes. Bref, le dénommé Einstein serait une charge pour l'État si on lui accordait la citoyenneté suisse.

Pire, les dignitaires suisses entre les mains desquels son avenir reposait « se méfiaient de ce jeune intellectuel naïf et rêveur d'origine allemande. Rien ne leur prouvait qu'il ne se livrait pas à des activités dangereuses[1] ». Jusqu'à ce qu'ils l'interrogent. Il joua sans doute la comédie car l'opinion que se firent de lui les magistrats est radicalement différente du Einstein que connaissaient ses amis et professeurs. Le succès fut total. « Ils découvrirent un jeune homme tout à fait inoffensif et candide. Ils s'amusèrent et le taquinèrent pour son ignorance des choses de la vie, et finalement [le 21 février 1901] lui firent l'honneur de lui décerner la citoyenneté suisse[2]. »

Trois semaines plus tard, la veille de son vingt-deuxième anniversaire, il se présenta à une visite médicale d'aptitude au service militaire, obligatoire pour les citoyens helvétiques. Le médecin lui offrit un magnifique cadeau d'anniversaire en l'exemptant pour cause de pieds plats et de varices. Selon le certificat médical, il mesurait 1,71 mètre, avait un tour de poitrine de 88 centimètres, des varices et des pieds plats, et transpirait abondamment[3]. Son ami Thomas Bucky, un docteur dont le père était lui-même médecin d'Einstein, confirma la taille et les mensurations, mais nia catégoriquement les pieds plats et les varices.

On peut deviner l'euphorie d'Albert, quelle que fût sa condition physique réelle. Il était amoureux, avait trouvé un pays d'adoption et était libre de poursuivre des études qui le passionnaient. Mais rien ne compensa l'humiliation que lui infligèrent ses professeurs de l'École polytechnique.

Tous ses anciens camarades de promotion furent nommés professeurs assistants au collège. Il fut le seul écarté. Même le professeur Weber, qui malgré leurs différends avait sous-entendu qu'il l'embaucherait après son diplôme, avait changé d'avis et ne voulait plus avoir affaire à lui.

Weber avait été agacé, au fil des années, par une attitude qu'il prenait pour de l'arrogance. Il avait un jour lâché : « Vous êtes un type intelligent, Einstein, mais vous avez un défaut. Vous n'admettez pas qu'on vous fasse une remarque. » Sa déception, puisqu'il avait appuyé l'entrée d'Einstein au collège, l'entraîna très loin. Il alla chercher comme assistants deux ingénieurs mécaniciens, plutôt que d'engager Einstein qui était pourtant physicien.

Le tempérament qui faisait le délice de ses amis avait irrité la plupart des professeurs. Habitués au respect dû aux dépositaires des vérités scientifiques, ils supportaient difficilement ce jeune hérétique à l'esprit rigoureux et aux manières je-m'en-foutistes qui ne les considérait visiblement pas comme irremplaçables. Einstein définira un jour ainsi cette opinion qui braquait les professeurs : « Ce qu'on apprend jusqu'à l'âge de vingt ans est considéré comme des vérités primordiales acceptées une fois pour toutes et intouchables, ce qu'on découvre ensuite est pure spéculation, sans odeur ni saveur[4]. »

Les quelques enseignants éclairés qui auraient pu s'entendre avec lui craignaient la menace qu'il représentait pour leur autorité, ce qui éliminait tout espoir de travailler avec l'un d'eux. Son seul ami dans le corps professoral était un historien, Alfred Stern, qui n'était en situation ni de l'employer ni de le soutenir. Et le professeur de mathématiques, Hermann Minkowski — qui utilisera par la suite les résultats d'Einstein —, ne pouvait songer à engager quelqu'un qu'il avait qualifié de « type fainéant ».

Sa candidature pour le poste de Vienne ayant été rejetée, il envoya son curriculum vitae dans toute l'Allemagne et attendit anxieusement les réponses. Il avait indiqué comme référence le professeur Weber, dont il sous-estimait l'animosité.

Albert et Mileva survivaient, pendant ce temps, grâce à de rares leçons particulières et aux colis de nourriture envoyés par leurs familles.

Mileva se demandait si les manières d'Einstein étaient les seules causes de ses difficultés. « Mon ange a une langue épouvantable et en plus il est juif », confia-t-elle à un ami. Être juif en ces lieux et à cette époque n'était certes pas un passeport pour la réussite, même si l'antisémitisme était probablement moins exacerbé en Suisse qu'en Allemagne. Le professeur Minkowski était juif et plusieurs amis juifs d'Einstein avaient été embauchés par l'École polytechnique. Mais il avait un autre tort, celui d'être fraîchement naturalisé. Des Suisses de souche ou de longue date le traitaient comme un citoyen de seconde classe, un « Suisse sur le papier ».

Prenant rapidement conscience de ces difficultés, Einstein élargit le champ de ses recherches. En mars, il envoya une copie de son article des *Annalen der Physik* à Wilhelm Ostwald, un chimiste physicien à l'université de Leipzig qui obtiendra un prix Nobel en 1909. Il souligna par la même occasion que son travail était inspiré des propres recherches d'Ostwald, sollicita ses remarques, demanda s'il aurait besoin d'un physicien mathématicien habitué aux mesures absolues et conclut : « Je n'ai aucun revenu et seul un poste comme celui-ci me permettrait de poursuivre mes études. »

N'obtenant aucune réponse, il adressa une lettre de relance sous le prétexte qu'il avait peut-être oublié d'indiquer son adresse dans son premier courrier. Aucune réponse. Le mois suivant, il fit acte de candidature pour un poste offert par Heike Kamerlingh Onnes, un physicien hollandais qui recevra lui aussi un prix Nobel, en 1913. À nouveau sans succès.

Albert était si pauvre au printemps 1901 qu'il rentra chez lui à Milan, où au moins on le nourrirait. Et il continua de chercher du travail. Rayant l'Allemagne de sa liste après plusieurs déceptions, il se concentra sur l'Italie, pays qu'il adorait et où l'antisémitisme était quasiment absent. Il supprima le nom de Weber comme référence et le remplaça par d'anciens professeurs d'Aarau et de Munich.

L'humiliation infligée par l'*establishment* zurichois, son échec à trouver du travail et sa séparation d'avec Mileva avaient aigri le caractère d'Einstein. Toujours déchiré entre son cœur et ses parents, notamment son père, il se sentait étranger chez lui. La santé de Hermann déclinait en même temps que ses affaires. Il était harcelé, avec Pauline, par l'oncle Rudolf, mécontent des résultats de son investissement dans leur société. Mais ces motifs de distraction n'empêchaient pas Albert de se livrer avec passion à ses spéculations scientifiques, « brûlant du désir, dit-il à Mileva, d'accomplir un pas de géant dans l'exploration de la nature de la chaleur latente ».

Michele Besso apporta un bol d'air opportun. Outre leurs passions intellectuelles communes, les deux hommes partageaient des liens étroits avec la famille Winteler. Albert avait vécu chez les Winteler comme un fils de la maison et avait connu son premier amour avec Marie. Michele Besso avait épousé la fille aînée, Anna, avec laquelle il venait d'avoir un fils. Maja se mariera avec le fils, Paul.

Besso amusait Einstein et le stimulait intellectuellement. Celui qu'il appelait un « minable » sera l'ami et le confident de toute sa vie.

Besso dit un jour qu'Einstein était un aigle et lui-même un moineau qui, sous l'aile du rapace, s'élevait plus haut qu'à son habitude. L'image n'est pas dépourvue de vérité. Et la distraction de Besso était telle qu'elle éclipsait les étourderies occasionnelles d'Einstein.

Mileva supplia Einstein de ne pas parler d'elle, craignant que Michele ou Anna ne se livrent ensuite à des commérages chez les Winteler, ce qui ne manquerait de susciter de nouveaux problèmes. Albert la rassura. « Personne ici ne songerait ou n'oserait dire du mal de toi. » Si c'était vrai, la situation avait radicalement changé, peut-être parce que les parents d'Albert étaient désormais trop préoccupés par leurs propres difficultés.

Albert évita de parler d'amour ou de mariage pendant le séjour de ses amis. Il passa quatre heures à discuter avec Michele sur la séparation fondamentale entre la matière et l'éther luminescent (milieu subtil et invisible qui était censé baigner l'univers et à travers lequel on supposait que se transmettaient les radiations), à tenter de comprendre comment le repos absolu pourrait être la clé des mouvements du soleil, des étoiles et des planètes, puis à envisager les moyens de séparer et compter les molécules, avant de passer aux phénomènes de surface et enfin aux effets de la chaleur sur les gaz.

Besso conclut le flot d'idées de son ami en naturaliste plus qu'en ingénieur électricien, en prédisant : « S'il y a des roses, elles fleuriront. »

L'éther luminescent était une plante sans fleur. Einstein réduisit la notion à néant en 1905, quatre ans après leur discussion.

Malgré sa piètre opinion de Besso, trop versatile et fainéant selon lui pour être créatif, Einstein savourait son « esprit très fin dont j'observe le fonctionnement avec plaisir, même s'il est désordonné ».

Einstein écrivit peu après à Mileva que, bien que Besso eût tendance à se concentrer sur des détails insignifiants et à ne pas voir l'ensemble d'une question, il était très intéressé par « nos recherches ». Sans que l'on comprenne si le « nos » indique que ces recherches étaient menées avec Mileva ou Besso.

La conversation avec Besso fut le seul rayon de soleil dans la vie d'Einstein pendant plusieurs semaines. Il espéra que l'intervention d'un oncle italien de Besso, le professeur Jung, l'aiderait. Jung envoya à deux célèbres physiciens de ses amis, les professeurs Battelli à Pise et Righi à Bologne, un article écrit par Mileva et lui. Sans résultat. Et les rares réponses qu'Albert reçut à ses nombreux courriers étaient négatives.

Ses lettres à Mileva affichaient toujours une humeur joyeuse, malgré le sentiment désespérant, dont il s'ouvrit à quelques amis, d'être un paria abandonné de tous et sans avenir.

Hermann, mû par l'amour paternel, écrivit secrètement à Ostwald une lettre qui décrivait les compétences d'Albert, son talent et sa passion pour la science, et demandait au savant d'adresser à son fils quelques mots d'encouragement.

La supplique n'eut aucun effet. Elle fut apparemment classée et oubliée, pour être exhumée des archives du futur prix Nobel bien des années plus tard. Einstein découvrit cette touchante démarche de son père longtemps après la mort de celui-ci[5].

Des encouragements vinrent d'un autre côté. Le jour même où Hermann écrivait à Ostwald, Albert recevait une lettre de Marcel Grossmann, le camarade de Polytechnique qui lui avait prêté ses notes du cours de mathématiques, et qui vantait son génie. Marcel avait convaincu son père de recommander son ami à Friedrich Haller, directeur du Bureau de la propriété industrielle suisse, à Berne.

Albert répondit sur-le-champ à Marcel qu'il avait été touché par sa lettre, qu'il lui était profondément reconnaissant, et qu'il serait ravi d'obtenir ce travail. Il racontera plus tard que l'aide de Grossmann lui avait, d'une certaine façon, sauvé la vie. Pas sa vie physique, mais sa vie intellectuelle.

Rien n'était pourtant encore certain. D'une part il n'y aurait pas de vacance de poste avant plusieurs mois, et d'autre part il n'était pas le seul candidat.

Puis la chance lui sourit. On lui offrit d'assurer des cours de mai à juillet 1901, à Winterthur, dans le nord de la Suisse, en remplacement du directeur d'une école technique appelé pour une période militaire. Il se demanda quelle personne bien intentionnée avait parlé de lui car il n'avait jamais postulé pour ce travail. Certainement pas un de ses anciens professeurs. C'était, découvrit-il rapidement, deux amis du collège, Amberg et Ehrat.

Albert partit un matin de Milan par le premier train. Il s'arrêta au lac de Côme pour passer le week-end avec Mileva. La jeune femme était descendue à sa rencontre depuis Zurich et l'attendait sur le quai depuis cinq heures. Ils restèrent à Côme pour la matinée, avant de prendre un bateau à vapeur jusqu'à Cadenàbbia où ils visitèrent la villa Carlotta et ses magnifiques jardins fleuris.

Le lendemain ils firent une excursion en traîneau à cheval, sous des rafales de neige, jusqu'au col de Splügen. Le conducteur perché sur une petite planche, à l'arrière, ravit Mileva en les prenant pour de jeunes mariés en voyage de noces.

La tempête s'épaissit avec l'ascension, et après quelques heures ils ne voyaient plus que de la neige de tout côté. Mileva écrivit à Helene qu'elle frissonnait de froid, mais avait la chance de pouvoir serrer « fermement mon amour dans mes bras, sous les manteaux et les châles ». Ils s'amusèrent beaucoup à la descente, en partie à pied, au cours de laquelle ils déclenchèrent de mini-avalanches.

Puis ce fut l'heure pour Albert de reprendre le train vers un nouveau travail et une nouvelle vie.

« Je suis transporté de joie », dit-il à son ami le professeur Alfred Stern.

# 6

# Maître d'école

*Été 1901*
*22 ans*

L'école technique de Winterthur était encore mieux que ce à quoi il s'attendait, écrivit Albert à Mileva. Il bénéficiait d'une grande chambre ensoleillée, au plancher parqueté et agrémenté de magnifiques tapis, aux murs ornés de tableaux et dotée d'un canapé « affreusement confortable » sur lequel il aimait dîner de pain et de saucisses. Il était en lisière de la ville et avait, de sa fenêtre, l'impression de se trouver en pleine nature, au milieu d'un immense jardin fleuri.

Un ancien camarade de Aarau, Hans Wohlwend, qui suivait une formation en commerce international, occupait une chambre voisine. Ils jouaient ensemble dans un petit orchestre local.

Après quelques difficultés initiales, l'intelligence et l'humour désabusé d'Albert conquirent ses élèves. Un garçon bruyant faisant, un jour, racler son tabouret, il lui demanda d'un ton neutre : « Est-ce vous ou votre tabouret qui fait ce bruit-là ? »

Ce travail lui plaisait et il se surprenait lui-même d'aimer autant enseigner. Après des matinées qui comprenaient jusqu'à six heures de cours, il avait le ressort de passer le reste de la journée plongé dans les travaux de Boltzmann sur la théorie cinétique des gaz et dans la rédaction d'un article destiné à « fournir la clé de voûte de la chaîne de preuves amorcée » par Boltzmann.

Ces tâches accomplies, il s'emparait de *Aphorismes sur la sagesse* *dans la vie* de Schopenhauer*. Les premières lignes, « ce qu'*est* un homme concourt davantage à son bonheur que ce qu'il *a*, ou que la façon dont les autres le considèrent », furent sans doute pour lui une consolation. Il commentera ainsi la valeur thérapeutique de ses recherches : « Je crois, avec Schopenhauer, que la plus forte motivation des hommes pour les arts et la science est l'envie de fuir la vie quotidienne avec sa grossièreté et sa monotonie et de se réfugier dans un monde peuplé des images de sa propre création[1]. »

Un questionnaire personnel qu'Einstein remplira un jour à la demande d'un ami témoigne que c'était seul qu'il se sentait le plus heureux, sans être pour autant un misanthrope pessimiste comme Schopenhauer qui détestait sa mère, et proclamait que ses seuls amis étaient ses caniches. Il était tout sauf misanthrope. À l'âge de vingt-deux ans, il avait, en plus de Mileva, au moins cinq amis proches auxquels il se confiait, et il était sur le point de s'en faire deux autres[2]. Il sera entouré de femmes toute sa vie, se mariera deux fois et aura plusieurs liaisons. Mais la science étant son principal centre d'intérêt, il réservera ses relations intimes à des gens qui partageront son obsession des mystères cosmiques, ou au moins en discuteront. Sa correspondance avec Marcel Grossmann en atteste. Après une mention rapide du temps merveilleux et de ses séances de musique, il lui écrivit ainsi : « Sur le plan scientifique, j'ai quelques idées merveilleuses en tête (...). Je suis maintenant pratiquement certain que ma théorie sur le pouvoir d'attraction des atomes peut être étendue aux gaz et qu'on peut déterminer sans difficulté excessive les constantes caractéristiques de presque tous les éléments. Ce qui fera également accomplir un pas décisif en avant à la question des relations entre les forces moléculaires et les forces newtoniennes distantes (...). C'est un sentiment extraordinaire de distinguer l'unité d'un ensemble de phénomènes qui se révèlent très différents de ce que nos sens perçoivent directement. »

Pas un mot sur Mileva qui souhaitait qu'Albert l'accompagne rapidement en Hongrie pour faire la connaissance de ses parents. Elle était certaine que les préventions de ceux-ci contre leur relation s'évaporeraient quand ils les verraient ensemble. Albert partageait son optimisme. En attendant, il prenait le train presque tous les dimanches pour aller la voir à Zurich, à une trentaine de kilomètres au sud.

Il rencontra à Winterthur un professeur Weber qui lui manifesta un intérêt amical très éloigné de l'hostilité de son homonyme zuri-

_____

* P.U.F., 1994.

chois. Albert lui montra un article écrit avec Mileva, sans doute celui que le père de Besso avait envoyé aux physiciens italiens.

Sa correspondance ultérieure avec Mileva est prudemment encourageante. Il envisage un avenir fécond et heureux avec elle, leur union étant renforcée par les épreuves qu'ils auraient surmontées.

Les craintes de Pauline que Mileva ne tombât enceinte étaient justifiées. Albert écrivit fin mai à son amante : « Quel délice ce fut la dernière fois où j'ai pu me serrer contre ton petit corps adoré dans l'état où la nature l'a créé. » Et sa lettre suivante révèle une conséquence elle aussi naturelle : « Comment va le petit garçon ? Comment vont ton fils et ta thèse ? » Le « petit garçon » et le « fils » n'étaient qu'une façon de prendre ses désirs pour la réalité, car Mileva venait tout juste de tomber enceinte d'un bébé qui serait une fille.

Le moment ne pouvait guère être plus mal choisi. Le travail d'Albert touchait à sa fin. Les affaires de Hermann venaient de s'écrouler et il demandait à son fils de subvenir aux besoins de Maja qui poursuivait ses études. Une Maja qui colportait, croyait Albert, qu'il menait une vie de débauche, ce que la nouvelle de la grossesse viendra confirmer chez les Winteler, chez lui et chez Mileva.

Pourquoi sa sœur s'était-elle tournée contre lui ? Il se disait qu'elle prenait le parti de Marie, dont il avait brisé le cœur, et était influencée par la vision cruelle que les Winteler avaient de la rupture. Il expliquait aussi son hostilité par une adolescence « turbulente », bien que Maja eût dix-huit ans.

Il démontra à nouveau sa remarquable capacité à s'absorber dans le travail au milieu de circonstances difficiles. Une lettre qu'il envoya à Mileva au cours de cette période débute par un compte rendu dithyrambique d'un article de Philipp Lenard sur les rayons cathodiques et la lumière ultraviolette, tandis qu'une autre s'ouvre sur le résumé d'un courrier qu'il venait d'adresser au fameux physicien allemand Paul Drude, sur deux faiblesses de sa théorie des électrons.

Einstein montra rapidement qu'il ne fuyait pas ses responsabilités. Il avait un jour défini les deux ressorts de la vie : l'amour et la faim. Il récoltait désormais les fruits du premier et envisageait la perspective imminente de la seconde.

Il tenta d'apaiser les craintes de Mileva en prédisant avec assurance qu'elle devait seulement s'armer de patience. Ils travailleraient ensemble et partageraient une vie heureuse, sans soucis et tranquille, bref une vie idyllique. Dans l'immédiat, il resterait bien sûr avec elle et prendrait soin de leur « fils ».

57

Un poste au Bureau de la propriété industrielle étant toujours une perspective lointaine et aléatoire, il décida d'abandonner temporairement ses rêves de carrière scientifique pour subvenir aux besoins de Maja, Mileva et leur enfant. Prêt à endurer une « corvée stupide », il postula à un emploi dans une compagnie d'assurances. Il prit tout de même soin de poser en même temps sa candidature à un poste d'enseignant à Frauenfeld, en mentionnant Jost Winteler comme référence.

Il reçut une réponse de Paul Drude, qui lui écrivait qu'un éminent collègue soutenait sa théorie et que cela lui suffisait. « Qui est cet inconnu d'Einstein qui a le toupet de me critiquer ? » sous-entendait le physicien. Einstein en conclut que, décidément, l'autorité était le plus grand ennemi de la vérité. Il décida de réagir publiquement en critiquant dans les journaux scientifiques les savants avachis à la Weber et à la Drude, au lieu de persister à correspondre avec eux. Il avait l'impression de devenir encore plus misanthrope que Schopenhauer.

En juillet, alors qu'il ne lui restait que quelques jours d'enseignement à Winterthur, il assura à nouveau Mileva qu'il avalerait sa fierté et repousserait ses ambitions scientifiques pour accepter n'importe quel travail qui lui rapporterait assez pour qu'ils puissent se marier. Il redescendit ensuite dans le Sud pour passer l'été avec sa mère sur leur lieu de vacances habituel, à Mettmenstetten. Hermann ayant fait faillite, ils étaient probablement les invités des parents de Pauline.

Son intention de placer sa carrière scientifique entre parenthèses n'empêcha pas Albert de travailler, à l'hôtel, sur la thermodynamique des surfaces liquides, en une vaine tentative d'unifier la gravitation et les forces moléculaires. Il eut des compensations : le temps était merveilleux et la vue depuis son bureau un ravissement. Il croyait que sa mère s'était résignée à son mariage avec Mileva. Il conclut précipitamment une lettre passionnée qu'il lui adressait par « baisers affectueux » car Pauline entrait dans sa chambre pour prendre un café avec lui.

Il avait été trop optimiste. Sa mère, toujours farouchement opposée à son mariage, reprit ses remontrances en des termes qui trahissaient la mauvaise langue qui sévissait contre lui. Il raconta la scène à Mileva qui lui répondit que l'attitude de leurs parents respectifs était étrange, à côté de celle de leurs amis zurichois qui enviaient leur relation.

Toutes les nouvelles n'étaient pas mauvaises. Maja avait changé de dispositions, et Albert était de nouveau ami avec sa sœur.

La naissance étant prévue cinq mois plus tard, Mileva demanda à Albert d'écrire à son père, en Hongrie, pour lui annoncer qu'il serait bientôt grand-père, mais sa tâche la plus immédiate était de répliquer à sa propre mère qui ne cessait de lui seriner, en termes parfois proches de l'hystérie, que Mileva ruinerait sa carrière et sa vie.

L'été apporta à Mileva une mauvaise nouvelle : elle avait raté son diplôme une seconde fois, avec à nouveau une moyenne de $4^3$. Les cinq autres candidats avaient obtenu la note minimum de 5. Le métier d'enseignante se fermait devant elle. La correspondance d'Albert et de Mileva ne comporte pas la moindre allusion au coup terrible que cet échec dut être pour la jeune femme. Albert lui parlait de l'équipe scientifique qu'ils formaient à eux deux. Mileva ne pensait qu'au mariage et à sa grossesse.

# 7

## Futur père

*Août 1901-février 1902*
*22 ans*

Einstein, démoralisé à l'idée de s'enterrer dans une compagnie d'assurances, s'accrochait à un double espoir. Il attendait les réponses de deux lycées, celui de Frauenfeld auquel il avait écrit quelque temps plus tôt et celui de Schaffhausen qui venait de publier une offre d'emploi dans le *Journal des enseignants suisses*. Un ami du collège originaire de Schaffhausen, Conrad Habicht, lui avait fourni une recommandation pour le second établissement.

Marcel Grossmann décrocha, début septembre, le poste à Frauenfeld. Einstein pouvait difficilement en vouloir à quelqu'un qui l'avait aidé au collège, l'avait qualifié de futur génie, était intervenu pour le faire entrer au Bureau de la propriété industrielle, et était meilleur que lui en mathématiques. Mais c'est le cœur totalement soulagé qu'il put lui écrire quelques jours plus tard pour le féliciter, car il avait, entre-temps, été accepté à Schaffhausen[1].

Le travail semblait être du gâteau. Il aurait une miniclasse de deux élèves qui avaient échoué à cause des mathématiques à l'examen de fin de lycée, dont un Anglais de dix-neuf ans, Louis Cahen, qu'il était chargé de remettre à flot et de mener au diplôme. Il sera nourri et logé pendant un an à partir de début septembre chez le propriétaire et directeur de l'école, Jakob Nuesch, et toucherait le maigre salaire de cent cinquante francs par mois. (Il dut, à titre de comparaison, payer deux cent trente francs de frais pour soutenir sa thèse de doctorat.)

Ce n'était pas la fortune pour un futur père sur le point de se marier, dont les parents étaient ruinés, qui devait aider sa sœur et qui n'avait pas un sou en banque. Mais c'était un an de sursis avant le purgatoire d'un emploi de bureau. Et, comme il l'écrivit à Grossmann, « même si ce n'est pas un poste idéal pour un tempérament indépendant (...) je crois qu'il me laissera suffisamment de temps libre pour mes études préférées et qu'au moins je ne me rouillerai pas ».

Schaffhausen était une vieille ville fortifiée proche de la frontière allemande, dans une région montagneuse à une cinquantaine de kilomètres au nord de Zurich. Mileva, enceinte de sept mois, quitta peu après la ville à son tour pour aller accoucher chez elle, en Hongrie.

Craignant qu'on ne découvre son état et que la nouvelle ne parvienne aux parents d'Albert, la jeune femme se cacha et ne donna son adresse qu'à son amant. Début novembre, elle insista auprès de lui pour qu'il ne révèle pas à Maja où elle se trouvait. Elle le remercia pour des livres qu'il lui avait envoyés. Le premier l'avait beaucoup fait rire ; le deuxième, de Max Planck, l'avait intéressée et elle promettait de dire ce qu'elle pensait du troisième, du psychiatre Auguste Forel, dès qu'elle l'aurait lu. Albert mettait, pendant ce temps, la dernière touche à sa thèse de doctorat sur la thermodynamique et la soumettait au professeur Kleiner de l'université de Zurich.

La lettre suivante de Mileva, datée du 13 novembre, mentionna pour la première fois le prénom « Lieserl » qu'ils avaient choisi si, comme elle le souhaitait, ils avaient une fille. Elle suggérait également de rester en contact avec leur amie commune, Helene Kaufler, devenue Helene Savic par son mariage, et de la traiter « gentiment » car elle pourrait les aider pour quelque chose d'important.

Ils pensaient peut-être à Helene pour garder leur bébé jusqu'à ce qu'ils soient en mesure de s'en occuper eux-mêmes. Vivre à Berne avec sa maîtresse et leur enfant aurait compromis, sinon détruit, les chances d'Einstein d'entrer au Bureau de la propriété industrielle. Et il ne pouvait se permettre de se marier et de « légitimer » leur nouveau-né tant qu'il ne disposait pas de revenus fixes. Exactement ce dont son père l'avait averti. Qui pouvait les sortir de cette impasse ? Certainement pas les parents d'Albert qui étaient ruinés et auxquels ils avaient préféré dissimuler la grossesse. Quant aux parents de Mileva, ils avaient déjà la charge de leur fille cadette déséquilibrée, Zorka. Helene Savic, mariée et jeune maman, était une solution envisageable. Et si elle ne pouvait prendre le bébé en charge elle-même, elle pourrait peut-être trouver quelqu'un qui accepterait, parmi ses parents, cousins ou amis qui habitaient près de chez Mileva.

Albert et Mileva échangeaient une correspondance presque quotidienne. Albert écrivit une fois à Mileva qu'il se demandait si le courrier ne s'était pas égaré ou n'avait pas été jeté par le facteur, car il n'avait pas reçu de lettre depuis trois jours. En dehors de cette inquiétude, il lui expliquait avec humour que sa chambre était confortable mais qu'un abat-jour et sa personne en étaient les seules décorations. Il se promenait tous les jours dans la ville et avait assisté à un récital de musique au cours de la seule soirée qu'il n'avait pas consacrée au livre de physique théorique de Woldemar Voigt, qui avait également publié quelque chose sur Bach.

Il écrivit mi-décembre que, malgré leurs discussions à propos de « Lieserl », il préférerait un fils et songeait au futur bébé comme à un petit « Hanser ».

L'arrivée des lettres manquantes de Mileva le rendit « indiciblement heureux » car elles l'informaient que ses parents se faisaient à l'idée du mariage et étaient mieux disposés envers lui. Il répondit que leur confiance était fondée et promit qu'ils convoleraient en justes noces dès que possible. Il savait pourtant que la mère de Mileva était encore loin de le considérer comme le mari idéal, à en juger par une remarque ironique selon laquelle il attendait la « dérouillée » promise par sa future belle-mère.

Albert était optimiste. Il nourrissait de grands espoirs pour sa thèse et mettait au défi de la refuser le professeur « myope » Alfred Kleiner, de l'Institut de physique de Zurich. Et si ce dernier rejetait son travail, il le ridiculiserait en publiant la lettre de rejet en même temps que la thèse.

Kleiner n'était pas le seul détenteur de l'autorité avec qui Einstein bouillait d'en découdre. Il vivait depuis trois mois chez le propriétaire et principal du lycée, le professeur Jakob Nuesch, et prenait, comme son contrat le stipulait, ses repas avec Nuesch, sa femme et leurs quatre enfants. Il les abhorrait tous et avait l'impression de s'être fait gruger par les termes de sa pension.

Après quelques violentes disputes, il parvint à faire suffisamment honte à ce « morveux » d'exploiteur pour l'amener à lui payer la valeur de ses repas. Il déjeuna désormais à une auberge du voisinage où deux jeunes pharmaciens l'invitèrent à leur table, et ces économies sur sa nourriture lui permettaient d'aller voir Mileva dès qu'il en avait le loisir.

Il pavoisait : « Vive l'impudence ! C'est mon ange gardien dans ce monde », écrivit-il à Mileva.

Albert avait abandonné tout espoir de décrocher un emploi au Bureau de la propriété industrielle quand Marcel Grossmann lui apprit que la vacance allait être annoncée et qu'il ne tenait qu'à lui de postuler. Albert prédit à Mileva la fin de leurs ennuis dans deux mois. Il était ivre de joie à la pensée qu'ils allaient bientôt vivre et travailler ensemble en se moquant du reste du monde. Il ajoutait qu'il n'oublierait jamais les démarches de Marcel pour lui faire obtenir ce travail et promettait de toujours aider à son tour les jeunes gens doués, s'il en avait la possibilité. Une promesse qu'il tiendra.

Albert avait déjà les préoccupations d'un jeune père. Il reprenait une vieille superstition selon laquelle le lait de vache rendait les enfants idiots, pour repousser aussitôt cette pensée sinistre. Mileva allaiterait et le bébé jouirait d'un lait sain et nourrissant. La paternité toute proche et la perspective d'un emploi stable et pas inintéressant conféraient à la correspondance d'Einstein un ton insouciant. Le 17 décembre, il décrivit une existence à mourir de rire. Sauf les déjeuners. Les deux apothicaires l'avaient vite ennuyé et il passait le plus clair de son temps à éviter la conversation, jouer avec sa fourchette et son couteau, et regarder par la fenêtre.

Si Einstein avait gagné une manche contre Nuesch, ses méthodes d'enseignement décontractées furent la source d'un nouveau conflit. Nuesch était un adepte des méthodes allemandes d'éducation et de la sainte trinité du par cœur, de la discipline et du respect dû à l'autorité. Einstein était incapable d'exiger du par cœur, d'imposer une discipline et, par-dessus tout, d'apprécier les courbettes. Malgré sa situation financière critique et ses responsabilités paternelles imminentes, il refusa tout compromis. Nuesch, vexé d'avoir capitulé sur les repas et outré par l'inflexibilité à laquelle il se heurtait, n'était pas moins intransigeant et mit fin à leurs affrontements en claquant la porte.

Einstein déposa sa candidature comme expert technique au Bureau de la propriété industrielle le jour de l'anniversaire de Mileva, qu'il oublia. Il s'excusa le lendemain et annonça la bonne nouvelle : Marcel Grossmann et son père avaient été d'excellents avocats. Ses qualifications ne correspondant pas au poste vacant, le directeur avait réglé les chinoiseries administratives en taillant une nouvelle fonction sur mesure pour lui. Marcel, confiant dans le résultat, l'avait félicité d'avance. Albert, submergé par les perspectives radieuses, déclara à Mileva qu'il voulait la serrer dans ses bras, l'embrasser et lui dire à quel point il l'aimait. Il mourait d'impatience qu'elle soit enfin ouvertement sa femme.

C'est d'excellente humeur qu'il prit le train pour Zurich afin de recueillir les impressions du professeur Kleiner sur le mémoire qu'il lui avait soumis quelques semaines plus tôt. Déception. Son directeur de thèse ne l'avait pas encore lu. Mais Kleiner avait été impressionné par sa théorie électromagnétique des corps en mouvement et lui conseilla de la publier, avec la description des expériences conçues pour la vérifier. Le professeur l'autorisait, en outre, à le citer comme référence. Einstein révisa son jugement sur Kleiner. Le « myope » devint un type bien, pas si bête qu'il l'avait cru.

Il profita de son passage à Zurich pour prendre un café avec Marcel Grossmann et Jakob Ehrat, et fut heureux d'apprendre que, malgré tous ses motifs de distraction, il était le seul des trois à avoir achevé son doctorat.

Pour ne pas froisser Mileva qu'il n'avait, en revanche, pas eu le temps d'aller voir, Albert lui écrivit qu'un écran invisible le séparait de tout le monde, sauf d'elle. Personne ne comptait plus qu'elle dans sa vie.

Ce qui n'était pas pour plaire à sa mère. Cherchant toujours à repousser le cauchemar du mariage qui se profilait, elle adressa aux parents de Mileva une lettre pernicieuse dans laquelle elle reprochait, en son nom et en celui de son mari, à cette fille malfaisante et « plus vieille » que leur fils de l'avoir détourné.

Mileva arriva en Hongrie à six semaines de la naissance, juste après le courrier de Pauline. Elle confia à Helene : « Je n'aurais jamais cru qu'il pouvait y avoir des gens aussi méchants et dénués de cœur ! [Ils ont écrit] à mes parents une lettre tellement insultante à mon égard que c'en est une honte (...). Je ne peux faire autrement que l'aimer énormément, malgré toutes ces mauvaises nouvelles (...) surtout quand je vois qu'il m'aime autant que je l'aime (...). Prie pour nous, Helene chérie, pour que les choses arrêtent d'aller aussi mal pour nous ! »

Les prières d'Helene n'atteignirent pas Schaffhausen où un nouveau revers attendait Albert. Sentant que ses jours étaient comptés, celui-ci imagina prendre les devants sur Nuesch en partant pour Berne avec son élève Cahen. Le garçon se faisait fort d'obtenir l'accord de ses parents. Ses frais de scolarité reviendraient alors à Einstein qui aurait ainsi les moyens de survivre jusqu'à ce qu'il entre au Bureau de la propriété industrielle. Le plan s'effondra car le père de Cahen s'opposa violemment au projet.

Le renvoi d'Einstein mit fin à quatre mois orageux. Motif : « mauvaise influence ». Un reproche déjà entendu quand il était encore élève à Munich. Ne ménageant pas ses mots, Nuesch affirmait discerner dans les manières nonchalantes d'Albert les germes d'un vrai révolutionnaire. Albert ne s'était pas contenté d'être, une fois de plus, incapable de composer avec un détenteur de l'autorité. Il l'avait rendu carrément hystérique.

Il débarqua à Berne avec très peu d'argent en poche et sans perspective immédiate d'en gagner. Il écrivit crânement à Conrad Habicht, qui l'avait recommandé à Nuesch, qu'il avait quitté cet établissement privé d'une façon « spectaculaire », sans s'étendre sur ce que « spectaculaire » signifiait.

Il apprit le même jour, 4 février 1902, qu'il était papa d'une petite fille. Mileva étant trop faible, c'était le père de celle-ci qui lui avait écrit. Einstein répondit sur-le-champ qu'il avait été fou de terreur en recevant une lettre qui n'était pas de son écriture « parce que je m'attendais à ce que quelque chose tourne mal (...). Je me suis dit sur le moment que je serais encore répétiteur [chez Nuesch] pendant deux ans si cela pouvait te rendre la santé et le bonheur. Mais, tu vois, le bébé était déjà né et c'était une Lieserl, comme tu le souhaitais ». Il voulait tout savoir sur leur petite fille, la couleur de ses yeux, à qui elle ressemblait, comment elle mangeait et si elle avait des cheveux. Sans l'avoir jamais vue il l'aimait déjà beaucoup. Il demandait à Mileva de lui envoyer une photo ou un dessin de leur fille, dès qu'elle se porterait mieux.

Après une déclaration d'amour, il peignait un tableau mirobolant de ce qui attendait Mileva à Berne, une charmante ville ancienne qu'on pouvait traverser en plein orage sans se mouiller, grâce aux arcades qui bordaient les rues des deux côtés. Toutes les maisons qu'il avait visitées pour chercher un logement étaient d'une propreté impeccable. La chambre qu'il avait choisie était vaste, magnifique, et possédait un canapé douillet. Comme à Winterthur. Il décrivait la pièce, avec ses six chaises rembourrées et ses trois armoires. Il espérait s'en sortir avec deux leçons particulières par jour en attendant de commencer à travailler au Bureau de la propriété industrielle. Il avait déjà fait passer une annonce dans un journal local.

Cette lettre à Mileva est unique en son genre. Le jeune père enthousiaste oublia d'écrire le moindre mot sur ses recherches scientifiques.

# 8

# Cours particuliers

*Printemps 1902*
*22 et 23 ans*

L'annonce qu'Einstein publia dans un journal de Berne se terminait par une proposition affriolante :

Cours particuliers de
MATHÉMATIQUES ET PHYSIQUE
pour lycéens et étudiants
assurés avec le plus grand soin par
ALBERT EINSTEIN, titulaire du
diplôme d'enseignement de l'éc. Poly. féd.
32 Gerechtigkeitsgasse, 1er étage.
Leçons d'essai gratuites

Le premier à mordre à l'hameçon fut un Juif roumain sans le sou, Maurice Solovine. Il monta à l'étage, franchit le couloir qui menait au spacieux appartement d'Einstein, où un sonore « Entrez ! » répondit à son coup de sonnette. Après les formalités d'usage, les deux jeunes gens s'assirent sur des chaises qui empestaient le tabac froid et se lancèrent dans une conversation animée. La même envie de percer les secrets de l'univers les dévorait tous les deux.

Solovine avait d'abord cherché des réponses chez les grands philosophes, mais en avait bâillé d'ennui. Les positions de Hegel, pour n'en citer qu'un, étaient si contradictoires que des écoles totalement opposées les reprenaient à leur compte. La physique et les mathé-

66

matiques lui paraissaient des outils plus fiables. Une question l'intriguait particulièrement : la radioactivité du radium, récemment découverte, menaçait-elle le principe de conservation d'énergie ?

S'il avait, lui aussi, été désenchanté par la philosophie, Einstein continuait de butiner pour le plaisir chez Schopenhauer et Nietzsche et trouvait dans leurs expressions limpides et vivantes, comme dans la musique ou la poésie, des stimulants à ses propres réflexions.

Einstein aimait le réconfort d'un aphorisme de Schopenhauer : « L'homme peut certes faire ce qu'il veut, mais il ne peut pas vouloir ce qu'il veut. » Le libre arbitre était ainsi un mythe, du point de vue philosophique. « Je supporte alors mieux mon sentiment de responsabilité. Je n'en suis plus écrasé et je cesse de prendre les autres et moi-même trop au sérieux. Et je regarde le monde avec humour[1]. »

La première impression qu'Einstein eut de Solovine ne devait plus le quitter. Il fut frappé par le rayonnement des larges yeux de ce « grand libéral, un esprit très éclairé[2] ». Ils dédaignaient les biens matériels autant l'un que l'autre, méprisaient les gens motivés par la gloire ou la fortune, et partageaient la même aspiration à la justice sociale.

Deux heures de conversation s'écoulèrent sans que la question des émoluments ne fût abordée. Elle ne le fut pas davantage quand Einstein raccompagna son élève sur le trottoir où ils discutèrent pendant une nouvelle demi-heure. Ils convinrent de se revoir le lendemain pour poursuivre leur discussion.

Le troisième jour, Einstein dit à Solovine qu'il préférait discuter de physique de façon informelle, chaque fois que celui-ci en aurait envie, plutôt que de lui donner des cours particuliers. Solovine le prit au mot, revint souvent et fut chaque fois le bienvenu. Sa sympathie envers Einstein se transforma en affection. Il le trouvait remarquablement clair et capable de rendre concrètes des pensées abstraites en illustrant ses propos d'anecdotes de la vie quotidienne.

Conrad Habicht, qui passa voir Einstein quelques semaines plus tard, reçut de la bouche de ce dernier une description colorée de ses batailles avec Nuesch. Habicht s'installait à Berne pour achever sa formation de professeur de mathématiques. Il accepta de se joindre à Solovine et Einstein dans leur quête de la vérité suprême.

Deux recrues faisaient un maigre butin pour Einstein qui en espérait dix, mais les discussions qu'il aura avec eux pendant des années influenceront considérablement son travail futur. Solovine et Habicht payaient Einstein deux francs chacun par cours, ce qui couvrait à peine ses frais de tabac. En ces temps difficiles, toute rentrée d'argent était la bienvenue. Il avait renoncé à soutenir sa thèse, autant pour récupérer les deux cent trente francs de frais que parce que Kleiner l'avait persuadé qu'elle critiquait trop Drude, Planck et autres piliers scientifiques. Ajoutée aux économies réalisées sur son salaire d'enseignant, cette somme couvrait dix semaines de loyer. Il dépensait fort peu pour la nourriture et recevait, d'ailleurs, de temps à autres des colis de sa famille ou de Mileva. Il s'en tirait.

Le trio décida d'étudier sur un pied d'égalité, plutôt que dans un rapport de maître à élèves. Sa liste de lectures éclectiques inclut des œuvres de Karl Pearson, Platon, Ernst Mach, John Stuart Mill, Racine et David Hume.

Ils commencèrent par Pearson, un contemporain anglais qui utilisait les statistiques dans des recherches sur l'hérédité et l'évolution. Puis ils passèrent à Mach, l'ennemi implacable de l'« obscurantisme métaphysique » et l'un des favoris d'Einstein.

L'intérêt d'Einstein et de Solovine se raviva pour divers philosophes. Comment résister à la suggestion provocante et anticonformiste de John Stuart Mill selon laquelle deux et deux pourraient faire cinq — sur une autre planète ? Ils étudièrent l'analyse plus terre à terre de la preuve inductive (la généralisation à partir d'observations objectives) menée par Mill dans son *Système de logique inductive et déductive*, publié en 1884. Mill considérait la nature comme uniforme et prévisible, les mêmes circonstances engendrant toujours les mêmes phénomènes. Einstein n'était pas du tout d'accord : « Aucune méthode inductive ne peut conduire aux concepts fondamentaux de la physique. L'incapacité à le comprendre est la plus grave erreur philosophique de nombreux penseurs du XIX<sup>e</sup> siècle[3]. »

Einstein en viendra à regarder la philosophie comme une séduisante illusion, disant par exemple à un étudiant : « Ne dirait-on pas que la philosophie est écrite avec du miel ? Elle est merveilleuse au premier regard, mais se brouille quand on la regarde à nouveau. Et il ne reste que de la bouillie[4]. »

Il admettait qu'il y eût des exceptions et portait au pinacle certains philosophes anglais dont David Hume, un Écossais au franc-parler, « représentant des lumières anglaises ». Il aimait particulièrement l'écriture directe et pleine de bon sens de Hume, ses aphorismes selon lesquels l'expérience et les mathématiques sont les seuls outils légitimes de la science, mais qu'on ne peut atteindre la vérité absolue car les idées et impressions humaines sont subjectives.

Einstein ne pouvait se promener dans les rues de Berne sans rencontrer quelque connaissance zurichoise. Il tomba, un samedi, sur un ami du nom de Frosch qui se rendait à un cours de pathologie criminelle. Il le suivit et fut subjugué. Surtout quand le professeur produisit deux spécimens vivants pour illustrer ses hypothèses sur les maladies mentales des criminels. L'un était un escroc mégalomane, l'autre une femme qui devenait incendiaire en état d'ébriété.

Einstein envisageait de revenir toutes les semaines. Il écrivit à Mileva une lettre enthousiaste dans laquelle il disait que le cours lui avait rappelé un livre d'Auguste Forel qu'ils avaient lu récemment. Le psychiatre suisse citait les cas d'escrocs pathologiques qu'il avait hypnotisés pour tenter de comprendre leurs motivations et de les corriger.

Mileva se rappelait parfaitement cet ouvrage qui l'avait dégoûtée de l'hypnose, une « agression brutale contre la conscience humaine » considérée à juste titre comme « immorale » par ses détracteurs. Elle avait suivi une année de médecine avant d'étudier la physique à l'École polytechnique et découvert l'importance de la suggestion dans le comportement humain. Mais les expériences de Forel étaient tout autre chose. C'était un charlatan plus sophistiqué et plus sûr de lui que d'autres, mais quand même un charlatan qui abusait des gens ignares. L'hypnose, si elle existait réellement, n'était au mieux que suggestion ou autosuggestion. (Ce qui, sans contredire ses effets thérapeutiques, est la définition qu'en donnent aujourd'hui ses plus ardents défenseurs.)

Mileva n'avait guère besoin de mettre Albert en garde contre l'hypnose. C'était la démarche criminelle qui avait piqué son intérêt, davantage que les essais thérapeutiques. Il avait trouvé dans son ami Frosch un guide perspicace, intelligent et respecté vers lequel le professeur se tournait pour recueillir son approbation chaque fois qu'il avançait une idée originale.

Mileva connut une passe difficile un mois après la naissance de leur fille. Elle se sentait faible et délaissée, à côté de la prospérité apparente d'Albert et des conversations passionnantes qu'il entretenait. Il tenta de la rassurer. Elle n'avait aucune raison d'être jalouse de Habicht et Frosch. Elle lui manquait énormément, mais devait comprendre qu'il n'était pas homme à trahir ses sentiments. Même ses études perdaient la moitié de leur attrait en son absence.

Il rencontra par hasard un ancien étudiant de Polytechnique qui travaillait au Bureau de la propriété industrielle. Le travail, lui dit-il, était totalement dépourvu d'intérêt et l'atmosphère déprimante. Einstein avait son embauche dans la poche car les responsables suivaient systématiquement les avis de Haller. Il n'aurait d'ailleurs aucun concurrent puisqu'il avait postulé à l'échelon le plus bas.

« Les critiques d'un éternel mécontent », se dit Albert, certain d'aimer le travail et vouant déjà à Haller une reconnaissance éternelle. Il était ravi d'être le seul candidat. « Nous nous fichons pas mal, tous les deux, de la hauteur ! » conclut-il auprès de Mileva après lui avoir raconté la railleuse remarque sur l'échelon le plus bas.

Ce dont Mileva ne se moquait pas était l'hostilité violente de la mère d'Albert. Maja n'avait pas appris la grossesse, mais avait dit à sa mère qu'elle soupçonnait Albert et Mileva de s'être secrètement fiancés. Pauline fut si furieuse qu'elle interdit d'aborder dorénavant le sujet, que ce soit chez elle ou chez les Winteler.

Pauline Einstein ignorait toujours qu'elle était grand-mère quand elle confia à Pauline Winteler, six semaines après la naissance de Lieserl : « Nous sommes fermement opposés à la liaison entre Albert et Mlle (Mileva) Maric (...). Nous ne voulons rien avoir à faire avec elle (...) et c'est une source permanente de frictions avec Albert (...). Cette Mlle Maric me fait vivre les heures les plus pénibles de ma vie. Je ferais mon possible pour la bannir de notre horizon, si c'était en mon pouvoir. Je la déteste. Mais j'ai perdu toute influence sur Albert. Vous imaginez à quel point tout cela me rend malheureuse. »

On ne sait comment elle réagit à la nouvelle de l'existence de Lieserl, si elle l'apprit un jour. Le destin de sa petite-fille fut un secret jalousement gardé et demeure à ce jour un mystère.

La première réaction d'Einstein à l'annonce de la naissance de sa fille fut la joie. Avant un étrange silence. Pas un mot sur le bébé dans une lettre écrite à Mileva une semaine plus tard. Ni dans une deuxième, trois jours après. Comme si elle n'existait plus. On s'attendrait, alors, à ce qu'il tente de consoler la jeune mère éplorée. Il ne le fait pas. Pas plus qu'il ne s'enquiert de sa santé. Quelques lettres ultérieures fournissent de vagues indications. L'enfant envers lequel Albert avait témoigné tant d'amour anticipé est donnée en adoption. À un an et demi, elle survit à une maladie infantile. Puis c'est à nouveau le silence.

Le document suivant date de quelque trente années plus tard, quand Einstein était célèbre et vivait à Princeton. En 1935, un ami anglais lui envoya une mise en garde pressante selon laquelle une femme essayait de convaincre des membres de « milieux influents » en Europe qu'elle était la fille d'Einstein. De la lecture de sa surprenante réponse on déduit qu'Einstein estimait qu'il était possible que sa véritable fille fût encore en vie : il engagea un détective privé pour vérifier les prétentions de l'inconnue.

La personne la mieux informée sur Lieserl est sans aucun doute le professeur Robert Schulmann, de l'université de Boston, directeur du Projet Einstein chargé de la publication officielle des archives du grand physicien. Se trouvant à Zurich pour collecter de nouvelles pièces, Schulmann apprit que les lettres d'amour des premières années se trouvaient toujours en Californie. Otto Nathan avait empêché Hans Albert, fils d'Einstein, et sa première femme de les publier. La correspondance entra ensuite en possession de la seconde femme de Hans Albert, le professeur Elizabeth Roboz Einstein, qui la remit finalement au Projet Einstein quand Otto Nathan perdit son pouvoir sur les archives d'Einstein, à la fin des années quatre-vingt. L'existence de Lieserl ne fut ainsi révélée que quatre-vingt-cinq ans après sa naissance, quand Nathan ne fut plus en mesure de maintenir le secret, dans le premier volume de *The Collected Papers of Albert Einstein, The Early Years, 1879 to 1902*, publié par Princeton University Press en 1987 sous la direction de John Stachel, assisté de Robert Schulmann[5].

J'ai interrogé Schulmann sur Lieserl.

DENIS BRIAN — *N'est-ce pas surprenant qu'aucune lettre échangée entre Einstein et Mileva ne mentionne la mort de leur fille ?*

ROBERT SCHULMANN — Si je ne me trompe pas, l'enfant a survécu et est morte après Einstein.

D.B. — *Einstein est décédé en 1955. Vous croyez que sa fille aurait survécu jusqu'à l'âge adulte ?*

R.S. — Exactement.

D.B. — *Une fille d'Einstein a donc vécu ignorée du monde ?*

R.S. — Elle ignorait peut-être elle-même qu'elle était la fille d'Einstein, mais je n'en suis pas sûr.

D.B. — *Ne trouvez-vous pas étrange qu'Einstein ne se soit pas trouvé auprès de Mileva pour la naissance de leur fille ?*

R.S. — Non. L'enfant est née dans ce qui était alors un territoire hongrois, avant de devenir yougoslave.

D.B. — *La fille n'est peut-être jamais allée en Suisse, où Einstein vivait à cette époque...*

R.S. — Exactement.

D.B. — *Qu'est devenu son premier amour, Marie Winteler ?*

R.S. — Elle s'est mariée à un autre homme, qui s'appelait Albert et était de dix ans plus jeune qu'elle. Ce ne fut pas un mariage heureux. Elle eut deux enfants avec lui et eut du mal à joindre les deux bouts pendant toute sa vie. Elle gagnait sa vie essentiellement en donnant des leçons de piano à Zurich, et accessoirement comme serveuse. Elle a écrit un peu de poésie. Je crois qu'elle n'a jamais oublié Einstein.

D.B. — *Ses lettres d'amour à Marie et Mileva se ressemblent beaucoup, à quelques années d'intervalle, comme s'il avait été aussi amoureux de l'une que de l'autre...*

R.S. — Oui. Je pense qu'il aimait beaucoup les femmes, mais sa priorité a toujours été la science. Il aimait la compagnie des femmes et les aimait sur le plan sexuel, mais je suppose que cela ne le détournait pas d'un millimètre de sa priorité des priorités, la physique. Ce n'est, bien sûr, qu'une interprétation.

D.B. — *La façon dont il semble avoir abandonné sa fille ne ressemble pas du tout à Einstein.*

R.S. — Je ne suis pas d'accord avec vous, mais cela est difficile à expliquer. C'est seulement quelque chose que je ressens. Je crois qu'il était beaucoup plus opportuniste qu'on ne le voudrait. On le considère un peu trop comme le grand sage de Princeton, et il faut être prêt à envisager qu'il ait eu des attitudes opportunistes. On a beau ne pas aimer le mot « opportuniste », il faut prendre ce facteur en considération, au sens neutre du mot « opportuniste ». On ne le fait pas assez souvent, alors que c'est la seule façon de comprendre certaines de ses décisions.

D.B. — *Vu ce que son père et sa mère semblaient être, si on en juge d'après leurs lettres ou leur milieu, vous ne pensez pas qu'ils auraient été horrifiés, s'ils avaient connu l'existence de ce bébé, d'apprendre qu'Albert et Mileva s'en débarrassaient ?*

R.S. — Sa mère lui avait prédit : « Tu vas avoir des problèmes avec cette fille ! » lors de la scène au cours de laquelle elle s'était jetée sur le lit, en 1901. Alors, je pense qu'elle lui aurait dit : « Voilà ! tu les as, les problèmes. Et tu m'as dit que ce n'était pas ta maîtresse ! » Avec ses conceptions bourgeoises, elle aurait immédiatement fait retomber la faute sur la fille. « Elle a tenté mon fils. Elle est moche. Elle est plus vieille que lui. Elle a tenté mon garçon. Débarrasse-toi du môme ! » J'ai l'impression que c'est ce qui a pu se passer.

D.B. — *C'est vrai, parce que sa mère avait approuvé sa liaison avec Marie Winteler, qui était protestante.*

R.S. — Oui. Parce qu'elle appartenait à une respectable famille suisse, si on peut dire. Alors qu'on considérait les Serbes (Mileva était serbe) comme des sortes de bandits en marge de la civilisation. En tout cas du point de vue allemand, que je connais.

D.B. — *Ils considéraient peut-être Mileva comme d'autres considéraient les Tziganes...*

R.S. — Tout à fait. Ce qui est bien sûr injuste. Le père de Mileva travaillait dans l'administration. Des gens ont dit de lui que c'était un paysan serbe. C'est absurde.

D.B. — *Ils appartenaient plus ou moins à la même classe sociale.*

R.S. — Et le père de Mileva a sans doute mieux réussi que celui d'Albert, parce qu'il était fonctionnaire alors que le second était à son compte et a fait faillite. Mais il est incontestable qu'ils appartenaient à la même classe sociale.

D.B. — *Pouvez-vous concilier la lettre d'Einstein dans laquelle il écrit qu'il est déjà amoureux de sa fille sans l'avoir vue, qu'il est impatient que Mileva et elle le rejoignent en Suisse dès qu'il aura du travail, et le fait qu'il ne la prenne jamais avec lui ? Était-elle trop malade pour voyager, ou mourante ?*

R.S. — Non. Il ne faut pas accorder trop de valeur aux mots. Il avait de bonnes intentions, mais l'enfer est pavé de bonnes intentions. Je ne suis pas convaincu que cela suffise à tout expliquer. Je ne me contente pas de l'hypothèse selon laquelle il désirait s'occuper de son enfant, comme tout père est supposé le vouloir, et que, s'il ne l'a pas prise, c'est qu'elle a réellement eu un problème.

D.B. — *Mileva n'était pas quelqu'un de facile. Ils ont vécu ensemble pendant des années et ont eu deux autres enfants. Elle ne semble pas lui avoir dit ou avoir pensé : « Tu es un monstre qui n'a pas voulu garder notre fille ! »...*

R.S. — Je répliquerais, en vous accordant que ce n'est qu'une conjecture, que le mariage était dès le début soumis à rude épreuve, qu'il était empoisonné. C'est une pure hypothèse. Nous ignorons le rôle que la fille illégitime a joué dans leur relation affective. Mais je ne peux imaginer que Mileva ait froidement abandonné leur fille[6].

# 9

# Le Bureau de la propriété industrielle

*Avril-octobre 1902*
*23 ans*

Albert menait une existence si frugale au printemps 1902 que sa santé était menacée. Ses économies quasiment épuisées, il s'était installé dans un appartement bon marché au 49 Kramgasse, à un pâté de maisons du fameux clocher de Berne. Selon Friedrich Adler, il souffrit presque de la faim. Mais il répugnait à appeler à l'aide ses oncles ou ses tantes fortunés.

Mileva se languissait en Hongrie. La plupart des lettres échangées entre Albert et elle à cette époque critique ont disparu, sans doute pour cacher à jamais le déchirement causé par Lieserl. Des amis qui leur rendirent visite plus tard, après leur mariage, crurent deviner que Mileva couvait une douleur secrète.

Albert poursuivait ses échanges épistolaires avec Besso et Grossmann et discutait à bâtons rompus, parfois tous les jours, avec Habicht et Solovine de théories qu'il était en voie de clarifier, cristalliser et publier. Mais il ne partageait ses problèmes personnels avec aucun d'entre eux.

Max Talmey, l'ancien étudiant en médecine qui avait égayé les déjeuners d'Einstein enfant, parcourait l'Europe. De passage en Italie, il rendit visite à la famille Einstein, retournée à Milan. Il fut surpris par une ambiance lugubre. La maladie de cœur de Hermann ne suffisait pas à expliquer la mauvaise volonté du couple à parler de leur fils. Talmey pensa comprendre lors d'une visite surprise qu'il effectua peu après chez Albert, à Berne. Dans son petit appartement presque sordide, son ami était au plus bas. « Les parents sont déçus par l'incapacité d'Albert à tenir ses promesses », se dit-il. Il ignorait tout de la cause la plus vraisemblable de leur désespoir — leur impuissance à briser la liaison d'Albert et Mileva.

Puis la situation s'améliora. Après avoir attendu tout l'hiver et le printemps 1902, Albert commença à travailler au Bureau de la propriété industrielle le 23 juin. Il baignait dans la joie.

Six jours par semaine, il se rendait à pied à son bureau distant de quelques rues. Là, perché sur un tabouret huit heures par jour en compagnie de douze autres examinateurs, il départageait les projets réalisables et ceux qui ne le seraient jamais. Les inventions simples, grille-pain, épluche-légumes mécaniques ou pièges à souris, étaient les plus faciles à évaluer. Les inévitables machines à mouvement perpétuel, systématiquement écartées, ne posaient pas davantage de problèmes.

Mais les inventeurs les plus intelligents et ingénieux écrivaient parfois dans la langue la plus absconse et déroutante qui fût. Les examinateurs en étaient ravis. C'était comme un jeu dont ils cherchaient à percer les codes secrets. Cela plaisait à Einstein qui mettait le doigt sur les aspects essentiels d'une invention prometteuse, déchiffrait le charabia et le convertissait en une prose lumineuse. Ce qu'il appelait « bricoler ». Puis il vérifiait si sa production correspondait aux revendications du créateur avant de la transmettre au niveau supérieur pour acceptation ou refus.

Les bons côtés, un flot permanent et varié de pensées créatrices qui stimulaient ses propres idées, des collègues sympathiques et une bonne ambiance, lui faisaient oublier son bas échelon et son maigre salaire.

Il pouvait consacrer ses huit heures de liberté quotidiennes et des dimanches entiers à ce qui l'intéressait. Il profitait du moindre instant d'inoccupation au Bureau pour se plonger dans ses notes, en les rangeant rapidement dans ses tiroirs à l'approche du directeur. De bons réflexes ou la mansuétude de son chef semblent lui avoir épargné tout ennui.

Einstein dit du service des brevets que c'était un « monastère temporel » dont le directeur, avec son « excellent caractère » et son « cerveau impeccable », était le père supérieur. Il était pourtant déconcerté par le langage grossier de Haller. Quelqu'un décrivit Haller comme un tyran bienveillant qui dirigeait les lieux « un fouet dans une main et une sucrerie dans l'autre[1] ».

Albert admit que son père avait eu raison de le pousser à prendre un travail pratique. Examiner et décrire un grand nombre d'inventions correspondait finalement mieux à son tempérament qu'un poste universitaire[2]. Il le prouvera trois ans plus tard, en 1905, par le volume et la qualité de sa production scientifique.

Les examinateurs parlaient et écrivaient en allemand, mais ils étaient censés connaître le français ou l'italien. L'italien acquis pendant les mois heureux écoulés dans sa famille à Milan et Pavie permettait à Einstein de suivre une conversation. Un nouvel ami, Lucien Chavan, raconta qu'il parlait aussi couramment le français, en l'enjolivant d'un léger accent de sa voix aussi « vibrante et irrésistible » que le son d'un violoncelle. Chavan, trente et un ans, ingénieur électricien au Bureau de la propriété industrielle, devint le quatrième membre des groupes de discussion d'Einstein.

Solovine entreprenait Einstein dès qu'il posait un pied en dehors du bâtiment pour le déjeuner. Et ils poursuivaient « la discussion de la veille : "Tu as dit (...) mais tu ne penses pas que... ?" Ou : "Je voudrais ajouter à ce que j'ai dit hier..."[3] ». Une phrase ou deux lues dans un livre suffisaient à les lancer dans des discussions passionnées.

Le mathématicien Henri Poincaré écrivit, par exemple, en 1902, dans son livre révolutionnaire *La Science et l'Hypothèse* : « Il n'y a pas de temps absolu ; dire que deux durées sont égales, c'est une assertion qui n'a par elle-même aucun sens et qui n'en peut acquérir un que par convention. Non seulement nous n'avons pas l'intuition directe de l'égalité de deux durées, mais nous n'avons même pas celle de la simultanéité de deux événements qui se produisent sur des théâtres différents. » Cette idée, raconte Solovine, « nous a tenu en haleine pendant des semaines d'affilée[4] ». Elle présageait l'hypothèse originale de l'espace-temps élaborée par Einstein.

À l'automne 1902, Albert travaillait au Bureau de la propriété industrielle depuis quatre mois et n'avait pas vu Mileva depuis un an, la jeune femme n'étant apparemment toujours pas remise d'un accouchement difficile. Il ne connaissait pas sa fille qui, si elle était encore en vie, devait avoir neuf mois. La dernière mention du bébé dans la correspondance disponible date de septembre 1903. Elle a la scarlatine.

Albert descendit début octobre à Milan où son père, âgé de cinquante-cinq ans, était mourant. Hermann, les vieilles querelles oubliées, donna sa bénédiction au mariage de son fils. Pauline, qui n'était pas d'humeur à contrarier son mari, l'approuva sans doute également.

Il voulait demeurer aux côtés de son père jusqu'à la fin, mais celui-ci insista pour vivre seul ses derniers moments. Albert ne se débarrassera jamais d'un sentiment de culpabilité envers cette fin

solitaire[5]. Helen Dukas raconta à Banesh Hoffmann : « Il a cruellement souffert pendant des années d'un sentiment de perte. Il a écrit
un jour que le décès de son père était le plus grand coup qu'il ait
jamais reçu[6]. »

Le grand regret de Maja serait qu'« un triste destin interdit » à
son père de « voir son fils poser, deux ans plus tard, les fondations
de sa grandeur et de sa gloire futures[7] ».

# 10

# L'Académie d'Olympie

*Janvier 1903-septembre 1904*
*De 23 à 25 ans*

Albert, accablé de douleur et convaincu que les soucis avaient achevé son père, s'en voulait de ne pas l'avoir dissuadé de se lancer dans des entreprises vouées à l'échec. « Hébété » et « submergé par la tristesse », il se demandait sans cesse « pourquoi son père était mort, et pas lui[1] ».

La famille Einstein quitta définitivement l'Italie cet hiver-là, peu après les obsèques. Pauline se rendit à Hechingen, en Allemagne, chez une de ses sœurs, Fanny Koch. Maja reprit ses études à Aarau. Albert s'en retourna à Berne.

Mileva l'y rejoignit enfin et ils se marièrent civilement le 6 janvier 1903. Il avait vingt-trois ans ; elle, vingt-sept. Ce fut une cérémonie simple à l'issue de laquelle ils invitèrent leurs témoins, Habicht et Solovine, à dîner dans un restaurant voisin. Incapable de s'offrir une lune de miel, le couple rentra ensuite à l'appartement du 49 Kramgasse (aujourd'hui Musée Einstein). Mileva attendit dehors, dans le froid, qu'Albert cherchât la clé qu'il avait oubliée ou égarée. En vain. Ils durent réveiller le propriétaire.

Le mariage ne ralentit pas le rythme d'Einstein. S'abîmant avec une énergie renouvelée dans son travail professionnel et personnel, il soumit coup sur coup quatre articles scientifiques à publication. Il poursuivait ses conversations animées avec ses amis, chez l'un ou chez l'autre, quand ce n'était pas en s'adonnant à la randonnée ou l'alpinisme, le week-end.

Le groupe se baptisa l'« Académie d'Olympie » par dérision envers les académiciens guindés. Ces Olympiens bernois faisaient bombance de saucisses, de fromage et de fruits arrosés de café, mais discutaient et riaient avec une telle exubérance que le voisinage les regardait d'un œil soupçonneux. « Nos moyens étaient limités, se souvint Solovine, mais notre joie sans limites (...). Les mots d'Épicure s'appliquaient parfaitement à nous : "Quelle chose merveilleuse que la pauvreté joyeuse !" » Les discussions dépassaient la science et la philosophie et touchaient à Sophocle, Dickens ou Cervantès. Einstein se rappellera avec émotion, près de cinquante ans plus tard, « ces temps idylliques de notre joyeuse Académie qui était, après tout, moins enfantine que ces académies respectables que j'ai découvertes par la suite ». Ces réunions « radieuses » étaient un « délice[2] ».

Un délice peu apprécié de Mileva. Elle n'accompagnait jamais le groupe dans ses randonnées et se contentait d'écouter sans intervenir quand les Olympiens se retrouvaient dans leur appartement. Des auteurs ont avancé que les sujets de conversation la dépassaient et que, ayant échoué deux fois à l'examen final de l'École polytechnique, elle avait abandonné son rêve de seconder Einstein dans sa quête scientifique. Ce dernier raconta effectivement un jour qu'après leur mariage elle semblait s'ennuyer quand il tentait de partager ses idées avec elle. Un ami la trouva triste et taciturne, et se dit qu'elle souffrait de se trouver en marge de l'Académie. Solovine, plus indulgent à son égard que la plupart des témoins, la considérait comme « intelligente et réservée » et supposait qu'elle préférait simplement le rôle d'observateur.

Le secret était si bien gardé que tout le monde ignorait les raisons de sa mélancolie. Le deuil, ou l'abandon, de sa fille Lieserl la déprimait profondément.

Le biographe Peter Michelmore recueillit, quelques années après la mort d'Einstein, des informations pertinentes auprès de son fils Hans Albert, sans doute la meilleure source. Il écrivit :

> « Des amis qui avaient noté un changement chez Mileva pensèrent que leur histoire d'amour touchait à sa fin. Il s'était passé quelque chose entre eux, mais Mileva se contentait de dire que c'était "extrêmement personnel". Quelle qu'en fût la raison, elle broyait du noir et Albert semblait responsable, d'une façon ou d'une autre. Des proches tentèrent de pousser Mileva à parler de son problème pour se libérer. Elle répondit chaque fois que c'était trop personnel et garda le secret toute sa vie. Un épisode essentiel de l'histoire d'Albert Einstein fut

ainsi enveloppé de mystère. Mileva s'est mariée avec lui malgré cette douloureuse expérience, car elle estimait que son amour pour lui était suffisamment solide pour résister. Elle n'avait pas prévu qu'une ombre planerait sur leur vie commune[3]. »

La décision d'abandonner leur fille, puisque tel fut son sort le plus probable, fut-elle réellement commune ? Albert exerça-t-il des pressions sur la mère pour obtenir son accord ? Et si oui, était-il motivé par l'avenir de sa carrière, la crainte d'un scandale, le souci d'apaiser ses parents, ou les trois ?

Des réponses à ces questions se cachent peut-être dans des correspondances encore inaccessibles. Mais aussi affligée fût-elle de devoir abandonner sa fille, et quels que fussent les reproches qu'elle adressait à Albert, Mileva se maria cependant avec lui.

C'était, selon Philipp Frank, « un esprit indépendant aux idées progressistes » autant qu'Albert, mais leurs caractères n'étaient pas faits pour s'entendre. Mileva « était incapable de nouer des relations agréables et intimes avec ceux qui l'entouraient. La personnalité très différente d'Albert, ses manières décontractées et la vivacité de sa conversation la mettaient souvent mal à l'aise. Elle était quelque peu carrée et sévère. La vie avec elle ne fut pas toujours source de tranquillité et de joie pour Einstein ». Ce n'était pas la vie « idyllique » qu'il menait parallèlement avec ses amis, malgré les récriminations des voisins quand ils poursuivaient leurs chaudes discussions nocturnes dans les rues. Des voisins qui vérifiaient que, comme le constatera Einstein, « on ne peut vraiment se quereller qu'avec ses frères ou ses amis proches ».

Albert mit un jour fin à leurs controverses, au milieu de la nuit, par un solo de violon et une plaisanterie selon laquelle il gagnerait davantage à jouer dans la rue qu'en travaillant au Bureau de la propriété industrielle. Sur quoi Solovine promit de l'accompagner à la guitare.

Ses amis décidèrent de lui faire une surprise pour son vingt-quatrième anniversaire. Pendant la réunion de l'Académie d'Olympie, ce soir-là, Solovine remplaça le casse-croûte habituel par du caviar, une délicatesse à laquelle Albert n'avait jamais touché. La scène eut lieu au beau milieu d'un échange sur Galilée. Habicht et lui regardèrent Albert manger tout le pot, sans cesser de parler et sans le moindre murmure de remerciement. Le principe d'inertie de Galilée l'absorbait entièrement. Ils éclatèrent de rire. Einstein répondit à leurs explications par un silence stupéfait, avant de s'excuser en déclarant que donner un mets raffiné à un péquenot comme lui était du gaspillage.

Ils puisèrent une seconde fois dans leurs maigres économies

quelques jours plus tard pour s'offrir à nouveau du caviar qu'ils servirent en chantant « Maintenant on mange du caviar ! » sur l'air de la symphonie en *fa* majeur de Beethoven. Albert reconnut que c'était délicieux, mais ajouta : « Il n'y a qu'un épicurien comme Solovine pour faire autant de bruit pour cela ! »

Une promenade nocturne les conduisit à travers bois jusqu'au sommet du mont Gurten. Les étoiles si proches orientèrent leur discussion sur l'astronomie et ils débattirent de cosmologie jusqu'à la pointe du jour. Un café avalé dans une auberge, à la descente, remplaça leurs heures de sommeil.

Le samedi suivant, ils partirent à l'aube pour Thoune, à une trentaine de kilomètres au sud-est. Les sommets qui culminaient à plus de quatre mille mètres les amenèrent, cette fois, à discuter de l'histoire de la Terre et de la formation des montagnes. Ils déjeunèrent à Thoune, passèrent l'après-midi au bord d'un lac et rentrèrent le soir à Berne en train — sans jamais cesser de parler.

Chavan fut frappé par la voix de violoncelle d'Einstein. D'autres amis relevèrent une sérénité, une innocence presque enfantine, dans une élocution où contrastaient les explosions de son rire vigoureux. S'il s'animait autant que ses amis au cours d'une discussion, il s'exprimait généralement d'un ton égal, en marquant de longs silences, comme perdu dans un autre monde. Un monde de symboles et de calculs, expliquera-t-il plus tard. Une échappatoire aux soucis quotidiens.

Mileva et lui économisèrent suffisamment pour s'offrir une lune de miel à retardement à Lausanne, d'où elle revint enceinte.

L'Académie d'Olympie était impatiente de reprendre les séances interrompues par l'escapade amoureuse. Ses membres manquaient rarement une réunion. Solovine, amateur de musique comme tous ses camarades, proposa cependant un jour d'annuler une discussion prévue chez lui pour écouter un orchestre tchèque de passage en ville. Einstein le fit changer d'idée. Ou du moins le crut-il. Car Solovine ne put résister quand on lui proposa, le jour même du concert, un ticket à prix réduit. N'ayant pas le temps de prévenir ses amis, il espéra excuser son absence en leur laissant, en plus des saucisses habituelles, quatre œufs accompagnés d'un mot : « Des œufs durs et un salut pour des amis très chers. »

Ce fut insuffisant. Ses compagnons se mirent d'accord pour le punir de son absence. Sachant qu'il détestait la tabagie, ils fermèrent la fenêtre et fumèrent pendant toute la soirée les cigarettes bon marché de Habicht et la pipe d'Einstein. Puis ils entassèrent tout ce qu'ils purent sur le lit, table, chaises, assiettes, tasses, soucoupes, couverts, théière et sucrier. Avant de partir, ils accrochèrent une note sur un mur : « De la fumée et un salut pour un ami très cher ». Après avoir aéré et tout rangé à son retour, Solovine ne put s'endormir avant l'aube tellement les oreillers et les rideaux empestaient.

Mais s'il attendit impatiemment Einstein à la sortie de son bureau, le lendemain, ce ne fut pas pour se plaindre du désastre de sa chambre mais pour rattraper la discussion qu'il avait manquée. Einstein simula la fureur : « Misérable créature ! Comment as-tu pu troquer une réunion de l'Académie contre quelques notes de musique ! Crétin barbare ! Une fugue de plus et tu es exclu de l'Académie[4] ! » Et ils se lancèrent jusqu'à minuit passé dans la dissection du sujet de la veille, *Essais philosophiques sur l'entendement humain* de David Hume. Solovine conclut que « ce qui caractérisait notre Académie, comme nous appelions en plaisantant nos réunions, était un désir brûlant d'élargir et d'approfondir nos connaissances, et notre affection mutuelle ».

Habicht quitta Berne à l'automne 1903 pour enseigner les mathématiques et la physique dans une école protestante de Schiers, petite ville trop éloignée pour qu'il pût continuer d'assister aux séances de l'Académie. Einstein était désolé de le voir partir, mais son complice intellectuel Michele Besso, qui dirigeait un cabinet d'ingénieur conseil à Trieste, lui manquait encore plus.

Indice de l'aura qu'il commençait à acquérir dans la communauté scientifique, Einstein fut invité à présenter une communication devant l'Association scientifique de Berne, sept mois seulement après y avoir adhéré. Il y fit, le 5 décembre 1903, une conférence intitulée « Théorie des ondes électromagnétiques ».

Au printemps suivant, il écrivit à Habicht qui devait bientôt lui rendre visite qu'il le recevrait « avec un grand plaisir, une excellente humeur et le reste de mes émotions — nous les avons gardées en bouteille pour une occasion favorable. Nous attendons un bébé dans quelques semaines ». Son autre grande nouvelle était : « J'ai découvert le plus simplement du monde la relation entre la taille des quanta élémentaires de la matière et les longueurs d'onde du rayonnement. »

Einstein maintenait également le contact avec son ami et bienfaiteur Marcel Grossmann, qui enseignait toujours à Frauenfeld. Celui-ci lui envoya un article qu'il s'apprêtait à soumettre à publication sur la géométrie non euclidienne, en l'accompagnant d'un mot dans lequel il annonçait qu'il venait d'être père d'une petite fille, Elsbeth. Einstein lui répondit le 6 avril : « Il y a une extraordinaire similarité entre nous. Nous aussi, nous attendons un bébé pour le mois prochain. Et tu vas également recevoir un papier que j'ai envoyé il y a une semaine aux *Annalen* de Wiedemann. » Max Planck était directeur de publication de la revue et Eilhard Wiedemann l'un de ses chefs de rubrique.

Un garçon, Hans Albert Einstein, naquit le 14 mai 1904. Quatre mois plus tard, le chef d'Albert lui annonça que sa période d'essai était achevée, qu'il s'était révélé « très utile » et qu'il était embauché à titre définitif. Son salaire passait à trois mille neuf cents francs, mais il devrait attendre de maîtriser le génie mécanique pour passer du troisième au deuxième échelon des experts techniques.

Einstein maîtrisait en revanche l'art de s'occuper d'un nouveau-né tout en étudiant. Un visiteur qui s'était frayé un chemin à travers des couches en train de sécher, des volutes de fumée de pipe et un vieux fourneau, découvrit un jour sa méthode. Albert, plongé dans un livre, balançait d'un pied le berceau du bébé. Le landau de Hans Albert lui servait de bureau ambulant quand il le promenait dans les rues de la ville. Il s'arrêtait de temps à autre pour sortir un carnet de notes qu'il avait glissé sous les couvertures et y inscrire ses dernières idées.

La correspondance fournie qu'il entretenait avec Besso sur leur passion commune, la physique, ne lui suffisait pas. Il touchait du doigt la solution de questions qui le hantaient depuis près de dix ans et avait besoin de son ami pour l'aider à formuler les réponses. Le cabinet de celui-ci n'étant guère florissant, Einstein lui proposa de le rejoindre au Bureau de la propriété industrielle, ce qui leur permettrait, en prime, de reprendre leurs discussions permanentes. Besso sauta sur l'occasion. Il déposa sa candidature au service des brevets où il fut embauché, fin 1904, comme expert technique. À nouveau sur les conseils d'Albert, il emménagea avec sa femme et son jeune fils dans un appartement qui se trouvait à portée de voix de celui des Einstein.

Besso accompagnait de bon cœur Einstein dans ses voyages imaginaires sur un rayon de lumière, en allant et en revenant du travail, et parfois même au bureau. On avait montré que la vitesse de la lumière était de trois cent mille kilomètres par seconde. La lumière leur semblerait-elle immobile s'ils se déplaçaient à la même vitesse ? Einstein n'en était pas convaincu, même si cela paraissait logique. Qu'en pensait Besso ?

Une autre pensée traversa un jour la tête d'Einstein à son lever du lit. Deux événements qui se déroulaient au même instant pour un observateur étaient-ils également simultanés pour un second observateur situé en un autre lieu ? Tout le monde semblait le penser. Mais cela ne suffisait pas pour que ce fût vrai.

Einstein expliquera plus tard pourquoi il se posait des questions peut-être naïves de la part de quelqu'un qui n'avait plus vingt ans. Des enfants qui s'interrogent sur des notions comme la lumière, le temps et l'espace se satisfont de réponses toutes prêtes sur lesquelles ils ne reviennent jamais plus. L'enfant retardé qu'il avait été s'était désintéressé de ces sujets. Quand il les avait, enfin, abordés à l'âge mûr, il s'était plongé dedans plus profondément et avec davantage d'acharnement qu'aucun enfant.

Besso entrait dans son jeu en se faisant l'avocat des idées dominantes. Discutant sérieusement les spéculations d'Einstein, il les réfutait en s'appuyant sur les concepts de temps et d'espace énoncés par Newton et repris depuis plus de deux cents ans par la communauté scientifique. Mais des résultats récents démentaient certaines notions du physicien anglais. Il avait, par exemple, décrit la lumière comme un flot de particules (des « corpuscules ») alors que des expériences avaient révélé une mystérieuse nature duale, dont une composante ondulatoire. Qui plus est, Faraday et Maxwell avaient démontré que Newton était incapable d'expliquer l'électromagnétisme d'une façon satisfaisante.

L'Académie d'Olympie continuait de prospérer. De nouveaux membres, dont le plus jeune frère de Habicht, Paul, remplaçaient ceux qui quittaient Berne. La paternité n'empêchait pas Einstein de poursuivre ses recherches. Cet expert technique de troisième classe était à la veille de découvertes qui le hisseraient au niveau des plus grands savants de tous les temps.

# 11

## La théorie de la relativité restreinte

*1905*
*26 ans*

Les caricaturistes représentent Einstein contemplant les étoiles, la pipe à la bouche, et s'interrompant de temps à autre pour écrire l'étrange équation. Des amis bien intentionnés ont contribué à répandre cette fiction à laquelle ils croyaient et cela semble correspondre à ce que voulait Einstein, qui fit de son mieux pour dissimuler sa personnalité turbulente. Un journaliste le prit cependant une fois au dépourvu et il admit que son obsession de comprendre l'univers le plongeait dans un état de « tension psychique (...). Assailli par toutes sortes de conflits émotionnels (...) je m'isolais pendant des semaines dans un état de confusion, comme quelqu'un qui devait surmonter la stupéfaction provoquée par sa première confrontation à de telles questions[1] ». Il regretta rapidement cette confession et demanda sans succès au journaliste de ne pas la publier.

Des amis qui ignoraient ces périodes d'agitation mentale présumèrent que la citation était inexacte ou qu'il avait plaisanté, car ils connaissaient son goût pour les réponses ironiques ou les reparties humoristiques. L'intensité de ses émotions échappait même à son confident Besso.

Un exemple. Par un jour agréable du premier printemps, en 1905, Einstein confia à Besso qu'il ne lui manquait plus que quelques pièces de son puzzle cosmique[2]. Mais, pour les trouver, il avait besoin que Besso soit davantage qu'un banc d'essai pour ses idées. Ils devaient mener la bataille ensemble, en duo. Besso fut comme d'habitude partant et, délaissant leur travail au Bureau de la propriété industrielle, ils se lancèrent dans la discussion des pièces manquantes. Mais ils durent se rendre à l'évidence qu'une journée de *brainstorming* ne suffirait pas pour trouver la solution des mystères qui obsédaient Einstein depuis sa jeunesse, et celui-ci rentra chez lui le soir désespéré, certain de ne jamais percer « les vraies lois de la nature (...) fondées sur des faits avérés[3] ».

On ignore de quoi il dîna ce soir-là, à quelle heure il se coucha et s'il fit des cauchemars, mais il se réveilla le lendemain dans un état de grande agitation, comme si, d'après ses propres mots, « un orage avait éclaté dans mon cerveau[4] ». Et la tempête avait apporté la lumière. Il avait enfin percé « les pensées de Dieu » et touché du doigt le plan directeur de l'univers.

Banesh Hoffmann confirma ce récit en me racontant : « Einstein disait qu'il avait effectué sa principale découverte au réveil, un matin, en "voyant" littéralement d'un coup la solution. L'idée avait brusquement fait irruption dans son esprit conscient après lui avoir tourné dans la tête pendant des années. On sait que les idées les plus brillantes surgissent aux moments les plus étranges. On se promène, on est perdu en forêt, et l'idée s'impose soudain — comme si elle venait de quelque part. Einstein m'a dit quelque chose de très intéressant, un jour où nous réfléchissions ensemble à quelque problème et où nous nous demandions : "Est-ce qu'on pourrait trouver une autre idée pour résoudre ce problème ?", il a dit : "Les idées viennent de Dieu." Il ne croyait pas en un Dieu particulier, ni à rien qui y ressemblât. C'était une métaphore. On ne peut pas ordonner à une idée de surgir. Elle apparaît quand elle est prête. C'est ce qu'il exprimait en ces termes : "Les idées viennent de Dieu[5]." »

La révélation d'Einstein à son réveil, ce matin-là, dépassait l'électricité, le magnétisme, la matière et le mouvement. Elle touchait à la nature de la lumière, de l'espace et du temps, au secret même de la création. Rencontrant Besso plus tard au cours de la même journée, il ne lui livra aucun indice de sa découverte fabuleuse ni du spectaculaire accouchement. Il se contenta de le saluer d'un : « Merci. J'ai complètement résolu le problème[6]. »

Le physicien Stanley Goldberg explique ainsi la découverte d'Einstein : « Cette "chose" qui apparut soudain aux yeux d'Einstein au printemps 1905 est que les mesures d'espace et de temps sont étroitement dépendantes du concept de simultanéité[7]. » Un observateur ne peut considérer des événements comme simultanés que dans son environnement immédiat. Comme Einstein le dit lui-même : « La solution m'est venue d'un coup avec l'idée que nos lois et concepts d'espace et de temps ne sont valables que dans la mesure où ils sont en relation évidente avec notre expérience ; et cette expérience peut avoir pour conséquence une altération de ces lois et concepts. Je suis arrivé à la théorie de la relativité restreinte en transformant le concept de simultanéité en une notion plus malléable[8]. »

Einstein estimait que son inspiration devait beaucoup aux idées d'Ernst Mach et surtout de David Hume « dont j'ai étudié avec ferveur et admiration le traité sur l'intelligence [*Essais philosophiques sur l'entendement humain*] peu avant la découverte de la théorie de la relativité. Je n'aurais peut-être pas trouvé la solution sans ces études philosophiques[9] ».

Les semaines suivantes il consacra, possédé, ses moindres instants de liberté à couvrir trente et une pages de son écriture nette et fine. La version finale de l'article, intitulé « Zür Electrodynamik bewegter Körper » (« Sur l'électrodynamique des corps en mouvement »), ne comporta curieusement ni note de bas de page ni référence, comme si l'inspiration lui était venue, sinon de Dieu, du moins d'une source étrangère à ce monde. Il remerciait cependant Besso pour son aide.

Einstein dira plus tard qu'il avait été inspiré par son idole Faraday, le fils brillant d'un maréchal-ferrant. Faraday avait émis l'hypothèse que la force électromagnétique requiert du temps. Einstein alla plus loin en avançant que ceci s'appliquait également à l'interaction électromagnétique et conclut que toute interaction distante nécessite un certain temps : c'était, résumé en une phrase, la théorie de la relativité restreinte. Il mentionna aussi l'apport des travaux de Hendrik Lorentz et George Francis Fitzgerald. Mais, écrivit le physicien George Gamow :

> « Einstein fut sans doute le premier à comprendre le fait essentiel que les lois fondamentales (...) de la nature, aussi établies soient-elles, n'étaient valables qu'à l'intérieur des limites de l'observation et ne se vérifiaient pas nécessairement au-delà. Les civilisations anciennes croyaient que la Terre était plate, mais ce n'était certainement pas le cas de Magellan, ni des astronautes d'aujourd'hui. Les concepts fondamentaux d'espace, de temps et de mouvement étaient bien établis et justifiés par le bon sens jusqu'à ce que la science dépasse les limites qui enfermaient les savants du passé. Les expériences de Michelson sur la vitesse de la lumière ont alors contribué à faire apparaître une contradiction flagrante qui força Einstein à abandonner le vieux "bon sens" sur l'appréciation du temps, la mesure de la distance et la mécanique. Le résultat fut le "non-sens" de la théorie de la

relativité. Aux vitesses très élevées, sur de très grandes distances et pour de très longues périodes de temps, les choses n'étaient pas "ce qu'elles auraient dû être[10]". »

Gerald Holton, professeur de physique et d'histoire des sciences à Harvard, n'est pas d'accord. Il a montré que les expériences de Michelson n'eurent, au plus, qu'un effet marginal sur la théorie de la relativité. Einstein lut sans doute, comme tout le monde, des articles sur la question, mais ne prit pas ces observations au sérieux. Les Archives Einstein fournirent des preuves à Holton de ce qu'il soupçonnait : Einstein écrivit et répéta que sa découverte n'était pas due aux expériences de Michelson. Holton cita ces lettres dans son ouvrage *Thematic Origins of Scientific Thought*, publié en 1973 par Harvard University Press :

« Faraday joua, en revanche, un rôle important [dans la formation des idées d'Einstein]. Son nom est mentionné dans le premier paragraphe de l'article de 1905. Alors que ses contemporains s'appuient systématiquement sur les derniers résultats sortis de leurs laboratoires, Einstein commence son article par une expérience vieille de soixante-dix ans, une expérience des années 1830. Et il commente : "Faraday a montré d'une façon irréfutable que l'impulsion d'une vitesse relative entre un aimant et une bobine suffit à produire une induction électromagnétique. L'un ou l'autre peut, indifféremment, rester immobile ; ce n'est que le mouvement relatif entre eux [qui génère l'induction électromagnétique]." Rien n'est absolu en mécanique. Mais la théorie de l'électromagnétisme de Maxwell, en vigueur à l'époque, privilégiait l'éther. On mesurait la vitesse par rapport à l'éther, ce qui lui conférait une valeur absolue. Einstein affirma que l'expérience de Faraday montrait qu'il fallait réviser les concepts. Les vitesses absolues n'existent pas davantage en électromagnétisme qu'en mécanique. C'est là que se situe le lien entre les vitesses de Faraday-Maxwell — c'est-à-dire les mouvements dans le temps — et Einstein[11]. »

Einstein soumit son article sur la relativité aux *Annalen der Physik* en juin 1905. C'était le quatrième manuscrit qu'il adressait au journal depuis le début de l'année. Après une si époustouflante production créatrice, peut-être unique dans l'histoire, il s'alita pendant plusieurs jours, épuisé. Et attendit anxieusement de savoir si ses théories seraient publiées.

De nouveau sur pied, il invita Habicht, toujours enseignant à Schiers, à revenir aux réunions de l'Académie d'Olympie. Pas de réponse. Il lui adressa une lettre badine dans laquelle il mentionnait au passage ses conclusions récentes et lui promettait de lui envoyer quatre articles, dont un sur l'effet photoélectrique, « qui est vraiment révolutionnaire ».

La conclusion réduisait en poussière la croyance, confirmée expérimentalement depuis deux siècles, selon laquelle la lumière était un phénomène ondulatoire. Planck venait déjà de lézarder cette conception en affirmant que la matière émettait et absorbait la lumière en particules, ou quanta. Einstein poursuivait en suggérant que la lumière elle-même, libérée de la matière, se déplaçait sous forme de particules séparées. Appliquant à la lumière la théorie quantique de Planck, il apportait sa contribution à la mécanique quantique.

Des expériences avaient montré que des électrons étaient « arrachés et jaillissaient en pluie à une certaine vitesse » lorsque la lumière frappait des métaux. De l'électricité avait ainsi été émise dans un fil attaché à une pièce métallique exposée à la lumière. Einstein estimait que les particules de lumière « bombardaient » le métal sporadiquement, comme des obus, et non régulièrement et uniformément comme des ondes le feraient. Il expliqua dans un article de dix-sept pages intitulé « Über einen die Erzeugnung und Verwandlung des Lichtes betreffenden heuristischen Gesichtspunkt » (« Un point de vue heuristique sur l'émission et la conversion de la lumière ») que le bombardement par des quanta de lumière, des photons, provoquait une « douche » d'électrons, ou « effet photoélectrique ». Pourquoi avoir qualifié son concept d'heuristique ? Parce qu'il considérait son hypothèse quantique de la lumière comme « inconciliable avec les conceptions admises (...) peut-être même non entièrement soutenable », et au mieux comme une explication incomplète des phénomènes optiques.

L'application pratique de ce travail serait l'« œil électrique » utilisé pour déclencher l'ouverture et la fermeture de portes à distance, détecter des mouvements et compter ou trier des marchandises. Cette découverte ouvrit la voie à la radio et la télévision. Et c'est elle, et non la relativité, qui valut un prix Nobel à Einstein.

La dissolution du sucre dans l'eau était à l'origine du deuxième article, « Eine neue Bestimmung der Molekuldimensionen » (« Une nouvelle estimation de la taille des molécules »), qui démontrait que la taille des molécules de sucre était de un dix millionième de centimètre. Einstein avait d'abord présenté ce travail sous forme de thèse de doctorat de l'université de Zurich, mais le professeur Kleiner, qui avait déjà refusé sa première thèse en 1901, en fit autant pour cette seconde en la jugeant trop courte. Einstein ajouta une phrase et l'article fut accepté[12]. À son grand amusement. Le professeur Kleiner avait recommandé la publication, encouragé par l'opinion de son collègue Heinrich Burckhardt qui avait écrit que malgré

« une rédaction peu soignée et quelques coquilles dans les formules [l'article s'appuie sur] une maîtrise parfaite des méthodes mathématiques ». Einstein considérait ce travail comme important, à en juger par le contenu d'une de ses lettres : « La détermination exacte de la taille des molécules me paraît être de la plus haute importance, car cela permet de vérifier la formule de Planck plus précisément que les mesures de rayonnement[13]. »

Son troisième article était intitulé « Über die von der molekular-kinetischen Theorie der Warme geforderte Bewegung von in rujenden Flüssigkeiten suspendierten Teilchen » (« Du mouvement — dépendant de la théorie cinétique de la chaleur — de petites particules en suspension dans un liquide immobile »). Il avait été inspiré par les observations d'un botaniste écossais, Robert Brown, sur les mouvements de petites particules plongées dans l'eau. Un jour qu'il étudiait au microscope une solution de poussières de pollen dans l'eau, le biologiste avait été surpris de voir les particules animées de mouvements zigzagants et apparemment désordonnés, comme si elles étaient dotées de la vie. Il avait renouvelé l'expérience avec des fragments de matière organique, un papillon par exemple, et inorganique, et découvert chaque fois le même ballet étrange. Les scientifiques furent déroutés par cette observation d'un phénomène impossible — le mouvement perpétuel. Aucune cause n'était décelable. Les lois de la nature étaient bafouées, à commencer par la deuxième loi de la thermodynamique. Einstein se pencha sur l'énigme et conclut que le mouvement brownien était la résultante de collisions entre d'invisibles molécules d'eau et les particules visibles. Conclusion osée, car on doutait encore souvent de l'existence des molécules et des atomes. Il persista et proposa une formule selon laquelle le déplacement moyen des particules visibles dans une direction donnée augmentait en fonction de la racine carrée du temps. Puis, en mesurant la distance parcourue durant un certain temps, il calcula le nombre de ces molécules mobiles mais invisibles contenues dans un volume de liquide ou de gaz. Einstein estima ainsi qu'un gramme d'hydrogène contenait $303 \times 10^{21}$ molécules.

Il avait non seulement démontré l'existence des atomes, mais inventé une méthode statistique de détermination de leur comportement. Des expériences du physicien Jean Perrin vérifieront son travail, confirmeront l'exactitude de ses calculs et démontreront la réalité physique des atomes. Wilhelm Ostwald, George Helm et Ernst Mach figurèrent parmi les contemporains d'Einstein qui combattirent l'hypothèse atomique. Mach niait « l'existence d'entités qui ne soient pas directement accessibles à l'expérience des sens, notamment les atomes ». D'autres considéraient les atomes comme « une simple hypothèse de travail ».

Poincaré avait souligné par avance l'importance des résultats d'Einstein en déclarant que le mouvement brownien et l'effet photoélectrique étaient deux des plus importants problèmes scientifiques de l'époque.

Le quatrième article d'Einstein, « Sur l'électrodynamique des corps en mouvement », était le plus sensationnel car il battait en brèche deux siècles de conception newtonienne de l'univers. Pour Newton, l'espace était une réalité physique fixe, baignée d'éther, à travers laquelle se déplaçaient les étoiles et les planètes, et par rapport à laquelle on devait mesurer les mouvements de celles-ci. Le temps était un absolu uniforme qui s'écoulait depuis l'infini du passé vers l'infini du futur. L'astronome anglais Eddington considérait que ces idées préconçues sur la localisation dans l'espace étaient un héritage de nos ancêtres simiens. Quand il était acculé, Newton s'appuyait sur une autorité plus majestueuse — Dieu en personne. Einstein se contenta de son intuition et des mathématiques pour rectifier, étendre et nuancer les conjectures « inspirées » de l'astronome anglais. Le résultat fut un cosmos dans lequel les étoiles, les planètes et les galaxies se déplaçaient les unes par rapport aux autres, et non par rapport à un espace particulier planté par le Tout-Puissant.

La position d'un observateur dans l'espace détermine sa vision de l'univers, avançait Einstein. Avec des effets parfois comiques. Pour un Martien, des Terriens du pôle Nord sembleraient se tenir verticaux, tandis que des Chinois et des Anglais paraîtraient horizontaux et que des habitants du pôle Sud auraient la tête en bas et seraient prêts à tomber dans l'espace.

Einstein soulignait également que les voyageurs d'un train arrêté à une gare faisaient souvent l'expérience de l'illusion créée par le mouvement relatif. Il est impossible aux passagers qui voient démarrer une seconde rame doucement et sans à-coups sur une autre voie de savoir quel train est en mouvement tant qu'ils n'ont pas pour référence un troisième objet, immobile.

Ayant démoli le concept newtonien d'espace absolu, Einstein s'attaquait ensuite à celui de temps absolu. Il n'existait aucun « présent » indépendant de tout système de référence. « Il faut prendre en considération, écrivit-il, que tous nos jugements dans lesquels le temps intervient portent sur des *événements simultanés*. Si je dis, par exemple, que "ce train arrive à sept heures", j'exprime en réalité quelque chose du genre : "Le passage de la petite aiguille de ma montre en face du sept et l'arrivée du train sont deux événements simultanés". » Un New-Yorkais qui téléphone à un ami californien peut à juste titre considérer qu'ils parlent au même moment, même si la montre du premier indique sept heures et celle du second quatre heures, « parce qu'ils habitent tous les deux la même planète, et que leurs montres sont réglées sur le même système astronomique ».

Mais que se passerait-il si on cherchait à communiquer avec un autre système « à l'instant présent » ? Par exemple avec α Centaure, étoile la plus proche du soleil à quelque quarante billions de kilomètres de la Terre. Les ondes radio voyageant à la même vitesse que la lumière, soit 9,461 billions de kilomètres par an, il faudrait 4,3 années pour qu'un message atteigne l'étoile et autant pour obtenir une réponse. Quand nous regardons cette étoile, nous voyons en fait ce qu'elle était voici plus de quatre ans. Nous contemplons peut-être des astres qui n'existent plus. Et Einstein de conclure que nul ne peut affirmer que son sens subjectif du « présent » s'applique à tout l'univers. Tout système de référence (ou système de coordonnées) a son propre temps[14].

Alors qu'il était dans un tramway et regardait l'horloge de la tour de Berne, Einstein formula une fois de plus la question qui le tourmentait depuis des années : que se passerait-il si le tramway se déplaçait à la vitesse de la lumière ? Appliquant sa nouvelle théorie, il conclut que l'horloge semblerait immobile, tandis que sa montre de gousset continuerait à fonctionner à son allure normale. À la vitesse de la lumière, le temps n'était plus le même pour les différents observateurs.

Le comportement de la lumière demeurait le grand paradoxe. Elle consistait, pour lui, en un flot continu de petites particules appelées photons qui traversaient l'espace à trois cent mille kilomètres par seconde. Cette vitesse, vérifiée par des expériences, était largement admise. Mais Einstein ajouta l'hypothèse hardie et originale que la lumière se déplaçait *toujours* à trois cent mille kilomètres par seconde, indépendamment du mouvement de sa source ou de l'observateur. Ce qui défiait la logique et le bon sens. La conception de Newton, selon lequel la lumière atteignait plus rapidement un observateur si celui-ci se dirigeait vers elle que s'il s'en éloignait, n'était-elle pas plus sensée ? Comment Einstein pouvait-il écarter ces mouvements ? Il démystifia cet étrange phénomène à l'aide des mathématiques et des travaux de Fitzgerald et Lorentz.

Le physicien irlandais George Francis Fitzgerald avait tenté d'expliquer pourquoi Michelson n'avait pas réussi à détecter un mouvement de la Terre par rapport à l'éther en suggérant que les instruments de mesure s'étaient légèrement contractés, ce qui avait faussé les résultats. Il avait trouvé des équations qui montraient que la matière se contractait dans la direction de son mouvement et que cette contraction augmentait avec la vitesse. La contraction de Fitzgerald, on l'appelle ainsi, est « minime dans les circonstances ordinaires (...). À la vitesse de trente kilomètres par seconde — vitesse de la Terre autour du Soleil — la contraction est de un deux cents millionièmes, ou un peu plus de cinq centimètres sur le diamètre de notre planète[15] ».

Le physicien néerlandais Hendrik Lorentz démontra que la masse d'une particule en mouvement contractée dans la direction de son déplacement augmentait. Einstein appliqua à son tour les équations de Lorentz, la transformation de Lorentz, à l'ensemble des objets, y compris les horloges et instruments de mesure, et montra que la taille des corps se déplaçant à grande vitesse sur de longues distances diminuait, tandis que leur masse augmentait. Phénomène des plus étranges, le temps ralentissait.

Lincoln Barnett, un disciple qu'Einstein appréciait, écrivit :

> « Cela explique pourquoi des observateurs de n'importe quel système, n'importe où, et quel que soit leur mouvement, constateront que la lumière frappe leurs instruments ou les quitte toujours exactement à la même vitesse. Car lorsque leur propre vitesse approche de celle de la lumière, leurs horloges ralentissent, leurs mètres se contractent, et toutes leurs mesures se ramènent aux valeurs obtenues par un observateur relativement immobile (...). Plus la vitesse est élevée, plus la contraction est importante. Un mètre se déplaçant à quatre-vingt-dix pour cent de la vitesse de la lumière serait réduit d'environ la moitié ; le taux de contraction augmente ensuite et le mètre serait réduit à rien du tout s'il atteignait la vitesse de la lumière. Une horloge se déplaçant à la vitesse de la lumière s'arrêterait totalement. Il en résulte qu'aucun objet ne peut se déplacer plus vite que la lumière, quelles que soient les forces qui lui sont appliquées[16]. »

On construisit le scénario humoristique d'un jeune astronaute qui partirait pour un long voyage à une vitesse proche de celle de la lumière. Il est encore jeune à son retour sur Terre, alors que son frère jumeau est déjà un vieillard. C'était pousser les équations mathématiques au-delà des limites de l'absurde, jusqu'à un résultat impossible, expliquera plus tard Einstein lors d'une conversation avec Moszkowski. On touchait en fait à la difficulté d'expliquer les arcanes de la relativité au commun des mortels. Le paradoxe des jumeaux décrit parfaitement le comportement de deux particules atomiques, mais devient absurde quand il s'applique à des hommes, incapables de jamais atteindre de telles vitesses.

Mileva se heurta à un Albert quasiment inébranlable quand elle tenta de le convaincre de prendre des vacances. Il finit cependant par accepter d'aller chez ses beaux-parents à Novi Sad, en compagnie de leur garçon d'un an. Il n'envisageait pas sans appréhension cette première rencontre, mais les vieilles animosités semblèrent envolées. Mileva le présenta à ses amis et à sa famille, et lui fit visiter Belgrade et un village de vacances au bord d'un lac, Kijevio.

Des semaines anxieuses suivirent son retour à Berne, avant que les *Annalen der Physik* ne publient fin septembre, à son grand soulagement, son article sur la relativité[17]. Il attendait des réponses. Il n'y en avait aucune. Ni positive ni négative. Et ce fut en vain qu'il chercha mention de son travail dans les numéros suivants de la revue. Sa nouvelle conception de l'univers ne suscitait la curiosité de personne. Il espéra quelque réaction de l'ancienne camarade de l'École polytechnique Margarete von Uexküll, dont il avait calmé le professeur « impossible ». Elle l'écouta poliment, mais dit ensuite à Mileva que les théories d'Albert étaient « complètement fantaisistes ». À quoi la loyale Mileva répondit, prématurément, qu'« il peut prouver sa théorie[18] ».

Il eut une courte joie, quelques mois plus tard, quand le grand Max Planck écrivit une lettre qui clarifiait quelques points obscurs de sa théorie. Mais l'intérêt sembla s'arrêter là[19].

Einstein aurait certainement suscité davantage de réponses s'il avait cité des références. Comme Abraham Pais le souligne, « la relativité est en partie la prolongation des travaux de Maxwell et de Lorentz (...). L'œuvre d'Einstein est le couronnement du travail de ses prédécesseurs, dont il a révisé et complété les fondements des théories ». Son assistant, Banesh Hoffmann, était surpris que le brillant physicien français Henri Poincaré « n'ait pas franchi le pas crucial qui lui aurait fait découvrir [avant Einstein] la théorie de la relativité dont il s'était tellement approché (...). Mais ses nerfs ont lâché devant ce pas décisif et il s'est raccroché aux vieilles habitudes de pensée et aux concepts traditionnels de temps et d'espace. Cela n'est surprenant que si nous sous-estimons la hardiesse qu'il fallut à Einstein pour, d'abord, énoncer l'axiome de la relativité, puis ne pas perdre confiance dans ses idées et bouleverser nos concepts de temps et d'espace ». Einstein estimait, lui, que Poincaré avait manqué de jugement plutôt que de sang-froid. Le Français, dit-il, était « hostile à la théorie de la relativité et, malgré toute sa perspicacité, semblait à peine comprendre ce que nous faisions[20] ».

Les recherches d'Einstein sur la relativité l'entraînaient, pendant ce temps, encore plus loin. « Il m'est tout à coup venu à l'esprit, écrivit-il à Habicht, que le principe de relativité associé aux équations fondamentales de Maxwell implique que la masse d'un corps est une mesure directe de l'énergie qu'il renferme. La lumière transfère la masse. Le radium doit subir une diminution significative de sa masse. C'est une pensée amusante et séduisante ; mais je n'ai aucun moyen de savoir si le bon Dieu ne me mène pas en bateau en se riant de moi. »

La découverte n'avait, en fait, rien de risible, même si elle suscita maintes railleries en ce bas monde où les scientifiques étaient convaincus que l'énergie et la masse étaient des grandeurs immuables. Des expériences récentes qui montraient une augmentation d'énergie d'électrons accélérés encouragèrent cependant Einstein à persévérer en fusionnant ses équations sur l'électromagnétisme et celles sur la vitesse de la lumière, ce qui l'amena à la découverte que la masse d'un corps diminue lorsqu'il relâche de l'énergie sous forme de lumière.

Et Einstein sauta à la conclusion extraordinaire selon laquelle toute énergie a une masse — une hypothèse qu'on pourrait, selon lui, aisément vérifier dans le cas de la radioactivité grâce à son importante production d'énergie. Il formula ses idées en trois pages qu'il envoya pour publication à Paul Drude, *nouveau rédacteur en chef des Annalen der Physik sous la direction éditoriale de Planck.* Le manuscrit fut publié dans le numéro de novembre 1905 sous forme d'un « appendice mathématique » à son premier article sur la relativité paru deux mois plus tôt[21]. Le titre en forme de question semblait trahir les doutes de l'auteur : « Ist die Trägheit eines Körpers von Seinem Energieinhalt abhängig ? » (« L'inertie d'un corps dépend-elle de son niveau d'énergie ? »). Il lui faudra deux années de plus pour atteindre la conclusion encore plus stupéfiante que la matière et l'énergie sont deux aspects étroitement liés d'un même phénomène. La matière se transforme en énergie quand elle approche la vitesse de la lumière, et l'énergie devient matière quand elle perd de la vitesse.

Sa sœur Maja se rappellera qu'Albert « croyait que la publication de son article dans un journal de grande réputation et très lu susciterait un intérêt immédiat » et anticipait « une violente opposition et les pires critiques[22] ». Mais ce fut en vain qu'il chercha des réactions dans les numéros suivants des *Annalen der Physik.* Le bon Dieu ne l'avait-il pas, réellement, mené en bateau ?

Einstein, profondément déçu, tenta de ranimer l'Académie d'Olympie en faisant entrer Habicht au Bureau de la propriété industrielle, afin qu'il revienne à Berne. Il regrettait la gaieté de Solovine qui, après de brèves études à l'université de Lyon, était désormais rédacteur dans un journal scientifique parisien.

L'hiver s'annonçait glacial.

## 12

# La plus belle idée de ma vie

*1906-1911*
*De 27 à 31 ans*

La nouvelle année commença sous de bons auspices. Le grand Max Planck écrivit de Berlin pour en savoir davantage sur la relativité. Des chercheurs travaillaient sur les théories énoncées par Einstein. L'un d'eux, Heinrich Zangger, professeur de médecine légale à l'université de Zurich, s'intéressait particulièrement au mouvement brownien. Les deux hommes se rencontrèrent pour en discuter et devinrent amis.

La vie familiale était heureuse. Malgré ses occupations, Einstein aidait Mileva de bon cœur. Il coupait le bois pour leur vieux fourneau et montait le charbon pour le chauffage. Ils riaient des impertinences du petit Hans Albert, âgé de deux ans.

Einstein eut un autre motif de satisfaction le 1er avril : sa promotion à l'échelon d'expert technique de deuxième classe. Son salaire augmentait de mille francs et passait à quatre mille cinq cents francs. Au grand soulagement de Mileva qui en était à se demander s'ils pourraient se permettre de recevoir leur amie Helene Savic.

Einstein n'était cependant pas satisfait. Il craignait, à l'âge de vingt-sept ans, d'arriver au terme de sa période créative, parlait de lui-même comme d'un « vénérable pisseur d'encre fédérale » et rêvait de l'époque insouciante vécue avec ses amis[1]. Sa tentative de faire revenir Habicht à Berne ayant échoué, il fit à Solovine la même proposition de le rejoindre au Bureau de la propriété industrielle. En vain. Solovine préférait rester à Paris, où il sera d'ailleurs bientôt le traducteur attitré des œuvres d'Einstein en français.

Einstein s'apprêta joyeusement à recevoir un visiteur de marque, Max von Laue, assistant de Planck. Le jour de son arrivée, von Laue se fit annoncer à la réception du Bureau de la propriété industrielle et s'assit dans la salle d'attente. Un jeune homme traversa nonchalamment la pièce quelques instants plus tard en jetant un coup d'œil circulaire, mais avec une allure et une tenue si décontractées que von Laue ne lui prêta pas la moindre attention. Einstein sortit, puis rentra, dans une scène à la Charlie Chaplin. Et le visiteur se présenta enfin.

Einstein l'invita chez lui et lui offrit, en chemin, un cigare dont von Laue, qui reconnaissait au toucher du mauvais tabac, se débarrassa discrètement quand ils franchirent un pont au-dessus de l'Aare. Le bras droit de Planck, impressionné par leur conversation, écrivit ensuite un article qui abondait dans le sens des théories d'Einstein. Et devint, comme Zangger, un ami pour la vie.

Einstein maintenait des rapports affectueux avec la famille Winteler, surtout les parents, malgré le chagrin qu'il avait causé à Marie. En novembre 1906, Maja, fiancée à Paul Winteler, lui annonça des nouvelles tragiques. De retour d'un voyage aux États-Unis sur un bateau où il avait servi comme cuisinier, le frère de Paul, Julius, avait tué sa mère et un de ses beaux-frères avant de se suicider, au cours d'une crise de démence. Albert, en état de choc, envoya une lettre de condoléances aux Winteler.

Einstein oubliait les tragédies personnelles en se plongeant dans ses recherches qu'il pouvait, heureusement, poursuivre n'importe où et n'importe quand. Son bureau était, après tout, sous son chapeau. Un jour où on lui demanda où était son laboratoire, il répondit en brandissant son stylo. Il conçut ainsi un instrument pour mesurer d'infimes variations électriques alors qu'il était en vacances en montagne au cours de l'été 1907. Il dessina son projet sur une carte postale qu'il envoya aux frères Habicht, qui réalisèrent un prototype en un mois. Mileva perfectionna l'invention, pour laquelle ils ne trouvèrent finalement aucun fabricant.

L'intérêt qui grandissait pour ses théories, surtout la relativité, relança l'attrait d'Einstein pour une carrière universitaire qui lui garantirait le temps et les moyens de poursuivre ses recherches et de répondre à ses détracteurs. La voie d'entrée habituelle à l'université de Berne était celle de privatdozent, conférencier non salarié, une sorte d'apprentissage au cours duquel il conserverait son poste au Bureau de la propriété industrielle et empocherait les frais payés par les étudiants qui suivraient ses cours.

Alfred Kleiner, qui avait déjà un œil sur ce jeune physicien plein d'avenir, lui expliqua que l'université de Berne serait un marche-pied pour celle de Zurich où il dirigeait le département de physique. Et en juin 1907 Einstein soumit sa candidature à l'université de Berne avec, à l'appui, sa thèse sur la relativité restreinte et dix-sept autres publications.

À sa grande déception, le chef du département, Aime Forster, s'opposa sans appel à son recrutement en décrétant que l'article sur la relativité était « incompréhensible[2] ». « De l'ignorance », lâcha Einstein qui oublia cette déconvenue en se lançant quelques jours plus tard dans l'élaboration d'un aspect stupéfiant de la relativité.

Johannes Stark, rédacteur en chef du *Jahrbuch der Radioaktivitat und Elektronik*, lui proposa d'écrire une synthèse de la théorie de la relativité. Il en profita pour publier une hypothèse qu'il mijotait depuis deux ans : tout objet de l'univers est détenteur d'une gigantesque énergie latente. Son article révélait en six coups de crayon le secret de la création, $E = mc^2$ (l'énergie est égale à la masse multipliée par le carré de la vitesse de la lumière). La formule supposait que la masse était de l'énergie figée et prédisait que la conversion d'une faible masse relâcherait une énorme énergie, ce qui se vérifierait avec la bombe atomique, même si Einstein ne devait pas découvrir comment provoquer la scission de l'atome ni même en évoquer l'éventualité. Sa formule expliquait le rayonnement de lumière et de chaleur émis par les étoiles pendant des milliards d'années, grâce à des réactions nucléaires, et la découverte récente de Marie Curie que trente grammes de radium produisaient quatre mille calories par heure pendant une éternité.

Einstein posait une question : « Si chaque gramme de matière renferme une telle énergie, pourquoi a-t-il fallu si longtemps pour le découvrir[3] ? » Et répondait qu'on n'avait jamais observé cette énergie avant la découverte du radium par Pierre et Marie Curie. Il comparait la situation avant les Curie à un homme fabuleusement riche qui aurait gardé sa fortune secrète car il ne touchait jamais à un centime.

« Imaginez l'audace d'une telle enjambée, écrirait son assistant et biographe Banesh Hoffmann. La moindre motte de terre, la moindre plume, le moindre grain de poussière, devenait un prodigieux réservoir d'énergie. Le fait qu'aucune vérification n'était possible à l'époque n'empêcha pas Einstein de déclarer, lorsqu'il présenta son équation ($E = mc^2$) en 1907, que c'était la plus importante conséquence de sa théorie de la relativité. Qu'il ait fallu vingt-cinq ans pour vérifier cette équation témoigne de son extraordinaire prescience[4]. »

Malgré une correspondance croissante avec des physiciens, il trouvait le temps de jouer avec son fils qu'il ravit par exemple un jour en fabriquant un téléphérique avec une ficelle et quelques boîtes d'allumettes. Il se réservait une soirée par semaine pour sa propre distraction, quelques heures de Haydn, Mozart et Beethoven en compagnie d'un procureur, d'un professeur de mathématiques, d'un relieur et d'un « oisif[5] ».

Son échec avec l'université de Berne l'amena à réviser ses ambitions académiques. Un poste de professeur de mathématiques était libre à Zurich. S'il se heurtait à un autre refus, il tenterait à nouveau Winterthur où sa brève vacation, six ans plus tôt, lui avait laissé de bons souvenirs. Conscient que son ignorance du suisse-allemand et son type juif joueraient contre lui dans cette forteresse teutonne, il hésita à se déplacer en personne pour faire acte de candidature.

Aucun des deux plans n'aboutit. Heureusement. Car il eut peu après, alors qu'il examinait toujours des brevets, « la plus belle idée » de sa vie. Une idée qui le conduirait, après des années de travail intense, à une conception révolutionnaire de l'univers, la théorie de la relativité générale. Il cherchait à étendre le champ de la relativité restreinte qui s'appliquait à un hypothétique univers de corps en déplacement à une vitesse constante dans un environnement sans gravitation. « Que se passerait-il, se demanda-t-il, dans l'univers réel où les objets sont soumis à la gravitation et l'accélération ? » Il fut frappé par l'idée soudaine qu'un homme en chute libre ne ressentirait pas son propre poids. J'ai fait « le premier pas vers la solution de ce problème [d'accélération] quand j'ai entrepris d'intégrer la loi de la gravitation à la théorie de la relativité restreinte[6] », expliquera-t-il plus tard.

Selon la théorie unifiée des champs de Faraday, tous les corps de l'univers étaient liés entre eux et la gravitation était l'une des conditions existantes (ce qui correspondait au modèle de l'atome). Newton considérait la gravitation comme une force attirant les corps les uns vers les autres. « Faux », dit Einstein. Les corps se déplacent dans un champ gravitationnel et leurs trajectoires sont déterminées par la structure courbe de l'espace. Même s'il l'appelait toujours une force, il considérait la gravitation comme une déformation de l'espace par la matière. Et il concluait que le mouvement engendré par la gravitation était équivalent à celui provoqué par l'accélération. C'était son principe d'équivalence.

La première réaction de Planck fut décourageante. « Pourquoi vous embêtez-vous avec ces problèmes, alors que tout est sur le point d'être résolu ? » demanda-t-il à Einstein. S'il s'embêta, suggère l'historien des sciences Bernard Cohen, c'est parce qu'il « était un génie, en avance de beaucoup sur ses contemporains. Il savait que la relativité restreinte était incomplète, qu'elle ne s'appliquait pas à l'accélération et à la gravitation[7] ».

Le célèbre professeur Hermann Minkowski, celui qui à l'École polytechnique l'avait traité de « type fainéant », revint dans sa vie en faisant, au cours d'une conférence donnée à Göttingen en décembre 1907, une présentation enthousiaste et éblouissante de la signification de la relativité restreinte : « À partir d'aujourd'hui, dit Minkowski, l'espace absolu et le temps absolu sont voués à l'oubli, et seule une combinaison entre les deux pourra subsister. »

On appellera espace-temps cette « combinaison ». Ayant introduit la quatrième dimension, Minkowski entreprit de fournir à l'espace-temps un étayage mathématique sophistiqué et de défendre les idées d'Einstein dans la communauté scientifique.

Einstein se réjouit de cet allié influent, malgré quelques réserves car il estimait que Minkowski poussait trop loin l'abstraction mathématique. Mais ce dont il avait un besoin immédiat était un interlocuteur pour remplacer Besso que la tragédie familiale rendait incapable de se concentrer sur leurs sujets de discussion. Il écrivit à Solovine : « Je n'ai même plus les conversations que j'avais avec Besso en rentrant à la maison. » Heureusement, un remplaçant se profilait.

Un étudiant en mathématiques, Jakob Laub, avait polémiqué sur différents aspects de la relativité avec le professeur Wilhelm Wien au cours d'un examen oral qu'il passait en Allemagne. Aucun des deux protagonistes ne cédant un pouce de terrain, le professeur avait suggéré à l'étudiant d'aller discuter avec Einstein. Et il était en route.

Albert tentait de réchauffer les lieux en attisant vigoureusement le poêle, quand Laub entra dans l'appartement où les Einstein s'étaient installés, dans le district de Kirchenfeld. Il accueillit avec joie les questions du jeune homme et ils trouvèrent tant de sujets de discussion que celui-ci alla l'attendre plusieurs semaines de suite à la sortie du Bureau, à midi et le soir, afin de ne pas perdre une minute. Laub était toujours là au printemps 1908, quand Mileva emmena Hans Albert pour une visite chez ses parents, en Hongrie. Einstein lui écrivit que, malgré le compagnon avec lequel il passait tant de temps, il était esseulé et languissait d'amour.

Leurs trois mois de collaboration, pendant lesquels Einstein tira profit des dons mathématiques de Laub, débouchèrent sur deux articles scientifiques. Puis Laub partit pour Heildeberg, comme assistant de Philipp Lenard, dont Mileva avait été peu de temps l'élève. Einstein conseilla à Laub d'être tolérant envers les lubies de ce professeur qui était un penseur magistral et original. Lenard deviendra plus tard l'un de ses ennemis les plus acharnés.

Kleiner lui recommanda de présenter à nouveau sa candidature comme privatdozent à l'université de Berne. Il le fit, et fut accepté.

S'il n'attendait pas une affluence à ses cours, Einstein espérait sans doute davantage que les quatre auditeurs qui se déplacèrent, dont son ami Besso. L'heure indue, sept heures du matin, n'aidait pas à remplir les chaises, mais l'orateur, nerveux et mal préparé, n'avait de toute façon rien pour provoquer une cohue.

Cela ne découragea pas le professeur Kleiner qui savait reconnaître un esprit d'exception et voulait en faire profiter l'université de Zurich. Il n'y avait cependant qu'une seule vacance, pour laquelle le meilleur candidat était Friedrich Fritz Adler, déjà membre de l'université, privatdozent apprécié et fils du fondateur du Parti social-démocrate autrichien dont la plupart des membres du comité de sélection étaient sympathisants. Adler semblait assuré de sa nomination, malgré l'influence de Kleiner en tant que plus ancien professeur de physique.

Adler, parfaitement conscient des talents d'Einstein, n'était en fait guère intéressé par le poste car il avait décidé de renoncer à une carrière universitaire pour faire de la politique. Quels que fussent ses motifs, il se montra magnanime. Il écrivit à son père :

> « L'autre candidat est un homme du nom d'Einstein qui a étudié en même temps que moi. Nous avons même suivi quelques cours ensemble. Notre évolution est d'un parallélisme frappant : il s'est marié avec une étudiante à peu près en même temps que moi et a des enfants. Mais il n'a personne pour l'aider et à une époque il mourait presque de faim. Les professeurs le méprisaient quand il était étudiant (...). Il n'avait pas la moindre idée de la façon dont il était censé se comporter avec les gens importants (...). Il a fini par entrer au Bureau de la propriété industrielle, à Berne, et a poursuivi son travail théorique malgré tous les motifs de distraction[8]. »

Puis il adressa une lettre au comité :

> « Il serait absurde de me désigner alors que l'université a l'occasion de s'adjoindre un homme tel qu'Einstein. Je dois reconnaître honnêtement que mes compétences dans le domaine de la recherche en physique ne supportent pas la moindre comparaison avec celles d'Einstein. Des sympathies politiques ne devraient pas faire manquer la possibilité d'acquérir un homme qui pourrait nous être extrêmement bénéfique en élevant le niveau général de l'université[9]. »

Kleiner était convaincu de la justesse de sa recommandation d'Einstein comme « l'un des premiers physiciens théoriques », un homme doté d'« une intuition et d'une intelligence peu communes ». Mais son candidat souffrait d'un handicap majeur. Il était juif. Adler aussi, mais ce dernier appartenait déjà à l'*establishment*. Kleiner triompha de la difficulté devant le comité de sélection dont le rapport final précise :

> « Les appréciations de notre collègue Kleiner, fondées sur des années de contact personnel, nous furent très précieuses (...). Herr Einstein étant israélite et le corps enseignant considérant (souvent non sans raison) que toutes sortes de traits de caractère désagréables sont typiques des israélites, tels que l'indiscrétion, l'impudence et une mentalité de commerçant (...). On doit cependant ajouter qu'il existe des israélites qui n'exhibent aucune trace de ces déplaisants défauts et qu'il n'est, par conséquent, pas convenable d'écarter un homme seulement parce qu'il est juif. On rencontre d'ailleurs parfois chez des enseignants non juifs une conception et une utilisation mercantiles de leur profession académique qui sont habituellement considérées comme typiquement "juives". Par conséquent, le comité et l'ensemble du corps professoral estiment incompatible avec leur dignité de se déterminer en fonction de positions antisémites, et les informations fournies par Herr Kleiner sur le tempérament de Herr Dr Einstein nous ont totalement rassurés[10]. »

En d'autres termes, Einstein pouvait passer pour un non-Juif. Les membres du comité apprécièrent puisque lors du vote à bulletins secrets dix votèrent pour lui, un seul s'abstint et aucun ne se prononça contre. Il était accepté.

Un collègue et futur écrivain, Otto Wirz, fut témoin de l'incrédulité de Friedrich Haller quand Einstein lui annonça sa démission, le 6 juillet 1909. Impossible. Einstein plaisantait. Mais on ne sait si l'étonnement de Haller était dû au départ de son employé juste après une augmentation de salaire, ou à la nomination de celui-ci comme professeur d'une prestigieuse université.

Haller aurait été stupéfait de voir Einstein, le lendemain, à l'université de Genève, parmi Marie Curie, Wilhelm Ostwald et bon nombre d'autres éminences internationales rassemblées pour recevoir des diplômes honorifiques à l'occasion du trois cent cinquantième anniversaire de la fondation de l'université par Jean Calvin.

Einstein avait failli manquer la célébration car il avait jeté à la poubelle l'invitation colorée, libellée au nom de « Monsieur Tinstein », qu'il avait prise pour une publicité. Les organisateurs, en l'absence de réponse, avaient alors demandé à son ami Lucien Chavan de le convaincre de venir à Genève pour un événement important et non spécifié. Une fois sur place, il prit place à contrecœur dans une procession, vêtu de son costume et d'un chapeau de paille, moineau parmi plus de deux cents paons et paonnes dans leurs atours académiques, habits brodés d'or, toges médiévales bariolées et couvre-chefs pointus en soie violette.

« Les festivités se sont achevées à l'hôtel National, racontera Einstein à Carl Seelig, par le plus riche banquet que j'aie jamais vu de ma vie. Cela me poussa à dire à un patriarche genevois assis près de moi : "Vous savez ce que ferait Calvin s'il était ici ? Il dresserait un énorme bûcher et nous ferait brûler pour péché de gaspillage." Il ne m'a plus jamais adressé la parole. »

Beaucoup de gens lui adressèrent la parole deux mois plus tard à Salzbourg où il fit sa première communication devant un congrès international de physique. Il lança l'hypothèse que la lumière était à la fois ondulatoire et corpusculaire, et évoqua le concept de complémentarité quinze ans avant que Niels Bohr ne le découvre. Comme l'écrivit Abraham Pais : « Einstein doit, par conséquent, être considéré comme le père de la complémentarité. » Même Wolfgang Pauli, physicien à l'esprit particulièrement critique et lauréat du prix Nobel en 1945 pour son principe d'exclusion, admit que la conférence d'Einstein était un jalon de la physique théorique.

Einstein rencontra à Salzbourg les vedettes scientifiques Max Planck, Max Born et Arnold Sommerfeld. Pour Born, Einstein « avait déjà dépassé la relativité restreinte qu'il abandonnait à des prophètes de second rang pendant qu'il méditait sur les nouvelles énigmes de la structure quantique de la lumière et, bien sûr, la gravitation et la relativité générale[11] ».

L'hôte d'Einstein, Sommerfeld, fils de médecin, soigna un estomac rendu malade par l'excitation.

Le déménagement dans un appartement de Zurich réserva une heureuse surprise. Friedrich Adler habitait l'étage en dessous. Les deux hommes furent aussi contents l'un que l'autre de leur nouveau voisinage. Une autre amitié se nouait. Adler, qui se trouvait davantage de points communs avec Einstein qu'avec aucun autre physicien, écrivit à ses parents : « Plus je discute avec Einstein, ce qui arrive souvent, plus je suis convaincu d'avoir eu raison à son sujet. Ce n'est pas seulement le plus pénétrant physicien actuel, mais il a la cervelle la plus indépendante que je connaisse (...). La majorité des scientifiques ne comprennent même pas sa démarche[12]. » Ils profitaient de tous leurs instants de liberté pour échanger des idées et montaient se réfugier dans le grenier de l'immeuble pour échapper à leurs jeunes fils turbulents.

Albert et Mileva étaient enchantés de revenir dans une ville peuplée d'amis et de souvenirs heureux. Mais la vie n'était plus la même. Des cours, des séminaires réguliers et des corvées administratives surchargeaient Albert de travail. Mileva, enceinte de leur second fils et occupée par ses tâches de mère de famille, avait perdu tout intérêt pour les travaux de son mari. Une tentative d'Albert pour reprendre contact avec Anna Schmid l'avait rendue furieuse. Elle avait intercepté une lettre dans laquelle il félicitait la jeune femme pour sa nomination comme professeur, et la réponse de celle-ci. Einstein, outré, raconta l'histoire à Besso qui soutint Mileva. C'est le premier indice d'une mésentente dans le mariage et de l'attraction d'Einstein envers d'autres femmes.

Wilhelm Ostwald, lauréat du prix Nobel de chimie en 1908, recommanda Einstein pour celui de physique en 1910. Il avait révisé son jugement depuis son refus d'engager Einstein comme assistant en 1901 et vantait aujourd'hui la théorie de la relativité restreinte comme le concept de plus grande envergure depuis le principe d'énergie. Le Nobel revint à Johannes Diderik Van der Waals, de l'université d'Amsterdam, pour « son travail sur l'équation d'état des gaz et des liquides ».

À Salzbourg, Sommerfeld avait présenté un de ses anciens étudiants, Ludwig Hopf, à Einstein qui le prit comme assistant. Hopf était, ce qui ne gâchait rien, un pianiste de talent.

La qualité de l'enseignement d'Einstein s'était améliorée, mais pas son allure. Ses étudiants découvrirent un jeune homme débraillé, au pantalon trop court, qui tenait à la main une espèce de carte de visite, les notes de son exposé. Son manque de formalisme ne l'empêcha pas de « captiver nos cœurs en quelques phrases » selon l'un de ses élèves, Hans Tanner, futur professeur de physique à Winterthur. Tanner racontera plus tard que « nous avions le droit d'interrompre le cours d'Einstein quand quelque chose n'était pas clair », et que durant les pauses « il prenait amicalement un étudiant ou un autre par le bras pour discuter du sujet du cours avec lui. Nous devions faire un exposé chaque semaine, de huit heures à dix heures du soir... après quoi il demandait : "Qui vient au café Terrasse ?", et la discussion se poursuivait là-bas ». Un jour « nous sommes restés à papoter au café jusqu'à l'heure de la fermeture (...). Et au moment de partir, Einstein a demandé : "Est-ce que quelqu'un m'accompagne chez moi ? J'ai reçu un article de Planck ce matin et je serais surpris qu'il n'y ait pas d'erreur dedans." Chez lui, il nous a donné le texte de Planck en disant : "Essayez de trouver la faute pendant que je prépare du café" ». Les étudiants ne découvrirent aucune erreur. Il la leur montra en commentant : « Nous n'allons pas lui écrire pour lui dire qu'il s'est trompé. Le résultat est bon, même si la démonstration est erronée. Nous allons nous contenter de lui indiquer la bonne démonstration.

Le plus important est le contenu, pas les mathématiques. On peut prouver n'importe quoi avec les mathématiques. »

Il manifesta ce dédain des mathématiques lors d'une discussion qu'il eut un après-midi, dans un café, avec l'ingénieur Gustave Ferrière sur les règles rigides de cette science. Plaçant cinq allumettes sur la table, il demanda : « Quelle est la longueur totale de ces cinq allumettes si chacune mesure six centimètres ? — Trente centimètres, répondit Ferrière. — C'est ce que tu dis. Mais j'en doute fort. Je ne crois pas aux mathématiques[13]. »

Il avait désormais vingt-quatre étudiants dans sa classe, au lieu des quatre de Berne. Parmi eux, Adolf Fisch qui racontera qu'après son cours le professeur était souvent entouré d'élèves qui lui posaient des questions auxquelles il répondait avec patience et bonne volonté.

Si beaucoup d'étudiants l'aimaient, certains de ses collègues voyaient dans son égalitarisme une atteinte à leur statut privilégié. Ils aimaient qu'on les traite en supérieurs, alors qu'Einstein se comportait comme si tout le monde était son égal. Il parlait « de la même façon à tout le monde. Il s'adressait sur le même ton aux responsables de l'université, à son marchand de légumes ou à la femme de ménage du laboratoire[14] ». Il avait effectué lui-même son déménagement en tirant, sans la moindre gêne, un chariot sur lequel il avait entassé ses meubles. De même qu'après la naissance de son second fils, Eduard, le 28 juillet 1910, il n'hésita pas à porter sur le dos un sac de laine destinée au berceau.

Einstein acheva en octobre 1910 un autre article important qui portait sur l'angle limite de réflexion. Il répondait à une question souvent posée par les enfants, « Pourquoi le ciel est-il bleu ? », que les molécules de poussière et d'air réfléchissaient davantage le bleu que le reste du spectre lumineux.

Son assistant Hopf se posait, lui, des questions d'adulte. Son intérêt pour la psychanalyse l'amena à rencontrer Carl Jung, puis à proposer à Einstein de faire sa connaissance. Jung était tout aussi curieux des découvertes du physicien. La première rencontre en entraîna d'autres, le plus souvent au cours de dîners. Jung avait « du mal à suivre ses démonstrations », mais était impressionné par « la simplicité et l'intégrité de cette brillante force intellectuelle[15] ».

Ils nageaient tous les deux dans des eaux inconnues, sans maître nageur à proximité, et sans couler. On peut imaginer la teneur de leurs conversations à un commentaire de Jung : « Bien que je ne sois pas mathématicien, je m'intéresse aux progrès de la physique moderne, qui se rapproche plus que jamais de la nature du psychisme (...). Tant que vous vous cantonnez à l'aspect physique du monde, vous pouvez dire à peu près n'importe quoi qui soit plus ou moins prouvable sans subir le préjudice d'être traité en non-scientifique, mais dès qu'on touche aux questions de psychologie le petit homme, qui est épris de science, devient furieux[16]. » Si c'était Einstein qu'il appelait le « petit homme », il se trompait. Celui-ci ne devenait pas furieux car il était parfaitement conscient du facteur psychologique en science, facteur qui était, en fait, sur le point d'affecter sa propre carrière. Mais il se méfiait de la thérapie psychanalytique.

À peine était-il depuis quelques mois à Zurich, où il coulait apparemment des jours à la fois heureux et productifs, qu'il entra dans des négociations secrètes avec l'université allemande de Prague, peut-être séduit par la perspective d'un poste de professeur à part entière et d'émoluments suffisants pour engager une domestique. Ses démarches ayant été éventées, des étudiants firent circuler une pétition lui demandant de rester. Et il obtint une augmentation de salaire.

Il décida cependant de maintenir sa candidature à l'université de Prague. Une personne influente semblait vouloir se débarrasser de lui, mais on ne sait ni qui ni pourquoi. Carl Seelig estime qu'Einstein était trop fier pour courber l'échine devant quiconque dans l'intérêt de sa carrière ou même pour conserver son poste. Le seul indice selon lequel un affrontement avec un supérieur serait à l'origine de son départ de Zurich se trouve dans une lettre de Kleiner à un collègue anonyme : « Einstein sait qu'il ne peut espérer aucun soutien des représentants du corps enseignant, après mes observations sur sa conduite, voici quelque temps (après lesquelles il voulait s'excuser, ce que j'ai une fois de plus empêché). Je pense que vous devriez attendre qu'il ait donné sa démission avant de vous occuper à nouveau de cette question[17]. »

Einstein ne pouvait visiblement plus compter sur l'appui de son mentor Kleiner. Prague faisait figure de solution attractive.

Comme à Zurich, deux candidats concouraient au même poste. Son rival était, cette fois, l'Autrichien Gustav Jaumann. Einstein était le mieux placé par la liste de ses travaux, mais, Prague étant sous administration autrichienne, les autorités embauchaient des postulants autrichiens en priorité sur les étrangers, indépendamment des mérites respectifs. Le classement fut renversé au bénéfice de Jaumann qui fut retenu. Mais quand celui-ci apprit selon quels critères il avait été choisi, il refusa d'entrer dans une université qui ne nommait pas les meilleurs candidats, et remit quasiment le poste entre les mains d'Einstein. C'était une répétition de ce qui s'était passé à Zurich.

Un mois avant de partir pour Prague, Einstein se rendit en compagnie de Mileva à Leiden pour y donner une conférence. Il était attiré comme d'un aimant par la ville de Lorentz, un personnage d'aspect fragile, à la barbe blanche de grand-père, qu'il considérait avec un mélange de respect, d'admiration et d'amour.

Un ami commun, Ehrenfest, décrivit l'amitié d'Einstein et de Lorentz dans un texte qui semble être le brouillon de l'oraison funèbre qu'il prononça pour ce dernier.

> « Lorentz avait toujours entouré Einstein d'une atmosphère de sympathie humaine chaude et réconfortante. On installait la meilleure chaise devant la grande table de travail pour celui que Lorentz considérait comme un invité de marque. Lorentz attendait qu'on offre un cigare à Einstein pour commencer à formuler tranquillement des questions sur la théorie de la courbure de la lumière dans un champ gravitationnel. Einstein hochait la tête de contentement en appréciant la façon magistrale dont Lorentz avait redécouvert, en étudiant son travail, les énormes difficultés qu'il avait dû résoudre pour atteindre ses conclusions. Il oubliait de tirer sur son cigare et se redressait sur sa chaise à mesure que Lorentz parlait. Puis, quand Lorentz avait fini, Einstein se penchait sur la feuille de papier où il avait illustré ses mots de formules mathématiques. Le cigare s'était éteint. Einstein tortillait pensivement d'un doigt une mèche de cheveux, au-dessus de son oreille droite, une manie remarquée par plusieurs de ses amis. Lorentz observait en souriant un Einstein perdu dans ses pensées, de la façon dont un père regarderait un fils adoré, certain que le jeunot allait résoudre l'énigme qu'il venait de lui soumettre et curieux de savoir comment il s'y prendrait. Einstein redressait soudain la tête d'un air joyeux. Il avait trouvé. Encore une série d'échanges au cours desquels ils s'interrompaient mutuellement, un désaccord partiel vite résolu, et ils atteignaient une entente parfaite. Les yeux brillants, les deux hommes survolaient le territoire d'une nouvelle théorie[18]. »

Alors qu'ils séjournaient chez Lorentz, Albert et Mileva apprirent que leur ancienne amie Margarete von Uexküll n'habitait pas loin et ils lui proposèrent de venir les voir. Celle-ci se rendit à l'invitation sans se rappeler personne du nom d'Einstein. Elle reconnut Mileva avec surprise et ravissement, mais ignorait toujours qui était son mari, Albert Einstein. Ce n'est qu'à la vue de celui-ci qu'elle se souvint de l'étudiant qui l'avait aidée. Ce fut l'un des moments les plus embarrassants de sa vie, racontera-t-elle plus tard[19].

# 13

# Amour et haine

*1911-1913*
*De 32 à 34 ans*

Mileva quitta Zurich avec regret.

Ils avaient failli ne jamais partir pour Prague parce que Einstein avait répondu « aucune » à une question sur son appartenance religieuse. On lui avait expliqué que cela signifiait un rejet automatique et il avait péniblement inscrit « *Mosaisch* », mot autrichien pour « juif ». Ce n'était qu'un échantillon de la bureaucratie à venir ou, comme il s'en plaignit, « une débauche de paperasserie pour la moindre foutaise[1] ».

En tant que fonctionnaire, il dut prêter un serment d'allégeance à l'empereur austro-hongrois François-Joseph et pour cela s'attifer à grands frais, dira-t-il, en amiral brésilien, avec un uniforme bleu et or, une casquette triangulaire et une épée de cérémonie. Sa seule consolation fut de revendre le harnachement à moitié prix à son successeur. Il retrouva ses vêtements habituels pour la réception officielle et s'amusa de voir le portier le prendre pour un électricien venu réparer des lampes.

Ses débuts suscitèrent des critiques dithyrambiques. L'intelligent-sia praguoise se bouscula à sa leçon inaugurale donnée dans l'immense amphithéâtre de l'Institut des sciences de la nature. Dans l'assistance se trouvait le mathématicien Gerhard Kowalevski qui raconta qu'Einstein, habillé sans façon, avait « conquis tous les

108

cœurs » avec un exposé « d'un grand naturel, émaillé d'un humour reposant[2] ».

D'une façon surprenante pour lui, il se plia à l'usage de rendre visite aux collègues et à leurs familles, dont la plupart étaient impatients de rencontrer ce génie « à la chevelure hirsute et ébouriffée, et aux yeux stupéfiants[3] ». Ce fut une version européenne du supplice chinois de l'eau : une quarantaine de soirées meublées des mêmes bavardages insignifiants, une tasse de thé à la main, avec des gens qu'il n'aimait pas. Il arrêta.

Ses sentiments sur Prague étaient partagés. Son travail l'enchantait, mais il était déçu par la froideur et la dureté des habitants qu'il trouvait prétentieux et serviles. Le concierge qui le saluait chaque matin d'une courbette et d'un « Votre serviteur le plus dévoué » aussi faux qu'excessif était une caricature des relations praguoises. L'atmosphère libre et amicale de Zurich était ici chargée d'amertume et de ressentiments. Ce n'était guère surprenant dans une ville partagée entre des Tchèques, des Allemands et des Juifs qui se méprisaient mutuellement et ne s'accordaient que dans leur crainte des maladies véhiculées par les mendiants qui souillaient les rues médiévales.

Einstein prenait les choses du bon côté et tâchait de tirer le meilleur parti possible de la situation. Mileva et lui habitaient un vaste appartement éclairé à l'électricité, au lieu des lampes à pétrole et de l'éclairage au gaz de la Suisse, et le salaire de l'université leur permettait d'engager une domestique. Mais la Suisse, où l'eau était aussi claire que de la vodka, était incontestablement plus propre. Peu ragoûtés par le liquide brunâtre dégorgé par leurs robinets, ils buvaient de l'eau en bouteille et cuisinaient avec celle qu'ils puisaient à une fontaine publique.

Ils furent cependant heureux de trouver cette eau peu potable le jour où un incendie éclata dans la chambre de leur bonne. Après avoir éteint le feu, Albert se retrouva couvert de puces qui avaient fui le matelas acheté d'occasion pour leur employée. Il prit immédiatement un bain pour se débarrasser des insectes car la peste bubonique et la typhoïde n'étaient pas rares.

Son assistant Ludwig Hopf, qui ne supportait pas ce manque d'hygiène, prit prétexte de la faiblesse de son salaire pour partir en Allemagne où l'attendait un poste de professeur. Einstein embaucha alors Emil Nohel, fils de paysan et mathématicien, qui lui fit prendre conscience de la condition des petites communautés juives isolées au milieu d'une société étrangère. Nohel lui raconta que les paysans et les commerçants juifs de Bohême ne parlaient plus yiddish, mais essayaient de sauvegarder leurs racines le jour du sabbat en passant du tchèque à l'allemand. Après le yiddish c'était le meilleur succédané de l'hébreu.

Son aversion pour la population de Prague n'empêcha pas Einstein de se faire rapidement une poignée d'amis. L'un d'eux était le mathématicien Georg Pick, homme d'une cinquantaine d'années, brillant, stimulant et inflexible avec lequel il aimait se promener. Einstein écoutait, passionné, les souvenirs de Pick sur le grand Ernst Mach, premier recteur de l'université, désormais à la retraite et à demi paralysé. Ce dernier, dont Pick avait été l'assistant, avait prévu les théories d'Einstein. Pick avait lui-même avancé des idées fécondes qui, reprises par d'autres scientifiques, avaient ouvert la voie à de nouvelles branches des mathématiques. Il incita Einstein à appliquer à ses recherches une méthode de calcul plus moderne.

L'idée séduisit Einstein qui la mit en application. Il accepta avec joie l'invitation de Pick à participer à un petit orchestre dans lequel lui-même jouait du violon. La seule fausse note du groupe était la pianiste, belle-sœur du professeur de sanscrit Moritz Winternitz et professeur de piano à la retraite. Elle traitait ouvertement Einstein comme un élève peu doué, lequel l'imaginait fort bien en uniforme de sergent. Einstein s'attardait souvent chez Winternitz et ses cinq enfants auxquels il devint très attaché. Il était curieux, expliqua-t-il, d'observer cinq produits sortis de la même fabrique.

Les mardis soir il discutait politique et philosophie avec d'autres jeunes intellectuels juifs chez Bertha Fanta, une sioniste convaincue, avant de jouer de la musique. Il y retrouvait, quand ce n'était au café, Franz Kafka, Hugo Bergmann et Max Brod. Kafka n'était pas encore célèbre, Bergmann était un militant sioniste et un excellent musicien, et Brod un romancier dont l'œuvre avait des dimensions historique et philosophique. Einstein n'était pas attiré par le sionisme mais savourait les échanges d'idées et, bien sûr, la musique.

L'été arriva et ses commentaires sur l'Institut et sa magnifique bibliothèque n'étaient toujours que flatteurs. Mais la vie quotidienne était incontestablement plus agréable en Suisse et les étudiants plus intelligents et travailleurs.

La théorie quantique le tourmentait depuis des mois, l'existence des quanta elle-même le laissant dubitatif. Il se débattait avec la double nature de la lumière, et encore davantage avec les mystères de la gravitation. En juin 1911, il prédit à l'aide de la relativité générale un phénomène vérifiable lors d'une éclipse solaire : la courbure de la lumière stellaire par la gravitation du soleil. Il appela les astronomes à relever le défi dans un article des *Annalen der*

*Physik*, « Über den Einfluss des Schwerkraft auf die Ausbreitung des Lichtes » (« De l'influence de la gravitation sur la propagation de la lumière »).

Il devait défendre la relativité restreinte contre des attaques émanant des deux côtés de l'Atlantique. Arnold Sommerfeld venait de déclarer que la théorie était « si bien démontrée qu'elle n'appartenait plus aux frontières de la physique[4] », mais la femme du philosophe praguois Oscar Kraus racontait qu'elle causait des cauchemars à son mari, scandalisé qu'on pût croire à des idées aussi absurdes[5].

W.F. Magie, professeur à Princeton, abondait dans le même sens. Cette théorie qui ne « décrit pas l'univers en termes intelligibles » était dénuée d'intérêt car ni « un homme ordinaire » ni « un scientifique qualifié » ne parvenait à la comprendre[6].

Partagé entre le désir de défendre ses vieilles idées sur place et celui d'en explorer de nouvelles à l'étranger, Einstein saisissait toutes les occasions de quitter Prague. À la suite d'une conférence à Karlsruhe en septembre à laquelle il s'était rendu sans Mileva et les enfants, celle-ci lui fit observer qu'il s'absentait si souvent qu'un jour il ne la reconnaîtrait plus.

Il voyagea à nouveau durant l'automne 1911, cette fois pour un colloque organisé à Bruxelles par un riche industriel belge, Ernst Solvay, sur la crise ouverte en physique par les travaux de Planck et les siens. Les meilleurs scientifiques mondiaux étaient invités. Ce fut un succès. Vingt et un d'entre eux se déplacèrent, dont Lorentz, qui présidait, Einstein, Marie Curie, Rutherford, Poincaré, Langevin, Planck et Nernst. Einstein fut impressionné par le tact de Lorentz, sa maîtrise de trois langues et son génie scientifique.

Einstein se moqua des rumeurs de liaison entre la veuve Marie Curie et l'homme marié, bien que séparé, Paul Langevin, aventure qui faisait la une de la presse à scandales. Les connaissant tous les deux et aimant beaucoup Langevin, il considérait cette aventure peu plausible. Curie, qui venait d'obtenir son second prix Nobel, était « d'une intelligence brillante mais, malgré toute sa passion, pas suffisamment attirante pour menacer qui que ce soit[7] ».

Un jeune physicien britannique secrétaire de Nernst, Frederick Lindemann, qui assista à la conférence de Solvay, se livra plus tard à une revue des talents qui s'y étaient exhibés. Einstein et Poincaré l'avaient le plus marqué. Il écrira :

> « Einstein avait déjà publié un grand nombre de chefs-d'œuvre, mais aucune de ses hypothèses n'avait encore été vérifiée et on considérait davantage ses théories comme des tours de force que comme des apports solides à l'édifice de la connaissance. Sa prééminence parmi

les douze plus grands physiciens du moment était cependant incontestable pour n'importe quel observateur objectif. Je me rappelle parfaitement que M. de Broglie estimait qu'Einstein et Poincaré formaient une catégorie à part, parmi tous les présents. C'était un jeune homme de trente-deux ans, singulièrement simple, amical et pas prétentieux. Il était toujours prêt à discuter de questions de physique avec un jeune étudiant comme moi. Et cela ne s'est jamais démenti, malgré l'adulation qui l'entoura par la suite et qui aurait tourné la tête de n'importe qui[8]. »

Une lettre de Lindemann à son père était de la même veine : « Je me suis très bien entendu avec Einstein qui m'a fait la plus forte impression à l'exception, peut-être, de Lorentz (...). Einstein m'a proposé de demeurer chez lui si j'allais à Prague et je lui ai presque demandé de venir nous voir à Sidholme [où il habitait dans le Devon, en Angleterre]. Il a beau dire qu'il connaît mal les mathématiques, elles semblent tout de même lui avoir bien réussi. » Lindemann partageait la considération d'Einstein envers Lorentz, « un homme merveilleux sur tous les plans, qui comprend extraordinairement vite et a un bon sens de l'humour[9] ».

En novembre 1911, Marcel Grossmann vint au secours d'Einstein, qui n'était visiblement pas heureux à Prague, en lui proposant de le rejoindre à la faculté de physique de l'École polytechnique de Zurich, où ils avaient suivi leurs études ensemble et dont il était désormais doyen. L'offre officielle arriva avec la nouvelle année. Un poste de dix ans. « Attendez l'arrivée de pigeons voyageurs pour l'été », écrivit joyeusement Einstein aux frères Habicht. À d'autres il parla de son retour en *Europe*. Il trépignait d'impatience de partir.

L'un de ses nombreux correspondants, Paul Ehrenfest, ne fut pas découragé par ces sombres commentaires puisqu'il écrivit à Einstein qu'il venait chercher du travail à Prague. Einstein l'attendit sur le quai de la gare, un cigare à la bouche et Mileva à ses côtés. Ils se rendirent ensemble à un café voisin où ils discutèrent de tout, notamment de leurs villes préférées, sauf de la science, jusqu'à ce que Mileva les quitte pour préparer un repas spécial, car leur invité était végétarien. Les deux hommes se rendirent alors à l'université en parlant physique tout le long du chemin. Le seul effet d'un orage soudain fut de les contraindre à élever la voix. Ayant rendez-vous ce soir-là avec un quatuor à cordes, Einstein chargea un collègue, Anton Lampa, de s'occuper d'un Ehrenfest trempé. Il vint le récupérer après son interlude musical pour l'emmener chez lui. À une heure et demie du matin ils discutaient encore.

« Nous sommes devenus amis en quelques heures, écrivit

Einstein, comme si nos rêves et nos aspirations étaient faits pour se rencontrer[10]. »

La simplicité d'Ehrenfest et sa passion pour la physique valaient celles d'Einstein. Une mention dans son journal, à la date du 12 février 1912, est un écho de son enthousiasme : « Oui, nous serons amis. Ai été terriblement heureux[11]. »

Ils ne s'arrêtèrent apparemment de parler que pour manger, dormir ou jouer de la musique, Ehrenfest au piano et Einstein au violon, tandis que Hans Albert, âgé de sept ans, battait la mesure. Ehrenfest, emballé par le garçon, s'asseyait à côté de lui aux repas et le mêlait à la conversation. Un dimanche, ils allèrent se promener, Ehrenfest bavardant avec Hans Albert tandis qu'Albert poussait son jeune fils Eduard dans un landau.

Einstein conseilla à Ehrenfest de poser sa candidature au poste qu'il libérait, mais celui-ci avait finalement changé d'idée et, ne voulant plus quitter Albert, souhaitait maintenant travailler le plus près possible de lui. Il s'excluait de toute façon d'office en refusant, par athéisme intransigeant, de professer une croyance religieuse.

Les amis intimes d'Einstein estiment que son mariage se fissura à cette époque. Si c'est le cas, les parents le cachèrent à leurs fils, car Hans Albert ne s'en aperçut pas. La façon dont son père sifflait joyeusement en se rasant et l'air content avec lequel il partait pour l'université le rassuraient quand il sentait, de temps à autre, une tension dans le couple.

Une lettre de Mileva à Besso ne laisse percer, elle non plus, aucun signe des difficultés à venir. Hans Albert, écrivit-elle, « adore aller à l'école, fait des progrès en piano et nous enchante en posant des questions intéressantes à son papa sur la physique, les mathématiques et la nature[12] ».

Elle ne fut cependant certainement pas ravie d'un voyage d'Albert à Berlin, au printemps 1912, au cours duquel il renoua avec une amie d'enfance, Elsa, une cousine qui venait de divorcer. Cela ne put qu'inquiéter une femme habituellement soupçonneuse et jalouse. Avec raison.

De retour à Prague, Albert écrivit à Elsa qu'il était fou d'elle. Elsa lui répondit à son bureau. Elle gardera précieusement toutes les lettres qu'il lui enverra, mais il dut lui promettre de détruire toutes les siennes, ce qu'apparemment il fit.

Albert écrivit à Elsa que son incapacité à aimer convenablement sa mère l'avait fait terriblement souffrir : « Quand je pense aux mauvaises relations entre ma femme et Maja ou ma mère, je dois dire avec regret qu'elles me semblent toutes les trois, malheureusement, très peu sympathiques ! » Puis la confession se transforme en

113

déclaration d'amour : « Mais je dois aimer quelqu'un ou mon existence sera misérable. Et ce "quelqu'un", c'est toi. Tu ne peux rien y faire. Je ne te demande pas ton autorisation. Je règne en maître sur le royaume d'ombres de mon imagination, ou en tout cas je le crois[13]. »

Elsa lui dit, en se moquant de lui, que sa femme le menait par le bout du nez, ce qu'il dénia en répondant qu'il tolérait Mileva par pitié : « Je peux t'assurer catégoriquement que je me considère comme un homme véritable. » Une semaine plus tard, le 7 mai, il reculait d'un pas : « Je ne peux te dire à quel point tu me fais de la peine et combien j'aimerais être quelque chose pour toi. Mais succomber à notre attraction mutuelle n'entraînerait que des ennuis et des malheurs[14]. »

Deux semaines plus tard, le 21 mai, la retraite était totale. C'était sa dernière lettre et il insistait pour qu'elle ne lui écrive plus. Il laissait cependant une porte ouverte en lui disant qu'elle pouvait le contacter, si elle éprouvait le besoin de se confier à lui, à une nouvelle adresse qu'il lui enverrait dès son arrivée à Zurich, au cours de l'été.

La situation en était au même point quand son successeur Philipp Frank vint lui rendre visite, au printemps 1912. Einstein, âgé de trente-trois ans, accueillit Frank, vingt-deux ans, dans son bureau. La vue donnait sur le parc d'un asile d'aliénés où les femmes se promenaient le matin et les hommes l'après-midi, et qui était le théâtre de disputes fréquentes et violentes. Einstein, toujours tourmenté par la théorie quantique, montra un groupe agité en disant à Frank : « Des fous qui ne savent pas meubler leur temps avec la théorie quantique. »

Son retour à Zurich en juin 1912 fut triomphal. Il s'installa avec sa famille dans un appartement ensoleillé du quartier de Zurichberg. Ses vieux copains Grossmann et Kollros l'accueillirent chaleureusement à l'École polytechnique. Il restait trois professeurs de ses années d'étudiant. Il était une étoile au firmament de cet établissement dont il avait raté une première fois l'examen d'entrée et où on l'avait abominablement traité après son diplôme.

Il se replongea dans la recherche d'équations de champ expliquant le rôle de la gravitation dans l'univers. Ou, comme il le disait parfois, dans sa quête « des desseins divins ». C'était incroyablement difficile, et il appela Grossmann à la rescousse, pensant devenir fou. Ils s'attaquèrent ensemble au problème.

Même en travaillant vingt-quatre heures sur vingt-quatre, il ne parvenait pas à répondre à l'avalanche de lettres que lui envoyait Ehrenfest. Pour se rattraper, il proposa à son ami de venir lui rendre visite à Zurich avec sa femme, Tatiana, elle aussi excellente physicienne.

Le lendemain de leur arrivée, Einstein partit en montagne avec Ehrenfest. Ils s'assirent à l'ombre d'un bouquet d'arbres et Einstein expliqua à son compagnon ses tentatives pour clarifier une vision encore brumeuse de l'univers.

Ils se rendirent un autre jour en compagnie de quelques collègues à un colloque consacré à la théorie de Lawrence Bragg sur la diffraction des rayons X par les cristaux, théorie pour laquelle Lawrence partagera le prix Nobel de physique avec son père, Henry, en 1915. La journée s'acheva en une discussion à bâtons rompus, à la terrasse d'un café. Ehrenfest polémiqua avec Einstein et Max von Laue sur les idées de Bragg, avant qu'Einstein ne se mette à argumenter avec quelqu'un d'autre sur le mouvement brownien.

Le séjour d'Ehrenfest à Zurich fut bien meublé. Il noircit son journal de récits enthousiastes de conversations, de séances de musique et de rencontres avec les amis d'Albert, Marcel Grossmann et Michele Besso. Une seule date, sur ses deux semaines passées à Zurich, est marquée d'un regret : « Une journée sans Einstein[15] ! »

Ce dernier reprit fiévreusement son travail sur la gravitation après le départ de son ami. « Je ne m'occupe plus que de cette question, dit-il à Sommerfeld, et je suis maintenant certain de triompher de toutes les difficultés grâce à l'aide d'un ami d'ici, un mathématicien [Grossmann]. Mais une chose est sûre, c'est que je n'ai jamais travaillé avec autant d'acharnement de toute ma vie et que j'ai acquis un grand respect pour les mathématiques dont je considérais jusqu'à présent, naïvement, les aspects les plus subtils comme un luxe inutile. La théorie originelle de la relativité est un jeu d'enfant comparé à ce problème[16]. »

Wilhelm Ostwald avait à nouveau recommandé Einstein pour un prix Nobel, quelques mois plus tôt, imité cette fois-ci par Ernst Pingsheim, Clemens Schaefer et Wilhelm Wien, ce dernier préconisant d'attribuer la récompense conjointement à Lorentz. Le physicien suédois Nils Gustav Dalen fut le lauréat 1912 « pour son invention des régulateurs automatiques utilisés avec des accumulateurs à gaz pour l'éclairage des phares et bouées ».

Le 14 mars 1913, Einstein reçut pour ses trente-quatre ans une carte d'Elsa qui lui fit oublier pour un temps la gravitation et renoua leur correspondance clandestine. Elle lui demandait sa photo et un livre de vulgarisation sur la relativité. Il répondit par deux lettres successives. Il n'existait pas de livre de ce genre. Elle devait se méfier de la jalousie de Mileva, mais il l'incitait quand même à venir le voir à Zurich où il lui raconterait « tout sur ces choses étranges que j'ai découvertes ».

Mileva était dans une mauvaise passe. Des rhumatismes, ajoutés à sa déformation congénitale de la hanche, rendaient ses déplacements douloureux. Le travail d'Albert lui laissait très peu de temps pour ses enfants et pour elle, se plaignit-elle à Helene Savic.

Ils partirent cependant ensemble au printemps pour Paris où Einstein avait promis à Paul Langevin de présenter une communication devant la Société française de physique. Il aimait et admirait le Parisien dont il disait : « C'est le seul Français qui me comprenne complètement[17]. » Ils logèrent chez Marie Curie avec laquelle ils sympathisèrent. Ils décidèrent de passer les vacances d'été ensemble à la montagne.

Peu après son retour à Zurich, Einstein reçut la visite de Planck et Nernst, en mission de chasseurs de tête au service de l'université de Berlin. Ils lui offrirent une augmentation de salaire, l'entrée à l'Académie des sciences de Prusse, la possibilité d'être nommé directeur de l'Institut Kaiser Wilhelm en projet, et la liberté de mener ses recherches sans obligations. La seule note décourageante fut une remarque de Planck quand Einstein lui raconta ses efforts épuisants pour faire entrer la gravitation dans le cadre d'une théorie générale de la relativité : « Je préfère vous mettre en garde, en tant que vieil ami expérimenté. Pour commencer, vous n'y arriverez pas. Et même si vous y arrivez, personne ne vous croira[18]. »

Einstein avait une dette de reconnaissance envers Planck qui avait beaucoup contribué à asseoir sa réputation dans la communauté scientifique en soutenant sans réserve la théorie de la relativité restreinte. Mais il le trouvait distant, naïf et totalement ignorant en politique. Ses rapports furent plus chaleureux avec Nernst, rebondi et jovial, aussi vain qu'un gamin mais amusant, et qui avait la repartie rapide. Einstein ayant cité le commentaire de Langevin selon lequel une douzaine de personnes au monde comprenaient la relativité, Nernst répliqua : « Et huit sont à Berlin[19]. » Malgré leurs limites, les deux émissaires avaient incontestablement compris comment attirer Einstein en Allemagne. Ils le quittèrent certains que l'affaire était dans le sac.

Albert, Mileva et Hans Albert partirent ensuite en vacances avec le couple Curie et ses enfants. Ils laissèrent Eduard, malade, à la garde d'amis. La biographe de Marie Curie, Rosalynd Pflaum, raconte une randonnée au lac de Côme à laquelle participaient Hans Albert et les filles de Marie, Irène et Ève :

« Ils parlaient leur jargon scientifique en allemand (...). Ève s'amusait de voir Einstein se promener d'un air absent au milieu des éboulis, si absorbé par la conversation qu'il longeait des crevasses impressionnantes et escaladait des rochers sans s'en apercevoir. Les trois enfants éclatèrent un jour de rire au spectacle d'Einstein qui s'arrêta d'un coup, prit le bras de Marie et lui déclara en la fixant intensément : "Vous savez, ce que je dois comprendre c'est ce qui arrive exactement aux passagers d'un ascenseur qui tombe dans le vide." La chute imaginaire de l'ascenseur posait les questions de la relativité transcendante — en l'absence de force gravitationnelle les passagers flotteraient — et il se heurtait à la difficulté de découvrir une entité mathématique qui rendît compte de la gravitation[20]. »

Einstein écrivit à Elsa que Marie Curie ne faisait que se plaindre. « Elle a une âme de hareng », ajoutait-il gentiment en forçant peut-être le portrait pour convaincre Elsa qu'elle n'avait rien à craindre.

Le Hollandais Heike Kamerlingh Onnes reçut à l'automne 1913 le prix Nobel de physique « pour ses investigations sur les propriétés de la matière à basse température qui ont notamment conduit à la production d'hélium liquide ». Einstein avait été recommandé pour la troisième fois, par Wilhelm Ostwald, Wilhelm Wien et un professeur de médecine allemand, Bernhard Naunyn.

Au moment où les lauréats se dirigeaient vers la Suède, Einstein et Grossmann se rendaient à Vienne pour présenter leurs derniers travaux devant un congrès de scientifiques allemands. Einstein déclara qu'ils avaient été aidés par le travail d'un jeune physicien viennois, Friedrich Kottler, qui avait écrit le premier les équations de Maxwell sous forme de covariance générale. (« Covariante signifie, explique Stanley Goldberg, que la forme des équations est la même quand les équations changent de système d'inertie de référence. Si, par exemple, $F$ égale $MA$ dans un système de référence donné, la transformation est covariante si $F$ est aussi égal à $MA$ dans un autre système de référence. L'équation a toujours la même forme. ») Einstein demanda si Kottler se trouvait dans le public, et celui-ci se leva sous les applaudissements.

Après son exposé, un physicien et chimiste hongrois qui recevrait le prix Nobel de chimie en 1943, George de Hevesy, parla à Einstein d'une nouvelle théorie du physicien Niels Bohr. Le timide Danois de vingt-huit ans avait unifié la théorie quantique de Planck-Einstein et le concept de l'atome d'Ernest Rutherford. Hevesy écrivit peu après à Bohr qu'Einstein avait dit qu'il « avait eu des idées très similaires des années plus tôt (ce que Bohr reconnut plus tard), mais qu'il n'avait pas eu le cran de les développer », et que la théorie de Bohr sur l'atome d'hélium était « une réussite magnifique ».

117

Bohr lui-même se souvint d'une première réaction quelque peu différente d'Einstein au nouveau modèle atomique : « J'aurais sans doute pu parvenir à quelque chose de ce genre-là moi-même, mais si tout cela est vrai c'est la fin de la physique[21]. »

Après Vienne, Einstein passa quelques jours à Berlin avec Elsa et ses filles, Margot et Ilse. Elsa lui donna une brosse pour dompter ses cheveux rebelles et quelques instructions pour soigner son apparence. Il lui répondit que, si elle ne pouvait l'accepter comme il était, elle devrait chercher quelqu'un davantage à son goût. Ce qu'il ne souhaitait guère puisque, dès son retour à Zurich, il lui écrivit : « J'ai désormais quelqu'un à qui penser avec un bonheur sans ride et pour qui je peux vivre. » Il régnait entre Mileva et lui une atmosphère de cimetière. Un silence de plomb pesait sur eux. Il la traitait comme une employée, faisait chambre à part et évitait de se retrouver seul avec elle. Mais quand Elsa lui demanda de divorcer, il répondit que sa femme n'avait rien fait qui fût un motif valable devant un tribunal.

Einstein accepta formellement la proposition de l'université de Berlin le 7 décembre 1913. Il ne pouvait résister à une offre qui lui permettrait de consacrer tout son temps à la réflexion, écrivit-il à Lorentz. À Ehrenfest il expliqua qu'il serait débarrassé d'un enseignement qui lui pesait, tandis qu'à Zangger il disait que non seulement il bénéficierait de la présence stimulante d'autres scientifiques mais qu'il serait en contact avec des astronomes de premier plan qui pourraient vérifier son hypothèse de la courbure de la lumière par la gravitation.

Il comprenait l'inquiétude de Mileva devant ce qui l'attendait : « Ma femme ne cesse de brailler à propos de Berlin et de sa peur de ma famille. Elle se sent persécutée et craint de vivre ses dernières minutes de tranquillité fin mars [date de leur déménagement]. À vrai dire, elle n'a pas totalement tort. Ma mère est dans l'ensemble d'un bon naturel, mais c'est un véritable démon en tant que belle-mère. Tout se transforme en dynamite quand nous sommes avec elle[22]. »

Les affrontements entre sa femme et sa mère ne le distrayaient jamais longtemps de son travail. Hans Albert se rappelle sa mère disant : « Les cris de bébé les plus stridents ne semblaient pas déranger ton père. Il continuait à travailler en étant totalement indifférent au bruit[23]. » Et aux intempéries. Un soir d'hiver, au cours d'une tempête de neige, il discuta d'un problème sous un réverbère avec un groupe d'étudiants. Tendant son parapluie à l'un d'eux, il sortit un carnet de notes et gribouilla des formules pendant plusieurs minutes jusqu'à ce qu'il trouve la réponse, au milieu des tourbillons de neige. Et ils restèrent ensuite sur place jusqu'à ce que tout le monde ait compris.

Parvenait-il vraiment à se couper totalement de son environnement pour se concentrer sur ses recherches ? Pas toujours, si on le croit quand il écrit que Mileva le fait grimper aux murs. Il ne faisait en fait rien pour s'isoler. Quand il ne ramenait pas des étudiants avec lui, c'étaient des musiciens. Et Mileva se plaignait auprès d'Helene Savic que les instants de vie privée étaient rares.

Peu avant la fin de l'année, vingt et un membres de l'Académie des sciences de Prusse contre un votèrent pour l'admission d'Einstein, présenté par Planck. Une majorité suffisamment large pour l'approbation officielle de l'empereur Guillaume II.

La perspective de vivre près d'Elsa avait sans aucun doute contribué à la décision d'Einstein, mais seulement de façon marginale. Quel qu'ait pu être son désir de fuir une union malheureuse et de trouver une personne à aimer, sa principale préoccupation était son travail. Et Berlin lui offrait les meilleures conditions possible.

# 14

# Guerre à la guerre

*1914-1919*
*De 35 à 40 ans*

À peine installée, Mileva repartit de Berlin avec les enfants. Einstein pleura de voir ses garçons retourner en Suisse, mais la séparation était inévitable. Mileva détestait autant l'Allemagne qu'Albert dans sa jeunesse. Elle était en guerre permanente avec sa belle-mère, qui n'avait jamais accepté le mariage, lequel n'avait d'ailleurs plus de mariage que le nom. Albert et Mileva étaient mal assortis depuis le début, et le temps et les circonstances n'avaient fait qu'accentuer leurs dissemblances. La jeune femme se doutait probablement que son mari était attiré par sa cousine Elsa.

Les deux garçons et leur mère avaient débarqué à Berlin en avril. En juillet, ils étaient de retour à Zurich où ils logèrent dans une pension de famille, tandis qu'Einstein donnait sa leçon inaugurale à l'Académie des sciences de Prusse.

L'éclatement de la guerre en août compromit les voyages entre l'Allemagne et la Suisse neutre, ce qui ne facilitait pas une improbable réconciliation du couple. D'autant plus qu'Albert avait désormais avec Elsa une liaison amoureuse et posait des conditions impossibles à la reprise d'une vie commune : que leurs rapports soient purement fonctionnels avec le minimum de contacts personnels. Tout ce qu'il attendait de Mileva, lui dit-il, était des nouvelles de ses fils adorés tous les quinze jours.

L'invasion de la Belgique souleva un concert international de protestations contre le comportement barbare des compatriotes de Goethe et Beethoven, et provoqua l'entrée en guerre de l'Angleterre. Des nationalistes allemands convainquirent quatre-vingt-treize intellectuels, dont Max Planck, de signer en réponse un manifeste approuvant l'invasion comme une nécessité militaire. Le texte réfutait les accusations d'atrocités commises en Belgique, dénonçait « les hordes russes alliées à des Mongols et des nègres lâchés contre la race blanche », et ajoutait que sans l'armée allemande « la culture allemande aurait été rayée de la face de la Terre ». Un biologiste de l'université de Berlin rédigea quelques jours plus tard un appel à la fin de la guerre et à l'union de l'Europe. Quatre personnes acceptèrent de signer sur la centaine qu'il contacta. Einstein était parmi les signataires.

Einstein adhéra le mois suivant à la Ligue pour une nouvelle patrie, parti politique qui œuvrait à la paix et à la prévention de guerres futures. Les Berlinois étaient cependant davantage enclins à soutenir un physicien allemand qui écrivit que le plus beau jour de sa vie serait celui où on coulerait la flotte anglaise et raserait Londres. Un sentiment, commenta Einstein dans une lettre à Ehrenfest, qui montre « à quelle espèce immonde nous appartenons ».

Il fut ravi d'apprendre, à l'automne 1914, que le prix Nobel de physique avait été décerné à son ami Max von Laue « pour sa découverte de la diffraction des rayons X par les cristaux ». Bernard Naunyn avait à nouveau proposé Einstein pour « la relativité, la diffusion et la gravitation ». Le comité Nobel avait repoussé la théorie de la relativité pour diverses raisons : elle n'avait pas été vérifiée expérimentalement, certains scientifiques estimaient qu'on en exagérait l'importance, et d'autres, si ce n'était tous les autres, la trouvaient incompréhensible.

Mileva et les enfants avaient emménagé en décembre dans un appartement meublé par Albert qui avait vidé son propre logement de tout ce qui n'était pas strictement nécessaire pour l'expédier à Zurich. Il promit d'envoyer de l'argent tous les trois mois, engagement qu'il tiendrait. Mileva dut cependant donner des leçons de mathématiques et de piano pour faire face à l'augmentation du coût de la vie.

Einstein écrivit des lettres pleines d'amour et d'encouragements à ses fils. Il était fier d'apprendre qu'Eduard, âgé de cinq ans, avait commencé à lire Shakespeare, et que Hans Albert, dix ans, aimait la géométrie. Il ajoutait que ses occupations préférées dans son enfance étaient la musique et la menuiserie. Les garçons lui manquaient et il regrettait que la séparation l'empêchât de les aider dans leurs études. Mais la tranquillité de sa garçonnière ne lui déplaisait pas. Elsa et ses deux filles, pas encore adolescentes, habitaient à proximité, au-dessus des parents d'Elsa. La compagnie n'était pas loin, quand il en recherchait, ainsi que des repas corrects.

Il passa les vacances d'été avec Elsa et ses filles sur une île éloignée de la mère Baltique, avant de retrouver ses garçons à Zurich et d'emmener Hans Albert faire de la randonnée et du bateau dans le sud de l'Allemagne.

Avant de repartir pour Berlin, il passa rendre visite au pacifiste Romain Rolland installé à Vevey, au bord du lac Léman. Zangger l'accompagnait. Le trio s'assit au fond du jardin, où le seul bruit était le bourdonnement d'un essaim d'abeilles. Rolland s'était mis au ban de la France en refusant de soutenir la guerre. Il nota dans son journal, à la date du 16 septembre 1915, un récit détaillé de la rencontre.

> « Einstein parle assez difficilement le français et l'entremêle d'allemand. Il est très vivant et rieur ; il ne peut s'empêcher de donner une forme plaisante aux pensées les plus sérieuses. Il est suisse d'origine, né en Allemagne, naturalisé allemand, puis, autant que j'ai pu comprendre, renaturalisé Suisse, deux ou trois ans avant la guerre.
> « (...) Einstein est incroyablement libre dans ses jugements sur l'Allemagne, où il vit. Pas un Allemand n'a cette liberté. Un autre que lui aurait souffert de se sentir isolé de pensée, dans cette terrible année. Lui, point. Il rit. Et il a trouvé moyen, pendant la guerre, d'écrire son plus important ouvrage scientifique. Je lui demande s'il exprime ses idées à ses amis allemands et discute avec eux. Il dit que non. Il se contente de leur poser des séries de questions, à la façon de Socrate, pour troubler leur quiétude. Il ajoute que les gens "n'aiment pas beaucoup cela !".
> « (...) Pour les intellectuels des universités, Einstein les divise en deux classes très nettes : les mathématiciens, physiciens, sciences exactes, qui sont tolérants ; et les historiens et belles-lettres, qui délirent de passions nationales. La masse de la nation est prodigieusement soumise, "domestiquée". Einstein en accuse surtout l'éducation tout entière dirigée vers l'orgueil national et la soumission aveugle à l'État. Il n'en croit pas la race responsable, car les huguenots français, réfugiés depuis deux siècles, ont acquis les mêmes caractères. Les socialistes sont le seul élément indépendant (dans une certaine mesure) : encore n'est-ce qu'une minorité du parti qui se regroupe autour de Bernstein. (...) Einstein n'attend aucune rénovation de l'Allemagne par elle-même : elle n'en a pas l'énergie, l'audace d'initiative. Il espère une victoire des Alliés, qui ruinerait le pouvoir de la Prusse et la dynastie. »

Einstein considérait que la majorité des Allemands étaient stupides, notamment les avocats forcenés de la guerre. Il était dégoûté par l'hypocrisie de collègues, dont Nernst et Haber qui, tout en déplorant que l'ennemi ne se batte pas d'une façon régulière, participaient à la production de gaz toxiques.

Einstein appartient au « très petit nombre des esprits restés libres au milieu de la servilité générale », résuma Rolland dans son journal.

De retour à Berlin, Einstein était enfin sur le point de comprendre, après huit années de travail, la nature de l'univers et le rôle étrange de la gravitation. Pour se libérer l'esprit, il proposa à Mileva un armistice dans leur guerre épistolaire. « Mes fils sont les personnes les plus importantes de ma vie », ajouta-t-il dans sa lettre. Il avait eu tort de l'accuser de les dresser contre lui. Cette question réglée, il mit pratiquement tout de côté, y compris Elsa, déclina les invitations à donner des conférences ou assister à des congrès et laissa une partie de son courrier sans réponse. Et il se concentra frénétiquement sur les mystères du cosmos.

On était à l'automne 1915. Il travailla tard dans la nuit pendant cinq semaines en sautant bon nombre de repas. Quand il se résignait à cuisiner, il jetait tous les ingrédients dans une même casserole pour gagner du temps. Sa future belle-sœur, qui passa le voir à l'improviste, trouva une marmite de soupe dans laquelle cuisait un œuf non nettoyé. Des crises d'indigestion guère surprenantes ne l'empêchèrent pas de poursuivre ses recherches.

Fin novembre, il eut, le cœur palpitant, l'impression que quelque chose se brisait en lui. Il avait enfin trouvé la réponse. La théorie de la relativité générale. « La plus grande réussite intellectuelle de l'humanité », selon Paul Davies. « La plus grande fête de la réflexion humaine sur la nature, le mélange le plus étonnant de pénétration philosophique, d'intuition physique et de dons mathématiques », selon Max Born[1].

La gravitation n'est pas, contrairement à ce qu'on pense, une force d'attraction physique agissant à travers l'espace, conclut Einstein. C'est une manifestation de la structure géométrique de l'univers. L'espace est courbé par la présence de matière et les objets se déplacent selon la trajectoire la plus courte en suivant les contours de l'espace. Ce que John Wheeler résuma de façon imagée : « L'espace dit à la matière comment bouger et la matière dit à l'espace comment se courber (...). La gravitation n'est pas une force physique étrangère agissant à travers l'espace ; c'est une manifestation de la structure géométrique de l'espace à proximité d'une masse[2] », ajoute-t-il.

Banesh Hoffmann explique ainsi la vénération suscitée par les théories d'Einstein :

« Sur quelles fondations s'éleva une conception aussi extraordinaire ? Des blocs tels que la théorie de Newton et la théorie de la relativité restreinte, bien sûr. Le concept de Minkowski d'un monde à quatre dimensions et la vigoureuse critique par Mach des travaux de Newton, également. Et le cadre mathématique déjà élaboré... Mais quoi d'autre ? Le principe d'équivalence, le principe de covariance générale, et... eh bien, pratiquement rien d'autre. Quelle clairvoyance magique amena Einstein à choisir justement pour guide ces deux principes, bien avant de savoir où ils le conduiraient ? Il est stupéfiant que ces principes l'aient conduit à ces équations exceptionnelles, à la fois si complexes et si simples. »

Quant aux dix équations de champ, d'une impressionnante complexité, qui gouvernent la courbure de l'espace-temps :

« Elles rempliraient un gros livre de symboles intriqués (des millions de symboles), si on les écrivait intégralement au lieu d'une forme compacte. Mais elles ont quelque chose d'intensément beau et presque miraculeux. La puissance et le naturel parfait de leur forme autant que de leur contenu leur confèrent une indescriptible beauté[3]. »

La théorie d'Einstein expliquait l'origine et l'avenir de l'univers, prédisait qu'un objet massif induirait un décalage vers le rouge d'une lumière passant à proximité et ralentirait le mouvement d'une horloge, expliquait le déplacement de l'orbite de la planète Mercure, et démontrait l'existence d'ondes gravitationnelles (des ondes d'énergie qui transmettent un effet gravitationnel) et de ce qu'on appellerait plus tard les trous noirs[4].

Einstein fit un ajout qu'il regretta par la suite. Il partageait le point de vue commun d'un univers statique, globalement inchangé malgré des modifications mineures des mouvements des étoiles et planètes. Et comme ses équations décrivaient un univers en expansion, il ajouta une « constante cosmologique », baptisée « facteur échappatoire », destinée à le ramener à un état statique.

Il envoya sa théorie de la gravitation, la relativité générale, aux *Annalen der Physik* en mars 1916, puis étendit et simplifia, la même année, les cinquante pages de sa thèse pour en faire un livre qui ne recourait qu'à des calculs élémentaires, *Über die spezielle und die allgemeine Relativitaätstheorie, gemeinverständlich*[5]. Un régal.

Einstein explique que l'espace est déformé par les objets. Plus un objet est massif, plus la déformation est grande. Cette déformation, ou courbure, de l'espace décroît quand on s'éloigne de l'objet. Imaginez, par exemple, que l'espace est une feuille de caoutchouc tendue. Une pierre posée dessus provoquerait un affaissement proportionnel au poids de la pierre. La trajectoire d'une balle qui roulerait sur la feuille serait déviée à proximité de la pierre, et d'autant plus déviée qu'elle passerait près de l'objet. Si elle passait très près, elle entrerait en orbite autour de la pierre. Les rayonnements et les corps de l'univers sont, de la même façon, déviés par la courbure de l'espace dans le voisinage d'objets massifs. C'est ainsi que la Terre tourne autour du Soleil, et la Lune autour de la Terre, suivant la ligne de moindre résistance créée dans le premier cas par le Soleil, dans le second par la Terre.

La lumière des étoiles sera également déviée par la courbure de l'espace au voisinage du Soleil. L'observation du phénomène était, bien sûr, habituellement impossible à cause de l'éblouissement provoqué par l'astre solaire, mais les astronomes annonçaient, justement, une éclipse totale de Soleil pour 1916. Einstein espérait qu'ils vérifieraient sa prédiction.

Mileva, qui entretenait l'espoir d'une réconciliation, fut physiquement et moralement effondrée de recevoir une demande de divorce d'Albert. Des médecins qui l'examinèrent furent surpris par un délabrement physique digne des suites d'une crise cardiaque ou d'une profonde dépression. Ils lui ordonnèrent de demeurer au lit et d'éviter les émotions. Helene Savic prit les enfants chez elle, à Lausanne.

Le premier mouvement d'Einstein quand il reçut des nouvelles par l'intermédiaire de Besso et Zangger fut de se précipiter à Zurich. Puis il comprit que sa présence ne ferait qu'aggraver le trouble de Mileva. Avant de rationaliser sa décision : ce n'était que simulation d'une femme rusée pour éviter le divorce. Sa mère estimait comme lui que Mileva jouait la comédie, mais elle pensait qu'il devait s'occuper de ses fils.

Albert expliqua à Zangger, dont il estimait l'amitié et auprès duquel il ne voulait pas paraître insensible, que quitter Mileva était devenu pour lui une question de vie ou de mort. Besso, compatissant envers la situation de la femme délaissée, parvint progressivement à convaincre Einstein que celle-ci était réellement et gravement malade. Ce qui ne changea rien. Einstein repoussa les tentatives de son ami pour provoquer une réconciliation. La vie avec Mileva serait, répondit-il, comme une mauvaise odeur qui lui collerait aux narines.

Son nom fut soumis au comité Nobel pour la cinquième fois en 1916. Felix Ehrenhaft le recommandait pour le mouvement brownien, la relativité restreinte et la relativité générale. Mais les membres du comité décidèrent que personne ne méritait le prix Nobel de physique cette année-là.

Il se rendit fin septembre chez Lorentz, à Leiden. Ils discutèrent avec Ehrenfest pendant des heures de la théorie de la courbure de la lumière dans un champ gravitationnel, assis dans le bureau enfumé de Lorentz et rayonnants d'admiration mutuelle. Ses deux semaines aux Pays-Bas furent un rêve d'où il rentra ragaillardi à Berlin.

Il trouva avec joie une lettre de Hans Albert qui décrivait sa vie en l'absence de son père. Les deux garçons devenaient autonomes. Son frère et lui allaient bien, tandis que Mileva se remettait lentement. Hans Albert avait abandonné le piano et peinait en latin. Le père répondit qu'il était fier de savoir que ses fils étaient si mûrs. Il encouragea Hans Albert à reprendre les leçons de piano et le réconfortait pour ses difficultés à l'école : « Moi aussi, le latin m'a fait transpirer. Ce n'est pas un mauvais exercice intellectuel et cela ne peut pas te faire de mal. (...) Vous avez un père qui vous aime par-dessus tout, qui pense à vous et qui s'occupera de vous », écrivit-il à l'intention des deux enfants.

Mais d'autres nouvelles, mauvaises, l'attendaient également. Le 21 octobre 1916, aux cris de « À bas la tyrannie ! Nous voulons la paix ! » son ami idéaliste, Friedrich (Fritz) Adler, leader du parti social-démocrate autrichien, avait assassiné de trois balles dans la tête le Premier ministre, le comte Karl von Stürgkh, qui dînait dans un restaurant bondé de Vienne. Friedrich était en prison et risquait la peine de mort.

Comment l'aider ? Il apprit que seuls ses avocats, des psychiatres et sa famille étaient autorisés à lui rendre visite.

D'autres sombres informations parvinrent de Mileva : son frère Milosh, médecin dans l'armée autrichienne, était prisonnier de guerre en Russie.

Il ne pouvait rien faire pour Milosh, et pas grand-chose pour Fritz. En attendant son procès en prison, celui-ci croyait avoir découvert une loi élémentaire qui avait échappé à tous les scientifiques. Son père, Victor, le fondateur de son parti, espéra que cela passerait pour la lubie d'un fou et étaierait l'argumentation de la défense selon laquelle son fils était malade mental (la mère, la sœur, un oncle paternel et un oncle maternel de Fritz avaient souffert de troubles mentaux). Il envoya des copies du manuscrit à plusieurs physiciens qui estimaient le prisonnier, dont Einstein. Déclarer que ce travail n'était que pur non-sens serait, ils le savaient, une terrible insulte pour leur sensible ami. Ce n'était d'ailleurs, selon Philipp Frank, pas l'œuvre d'un fou mais l'« argumentation était fausse[6] ».

Einstein choisit d'écrire à Fritz le 13 avril 1917 pour se proposer comme témoin de moralité et lui dire qu'il aimerait discuter de ses idées après le procès, lequel aurait lieu puisque les psychiatres l'avaient reconnu responsable de ses actes. Il ne fut pas appelé à témoigner. Adler fut jugé coupable et condamné à la mort par pendaison, peine qui serait commuée en prison à vie. (Il fut libéré en 1918 et élu peu après à l'Assemblée nationale autrichienne.)

Einstein considérait Adler comme généreux et altruiste, mais se demandait si sa recherche masochiste du martyre ne relevait pas d'un désir de mort. Il resta en relation avec Adler après le procès et donna au *Vossische Zeitung* une interview, publiée le 23 mai 1917, dans laquelle il louait les vertus morales de son ami et racontait que celui-ci meublait son temps avec l'étude de la relativité[7].

La guerre était dans sa troisième année quand les États-Unis mirent à exécution leur menace d'entrer à leur tour dans le conflit si les sous-marins allemands continuaient de couler des navires américains.

« Les générations futures se demanderont comment une guerre aussi monstrueuse a pu se produire », se disait Einstein qui considérait Berlin comme un asile de fous et rêvait de s'installer sur Mars d'où il observerait les aliénés au télescope. La capitale allemande n'avait pas le monopole de la folie : lors de la bataille de la Somme, les Anglais venaient de perdre près d'un demi-million d'hommes pour dix kilomètres de boue.

Einstein paya le prix des conditions de vie en période de guerre, de la dispute avec Mileva, de la séparation d'avec ses enfants et du surmenage — dix articles scientifiques et un livre en un an. Il s'effondra, terrassé de douleur. Il perdit vingt-cinq kilos en deux mois et se prépara à mourir, convaincu d'être atteint d'un cancer. On diagnostiqua d'abord un calcul biliaire puis, avec davantage de justesse, un ulcère à l'estomac. Sur l'insistance d'Elsa il emménagea dans un appartement proche de chez elle où elle put s'occuper de lui et préparer tous ses repas pour qu'il suive un régime alimentaire correct. Il passait la majeure partie de son temps au lit, faible et déprimé. Ce qui ne l'empêchait pas de travailler sans interruption pendant de longues périodes. Il demeura ainsi une fois trois jours de suite dans sa chambre en demandant qu'on ne le dérange pas, Elsa étant priée de laisser son plateau-repas devant la porte. Un de ces débordements d'activité produisit les quatre équations du rayonnement gravitationnel.

Trois scientifiques avaient proposé son nom au comité Nobel : Arthur Haas pour sa nouvelle théorie de la gravitation, Emil Warburg (fondateur de la photochimie moderne) pour son travail sur la théorie quantique, et Pierre Weiss, plus poétique, pour sa tentative de conquérir l'inconnu. La lettre de Weiss soulignait l'importance des recherches d'Einstein sur la mécanique statistique, de ses deux axiomes sur la relativité restreinte, de son postulat sur la nature quantique de la lumière et l'effet photoélectrique et, enfin, de ses travaux sur les chaleurs spécifiques.

Les membres du comité admirent qu'Einstein était un « théoricien remarquable de la physique », mais notèrent que Charles Edward Saint-John de l'observatoire du mont Wilson n'était pas parvenu à observer le décalage vers le rouge prédit par la théorie de la relativité générale. Et ils conclurent : « Quels que soient ses mérites sous divers aspects, la théorie de la relativité d'Einstein ne justifie pas un prix Nobel. » Aucun lauréat ne fut couronné en physique cette année-là.

Einstein maintenait une correspondance assidue avec l'astronome hollandais Willem De Sitter, lui aussi malade. Les deux principaux créateurs de la cosmologie moderne s'apitoyaient réciproquement sur leur santé et discutaient de leurs modèles d'univers respectifs dans des échanges parfois hebdomadaires. De Sitter montra qu'en éliminant la « constante cosmologique » les équations de champ d'Einstein décrivaient un univers en expansion. Ce que ce dernier considérait comme aussi inepte qu'irritant car cela impliquait une création à un moment donné. Il critiquait pour les mêmes raisons le modèle de De Sitter qui comportait une singularité (un lieu, appelé aujourd'hui trou noir, où l'espace est courbé à un tel point que ses propriétés géométriques s'effondrent). Il finira par en admettre à contrecœur l'éventualité en juin 1917[8].

L'état de guerre empêchant Einstein de contacter directement les scientifiques des nations ennemies, De Sitter, dont le pays était neutre, jouait les intermédiaires. C'est ainsi que l'article sur la relativité générale parvint à l'Anglais Arthur Eddington, secrétaire de la Société astronomique royale. Ce génie mathématique en saisit immédiatement l'importance et y ajouta sa propre contribution. On considère son *Rapport sur la théorie de la relativité de la gravitation* publié en 1918 comme un chef-d'œuvre[9].

Einstein était dans l'incapacité de s'occuper de ses fils. Avant de tomber malade, il avait envisagé de retirer Hans Albert de l'école, de le prendre chez lui et d'être son précepteur. Mileva s'y étant opposée, il lui avait promis de ne rien faire sans son accord. Il avait aussi pensé verser une pension alimentaire à Maja pour qu'elle prenne Hans Albert en charge à Lucerne. Il se faisait davantage de soucis pour le petit Eduard, âgé de sept ans, timide, presque efféminé, maladif et dont il craignait qu'il ne fût mentalement retardé. « Peut-être aurait-il mieux valu qu'il ne soit jamais né », alla-t-il jusqu'à se dire. Il croyait que l'anomalie était due à la tuberculose ganglionnaire dont souffrait Mileva lors de la conception du garçon, ce qui était un diagnostic pour le moins osé pour un profane.

Mais l'arriération pouvait également venir de la famille de Mileva, dont la sœur Zorka fut internée à l'hôpital psychiatrique Burgholzi de Zurich au début de l'année 1918. Sur les conseils de son ami médecin le professeur Zangger, Einstein envoya Eduard pour quelque temps dans un sanatorium des Alpes suisses. En avril 1918, il avait lui-même suffisamment récupéré et regagné du poids pour être autorisé à reprendre ses activités normales. Mais les douleurs l'assaillirent de nouveau après une heure de violon et une jaunisse le cloua au lit pour un mois.

Son mariage avec Elsa s'imposait de plus en plus, même s'il faisait davantage figure d'union d'un malade et de son infirmière que de celle de deux amants enflammés.

Mileva accepta une nouvelle demande de divorce au cours de l'été. Albert lui avait promis de lui verser l'intégralité des trente-deux mille dollars du prix Nobel, une petite fortune suffisante pour assurer sa sécurité matérielle et celle des enfants. C'était évidemment un pari puisqu'il n'avait pas encore reçu la récompense, mais ils étaient tous les deux convaincus que cela ne saurait tarder. Albert avait déjà été proposé six fois en huit ans. Il continuerait, en attendant, de verser une pension alimentaire à Mileva.

Cette perspective de divorce horrifiait le gentil Besso qui tenta de jouer les conciliateurs. Pour s'entendre dire abruptement par Einstein qu'il n'y avait rien à concilier. Besso avait les meilleures intentions du monde, mais c'était une personnalité faible, et il était affligé par ses propres difficultés avec une femme forte et caractérielle, l'aînée des enfants Winteler. Zangger et lui se préoccuperont constamment des deux garçons et donneront de leurs nouvelles au père quand celui-ci n'en obtiendra pas directement. Zangger aidera Mileva moralement et la conseillera sur la gestion de son argent.

Charles Glover Barkla, de l'université d'Édimbourg, remporta en 1918 le prix Nobel de physique non attribué l'année précédente, pour la découverte « de la radiation Röntgen caractéristique des éléments ». Warburg, Ehrenhaft, Wien et von Laue proposèrent Einstein pour 1918, les deux derniers suggérant qu'il partage la récompense avec Lorentz pour leurs recherches sur la relativité. Le prix Nobel 1918 fut repoussé jusqu'à l'année suivante.

Avec l'armistice du 11 novembre 1918, la guerre mondiale fit place, en Allemagne, à une guerre civile. Born était cloué au lit par une maladie lorsque, plus tard, au cours de ce même mois de novembre, Einstein lui téléphona pour l'avertir que des étudiants révolutionnaires avaient séquestré les dirigeants de l'université de

Berlin, dont le recteur, qu'ils considéraient comme réactionnaire. Ceux-ci lui avaient demandé de venir prendre la parole au Reichstag où ils étaient réunis, en espérant qu'avec son image d'homme de gauche il exercerait une influence modératrice sur les éléments extrémistes. Voulait-il se joindre à eux ?

Born quitta immédiatement le lit pour se rendre chez Einstein « dans le quartier bavarois, en traversant des rues pleines de jeunes gens porteurs de cocardes rouges qui criaient avec un air farouche ». Einstein l'attendait en compagnie d'un ami commun, le psychologue Max Wertheimer. Ils empruntèrent tous les trois le tramway jusqu'au Reichstag, dont les portes étaient gardées par des militants armés arborant des brassards rouges. On leur interdit l'entrée jusqu'à ce que quelqu'un reconnaisse Einstein.

L'assemblée était en train d'adopter un règlement rigide pour l'université, et le président du conseil étudiant donna la parole à Einstein pour qu'il exprime son opinion. Il s'éleva contre le projet, en expliquant que la liberté de l'enseignement était le bien le plus précieux des universités allemandes. Les étudiants les plus radicaux protestèrent. Selon Born :

> « On considérait en général qu'Einstein était de gauche, si ce n'était "rouge". Mais tout cela était trop pour lui (...). Je revois parfaitement l'expression étonnée de ces jeunes enthousiastes quand le grand Einstein, qu'ils considéraient comme entièrement acquis à leur cause, refusa de se laisser entraîner par leur fanatisme. Mais Einstein était trop gentil et trop intelligent pour les décevoir. Il détourna rapidement la discussion sur... l'occupation des locaux et l'arrestation du recteur et des autres professeurs. Les étudiants répondirent qu'ils avaient transmis le contrôle des bâtiments et des prisonniers au nouveau gouvernement socialiste et que c'était avec lui qu'il fallait négocier[10]. »

Les trois hommes se rendirent auprès du président social-démocrate Friedrich Ebert, au palais du chancelier du Reich. Le chef de l'État, surmené, leur signifia qu'il était trop occupé à faire face aux « terribles » conditions d'armistice qu'on venait de lui communiquer pour s'occuper d'un recteur séquestré dans son bureau. Il griffonna tout de même un mot qui leur permit de faire libérer les enseignants prisonniers.

« Nous avons quitté le palais du chancelier du Reich d'excellente humeur, raconte Born, gonflés du sentiment d'avoir participé à un événement historique et espérant que c'était la fin de l'arrogance prussienne, des Junkers, de l'aristocratie toute-puissante, des cliques de fonctionnaires et de l'omnipotence de l'armée. Que c'était le triomphe de la démocratie allemande[11]. »

130

C'est dans cet état d'esprit qu'Einstein prit la nationalité allemande, qu'il pouvait cumuler avec la nationalité suisse. Une décision qu'il regrettera par la suite.

Il se remettait lentement de sa maladie. Mileva et lui divorcèrent en février 1919. Il se maria avec Elsa en juin, abandonnant une vie de célibataire qui l'avait presque tué pour s'installer dans un vaste appartement avec sa nouvelle femme et ses deux filles, son « harem » comme il les appelait.

Elsa fut sans doute déçue si elle avait cru intégrer Einstein à son monde. « Il vivait au milieu de meubles, tapis et tableaux magnifiques, et mangeait à heures fixes des repas copieux. Mais il donnait à ses visiteurs l'impression d'un étranger dans un tel cadre — une sorte de bohémien invité dans un intérieur bourgeois[12]. » Sa chambre, dépourvue de tapis et de peintures, tenait d'une cellule monacale. Convaincu que tout bien n'était qu'un fardeau, il ne possédait aucun objet de valeur. Il se rasait avec du savon ordinaire et attendait des mois pour se faire couper les cheveux, Elsa n'étant alors autorisée qu'à raccourcir légèrement ses mèches. Ses amis ne remarquaient en général même pas la différence. Certains d'entre eux reprochaient à Elsa de traiter Albert comme un grand enfant, mais celui-ci avait parfois réellement besoin d'être materné, comme le fit justement remarquer sa cousine Alice Steinhardt. Alice assista à une scène significative, un jour glacial qu'elle accompagnait le couple Einstein pour un voyage en train. Elsa nota immédiatement qu'Albert tremblait de froid. Passant un doigt sous ses vêtements, elle le gronda : « Tu as encore oublié de mettre ton tricot[13]. »

Sa distraction fut une cause de frayeur pour Margot, un jour qu'il n'était toujours pas ressorti de la salle de bains « au bout de plus d'une heure ». « Elle le tira finalement de sa rêverie en l'appelant. Il avait travaillé tout ce temps dans la baignoire. "Je pensais que j'étais assis à mon bureau", lâcha-t-il[14]. »

Il donna quelques cours dès que sa santé le lui permit. Ce fut de sa propre initiative puisque la promesse de ne pas avoir à enseigner était l'un des avantages qui l'avaient attiré à Berlin. Il choisit comme assistant l'astronome Erwin Freundlich avec lequel il correspondait depuis plusieurs années. Au début de la guerre, Freundlich avait tenté de vérifier la théorie de la relativité à l'occasion d'une éclipse solaire observable depuis la Russie. Mais il avait à peine eu le temps de pointer son télescope que l'armée russe l'avait arrêté et renvoyé en Allemagne.

Freundlich attendait des encouragements d'Einstein pour se livrer à un deuxième essai quand il fut pris de vitesse par l'astronome anglais Arthur Eddington, tout aussi impatient que lui de vérifier ce phénomène fascinant de courbure de la lumière dont De Sitter lui avait parlé. Deux expéditions anglaises furent mises sur pied pour observer la prochaine éclipse là où elle serait visible. Sobral partit pour le nord du Brésil et Eddington pour l'île de Príncipe, au large des côtes occidentales de l'Afrique.

Il pleuvait des cordes sur Príncipe quand Eddington ouvrit l'œil, le matin du 29 mai 1919. Le soleil ne se montra qu'après une longue attente, vers une heure et demie de l'après-midi. L'astronome se mit alors à le photographier sans perdre une seconde, changeant les plaques de son appareil avec une telle frénésie qu'il ne leva que deux fois la tête. La première pour vérifier que l'éclipse était en cours, la seconde pour constater que de nouveaux nuages obscurcissaient le ciel. Il continua.

Eddington écrivit dans son journal à la date du 3 juin que les nuages l'avaient obligé à modifier ses techniques d'observation. Puis ce fut le plus grand moment de sa vie : les mesures effectuées sur l'une des photos confirmaient la prédiction d'Einstein.

Eddington et son assistant E.T. Cottingham avaient discuté de l'expédition, trois mois plus tôt, avec l'Astronomer Royal, Frank Dyson. Cottingham ayant demandé ce qui se passerait s'ils ne confirmaient pas la théorie d'Einstein, Dyson, qui connaissait l'enthousiasme d'Eddington pour la relativité générale, avait répondu : « Eddington deviendra fou et vous reviendrez seul en Angleterre[15]. » Revenus en Grande-Bretagne, ils comprirent que les résultats d'une photographie sur seize faisaient une preuve guère convaincante. Les observations de Sobral seraient déterminantes. Celui-ci était sur le chemin du retour et ses clichés n'avaient été ni développés ni analysés.

Début octobre, Lorentz écrivit à Einstein : « Il ne peut pas encore fournir de valeurs exactes car les plaques sont toujours en cours d'examen, mais selon Eddington le résultat ne fait aucun doute (...). Nous avons toutes les raisons de nous réjouir[16]. »

Les premières photographies étaient mauvaises. Les sept suivantes « donnèrent un verdict qui confirmait sans aucun doute possible la valeur de la déviation calculée par Einstein et correspondait aux résultats obtenus à Príncipe[17] ».

Il ne restait plus qu'à convaincre le monde scientifique. Ce n'était pas tâche aisée.

Le comité Nobel attendait lui aussi les résultats des observations. Il venait d'annoncer que le prix de physique différé en 1918 revenait à Max Planck pour les services rendus à « la physique par la découverte des quanta d'énergie[18] ».

Planck proposa le nom d'Einstein l'année suivante pour avoir accompli « le premier pas au-delà de Newton » avec sa théorie de la relativité générale. Warburg, von Laue et Edgar Meyer l'imitèrent. Le suédois Svante August Arrhenius, lauréat du prix de chimie, soutint Einstein pour ses travaux sur le mouvement brownien. Ils ignoraient tous que les chances de leur candidat dépendaient de l'issue de l'expédition d'Arthur Eddington. Mais les résultats parvinrent trop tard à Stockholm et le comité attribua le prix Nobel de physique 1919 à Johannes Stark de l'université allemande Greifswald pour « sa découverte de l'effet Doppler dans les rayons canaux et la décomposition des raies spectrales dans un champ électrique ».

## 15

# Sous les feux de la rampe

*Novembre-décembre 1919*
*40 ans*

Des scientifiques dans l'expectative et des journalistes intrigués remplirent la salle londonienne où Eddington devait livrer ses conclusions sur l'« étrange » théorie de la relativité. Étrange, selon lui, car la relativité générale impliquait un « espace non euclidien ». Les conditions d'observation n'avaient pas été idéales et il avait pris certains clichés sous un ciel couvert. Après une étude minutieuse de toutes les photos, il était maintenant sur le point de livrer son verdict.

Qui le *New York Times* envoya-t-il pour couvrir l'événement et révéler la relativité au public américain ? Son spécialiste en golf, Henry Crouch ! Einstein aurait sans doute bien ri s'il l'avait appris.

Crouch, conscient de son handicap, sécha la conférence et attendit le *Times* du lendemain pour en résumer l'article. Puis il apprit, trop tard, que le *Times* n'accorderait qu'une place limitée à la nouvelle alors qu'on lui demandait un récit détaillé.

Crouch eut la chance de joindre Eddington par téléphone et celui-ci accepta de lui répéter ses conclusions. Du souahéli pour le journaliste sportif. Le savant, décidément obligeant, reprit ses explications en des termes aussi simples que possible[1].

La démonstration digérée et régurgitée par Crouch, la validité de la théorie de la relativité générale, parut le 10 novembre 1919 sous les titres accrocheurs : « La lumière du ciel est tordue », « Triomphe de la théorie d'Einstein ». Trois jours après que le *Times* avait titré « Une révolution scientifique » et « Une nouvelle théorie de l'univers — Les idées de Newton renversées ». Einstein avait pourtant souligné que ses concepts marquaient une évolution et non une révolution. Ils ne remplaçaient pas ceux de Newton, pour lequel il avait d'ailleurs la plus grande admiration, mais les complétaient.

Ce qu'Eddington exprima de la sorte : « Une révolution de la pensée scientifique consiste à mettre de nouveaux mots sur une vieille musique. Ce qui existait auparavant n'est pas détruit mais recadré[2]. »

Einstein apprécia sans doute ce titre, proche de la vérité, trouvé par un quotidien : « L'espace en flagrant délit de courbure ».

Le *New York Times* décrivait Einstein comme « un citoyen suisse d'une cinquantaine d'années qui habite à Berlin depuis six ans ». Il n'avait que quarante ans, mais sa maladie récente et de périodiques problèmes de santé l'avaient prématurément vieilli.

Peu de gens au monde prétendaient comprendre la relativité. Le philosophe et mathématicien Alfred North Whitehead fut d'abord impressionné, puis hésita et se couvrit en déclarant : « On dit qu'Einstein a fait une découverte historique. Il n'y a aucune raison de penser que la relativité d'Einstein soit davantage une explication définitive que le *Principia* de Newton. » Einstein aurait approuvé. J.J. Thomson, président de la Société royale britannique, directeur du Trinity College de Cambridge et lauréat du prix Nobel de physique en 1906, avoua sa confusion : « Einstein a peut-être réussi le plus grand exploit intellectuel de l'histoire de l'humanité, mais personne n'est encore parvenu à expliquer en langage clair en quoi sa théorie consiste vraiment. » Le physicien d'origine londonienne Oliver Heaviside, autre prix Nobel, était l'une des rares personnes qui semblaient comprendre la relativité[3]. Des sornettes selon lui.

Les lecteurs des journaux ne furent pas gâtés. Le *Manchester Guardian* choisit pour présenter Einstein un journaliste encore plus invraisemblable que Crouch, le critique musical Samuel Langford. David Mitrany, qui, en tant qu'économiste, était le rédacteur le moins éloigné de la physique, n'était pas disponible. Sa maîtrise approximative de l'allemand, son seul point fort dans l'affaire, fut insuffisante à Langford pour comprendre Einstein. De retour à la rédaction après avoir assisté à une conférence du physicien, il répondit à un collègue qui lui demandait ce qu'il pensait de la relativité : « Des lieux communs, mon vieux ! Rien que des lieux communs[4] ! »

Si les critiques anglaises restèrent en général courtoises, les Américains traitèrent Einstein et sa théorie comme étant parfaitement ridicules. Les attaques étaient parfois tout sauf scientifiques, et beaucoup venaient d'excentriques ou de cinglés, mais le mépris de scientifiques éminents envers Einstein jetait sur sa théorie des doutes que les photos d'Eddington parvenaient difficilement à dissiper.

Charles Lane Poor, astronome à l'université Columbia de New York, assena tranquillement à la face d'Einstein et d'Eddington que « les prétendues preuves astronomiques de la théorie évoquées et proclamées par Einstein n'existent pas ».

Poor sous-entendait qu'une époque folle avait dérangé l'esprit d'Einstein :

> « Il est tout à fait possible que les troubles, la guerre, les grèves et les révolutions bolcheviques ne soient que les manifestations visibles d'un grave désordre mental sous-jacent, d'ampleur internationale. Cette agitation a envahi le domaine scientifique. (...) J'ai lu divers articles sur la quatrième dimension, la théorie de la relativité d'Einstein et autres spéculations psychologiques sur la composition de l'univers. Après les avoir finis, je me suis senti comme le sénateur Brandegee après un célèbre dîner à Washington. "J'ai l'impression, a-t-il dit, de m'être promené avec Alice au pays des merveilles et d'avoir pris le thé avec le Chapelier fou."[5] »

Poor expliquait la courbure de la lumière des étoiles par le fait que tout rayon lumineux passant d'un milieu à un autre, par exemple de l'air au verre, est dévié ou réfracté. Il n'était pas surpris que la lumière des étoiles semblât infléchie sur les photographies d'Eddington après avoir pénétré dans l'atmosphère terrestre.

Le *New York Times* enfourcha le cheval des sceptiques. S'alignant derrière les scientifiques américains, il railla les Anglais, ces naïfs crédules qui « semblent avoir été pris d'une sorte de panique intellectuelle en entendant parler de vérifications photographiques de la théorie d'Einstein, mais qui se remettent lentement en se rendant compte que le soleil se lève apparemment toujours à l'est ». Après une citation du président de la Société royale sur « le plus grand exploit intellectuel de l'histoire de l'humanité », le journal se demandait si les Anglais avaient oublié les illusions optiques ou ignoraient que la lumière stellaire pouvait être déviée par des gaz présents dans l'espace. « Einstein n'aurait-il pas pêché l'idée de la quatrième dimension, le temps, dans *La Machine à remonter le temps* de H.G. Wells ? » ironisait un éditorialiste.

La relativité « révulse le bon sens », trancha le physicien Oliver Lodge, directeur de l'université de Birmingham, en visite chez Albert Michelson à Chicago, peu après la conférence d'Eddington. La définition qu'Einstein donnait du bon sens, « une couche de préjugés déposés dans l'esprit avant l'âge de dix-huit ans », s'appliquait parfaitement à Lodge qui, comme la plupart des scientifiques de l'époque, croyait sans se poser de questions en l'existence de l'éther, une substance invisible et mal définie à travers laquelle la lumière et le son étaient censés se transmettre. Ses équations réglaient son compte à cette croyance en décrivant un univers sans éther.

Michelson partageait le sentiment de Lodge même s'il avait, paradoxalement, reçu le prix Nobel en 1907 pour des travaux qui infirmaient l'existence de l'éther. Il prévoyait, d'ailleurs, de nouvelles expériences qui ne manqueraient pas de contredire ses premières observations. L'éther existait bel et bien. Les calculs d'Einstein étaient certes valables, puisque ses équations avaient été confirmées expérimentalement, mais Michelson ne pouvait le suivre dans ses raisonnements complexes.

Pendant que certains se demandaient gravement si Einstein était suisse-allemand ou allemand-suisse, le professeur Thomas Jefferson Jackson See, directeur du département d'astronomie de l'université de Chicago, s'interrogeait sur ses compétences. Pour conclure qu'il n'était ni astronome, ni mathématicien, ni physicien : « C'est un confusionniste. » Et ajouter : « La théorie d'Einstein est un sophisme. L'hypothèse selon laquelle l'"éther" n'existerait pas et la gravitation ne serait pas une force mais une propriété de l'espace n'est autre chose qu'un caprice ridicule, une honte à notre époque[6]. » See avait une liste impressionnante de travaux à son actif. Il avait étudié les étoiles doubles, l'éther, la gravitation, le magnétisme, l'évolution cosmique et les tremblements de terre. Il avait également démontré la théorie ondulatoire des corps solides.

L'ingénieur George Francis Gillette se moqua de « l'honnête violoniste qui veut jouer les physiciens rationalistes ». La relativité est « l'enfant intellectuel retardé d'une colique mentale (...), d'une physique myope (...) complètement folle (...), le nadir de l'imbécillité intégrale (...) et un délire vaudou ». Il prédit que d'ici 1940 « on considérera la relativité comme une plaisanterie (...). Einstein est déjà mort et enterré aux côtés d'Anderson, Grimm et du Chapelier fou[7] ».

Arthur Lynch se livra à une analyse mathématique et philosophique détaillée des illusions d'Einstein, qu'il mettait dans le même sac que des imposteurs historiques, et dont les supporters étaient des dupes trop crédules. « En survolant l'histoire de la pensée scientifique, conclut-il, j'aperçois bien des exemples de fausse science, souvent plus prétentieuse et influente que les théories d'Einstein, qui tombent progressivement en poussière sous les feux de la vérification. Je n'ai pas le moindre doute qu'une nouvelle génération regardera avec un étonnement et un amusement plus grands que ceux suscités aujourd'hui par Einstein notre galaxie de penseurs, d'hommes de science, de critiques, de professeurs respectables et de dramaturges spirituels tout heureux d'avoir abdiqué leur bon sens devant les illusions d'Einstein[8]. »

Lynch établit une longue liste de scientifiques européens qui étaient abasourdis, comme le critique musical de Manchester, devant la théorie d'Einstein : Henri Poincaré, le prix Nobel de mathématiques Gaston Darboux, Paul Painlevé, Le Roux, Curbastro Gregorio Ricci, Tullio Levi-Civita et le mathématicien français Émile Picard qui avait prévenu : « La relativité me fait voir rouge[9]. »

Le professeur américain Dayton C. Miller, de l'École des sciences appliquées de Case, pensa écraser la relativité en annonçant à la Société des ingénieurs de l'Ouest que ses expériences réfutaient totalement Einstein[10]. Si Miller n'avait guère de poids, le camp anti-relativité recruta un génie authentique, Nikola Tesla.

Tesla était un pionnier du domaine de l'énergie électrique et un inventeur prolifique qui comptait à son actif robots, radars, lampes fluorescentes au néon, télécommandes par radio, turbines à vapeur, générateurs à haute fréquence, compteurs de vitesse et avions. Selon son biographe, fasciné par son sujet, « Tesla perça les mystères de l'électricité et accomplit tant de prouesses avec elle, à une époque où le commun des mortels l'abordait encore avec l'effroi mêlé de respect suscité par une force occulte, qu'il devint aux yeux du monde entier un maître magicien dont les tours de prestidigitation étaient si variés et spectaculaires que les réalisations de la plupart des inventeurs de son époque passaient pour des jouets d'enfants[11] ».

Tesla opposait sa propre conception de la gravité à celle d'Einstein et dénigrait l'idée que la matière puisse se transformer en énergie, comme le résumait l'équation $E = mc^2$. Mais sa crédibilité s'effrita à mesure qu'on découvrait ses diverses excentricités. Les objets ronds, boules de billard ou perles de collier par exemple, l'effrayaient. Il répugnait à serrer des mains de peur d'attraper des maladies. Il se mit à travailler sur des inventions aussi farfelues qu'un appareil à photographier les pensées ou une machine à produire des rayons mortels. Jusqu'au jour où il confessa son amour pour un pigeon.

Einstein se maintenait en général au-dessus de la bataille et refusait de croiser le fer avec les critiques sensés ou avec les cinglés. Mais il fut déçu que son vieux mentor Ernst Mach, Henri Poincaré et Albert Michelson ne le soutiennent pas. Sa conviction n'en fut pas ébranlée pour autant.

Il tira une épine du pied de ceux que sa théorie laissait perplexes en admettant : « Il n'y a pas de voie logique qui conduise à ces lois. On ne peut les atteindre que par une intuition fondée sur une sorte d'amour intellectuel des objets d'expérience[12]. » C'est peut-être aussi l'intuition qui explique que certains scientifiques aient senti qu'Einstein avait réellement dessiné un nouvel univers, alors qu'une partie de ses raisonnements leur échappait. Des intellectuels comme Bernard Shaw et H.G. Wells, quant à eux, s'accordaient pour affirmer qu'Einstein avait accompli une véritable révolution.

Aucun scientifique avant Einstein, et surtout pas des physiciens ou mathématiciens, n'avait connu une si soudaine notoriété mondiale, que ce soit malgré le torrent de critiques qu'il soulevait ou à cause d'elles. Beaucoup le considéraient quasiment comme un être surnaturel, et son nom symbolisa rapidement le summum de l'intelligence humaine. Le scientifique anglais J.B.S. Haldane le qualifia de plus grand Juif depuis Jésus. Après avoir entendu parler de lui sur le ton émerveillé habituellement réservé au Père Noël, une petite fille lui écrivit pour lui demander s'il existait vraiment. Ce à quoi il répondit qu'il existait pour tous les enfants et presque tous les autres gens.

Einstein devint en cette année 1919 le scientifique le plus fameux et le plus honoré de la planète. Le plus aimé et le plus haï. Le *Berliner Illustriete Zeitung* du 14 décembre accompagna une photo de lui de la légende : « Un nouveau personnage de l'histoire mondiale dont les recherches ont entraîné une révision complète de la nature, et dont la perspicacité égale celle de Copernic, Kepler et Newton. »

Il déclina une offre généreuse du London Palladium qui l'invitait à se produire aux côtés de saltimbanques, funambules et cracheurs de feu, mais ne put empêcher qu'on baptise des nouveau-nés et une marque de cigare de son nom.

Il jouait déjà les funambules. En compagnie de collègues juifs ou non, il avait entrepris d'aider les Juifs fuyant l'Europe orientale de l'après-guerre à s'installer en Allemagne, tandis qu'une partie de la classe dirigeante faisait pression pour les expulser. Il organisa des cours à l'université à leur intention et publia dans le *Berliner Tageblatt* une tribune dans laquelle il traitait d'inhumains ceux qui réclamaient l'expulsion des réfugiés.

Einstein aurait certainement été moins haï et moins célébré s'il s'était enfermé dans son bureau sous les toits, à Berlin, pour contempler la nature de l'univers. Mais il prenait publiquement position. Pacifiste convaincu, il préconisait une enquête sur les crimes de guerre allemands et souhaitait l'avènement d'un gouvernement mondial qui préviendrait de nouveaux conflits. Ceci dans un pays grouillant de nationalistes enragés impatients d'en découdre à nouveau. La renommée mondiale d'un Juif comme lui en faisait une cible de prédilection des antisémites.

C'est de la « science juive », hurlait à propos d'Einstein une meute dirigée par le physicien Philipp Lenard, prix Nobel de physique en 1905, auteur avant Einstein de recherches sur l'effet photoélectrique et dont Mileva avait suivi les cours à Heidelberg. « Le Juif est manifestement incapable de comprendre la vérité, contrairement au chercheur aryen qui manifeste un désir sérieux et consciencieux de l'atteindre (...). La science, comme toute production humaine, est raciale et conditionnée par le sang[13]. »

Lenard, pour lequel la réussite d'Einstein était intolérable, attribuait la découverte de la relativité à F. Hasenohrl, un « pur Allemand » tué pendant la guerre. Des collègues suivaient ses pas, comme Paul Weyland, Ernest Gehrcke, Johannes Stark, Ludwig Bierberback qui traita Einstein de « charlatan étranger », ou Wilhelm Muller du Collège technique d'Aix-la-Chapelle qui estima que la théorie de la relativité était une tentative de « domination juive sur le monde ».

Les ennemis les plus vulgaires d'Einstein faisaient le piquet pour l'injurier à la porte de son domicile ou de son bureau de l'Académie des sciences de Prusse, et inondaient sa boîte aux lettres de menaces variées. Un étudiant d'extrême droite alla jusqu'à crier un jour, au milieu d'une conférence d'Einstein à Berlin : « Je vais trancher la gorge de ce sale Juif ! » Et Rudolph Leibus offrit une récompense à celui qui tuerait le pacifiste Einstein. Leibus fut arrêté, puis relâché avec une faible amende[14].

L'assurance et le sens de l'humour d'Einstein l'aidaient à résister aux attaques dont il était victime. Une étudiante qui l'admirait, Ilse Rosenthal-Schneider, en fut témoin. Un jour qu'ils rentraient ensemble en tramway après un cours, comme ils le faisaient parfois, son professeur lui montra un livre censé anéantir la relativité, et qu'il avait annoté de plaisanteries. L'auteur estimant que « la raison pour laquelle Einstein dit que (...) est totalement inintelligible », il avait commenté : « Quel aveu admirable ! » « Voici venir l'âne, brave et superbe », portait une autre page.

Ilse se souviendra qu'Einstein la taquinait à la moindre occasion :

> « Comme il savait que j'aimais Kant, il me provoquait en comparant son intuition aux vêtements de l'Empereur. Un jour où nous discu-

tions depuis longtemps certaines questions intriquées de la philosophie de Kant et les interprétations radicalement différentes faites par
les diverses écoles kantiennes (aussi nombreuses que les universités
allemandes, avec parfois plusieurs tendances sur le même campus),
Einstein illustra ainsi sa façon de voir : "Kant est une sorte d'autoroute intellectuelle jalonnée de nombreuses bornes kilométriques.
Les petits chiens se promènent et déposent leur contribution au pied
des bornes. — Quelle comparaison !" ai-je lâché sur un ton fausse-
ment indigné. Il se contenta de faire remarquer, en éclatant de rire :
"Mais votre Kant est quand même une autoroute. Et elle est faite
pour durer."[15] »

Pour aider les étudiants à visualiser ce qui paraissait impossible
— un univers fini sans limites — il leur conseilla d'imaginer la perspective d'un insecte totalement plat, un insecte à deux dimensions,
qui vivrait à la surface d'une sphère qu'il ne pourrait quitter. Et
après avoir ajouté que notre univers ressemble à la surface d'une
sphère, qui n'a ni début ni fin tout en étant finie, il demanda :
« Vous ne trouvez pas que ce serait nettement plus confortable que
d'habiter sur une île de matière au milieu d'un espace vide, comme
on le déduit de la théorie de Newton[16] ? »

Il utilisa à nouveau l'analogie de l'insecte pour répondre à son
fils Eduard qui lui avait demandé, à l'âge de neuf ans, pourquoi il
était si célèbre. « Un scarabée aveugle qui marche à la surface d'une
sphère ne voit pas que le chemin qu'il parcourt est courbe. J'ai eu
la chance de le voir[17]. »

Une lettre qu'il adressa de Berlin à Mileva et ses fils, à la fin de
cette année cruciale, souleva l'hilarité de Hans Albert. Il y décrivait
ainsi la rançon de la gloire : « J'ai l'impression d'être une sorte de
prostituée. Tout le monde veut savoir ce que je fais à chaque instant, en cherchant l'occasion de me critiquer[18]. »

Il finit l'année attristé par le malheur qui s'était abattu sur son
ami Max Planck. Le fils aîné de Planck avait été tué durant la
bataille de Verdun et l'une de ses filles jumelles, Grete, était morte
de suites de couches en 1917. La seconde, Emma, s'était occupée
du bébé et mariée en janvier 1919 avec l'ancien mari de sa sœur.
Einstein avait appris, juste avant de rencontrer Planck, qu'Emma
aussi venait de décéder après un accouchement. « La tragédie de
Planck me touche profondément, écrivit Einstein à Max Born. Je
n'ai pu m'empêcher de pleurer quand je l'ai vu (...). Il fait face avec
un courage remarquable (...) mais on voit qu'il est ravagé par le
chagrin[19]. »

# 16

## Signaux de danger

*1920*
*40 et 41 ans*

Pauline Einstein, qui se mourait d'un cancer, voulait achever sa vie en compagnie de son fils. Maja l'emmena à Berlin où elle s'installa dans le bureau d'Albert. Son médecin, Jonas Plesch, lui administra de la morphine, qui soulagea ses souffrances en la plongeant dans un état second. Einstein revivait, bouleversé, les derniers jours de son père. Il raconta à des amis que sa mère souffrait parfois à un degré indescriptible, qu'Elsa était heureusement d'un grand secours et que « tout cela entame encore davantage ma volonté déjà chancelante d'entreprendre de grands projets[1] ».

L'évolution politique du pays n'était guère réconfortante. De nombreux Allemands méprisaient ouvertement la république de Weimar qu'Einstein défendait, la « république traître » qu'ils accusaient d'avoir poignardé les soldats allemands dans le dos. Le mythe de l'invincibilité du front semait déjà les graines de la Seconde Guerre mondiale. Les Juifs étaient cloués au pilori avec la république.

Les officiers qui arpentaient autrefois les rues à la recherche de recrues avaient cédé la place à des souteneurs rôdant autour de travestis, d'obsédés et de jeunes prostitués. On malmenait les femmes qui sortaient avec des soldats des armées d'occupation, des « patriotes » assassinaient des « traîtres », et des groupes de résistants lançaient des bombes et constituaient des arsenaux pour la prochaine révolution. Quatre mille membres des corps francs, leurs casques ornés de croix gammées, s'emparèrent de Berlin et le gouvernement d'Ebert s'enfuit à Stuttgart[2]. Des milliers de gens étaient au bord de la famine et les secours d'urgence envoyés par les Anglais et les Américains risquaient d'être insuffisants. Einstein estimait que les conditions imposées à l'Allemagne par le traité de paix étaient trop rigoureuses, et qu'il serait impossible de verser les réparations exigées.

Le danger immédiat était les corps francs, les assassins et terroristes professionnels à l'aide desquels Wolfgang Kapp s'était emparé du pouvoir. Kapp hésita, fit arrêter le gouvernement prussien, le libéra, annula les examens de l'université de Berlin et confisqua toute la farine azyme de la prochaine Pâque juive. Quand il vit que la police refusait de lui obéir, Kapp démissionna en proclamant qu'il avait atteint tous ses objectifs.

La fureur des corps francs déferla sur l'université. Einstein commença un cours sous les sifflets et les huées. Ce n'est « pas nécessairement de l'antisémitisme[3] », expliqua-t-il à un journaliste, sans en écarter la possibilité. Un porte-parole de l'université tenta de reporter la responsabilité du chahut sur des étudiants retardataires qui se seraient battus pour les dernières places assises, ce qui était, finalement, un hommage à la popularité du professeur. Einstein, qui avait découvert entre-temps la véritable raison du tohubohu, n'en crut pas un mot. Le tapage était « dirigé contre lui[4] », affirma-t-il à un second journaliste.

Sa mère n'aura, au moins, pas connu cela. Elle décéda à la fin février, avant le putsch avorté de Kapp. La femme de Freundlich, Kathe, avait été choquée par une remarque d'Einstein selon laquelle aucune mort ne pouvait l'émouvoir. Mais « j'ai compris qu'il pouvait vraiment s'attacher à quelqu'un » quand je l'ai vu « pleurer comme n'importe qui[5] », raconta-t-elle ensuite.

La disparition de Pauline le laissa triste et désemparé. « L'avenir est bouché par un mur opaque », dit-il à quelqu'un. L'avenir le regardait en fait droit dans les yeux. Les journaux rapportaient que le Parti national-socialiste du caporal Hitler poursuivait résolument l'application de son programme en vingt-cinq points.

Churchill appellera un jour Hitler « un maniaque au génie féroce, le dépositaire et l'expression des haines les plus virulentes qui aient jamais rongé le cœur de l'homme[6] ». Ces haines exerçaient déjà leurs ravages chez une poignée d'étudiants berlinois d'Einstein. Celui-ci avait, heureusement, devant lui la perspective d'un voyage rafraîchissant à Leiden où l'attendaient les adorables Ehrenfest et une classe d'étudiants hollandais. Ce devait être la première d'une série de visites annuelles de plusieurs semaines comme professeur associé.

Ehrenfest donnait par courrier à Einstein des consignes pour sa leçon inaugurale sur « L'éther et la théorie de la relativité », prévue pour mai. À en croire les mises en garde d'Ehrenfest, il enseignerait dans une camisole de force. Il n'aurait ni support visuel ni tableau noir pour écrire des équations. Ses mouvements seraient limités par la toge académique qu'il devrait revêtir. À quoi il fallait, bien sûr, ajouter l'obstacle de la langue. Son ami lui conseillait de laisser aux personnes les plus âgées de l'auditoire le temps de se réveiller à la fin des conférences, avant de les remercier pour leur attention. La plaisanterie avait un grain de vérité. Ehrenfest l'assurait quand même que l'édition de ses cours se vendrait comme des petits pains[7].

Einstein n'en était pas si sûr. Il avait l'impression de devenir sénile. Son cerveau s'amollissait, disait-il. La preuve, il n'avait accompli aucun nouveau progrès sur la relativité générale ou sur la théorie unifiée des champs. Il chercha un stimulant dans la littérature et fit un bon choix, *Les Frères Karamazov* de Dostoïevski. Le meilleur livre qu'il eût jamais lu.

Mais rien ne pouvait lui faire oublier les tragédies qui se déroulaient à deux pas de là. Les nazis et les communistes se livraient de sanglantes batailles. On mourait de faim. « La mortalité infantile est effarante, écrivit-il à Ehrenfest. Le navire politique va à la dérive, et nul ne sait dans quelle direction. L'État a sombré à son plus bas niveau d'impuissance. Les principales forces de la société sont en guerre : l'épée, l'argent, les bandes d'extrémistes socialistes[8]. »

Le gouvernement décréta des mesures draconiennes pour enrayer l'afflux de Juifs qui fuyaient une misère encore plus grande en Pologne et en Russie. Einstein répliqua dans une tribune publiée par le quotidien libéral *Berliner Tageblatt* qu'on agitait l'antisémitisme pour expliquer la situation sociale, alors que la cause véritable était la dramatique dépression économique.

Il refusa cependant de participer à une réunion publique contre l'antisémitisme dans les milieux universitaires, en disant : « Je serais heureux de venir si je croyais aux chances de succès d'une telle initiative[9]. »

Le 24 avril, il écrivit à Solovine, toujours éditeur à Paris, que Mileva et lui s'étaient séparés, et que les enfants habitaient avec elle à Zurich. Toujours discret, voire secret, sur sa vie privée, il ne mentionna ni son divorce ni son remariage, un an plus tôt, avec sa cousine Elsa. Il donna des nouvelles des amis communs : après avoir parcouru le monde Besso était de retour au Bureau de la propriété industrielle (grâce à lui), Paul Winteler et sa femme (Maja) vivaient heureux à Lucerne.

Incapable de s'atteler de nouveau à ses propres recherches, il encourageait Solovine et Born à écrire des livres sur la relativité. Il envoya au premier une brève présentation de la théorie, sans aucune équation, recommanda diverses sources et lui proposa de relire ses manuscrits et ceux de Born.

À la grande déception d'Ehrenfest, l'administration de l'université n'avait toujours pas confirmé la nomination d'Einstein lorsque celui-ci arriva à Leiden, en mai. Faisant du mieux qu'il pouvait pour éviter des complications à son ami, Einstein renonça aux cours qu'il avait préparés et donna quelques conférences informelles avant de reprendre le chemin de Berlin.

Le couple Ehrenfest qui « le chouchoutait et le surestimait » et ses enfants lui manquèrent dès son retour. « Mes pensées vous accompagnent souvent, écrivit-il au professeur hollandais. C'est une si bonne chose pour chacun de nous d'avoir la chance de nous retrouver plus souvent. C'est comme si la nature nous avait faits l'un pour l'autre[10]. »

Einstein tenta de réconforter Ehrenfest, qui était pessimiste quant à son propre travail, en lui disant que l'âge rend tout le monde fainéant et stupide. Mais son ami lui répondit : « Ne t'impatiente pas avec moi. Souviens-toi que je me promène parmi les monstres que vous êtes comme une grenouille inoffensive et sans défense qui craint de se faire écraser[11]. »

La leçon inaugurale de Leiden fut finalement fixée à octobre et, pour se faire pardonner d'avoir traîné les pieds, l'administration de l'université invita Paul Langevin et Pierre Weiss à assister à l'événement. Le sujet était le magnétisme, une spécialité des deux invités. Einstein venait de pratiquer des expériences avec De Haas sur les relations entre le magnétisme et la rotation. Elles avaient confirmé l'effet gyromagnétique — la force de torsion induite dans un cylindre métallique suspendu et brusquement aimanté.

Ehrenfest écrivit à Einstein qu'il brûlait d'« impatience » d'assister à la discussion mais était également « très déprimé, en partie à cause des éternels (et secondaires ! ! !) soucis d'argent, en partie parce que je ne travaille absolument pas. Ce que je *parviens* à faire n'est pas de la science, mais un peu de conversation distrayante (...) sur la physique — la physique des autres. Je serais parfaitement heureux si je n'étais pas si mou et mon ambition pas si stérile[12]. »

Einstein s'échappa à nouveau d'Allemagne en juin pour une tournée de conférences en Norvège et au Danemark, en compagnie de

145

sa belle-fille Ilse. Les ambassadeurs allemands dans les deux pays communiquèrent à Berlin qu'il avait reçu un excellent accueil.

De retour en Allemagne, Einstein rencontra Niels Bohr pour la première fois. Celui-ci lui fit l'impression d'« un type très sensible qui traverse le monde comme en état d'hypnose ». Son interlocuteur admira son détachement et « l'humour sous-jacent derrière ses remarques perçantes[13] ». Planck se joignit à eux pour des journées entières de discussions sur la physique. Bohr provoqua Einstein : « Puisque vous êtes si préoccupé par le fait que les théories physiques d'aujourd'hui permettent une double interprétation de la nature de la lumière, demandez donc au gouvernement allemand d'interdire les cellules photoélectriques si vous pensez que la lumière est ondulatoire, ou les réseaux de diffraction si vous croyez qu'elle est corpusculaire[14]. »

Einstein se rendit ensuite à l'université de Hambourg pour une conférence à laquelle assistèrent le maire, le recteur et une partie du corps enseignant. La soirée était chaude et humide. Un étudiant qui se pressa parmi la foule rapporta ces bribes de conversation qui lui parvinrent : « Einstein a de sérieux adversaires (...). Le professeur Hahn a montré qu'on peut diviser l'atome (...). Des étudiants nationalistes l'ont sifflé à Berlin[15]. »

Un orage éclata au moment où l'orateur prenait place derrière le pupitre, comme si les cieux aussi manifestaient leur opposition.

Paul Weyland, agitateur professionnel et escroc occasionnel, était l'un des membres les plus déchaînés de la croisade menée contre la réputation d'Einstein. Il dirigeait ou servait de porte-drapeau à un Groupe d'étude des physiciens allemands, apparemment financé par des industriels antisémites dont Henry Ford, selon des informations du ministère des Affaires étrangères allemand. Weyland pouvait ainsi payer en dollars des écrivains et des orateurs prêts à salir et à discréditer Einstein. L'organisation attira des gens qui détestaient le pacifiste et l'internationaliste, des physiciens expérimentaux que révulsait la gloire d'un théoricien et des philosophes égarés qui avaient mal compris sa théorie et militaient, en réalité, contre leurs propres idées. Un antisémitisme hargneux était le seul point commun de tous ces gens.

La principale recrue de Weyland fut le prix Nobel Philipp Lenard. Les observations expérimentales de Lenard sur l'effet photoélectrique avaient servi de base à la nouvelle conception de la lumière élaborée par Einstein. Lenard avait d'abord admiré Einstein, dont il ne parlait qu'avec des superlatifs. En 1909, il le considérait comme « un penseur profond et de grande portée » et affirmait conserver précieusement sur son bureau une lettre qu'Einstein lui avait écrite en 1905. Puis, aigri par l'issue de la guerre, il avait viré au nationalisme forcené. À un tel point qu'il avait remplacé par des « webers », du nom d'un scientifique allemand qui avait travaillé sur l'électricité, les « ampères » qu'affichaient les instruments de mesure électrique de son laboratoire. Il bouillait de rage contre l'« arrogance » anglaise et les Juifs. Il ne pouvait faire grand-chose contre les Anglais, mais les Juifs étaient à portée de main. Sa hargne avait redoublé quand le gouvernement de Weimar avait attribué aux Juifs l'égalité des droits, au moins sur le papier. Et sa haine croissante s'était concentrée sur le Juif le plus célèbre et le plus respecté d'Allemagne — Albert Einstein.

La relativité n'était qu'« absurdité » pour Lenard. Il parvint à dissuader pendant près de dix ans le comité Nobel de couronner Einstein en lui répétant que cette théorie « n'a jamais été prouvée et est dénuée d'intérêt ». La stature scientifique de son ennemi décuplait sa violence[16].

Einstein se rendit en compagnie de son collègue et ami Walther Nernst, futur prix Nobel de chimie, à une réunion organisée le 24 août dans la salle philharmonique de Berlin par le groupe de Lenard, connu sous le nom de Ligue anti-relativité ou Ligue anti-Einstein. On vendait des croix gammées et des brochures antisémites dans le hall d'entrée.

Selon Philipp Frank, Einstein « aimait contempler les événements du monde comme un spectateur au théâtre ». C'est dans cet état d'esprit qu'il s'installa dans la salle du meeting. Pour s'entendre traiter de coureur de publicité, de plagiaire, de charlatan et de dada scientifique. Il rit des déclarations les plus outrageantes et d'une présentation fantaisiste de la relativité par le physicien Ernst Gehrcke. Il applaudit parfois d'un air moqueur, comme s'il assistait à une pièce satirique.

Le *Berliner Tageblatt* démonta les véritables motivations des orateurs et affirma qu'ils n'étaient pas parvenus à égratigner la théorie d'Einstein. Il publia une lettre de soutien à Einstein rédigée par ses collègues Nernst, Rubens et von Laue, et le ministre de la Culture, Konrad Haenisch. Un journaliste du *New York Times* jugea que la manifestation « avait un caractère antisémite évident qui transparaissait autant dans le contenu des interventions que dans le public[17] ».

Einstein était aussi entraîné dans des « combats de coq » sur le plan privé. Mileva, qui avait accepté qu'il prenne les enfants pour les vacances d'automne, regimba quand le moment fut venu pour Hans Albert, alors âgé de seize ans, de partir pour Berlin. Elle exigea qu'il ne rencontre pas Elsa et prenne ses repas seul avec son père. Celui-ci s'inclina, contrarié que la susceptibilité des deux femmes engendre de telles sottises.

Peut-être avait-il les nerfs à fleur de peau quand il envoya au *Berliner Tageblatt* un article vibrant de colère qui dénonçait ses critiques comme indignes d'une réponse... avant de leur répondre. On ne l'attaquerait pas s'il était un nationaliste allemand, arborant ou non un svastika, au lieu d'un Juif avec une vision internationale. Il énumérait d'éminents spécialistes de physique théorique du monde entier qui défendaient la relativité et soulignait que le seul scientifique d'envergure internationale à s'y opposer, Lenard, n'avait jamais effectué aucune recherche en physique théorique. Il conclut en traitant Lenard de superficiel et Weyland d'insolent et de vulgaire[18].

Ehrenfest lui écrivit : « Je suis bouleversé d'apprendre qu'on t'a traîné dans la boue. Je t'en supplie, contente-toi de cracher sur toutes ces attaques. » Il comprenait que son ami eût refusé de quitter l'Allemagne quand il en avait eu l'occasion l'année précédente, en grande partie pour ne pas décevoir Planck qui le soutenait et l'encourageait. Mais « tu peux compter sur nous pour faire notre possible pour te trouver un poste ici, si la situation s'envenime au point que tu ne puisses plus travailler[19] ».

Ehrenfest fut atterré en découvrant, quelques jours plus tard, la réponse d'Einstein à ses accusateurs :

> « Ma femme et moi refusons catégoriquement de croire que tu aies pu toi-même écrire certaines des phrases de cet article (...). Cette réponse contient des réactions qui sont totalement non einsteiniennes (...). Si tu les as vraiment écrites de ta propre main, ces foutus porcs ont enfin réussi à te toucher au cœur, ce qui est terrible pour nous. Comprends-moi bien : j'aurais pu commettre un péché cent fois plus grave, mais c'est toi qui es en cause, et pas moi. Vu ton caractère, cette "Ma réponse" ne te correspond pas, mais donne plutôt l'impression d'un *écho* des attaques ordurières dont tu es l'objet. Je t'exhorte avec toute mon énergie de ne plus lâcher un mot sur ce sujet à cette bête vorace qu'est le "public". Mais, je t'en prie, ne te fâche pas contre moi. Quoi qu'il puisse arriver, n'oublie jamais que nous te sommes tous fidèlement attachés, de Pavlik à Lorentz[20]. »

Einstein lui expliqua qu'il devait se défendre contre des insultes proférées « publiquement et à répétition. Je devais le faire si je voulais demeurer à Berlin où n'importe quel enfant a vu ma photo et me reconnaît. Un démocrate doit aussi se plier aux exigences de la célébrité[21] ». Il jurait que personne ne lui ferait écrire une telle réponse une seconde fois.

Le verdict de Max Born était qu'Einstein avait perdu son sang-froid, mais gagné la bataille.

La presse ayant fait état d'une rumeur selon laquelle Einstein allait être contraint de quitter l'Allemagne, Arnold Sommerfeld le supplia de rester et lui proposa une contre-offensive. Que pensait-il de la lecture lors du congrès de la Société des physiciens allemands qui se tiendrait bientôt à Bad Nauheim d'une motion de soutien dénonçant la démagogie scientifique ? La majorité des chercheurs présents voteraient le texte, il en était certain. La proposition fit à Einstein l'effet d'un concours de popularité. Il appréciait la sollicitude de Sommerfeld, mais préférait maintenir la discussion sur le terrain scientifique, tout en reconnaissant que sa sortie dans la presse avait été une erreur.

Sommerfeld eut une seconde idée : en signe d'apaisement vis-à-vis de Lenard, Einstein déclarerait que sa dispute l'opposait à Weyland et sa bande, et non à des collègues universitaires. Lenard, qui ne souhaitait nul apaisement, prit les devants. Il annonça qu'il profiterait de Bad Nauheim pour réduire en miettes son adversaire « arrogant et injurieux ».

La conférence s'ouvrit en septembre 1920 sous la protection de policiers armés qui gardaient le hall d'entrée, les organisateurs craignant des violences. Einstein était résolu à garder son sang-froid dans des débats qui s'annonçaient houleux.

Max Planck présidait stratégiquement la réunion. Parfaitement conscient du climat explosif et des risques de démonstrations antisémites, il garda la maîtrise de la situation en écourtant les discussions qui suivaient chaque présentation. Il annonçait « Orateur suivant » dès que les échanges devenaient trop vifs.

Le plan se déroula parfaitement jusqu'à ce que Lenard vînt au pupitre, accompagné d'approbations bruyantes. Il s'opposait à la relativité, dit-il, parce qu'elle éliminait l'éther et était incapable de faire la différence entre un train qui s'arrêtait et le monde immobile qui l'entourait.

Einstein répliqua que c'était seulement une question de perspective. Puis ses mots se noyèrent dans les sifflets et les cris qui s'élevèrent. Les appels au silence de Planck demeurèrent sans effet. Un témoin nota cependant l'échange suivant :

> Lenard. « La relativité insulte le bon sens. »
> Einstein. « La notion de bon sens évolue avec le temps. »
> Lenard. « La portée de la relativité est, au mieux, limitée. »
> Einstein. « Au contraire, un aspect essentiel de la relativité est qu'elle est universelle. »

Lenard dit que des expériences imaginaires n'avaient pu vérifier la relativité et demanda : « Pourquoi les a-t-on considérées comme

149

non valables ? — Parce que, répliqua Einstein, on ne considère comme valables que les expériences imaginaires qui pourraient en principe être réalisées, même si elles ne sont pas réalisables en pratique. »

La dernière attaque de Lenard fut qu'on ne pouvait éliminer l'éther, et que la relativité ne s'appliquait qu'à la gravitation et se heurtait toujours à des problèmes insolubles.

Max Born intervint ensuite en faveur d'Einstein, en faisant remarquer que la relativité accordait davantage de valeur à l'observation qu'aux équations.

Puis Gustav Mie énonça ce qui serait la position officielle du parti nazi, en attribuant la paternité de la relativité à d'autres scientifiques.

Von Laue, Nernst et Rubens prirent la défense d'Einstein dans une déclaration commune publiée par la presse : « Nous tenons à souligner que ses travaux lui assurent une place éternelle dans l'histoire des sciences, indépendamment de ses recherches sur la relativité (...). On pourrait difficilement surestimer son influence sur la vie scientifique, non seulement à Berlin mais dans l'ensemble de l'Allemagne. Quiconque a eu la chance de rencontrer Einstein sait que personne n'a davantage que lui le respect des valeurs culturelles d'autrui, et que personne ne peut faire preuve de plus de modestie ni avoir autant d'aversion pour toute forme de publicité[22]. »

Dans une lettre privée à Einstein, Planck accusa Weyland de propager « des ordures à peine croyables[23] ». Le représentant du ministère des Affaires étrangères allemand à Londres exprima une préoccupation plus diplomatique. Les attaques contre Einstein avaient indigné l'Angleterre, et il serait catastrophique pour la science et les relations étrangères allemandes qu'Einstein soit contraint de quitter le pays, comme la rumeur en courait. « Nous ne devrions pas chasser un homme, écrivait-il, que nous pourrions utiliser pour mener une efficace propagande culturelle[24]. »

Le prix Nobel échappa à nouveau à Einstein, proposé par un anatomiste allemand, Wilhelm von Waldeyer-Hartz, un spécialiste hollandais de la physique statistique, Leonard Solomon Ornstein, et pour la quatrième fois par Warburg. Lorentz, Willem Julius, Pieter Zeeman et Kamerlingh Onnes signèrent ensemble une lettre qui mentionnait la théorie de la gravitation d'Einstein et la confirmation apportée par les observations de l'éclipse de 1919, et qui disait d'Einstein qu'il se situait « parmi les meilleurs physiciens de tous les temps ». Le prix Nobel de physique 1920 revint au suisse Charles Édouard Guillaume « en reconnaissance du service rendu à la précision des mesures en physique par sa découverte des anomalies des alliages de nickel et d'acier ». Le comité Nobel estima que les mesures de la courbure de la lumière au cours de l'éclipse de 1919 n'étaient pas une confirmation définitive de sa théorie[25].

Einstein prenait pendant ce temps à contre-pied ses amis qui répétaient qu'il méprisait toute médiatisation, en donnant une série d'interviews inhabituellement personnelles à un journaliste de sa connaissance, Alexander Moszkowski.

La presse avait contrefait la théorie de la relativité, des caricaturistes l'avaient croquée et des humoristes s'en étaient moqués. Ceux qui ne l'avaient pas comprise, c'est-à-dire quasiment tout le monde, la tournaient en dérision. On brandissait souvent le « paradoxe des jumeaux » pour faire passer Einstein pour un savant fou tombé sous le charme de Lewis Carroll. Imaginons deux jeunes jumeaux. L'un demeure sur terre, tandis que l'autre accomplit un voyage dans l'espace à la vitesse de la lumière. Le second est toujours jeune à son retour, des années plus tard, alors que son frère est devenu un vieillard.

Une question de Moszkowski offrit l'occasion d'une mise au point à Einstein qui ne se méfiait pas encore des journalistes en quête de citations provocantes et de titres alléchants. Il n'a jamais répondu si librement à des questions aussi diverses et parfois surprenantes, ni avant ni après cette interview[26].

Moszkowski voulait savoir si le « paradoxe des jumeaux » était vrai. Einstein répondit qu'on l'avait beaucoup exagéré. Le voyageur ne serait qu'une seconde plus jeune que son frère s'il revenait sur terre après avoir parcouru trente milliards de kilomètres à la vitesse de mille kilomètres par seconde.

« Existe-t-il quelque chose au-delà de notre monde ? » demanda alors le journaliste. D'autres mondes, « indépendants du nôtre », existaient peut-être. Par « indépendant » il voulait dire que nous ne parviendrions jamais à les découvrir, même en passant une éternité à spéculer à leur propos et à les rechercher. Pour s'expliquer, il demanda à Moszkowski d'imaginer des hommes à deux dimensions vivant sur une surface plate de dimensions infinies et dotés d'organes, d'attitudes mentales et d'instruments adaptés à leur monde à deux dimensions. Ils auraient une science à deux dimensions, leur permettant d'appréhender parfaitement leur cosmos. Un autre monde témoin d'autres phénomènes et d'autres relations pourrait exister indépendamment de cet univers à deux dimensions. Ces deux mondes seraient dans l'incapacité de découvrir leur existence réciproque. Nous sommes dans la même situation que ces êtres à

151

deux dimensions, à la différence près que nous avons une dimension supplémentaire.

Il admettait la possibilité que des astronomes découvrent des mondes au-delà du nôtre, mais seulement des mondes à trois dimensions. Notre connaissance est ainsi limitée à un univers fini et nous abandonnons à la science-fiction les autres mondes, de dimensions différentes.

Moszkowski avança que des spiritualistes citaient Einstein à l'appui de leur croyance en une quatrième dimension qu'ils attribuaient à l'esprit ou au monde « occulte ».

« On ne peut me demander de répondre à des ignorants ou à ceux qui déforment mes conceptions », répondit-il. Il admit que des scientifiques avaient obscurci la question en appliquant l'adjectif « occulte » à un autre phénomène : Huygens et Leibniz avaient, parmi d'autres, critiqué la théorie de la gravité de Newton parce qu'elle supposait une action à distance qu'ils qualifiaient d'« occulte ».

Moszkowski était intrigué par le roman de science-fiction de l'astronome Camille Flammarion, *Lumen*, dans lequel le héros remonte le temps en se déplaçant plus vite que la lumière. Lumen assiste à la fin de la bataille de Waterloo avant son commencement, voit des boulets rentrer dans les canons et des soldats morts se lever pour reprendre le combat.

« C'est purement impossible, répondit Einstein. Nous pouvons bien sûr imaginer, sans les prendre au sérieux, des événements qui contredisent notre expérience quotidienne. Mais la relativité montre que rien ne peut dépasser la vitesse de la lumière. Si Lumen est un être humain, avec un corps et des organes des sens, la masse de son corps deviendra infiniment grande à la vitesse de la lumière. »

Moszkowski aborda alors l'hypnose. Pourquoi les scientifiques la considéraient-ils comme une aberration sans se donner la peine de l'étudier ?

Einstein ne doutait pas de l'existence de l'hypnose, mais il railla les saltimbanques et pseudo-spécialistes du psychique qui utilisaient l'hypnose pour duper des gens crédules. « Des scientifiques sérieux doivent se tenir à l'écart de ce genre d'ineptie, dit-il, puisque le public interprète de façon erronée le moindre intérêt prêté à cette question. »

Einstein raconta à Moszkowski qu'il avait assisté la veille, pour se distraire, à une démonstration de télépathie. L'acolyte de la femme télépathe lui avait demandé de choisir deux nombres et de les lui souffler à l'oreille. Il avait murmuré 61 et 59, que la femme avait répétés. Comme il était trop loin de la scène pour que la femme pût l'entendre, il en avait déduit que l'homme lui transmettait les nombres à l'aide d'un code.

Moszkowski cita Kant à son appui. Le philosophe croyait aux pouvoirs occultes du scientifique-inventeur suédois Emanuel Swedenborg qui assistait par l'esprit à des événements éloignés. Swedenborg avait notamment signalé un incendie qui avait éclaté à Stockholm, à cinq cents kilomètres de l'endroit où il se trouvait. Kant avait vérifié et confirmé l'histoire. La seconde vue de Swedenborg atteignait la planète Mars qu'il décrivait comme habitée d'êtres intelligents. Sa prouesse la plus extraordinaire était sans doute ses dialogues avec des anges, lesquels ne s'exprimaient qu'avec des voyelles.

Einstein préféra laisser passer, sans tenter de défendre Kant ni s'interroger sur la santé mentale de Swedenborg.

Moszkowski hasarda ensuite que l'Inquisition aurait dénoncé la théorie de la relativité comme une entreprise satanique vouée aux enfers, et « qu'on vous aurait fait l'honneur d'un bûcher funéraire ».

Sans l'écarter totalement, Einstein considérait cette éventualité comme peu vraisemblable car « les recherches en mathématiques, physique et astronomie n'ont jamais été condamnées par les tribunaux pontificaux. Elles ont même été encouragées. Un grand nombre de prêtres, des jésuites notamment, ont fait d'importantes découvertes en sciences de la nature ».

Puis la conversation roula sur la situation des femmes. Einstein défendit un point de vue progressiste pour son époque en affirmant que les femmes devaient avoir des chances égales aux hommes d'accomplir une carrière scientifique. Elles étaient cependant affligées d'un handicap biologique qui les empêcherait sans doute d'atteindre le même niveau que leurs confrères. « Et Marie Curie ? » demanda Moszkowski. « Une brillante exception », répondit Einstein, qui ajouta avec un sourire : « On ne peut exclure que la Nature ait créé un sexe sans cerveau. »

Le journaliste comprit que cette remarque « saugrenue » ne devait pas être prise au sens littéral mais comme une « exagération humoristique[27] ».

Les scientifiques de cette époque traitaient avec dégoût ou mépris la médiatisation personnelle. Max Born et sa femme craignirent que les interviews de Moszkowski, sur le point d'être publiées sous forme de livre, n'alimentent l'antisémitisme. Après avoir lu le manuscrit, Hedi Born pressa Einstein d'en suspendre la publication car « la presse à scandales va s'en emparer pour dresser un abominable portrait de vous. On vous jettera avec un sourire à la figure vos propres plaisanteries. Ce sera le début d'une nouvelle vague de persécutions, pire que les précédentes, non seulement en Allemagne mais **dans le monde entier**, jusqu'à ce que tout cela vous rende malade d'écœurement ». Espérant trouver « l'éloquence d'un ange » pour influencer sa décision, elle recourut à l'hyperbole : s'il était publié, ce livre « serait la fin de votre tranquillité, partout et pour toujours ».

Hedi reprochait à Moszkowski d'avoir banalisé Einstein et répondait indirectement à l'assertion misogyne de celui-ci en promettant de garder le secret sur cette lettre car « je sais parfaitement à quel point vous détestez que les femmes se mêlent de vos affaires. Le rôle des femmes est de faire la cuisine et rien d'autre. Mais il arrive parfois qu'elles *entrent en ébullition*[28] ».

Max Born était en voyage quand sa femme écrivit cette lettre. Il abonda dans le même sens qu'elle dès son retour. Il avertit leur ami que la publication des interviews serait le triomphe des antisémites comme Weyland et Lenard. On l'accuserait de faire sa propre publicité. « Je vous supplie de faire ce que je dis. Sinon, adieu Einstein... Vous vous comportez comme un gamin sur ce genre de questions. Nous vous aimons tous et vous devriez obéir aux gens de bon conseil (et pas à votre femme)[29]. » Born pensait qu'Elsa poussait à la publication pour rendre service à leur ami Moszkowski qui avait besoin d'argent.

Einstein avait déjà décidé d'« obéir » à Hedi. « Votre femme (...) a objectivement raison, excepté dans son jugement sévère sur Moszkowski. *Je l'ai informé par lettre recommandée que son travail magnifique ne devait pas être publié.* Je tiens à remercier votre femme de la façon la plus sincère[30]. »

Mais le livre fut publié en 1921 malgré la lettre d'Einstein, sous le titre *Einstein the Searcher : His Work Explained from Dialogues with Einstein* (*Einstein le chercheur : Des conversations avec Einstein expliquent son travail*). Einstein et ses amis Born attendirent la réaction des lecteurs.

# 17

# Einstein découvre l'Amérique

*1921*
*41 et 42 ans*

Einstein aborda la nouvelle année avec la résolution de ne pas laisser une correspondance agressive entre leurs femmes ruiner ses douze ans d'amitié avec Max Born[1]. Hedi Born s'en était violemment prise à Elsa qu'elle accusait d'avoir laissé Einstein jouer sa réputation en se livrant à Moszkowski. Einstein avait répondu que Hedi dramatisait et les deux hommes avaient cessé de s'écrire. Jusqu'à ce qu'Einstein rompît le silence et proposât d'enterrer la hache de guerre. Il ajouta avec un certain soulagement que la parution du livre de Moszkowski, qu'il n'avait d'ailleurs pas lu, n'avait pas suscité de tremblement de terre. Born répondit sur le même ton, en assurant Einstein de son affection et en reconnaissant qu'aucune calamité ne s'était produite. Il déplorait tout de même que des publicités pour le livre aient été placardées dans tout le pays.

Einstein n'éprouva pas le besoin d'adopter un profil bas. Le journal du comte Kessler nous apprend, à la date du 4 février, qu'il assista à la première du ballet de Richard Strauss, *La Légende de Joseph*, parmi divers notables berlinois dont le ministre des Affaires étrangères Walther Rathenau.

Einstein et Kessler prirent le train d'Amsterdam ensemble dix jours plus tard, avec une délégation pacifiste qui allait solliciter le soutien du Congrès international des syndicats. Le comportement d'Einstein amusa l'homme mondain qu'était Kessler. Tout le ravis-

155

sait, et particulièrement les wagons-lits. Kessler lui demanda si la relativité s'appliquait aux atomes. Il résuma leur conversation dans son journal :

« Einstein a répondu non : la taille (un atome est si minuscule) entre en ligne de compte. Je lui ai dit que la taille, la dimension, le fait d'être grand ou petit, était alors un *absolu*, le seul absolu qui subsistât. Il a confirmé que la taille est le facteur ultime, l'absolu inévitable. Il a été surpris que j'aie saisi cette idée, car l'énigme de la taille et son caractère absolu sont le mystère le plus obscur de la physique. Chaque atome de fer a exactement la même taille qu'un autre, quel que soit l'univers dans lequel il se trouve. La nature ne connaît que des atomes de même taille, qu'ils soient de fer ou d'hydrogène, même si l'intelligence humaine peut *imaginer* des atomes de tailles différentes[2]. »

« Alors, l'homme est plus intelligent que Dieu, dit Kessler d'un ton provocateur. Dieu est même carrément stupide ; il n'a ni l'intelligence ni l'imagination de l'homme. » Einstein répondit sérieusement que plus on perçait les secrets de la nature, plus on respectait Dieu.

À peine revenu d'Amsterdam, Einstein repartit donner une conférence à Prague.

Son successeur à l'université de Prague, Philipp Frank, lui proposa de loger avec lui, afin d'éviter la foule de curieux qui ne manqueraient de se manifester s'il descendait dans un hôtel. Il venait tout juste de se marier et, n'ayant pas encore trouvé d'appartement, était installé avec sa femme dans le laboratoire de physique. Einstein dormirait sur un canapé dans son ancien bureau dont les grandes fenêtres donnaient sur le jardin de l'hôpital psychiatrique, et tout le monde ignorerait où il se trouverait. Il accepta avec joie et s'exclama, le lendemain matin, que se réveiller dans un lieu aussi silencieux qu'une église était une expérience unique.

Il voulait prendre le pouls de la ville où siégeait le nouveau gouvernement démocratique de Tomáš Masaryk, dont il partageait les idées, et entraîna Frank dans des cafés fréquentés par différentes tendances politiques.

Sur le chemin du retour ils achetèrent du foie qu'ils rapportèrent pour le déjeuner. Mais comme la maîtresse de maison s'apprêtait à le cuisiner à l'eau bouillante, Einstein l'arrêta en expliquant que la température d'ébullition de l'eau était trop basse, et que le foie devait être cuit dans l'huile. Mme Frank ne manquera jamais par la suite d'évoquer la théorie d'Einstein sur la cuisson du foie, quand on discutera ses théories de physique.

Sa « planque » fut découverte la veille de son départ et de nombreuses personnes tentèrent de le voir. Frank tint la plupart d'entre elles à distance, mais céda aux supplications d'un jeune homme qui attendait depuis des années l'occasion de parler à Einstein. Il portait un épais manuscrit qui démontrait, affirmait-il, comment transformer l'énergie contenue dans les atomes, énergie révélée par $E = mc^2$, pour fabriquer des explosifs d'une incroyable puissance. Einstein avait déjà reçu une centaine de propositions du même genre. « Vous ne perdez rien si je ne discute pas votre travail avec vous en détail, lui dit Einstein. On voit au premier coup d'œil que cela ne tient pas debout. Une longue discussion ne vous apporterait rien de plus[3]. »

Frank était d'accord avec son ami. L'engin de cet inventeur ne transformera jamais la masse en énergie dévastatrice. C'était totalement exclu.

Le prochain arrêt fut Vienne où une immense salle de concert de trois mille places attendait Einstein qui demanda, impressionné, à son hôte Felix Ehrenhaft de s'asseoir à côté de lui.

Il avait sans doute préparé sa valise lui-même car il arriva chez les Ehrenhaft avec deux pantalons seulement, et tous les deux froissés. Mme Ehrenhaft en repassa soigneusement un qu'elle accrocha dans la chambre d'Einstein, pour la conférence, mais ce fut le pantalon fripé que l'orateur portait quand elle le vit monter sur scène en compagnie de son mari. Cela ne fit pas perdre ses moyens à Einstein, qui n'avait d'ailleurs sans doute rien remarqué. Surmontant rapidement son trac, il recourut à des images frappantes pour illustrer sa démonstration, et à des plaisanteries amusantes pour combattre l'ennui de ceux que ses propos dépassaient.

Revenu chez ses amis, il continua de résister aux tentatives de Mme Ehrenhaft pour le civiliser. Surprise de le voir pieds nus, elle lui demanda s'il avait vu les pantoufles qu'elle avait déposées dans sa chambre. Oui, répondit-il, mais c'est « un lest parfaitement inutile[4] ».

Le dirigeant sioniste Chaïm Weizmann le contacta à son retour à Berlin. Sa persévérance avait fini par convaincre le gouvernement anglais d'aider les Juifs à s'établir en Palestine. Il demandait à Einstein de faire avec lui une rapide tournée de collecte de fonds dans quelques villes américaines pour construire une université hébraïque sur les bords du Jourdain. Il espérait réunir plusieurs millions de dollars, mais selon Louis Brandeis, juge à la Cour suprême des États-Unis et son rival à la direction de l'Organisation sioniste mondiale, il aurait de la chance s'il trouvait un demi-million. Weizmann comptait sur Einstein pour attirer du monde.

L'idée de « faire la quête » attirait autant Einstein que jouer de la musique militaire. Leur ami mutuel Kurt Blumenfeld le convainquit. Il « me fit prendre conscience de mon âme juive[5] », expliquera Einstein. Une fois engagé, il remplit sa mission avec enthousiasme, mû par le besoin de servir une cause qu'il faisait sienne. Il écrivit à Solovine qu'il se transformerait en grand prêtre et en attraction publique pour aider les Juifs persécutés à trouver refuge en Palestine.

Il arriva à New York à bord du *Rotterdam* le 1er avril 1921, en compagnie d'Elsa, de Weizmann et de la femme de ce dernier, Vera. Comme c'était le jour du sabbat, ils décidèrent de ne pas débarquer avant le coucher du soleil par respect envers les convictions religieuses de leurs partisans.

Les journalistes, impatients, envahirent le bateau. Aucune question sur la collecte des fonds. C'était l'étrange théorie d'Einstein qui les faisait courir. Le physicien parlait, hélas ! aussi bien anglais qu'ils comprenaient la relativité, et les tentatives de certains reporters de briser la barrière linguistique en élevant la voix échouèrent.

Elsa se proposa comme interprète. Son anglais scolaire, parfait pour commander un café et des tartines, se révéla impuissant à transmettre les spéculations ésotériques de son mari.

Les journalistes appelèrent Weizmann à l'aide. Celui-ci parlait sans doute mieux anglais que n'importe qui d'autre à bord, mais sa discipline était la biochimie, et la relativité le dépassait, lui aussi, totalement.

Toujours par l'intermédiaire d'Elsa, Einstein reprit sa tentative pour démystifier en quelques mots quinze années de travail : « Des corps tombant sont des sujets indépendants des causes physiques et la lumière diffuse est courbée. » Devant les expressions vides qui accueillirent ces mots, il proposa une autre version : « On croyait avant que le temps et l'espace subsisteraient si toute la matière disparaissait de l'univers. Selon ma nouvelle théorie de la relativité, le temps et l'espace disparaîtraient avec la matière[6]. » Écartant d'un sourire tout danger immédiat, il eut de la main le geste d'un magicien qui fait disparaître un objet.

Un journaliste nota que la main qui balayait l'univers ne lâcha pas une pipe de bruyère que le savant tenait à sauvegarder, quel que fût l'avenir du monde. Un autre avança qu'un scientifique américain, Charles Saint-John, procédait à des expériences destinées à réfuter la relativité. Einstein hocha la tête en signe d'assentiment et répondit que sa théorie n'était pas infaillible, et qu'il respectait les conceptions d'autres physiciens.

« Et le professeur Poor, de l'université de Columbia ? demanda un troisième journaliste. Il affirme que les lois de Newton expliquent tous les phénomènes physiques, et que votre théorie ne peut être prouvée...

— Dans un certain sens, aucune théorie ne peut être intégralement prouvée, concéda Einstein. Chaque théorie essaie d'expliquer certains faits et est valable si ces faits s'intègrent dans la conception générale de cette théorie. Mais aucune théorie ne peut entièrement expliquer tous les faits. Dans ce sens, je suis d'accord, on ne peut pas prouver une théorie[7]. »

Ceux qui espéraient provoquer une contre-attaque de leur interlocuteur furent déçus. Il refusa même de prétendre à l'originalité, en déclarant que sa théorie n'était qu'une simple suite des travaux de Galilée, Newton, Maxwell et Lorentz : il ne serait jamais parvenu à ses propres déductions s'il n'avait eu leurs idées derrière lui.

Leurs questions épuisées ou l'heure de bouclage de leurs journaux approchant, les journalistes laissèrent la place à des photographes qui aboyaient leurs ordres. Les deux amis finirent par s'échapper et se réfugier dans une cabine vide en attendant le coucher du soleil.

Une foule surexcitée les attendait à la descente du bateau. Une longue file de voitures, dont beaucoup arboraient le drapeau bleu et blanc de Sion, s'alignait pare-chocs contre pare-chocs, leurs conducteurs klaxonnant à l'unisson. La police montée renforçait l'impression d'un gigantesque mariage sur le point de tourner à l'émeute. La voiture des couples Einstein et Weizmann était la dernière de l'alignement de véhicules bariolés et bruyants. Le flot l'embarqua dans une longue procession qui se dirigea vers les quartiers est de Manhattan.

Ils traversèrent en première, sous les clameurs, les rues bondées du quartier juif. Étreignant un bouquet qu'on lui avait lancé, Elsa s'écria, rouge d'excitation : « C'est comme le cirque Barnum ! »

Albert approuva et se compara à un éléphant ou une girafe[8]. Il était presque minuit quand ils atteignirent l'hôtel Commodore où les attendait une autre foule d'admirateurs.

Trois jours plus tard ils furent reçus à l'hôtel de ville et déjeunèrent avec Samuel Untermeyer, un ami et l'un des plus célèbres avocats locaux, qui leur proposa de leur faire visiter la ville, le soir, dans sa voiture.

Ils descendirent Riverside Drive et conduisirent à travers Manhattan. L'illumination des panneaux publicitaires ravit Einstein. C'était un tel contraste avec la morne Berlin ! Il compara, lyrique, les gratte-ciel à des chaînes de montagnes. Voyant défiler des restaurants italiens, allemands et chinois, il s'exclama : « C'est un véritable parc zoologique des nationalités[9]. »

Ce qui l'extasia le plus était l'allure dynamique et la bonne santé des passants. Rien à voir avec les Berlinois, y compris lui-même, qui ne s'étaient pas encore remis des privations de la guerre.

Albert et Elsa quittèrent le Commodore pour s'installer à l'hôtel Waldorf-Astoria, encore plus luxueux, où des journalistes les accompagnèrent dans leur suite. Un seul d'entre eux comprenait l'allemand et Elsa reprit de bon cœur sa fonction d'interprète, en savourant le rôle de vedette que son mari fuyait. Elle raconta ensuite avec enthousiasme leur découverte de Manhattan. Comme on lui demandait son opinion sur la jeunesse américaine, Einstein répondit qu'il attendait de grandes choses de sa part, réfléchit à une métaphore et conclut : « Elle est comme une pipe qu'on n'a jamais fumée. Jeune et fraîche. »

Ce qui déclencha des plaisanteries sur la pipe dont il se séparait rarement, avant d'en arriver aux inévitables et vaines tentatives pour lui arracher une définition succincte de la relativité. Ou au moins lui faire admettre qu'elle dépassait le lecteur moyen.

« On dit que votre théorie est si compliquée que pas plus d'une douzaine de personnes la comprennent ?

— Je pense que n'importe quel étudiant intelligent peut la comprendre. À mon avis, mes étudiants de Berlin et la plupart des scientifiques la comprennent. La simplicité logique avec laquelle elle explique des contradictions apparentes des lois de la nature fait toute sa valeur (...). Deux des observations les plus importantes expliquées par la théorie sont la relativité du mouvement et l'équivalence entre la masse inertielle et la masse gravitationnelle.

— Quelle conséquence cela aura-t-il pour nos lecteurs, pour l'homme de la rue ?

— Aucune. Mais d'un point de vue philosophique, cela transforme la conception du temps et de l'espace. On croyait, avant, que le temps et l'espace étaient indépendants de la matière. Ma théorie établit que le temps et l'espace en sont inséparables. »

Puis il posa une question aux journalistes. Pourquoi soulevait-il un intérêt « psychopathologique » chez leurs lecteurs qui ne comprenaient rien à ce dont il parlait ?

Un reporter tenta une réponse. Deux grands mystères intriguent le plus les hommes : la nature de Dieu et celle de l'univers. En pénétrant l'un des mystères, en proposant une nouvelle conception de l'univers, Einstein avait, d'une certaine façon, fait un pas vers la compréhension de la nature de Dieu. C'est pourquoi sa découverte suscitait la curiosité et l'admiration du public, même s'il n'en connaissait pas les détails.

Einstein eut un sourire encourageant, mais n'accepta manifestement pas l'explication. Comment cet intérêt pour la nature de l'univers peut-il amener les lecteurs à se demander à quelle heure il se lève, ce qu'il mange au petit déjeuner et avec qui ? Ses exploits intellectuels énigmatiques l'avaient transformé en une star à la Charlie Chaplin, Rudolph Valentino ou Mary Pickford... « Les New-Yorkaises veulent un nouveau style tous les ans, avança-t-il. La relativité est à la mode cette année. »

Son sens de l'humour et son habileté à répondre par des plaisanteries à des questions triviales lui facilitaient la tâche. Les journalistes, le plus souvent libéraux, aimaient sa personnalité engageante et ses idées humanistes. L'un d'eux écrivit : « Loin de correspondre à l'image habituelle du scientifique, il donne une impression rare de cordialité, de gentillesse et d'intérêt pour les moindres aspects de la vie quotidienne[10]. »

Tout le monde n'accueillit pas Einstein et Weizmann avec la même chaleur. Fiorello La Guardia, président du conseil municipal et futur maire de New York, voulait les faire nommer citoyens d'honneur de la ville, mais un conseiller s'y opposa en déclarant que cet « ennemi étranger », Einstein, était peut-être un fraudeur : « Qu'est-ce qui nous prouve qu'il a réellement découvert la relativité ? » Un autre, Bruce Falconer, qui n'avait jamais entendu parler d'Einstein ou Weizmann auparavant, voyait l'Amérique devenir « un forum de discussion des problèmes politiques de l'étranger », et conclut : « L'Amérique aux Américains. L'Amérique d'abord. » Un conseiller juif, Gustave Hartmann, s'exclama : « C'est parce que vous êtes contre les Juifs ! — Menteur ! » cria Falconer, tandis que La Guardia tapait avec son marteau. Hartmann expliqua qu'Einstein était « le plus grand savant depuis Copernic ». Falconer ne voulait pas l'écouter : « Écrivez-moi une note à ce sujet. » Les représentants de l'État de New York votèrent à l'unanimité l'attribution de la citoyenneté d'honneur de l'État aux deux hommes. À la suite de quoi Falconer battit en retraite, en disant : « Je n'aurais soulevé aucune objection si quelqu'un du conseil avait dit que le scientifique qu'on devait honorer était le professeur Einstein. Weizmann et Einstein sont, après tout, des noms fréquents dans l'annuaire téléphonique de New York[11]. »

Einstein rencontra peu après le propriétaire du *New York Times*, Adolph Ochs, devant lequel il répéta son regret que l'intérêt du public à son égard soit « psychopathologique », ce que seul un psychologue pourrait expliquer. Ochs lui garantit que ses journalistes ne lui poseraient jamais de questions indiscrètes. Einstein ne refusera par la suite jamais d'interview à ce quotidien. Il appréciera particulièrement William Laurence, sorti clandestinement de

Russie caché dans un baril de choucroute, en 1905, et qui devint journaliste et rédacteur en chef scientifique du *Times* pendant trente ans. « Einstein n'aimait pas du tout rencontrer des journalistes, se rappellera Laurence, mais il comprit apparemment que je savais un peu de quoi il parlait (...). Et j'ai ensuite beaucoup écrit sur le professeur Einstein et sa théorie[12]. »

Quelque huit mille personnes s'entassèrent dans le hall du Sixty-Ninth Regiment Armory de Manhattan, le soir du 12 avril, pour entendre Einstein et Weizmann, tandis que trois mille autres n'avaient pas pu entrer.

Gustave Hartmann présenta Weizmann comme le leader de l'Organisation sioniste mondiale qui avait obtenu que la Palestine devienne la patrie du peuple juif, sous mandat britannique, et Einstein comme le « maître intellectuel et le plus grand scientifique de notre époque ».

Weizmann s'adressa à ses « frères et camarades » au nom de tous ceux qui attendaient depuis des siècles la restitution de leur terre natale. « Les pionniers ne peuvent plus attendre. Ils sont déjà en route. » Il dit les espoirs que le peuple juif faisait reposer sur ceux qui l'écoutaient, les Juifs d'Amérique : « Vous êtes assis ici, à dix mille kilomètres de la Palestine, un pays que beaucoup d'entre vous ne verront jamais, et vous attendez que je vous parle de ce pays. Et vous savez parfaitement que vous devrez sans doute payer pour cela. C'est extraordinaire. Je défie quiconque, juif ou gentil, de me montrer quelque chose d'équivalent[13]. »

Ni Weizmann ni Einstein n'étaient des orateurs fascinants. Le premier témoignait d'un esprit vif et ravageur en petite société, mais adoptait devant un public important un ton monotone doublé d'une absence de gestes théâtraux qui fit demander à un Français étonné : « Comment un Juif russe peut-il être si anglais ? » Il avait cependant devant lui, ce soir-là, un auditoire délirant.

Kurt Blumenfeld avait prévenu Weizmann : « Je t'en prie, sois prudent avec Einstein. Il dit souvent par naïveté des choses fâcheuses pour nous[14]. » Il était donc prévu qu'Einstein se contenterait le plus souvent de prendre place à la tribune à côté de Weizmann. Sa présence suffirait à satisfaire le public. Mais ce soir-là, on lui offrit la parole.

Il se leva : « Votre dirigeant, le professeur Weizmann a parlé. Et il a très bien parlé au nom de nous tous. Suivez-le et tout sera pour le mieux. C'est tout ce que j'ai à dire. »

Ce fut le discours le plus court de la soirée et le seul publié intégralement dans le *New York Times* du lendemain.

Einstein fut accueilli trois jours plus tard à l'université de Columbia par Michael Pupin, le seul professeur de physique au monde à avoir commencé sa carrière comme berger en Serbie. Il présenta Einstein comme « le découvreur d'une théorie qui est une évolution et non une révolution de la dynamique[15] ». Einstein approuva, et déclencha des rires en faisant semblant d'effacer des équations écrites à la craie sur le tableau noir, à l'aide d'un invisible tampon... jusqu'à ce que Pupin lui en apportât un.

La semaine suivante, il donna quatre conférences au City College, avec une interprétation en anglais par Morris Cohen. I.I. Rabi, qui assista à l'une d'elles, se rappelle : « J'étais assis là, jeune étudiant sur le point de commencer sa thèse, et en face de moi était le grand Einstein. Je crois qu'il a parlé des questions d'actualité en physique, de la théorie quantique notamment. Comme conférencier, c'était un modèle de clarté, avec un bon sens de l'humour. Oppenheimer et, bien sûr, Bohr étaient, par opposition, quelque peu mystérieux. Feynnan était un véritable acteur et très amusant. Einstein donnait l'impression d'une grande naïveté en politique et d'une grande obstination scientifique. Je crois qu'en fait il n'était pas du tout naïf. C'était un homme très cultivé, mais il semblait naïf parce qu'il allait droit au cœur des problèmes. Il donnait cette impression de naïveté à ceux qui n'abordaient pas ces problèmes avec autant de discernement. C'était incontestablement un grand personnage. C'était certainement le meilleur de tous les grands scientifiques du siècle. Il se consacrait toujours à des questions profondes et il aura une influence durable. Il n'aimait pas avoir affaire à des imbéciles, mais il les tolérait[16]. »

Pendant qu'on le louait à Manhattan, une réunion de la Société philosophique américaine applaudissait ses adversaires à Philadelphie. L'inventeur Charles Brush se tailla un succès en annonçant que ses expériences prouvaient qu'Einstein se trompait. A.G. Webster de l'université Clark poursuivit en affirmant que, si les résultats de Brush étaient exacts, « ils contredisaient formellement la théorie d'Einstein ». Et « si c'est le cas, ajouta un troisième scientifique, personne ne s'en félicitera autant que le professeur Einstein[17] ». Lequel lui avait dit qu'il aimerait que quelqu'un prouvât ou infirmât sa théorie.

Einstein suivait, de son côté, la bataille entre Weizmann et les partisans de Brandeis qui voulaient confier à celui-ci la direction de l'Organisation sioniste mondiale. La plupart des Juifs américains soutenaient Brandeis tandis que les Européens appuyaient Weizmann. Vera Weizmann racontera plus tard que Brandeis avait déclaré lors d'une réunion « que la Palestine était impaludée, et que ce serait par conséquent une erreur d'y encourager l'immigration tant que le paludisme n'aurait pas été éliminé. L'ami que nous admirons tous, et excellent orateur, Schmarya Levin s'était alors exclamé avec ironie : "Vous voulez dire, Juge Brandeis, qu'on ne devrait autoriser le premier immigrant à entrer en Palestine que quand le dernier moustique l'aura quittée[18]" ».

Einstein assistait aux réunions qui se tenaient à l'hôtel Commodore, mais ne se mêlait pas aux âpres discussions sur la direction de l'Organisation et la meilleure façon d'instaurer la Palestine juive. Après avoir écouté un moment, il se retirait dans une autre pièce pour jouer d'un violon emprunté ou discuter du Talmud, de philosophie et de mystique avec un brillant professeur, Schmarya Levin[19].

Weizmann et Einstein firent un saut à Washington pour y rencontrer le président Warren G. Harding et prendre la parole devant l'Académie nationale des sciences. Puis ce fut une tournée nonstop, menée à un train d'enfer : de New York à Chicago, de Chicago à Boston, de Boston à New York, de New York au New Jersey, du New Jersey à New York, de New York à Cleveland, de Cleveland à Washington, de Washington au New Jersey, puis retour à New York.

Les collecteurs de fonds ne sous-estimaient certes pas les difficultés qui attendaient les Juifs en Palestine. Mais le secrétaire aux Colonies britannique, Winston Churchill, son adjoint, T.E. Lawrence (Lawrence d'Arabie) et le premier haut-commissaire britannique en Palestine, Herbert Samuel, qui étaient sur place au même moment, prenaient directement la mesure du sombre avenir qui se profilait.

Les trois émissaires étaient arrivés en Palestine le 24 mars pour vérifier les conditions d'application de la déclaration de Balfour. Ils avaient choisi de commencer par Gaza, avec ses quinze mille Arabes et moins de cent Juifs. Les cris de « Vive la Grande-Bretagne ! » qui les accueillirent ne firent qu'une brève illusion. Des « Mort aux Juifs ! », « Égorgez les Juifs ! » couvrirent rapidement les premières voix. Churchill et Samuel qui ne comprenaient pas l'arabe continuèrent de sourire. Lawrence préféra ne pas les mettre en garde, de peur d'enflammer une situation explosive[20].

À l'occasion de la plantation d'un arbre, cinq jours plus tard, à l'emplacement choisi pour l'Université hébraïque sur le mont Scopus, Churchill déclara : « Mon cœur déborde de sympathie envers le sionisme. » Il parla en privé à un ami des « paysans et paysannes magnifiques qui ont fait fleurir le désert comme une rose[21] ». La colonie visitée par l'homme politique anglais était un paradis comparée à nombre des quarante-deux autres, menacées par les maladies et des Arabes en maraude. L'une d'entre elles était peuplée de trente-cinq anciens soldats juifs polonais qui travaillaient pour soixante-quinze *cents* par jour et dormaient sous la tente ou dans les ruines de châteaux de croisés, sous la menace constante d'attaques bédouines.

En tête à tête ou en petit comité, Weizmann défendait avec éloquence les rêves de ces colons. Il exaltait « avec un superbe mélange de passion et de détachement scientifique[22] » les pionniers qui avaient trouvé en Palestine une terre désertique, abandonnée depuis des générations, dont les collines jadis boisées étaient dénudées, et dont le sol fertile avait été érodé par la pluie. Il demandait de l'argent pour les aider à restaurer la terre, reconstruire le pays et assainir l'environnement, car, même si « on ne tire aucun bénéfice du drainage des marécages, on accumule de la richesse pour les générations à venir. Réduire le pourcentage de paludisme de quarante à dix est une richesse nationale ».

Il poursuivait :

> « Le monde entier nous accable de reproches. On nous traite de fripiers des puces. Nous sommes peut-être des fils de fripiers, mais nous sommes les petits-fils des prophètes. Pensez aux petits-enfants, et pas aux enfants (...). Une partie de la communauté juive doit être chez elle quelque part, dans son propre pays, si vous voulez garantir votre situation dans le monde entier. Vous devez avoir une université à vous, si vous voulez garantir l'égalité dans les autres universités. L'existence de l'université de Jérusalem aura des conséquences sur votre statut ici même : des professeurs de Jérusalem viendront à Harvard, et des professeurs de Harvard iront à Jérusalem. »

Einstein partageait son temps entre des conférences au cours desquelles il parlait librement et longtemps — en rassurant notamment les croyants auxquels il expliquait que la relativité n'excluait pas l'existence de Dieu — et de brefs discours dans lesquels il appelait à soutenir financièrement le mouvement sioniste. Il expliquait aux publics concernés par l'éducation que l'Université hébraïque serait la plus grande réalisation en Palestine depuis la destruction du Temple de Jérusalem. Il rappelait que des étudiants et des enseignants juifs frappaient vainement à la porte des universités d'Europe centrale et orientale.

Des émeutes arabes éclatèrent à Jaffa début mai, au moment où Einstein défendait à Chicago la nécessité d'un foyer national juif. Trente Juifs et dix Arabes furent tués[23]. Samuel suspendit toute immigration, ce qui fut pris par les sionistes comme une victoire des émeutiers. Churchill livra peu après à la Chambre des communes ses impressions sur la Palestine : « Je défie quiconque d'aller voir ces réalisations [les vignes et les orangeraies du Yishuv] qui ont coûté tant de labeur, d'efforts et de compétences, puis de proposer que le gouvernement britannique se désintéresse de la question, après les positions qu'il a adoptées jusqu'ici, et abandonne tout cela aux attaques fanatiques de la population arabe de l'extérieur. »

Einstein donna trois conférences à l'université de Chicago, où il eut une brève conversation avec un professeur de physique, Robert Millikan, qui avait vérifié expérimentalement en 1914 l'effet photo-électrique dont la découverte lui vaudra, enfin, le prix Nobel.

Puis il rencontra le directeur du département de physique, Albert Michelson. Celui-ci préparait une deuxième expérience qui démontrerait l'existence de l'éther, vérifierait la théorie de la relativité et assurerait, du même coup, la publicité de l'université. La crainte d'un second échec le faisant hésiter, Einstein l'encouragea à aller de l'avant, certain que les résultats le réconcilieraient avec la relativité. Michelson lui rappelait le physicien anglais Oliver Lodge qui lui avait récemment confié qu'il haïssait la relativité parce qu'elle abolissait virtuellement l'éther. Les travaux grâce auxquels Michelson avait été le premier Américain à remporter le prix Nobel, en 1907, démentaient l'existence de l'éther, mais ce n'était pas suffisant pour que leur auteur renonce à une si vieille croyance.

Michelson écrira dans un livre publié six ans plus tard : « La théorie de la relativité n'a pas seulement proposé une explication de phénomènes connus, mais a permis d'en prévoir et d'en découvrir de nouveaux, ce qui est l'une des preuves les plus convaincantes de la valeur de la théorie. On doit, par conséquent, lui réserver un accueil favorable malgré ses nombreuses conséquences apparemment paradoxales[24]. »

Tandis qu'Einstein et Michelson discutaient de la nature de l'univers, leurs femmes et quelques amis déjeunaient ensemble. Ce fut l'occasion pour Elsa d'étaler son anglais original, dont on imagine à quel point il égarait la presse quand elle s'instituait interprète.

Des « serpents » l'ayant mordue sans pitié durant leur voyage à Princeton, elle avait précisé devant les regards incrédules :

« "Oh ! Oui, des serpents volaient tout autour de ma tête et me mordaient la figure et les mains. Ils sont mêmes passés sous ma jupe pour me mordre aux jambes et aux chevilles."
La stupeur des convives croissait à mesure qu'elle parlait, mais elle semblait si convaincue que nul n'osa poser de question à la femme du grand homme. Ce n'était finalement pas plus étrange que la théorie de la relativité et, que cela plaise ou non, il fallait l'accepter. Les regards se tournèrent tout de même vers Edna [Edna Michelson, qui parlait allemand] pour confirmation. "Vous voulez vraiment dire que

166

des serpents volants vous ont mordue à Princeton, dans le New Jersey ?" demanda celle-ci en allemand. *"Ach, nein ! Ich spreche von Schaken\*"*, répondit Mme Einstein. ["Je parle de moustiques."] La méprise était facile et tout le monde rit de bon cœur[25]. »

Einstein était de retour à Princeton une semaine plus tard pour une série de quatre conférences. Le président de l'université, Hibben, attribua un diplôme honorifique au « nouveau Christophe Colomb qui navigue sur les eaux inconnues de la pensée ». Einstein assista, entre deux exposés, à une présentation de nouvelles expériences de Dayton Miller censées réfuter à la fois Newton et lui-même.

Miller, professeur de sciences à l'Institut de technologie de Case, à Cleveland, dans l'Ohio, était un spécialiste du son. Il possédait la plus importante collection de flûtes du pays et annonçait à grand bruit qu'il était celui qui sauverait l'éther et coulerait la relativité. Ses calculs emberlificotés étaient trop compliqués pour Einstein qui eut ce mot devenu fameux : « Dieu est subtil, il n'est pas malicieux. » La phrase en allemand est gravée au-dessus de la cheminée du salon des professeurs, dans le département de mathématiques de l'université de Princeton[26]. On montra bien sûr peu après que Miller se trompait.

Einstein s'attendait peut-être à être accueilli à Boston par un piquet de manifestants hostiles, le matin du 17 mai, car le cardinal de la ville avait appelé les Américains à la vigilance contre le dangereux athée. Mais une réponse qu'il avait donnée à un rabbin new-yorkais (« Je crois dans le Dieu de Spinoza qui se révèle dans l'harmonie de toutes choses ») semblait avoir rassuré le dignitaire ecclésiastique et ses ouailles. La foule qui l'attendit à South Station était des plus amicales.

Einstein et ses compagnons de voyage traversèrent les quartiers juifs, au nord et à l'ouest, avant de prendre un petit déjeuner à l'hôtel Copley Plaza en compagnie du gouverneur Cox, du maire Peters et de soixante-quinze invités distingués. À la fin du repas, les hommes attendirent que Vera Weizmann allumât une cigarette pour fumer leurs cigares. Le geste de la femme était si osé en de telles circonstances qu'il fit les titres des journaux. Cette physicienne était une rareté dans les années vingt.

Einstein passa le reste de la matinée à Harvard où il aida des étudiants en physique à résoudre divers problèmes et participa à un déjeuner officiel. Il accepta ensuite d'assister avec Vera Weizmann

---

\* Serpent se dit *snake* en anglais. *(N.d.T.)*

à une réunion du groupe local des Femmes Hadassah. Elsa, qui était malade, était restée se reposer.

Il prononça quelques mots après un discours de Vera Weizmann aux femmes du temple Mishkan Tefila, puis ils ressortirent tous les deux sous un brillant soleil pour trouver l'habituelle cohue d'admirateurs. « Enfuyons-nous quelque part où nous ne verrons personne », suggéra Einstein.

La femme appréciait sa compagnie et aimait ses manières directes, simples et quelquefois « flirteuses ». Fatiguée par la tournée à travers le pays et les foules qui les entouraient constamment, elle était d'humeur à tenter l'aventure. Ils prirent un taxi jusqu'à la sortie de la ville, où Einstein proposa de se promener dans la campagne.

Tandis qu'ils marchaient, Einstein laissait régulièrement tomber un objet qui rendait un son métallique, et le ramassait rapidement avant qu'elle pût le voir. Ne pouvant plus se retenir, elle lui demanda enfin ce que c'était. Il répondit : « Oh, c'est mon secret. »

Avant de lui expliquer que c'était exactement la moitié des bagages qu'il avait emportés à Boston. Elsa, qui ne se sentait pas assez bien pour faire les valises, l'avait laissé préparer ses affaires. Il avait fourré sa brosse à dents et une boîte de poudre dentifrice dans sa valise. C'était cette boîte qu'il laissait tomber et ramassait comme un enfant s'amuse avec un jouet[27].

Ce mélange de personnalité enfantine et confiante en elle qui amusait Vera Weizmann en offensait d'autres. Un Juif orthodoxe demanda un jour à Frank et Einstein s'ils connaissaient un restaurant strictement kascher. Einstein indiqua un établissement à proximité. L'homme insista : « Vous êtes sûr que c'est strictement kascher ? »

Einstein répliqua : « Il n'y a que les bœufs qui mangent une nourriture strictement kascher. »

L'homme s'éloigna rapidement, visiblement insulté. Frank lui faisant des reproches, Einstein dénia aucune intention particulière. Son commentaire était purement objectif. L'alimentation d'un bœuf est « la seule nourriture strictement kascher parce qu'on ne lui fait subir aucune transformation ».

Frank en conclut que son ami n'était pas cynique mais voyait la vie quotidienne sous un angle humoristique. Cette forme d'humour froid et parfois crû était fréquente dans la région d'Allemagne où il avait passé son enfance.

Les conversations informelles d'Einstein étaient émaillées de joyeuses plaisanteries et de railleries dont on ne savait parfois s'il fallait rire ou s'offusquer. Les prétentieux se méfiaient de lui, mais les gens simples étaient en général ravis. Frank et l'assistant d'Einstein, Leopold Infeld, firent la même observation : Einstein était attentif aux problèmes de n'importe quel inconnu, mais se recroquevillait dans sa coquille si on cherchait à établir un contact personnel avec lui. Sauf, bien sûr, avec quelques amis de jeunesse. Et, malgré son chauvinisme masculin affiché, il laissait tomber sa garde et abandonnait ses critiques devant des femmes qui lui plaisaient.

Vera Weizmann, avec qui il avait flirté au cours de la traversée en bateau, en était un exemple. Elsa avait certes affirmé qu'elle ne s'inquiétait pas car Albert n'était pas attiré par les intellectuelles, mais l'avenir montrerait qu'elle ne connaissait pas aussi bien son mari qu'elle le croyait.

Il rentra en compagnie de Vera Weizmann à l'hôtel Touraine où un groupe de journalistes lui mit sous les yeux une liasse de papier. Un questionnaire de Thomas Edison, le fameux inventeur aux mille inventions, dont l'ampoule électrique.

Edison professait une piètre opinion de l'enseignement supérieur aux États-Unis et ses critiques et suggestions étaient largement débattues dans tout le pays. Il se moquait des défenseurs d'une culture générale dont il proclamait l'inutilité dans le monde pratique.

Edison sélectionnait ses employés avec une liste de cent cinquante questions « pratiques », du genre : Qui a inventé les logarithmes ? Où est Kenosha ? Qu'est-ce qu'un leucocyte ? Quelle est la première ville américaine pour la fabrication des machines à laver ? Quelle est la distance de New York à Buffalo ? De quoi sont faits des pépins de raisin ? Qu'est-ce qu'un treuil chinois ? Quelle est la distance entre la Terre et la Lune ?

Les résultats obtenus par les candidats à l'embauche étaient décevants. Un peu plus d'une trentaine seulement sur plusieurs centaines réussissaient le test, dont très peu de diplômés de l'enseignement supérieur. « L'ignorance des gens qui sortent de l'université est incroyable, se plaignait Edison. Ils ont l'air de ne rien savoir. » Il licencia sur-le-champ avec une semaine de salaire ses propres employés qui passèrent le test pour la première fois et échouèrent.

« Je ne paierai pas un *penny* un diplômé typique de l'université, dit Edison dans une interview donnée à Edward Marshall. Excepté ceux qui sortent d'instituts de technologie. On ne les a pas abreuvés de latin, de philosophie et de tous ces trucs cornichons[28]. »

Lord Buckley, directeur de l'école Buckley, à Manhattan, approuvait Edison car une personne cultivée pouvait, selon lui, facilement répondre à quatre-vingts pour cent des questions d'Edison, même s'il évita apparemment toujours de s'y frotter lui-même[29].

Un jeune homme de Holyoke demanda la protection de la police après que plusieurs individus eurent, selon lui, tenté de lui voler un cahier contenant ses réponses au test d'Édison, cahier dont il estimait la valeur à un million de dollars. La police conclut que l'étude du questionnaire lui avait fait perdre la raison[30].

Le fameux test ne fit pas perdre la tête à Einstein. Les journalistes attendirent pendant qu'on traduisait en allemand une des questions, « Quelle est la vitesse de la lumière ? », et en anglais sa réponse : « Je ne le sais pas par cœur. Je n'ai pas en tête des informations qu'on peut facilement trouver dans des livres. »

Il n'était pas d'accord avec Edison qui estimait que la connaissance factuelle était primordiale : « On n'a pas besoin d'aller à l'université pour apprendre des faits. On peut les apprendre dans des livres. La valeur d'un enseignement général supérieur est d'entraîner le cerveau à penser. C'est quelque chose qu'on ne peut pas apprendre dans les livres scolaires. L'enseignement supérieur aide une personne à faire épanouir ses talents propres[31]. »

L'affaire Edison n'était qu'un interlude distrayant. Les journalistes revinrent aux énigmes que leurs lecteurs voulaient percer. Un jeune reporter du *Boston Globe* lui demanda de tenter, une fois de plus, de présenter la relativité en une phrase simple.

Einstein était à deux doigts de s'effondrer de fatigue. Mme Munsterberg, femme d'un psychologue de Harvard, proposa de traduire.

« Ce n'est pas simple, dit-il. Des journaux du monde entier ont essayé, mais aucun ne l'a expliquée d'une façon compréhensible pour le grand public. »

Après une pause : « Le temps, l'espace et la gravitation n'existent pas indépendamment de la matière[32]. »

Sa manifestation publique suivante fut une réunion de huit cents médecins juifs au Waldorf-Astoria de Manhattan. Il rappela que l'accès aux universités était interdit aux Juifs dans de nombreux pays et ajouta que « l'existence de l'Université hébraïque de Jérusalem donnera à l'esprit juif la possibilité de s'exprimer (...). L'école de médecine sera sans aucun doute le département le plus important de l'université, puisque nous, les Juifs, avons toujours particulièrement bien réussi dans cette discipline scientifique[33] ». L'assistance versa deux cent cinquante mille dollars pour la cause.

Il reçut à Manhattan la visite inattendue de Max Talmey, mentor de son enfance, qui avait émigré aux États-Unis. Ils ne s'étaient pas vus depuis dix-neuf ans, mais Einstein reconnut immédiatement Talmey lorsqu'il pénétra dans sa chambre d'hôtel, et l'accueillit

170

d'un « Eh bien, docteur ! vous vous distinguez par votre éternelle jeunesse ! ». Il se rendit quelques jours plus tard en compagnie d'Elsa chez les Talmey, où il recommanda à leur fille de douze ans, Frieda, qui jouait du piano, de se concentrer sur les compositeurs classiques et balada sur son dos la cadette, Elsa, âgée de dix ans[34]. Puis il repartit pour Cleveland.

Les trois mille personnes qui l'attendaient à son arrivée à Union Station, le 25 mai, faillirent se livrer à une émeute. Weizmann, arrivé incognito une heure plus tôt, l'attendait à l'extérieur dans une voiture. Leurs femmes devaient suivre. Einstein s'en sortit « sans mal grâce aux efforts acharnés d'une escouade d'anciens combattants juifs qui ont repoussé les tentatives insensées pour le voir ». Les commerçants et entrepreneurs juifs de Cleveland avaient fermé leurs portes pour défiler derrière les deux hommes depuis la gare jusqu'à l'hôtel de ville. Ce fut « une marche triomphale ; des hommes cherchaient à grimper sur le marchepied et l'arrière de la voiture et en étaient arrachés sans cérémonie par des agents[35] ».

Einstein regrettait maintenant d'avoir tenté de définir la relativité en une phrase. Il ajouta une clause. On peut expliquer la relativité simplement et succinctement à n'importe qui, mais « il faut que la personne consacre quelques semaines à l'étude des principes sur lesquels elle s'appuie[36] ».

Deux cent mille dollars furent collectés au cours d'un dîner au club Bnai B'rith et d'une réunion publique au Masonic Hall. L'ensemble de la tournée rapporta près de un million de dollars. C'était moins que leur objectif, mais davantage que les prévisions de Brandeis et suffisant pour lancer la construction de l'école de médecine de l'Université hébraïque.

Elsa et Albert Einstein reprirent le bateau pour l'Angleterre à la fin mai, leurs bagages emplis de trésors. Chaque fois qu'ils avaient eu la chance d'échapper aux journalistes, ils avaient dévalisé les allées des Five and Dime *, d'où ils étaient ressortis les bras chargés de gadgets ménagers, comme des couvercles de bocaux à ouverture rapide, d'objets divers, par exemple des cendriers colorés qui se fermaient d'un tour de main, et de provisions telles que quatre caisses de *ginger ale* introuvable en Allemagne. Einstein avait appris un peu d'anglais en écoutant parler les gens. « Je suis du genre acoustique, dit-il à Paul Schilpp. J'apprends par l'oreille. »

Leur paquebot, le *Celtic*, pénétra dans le port de Liverpool le 8 juin. Einstein rassembla son énergie pour expliquer ses idées à l'université de Manchester où il parla également du sionisme à des

---

\* Magasins à cinq et dix *cents* qu'on appellerait « discount » aujourd'hui.

étudiants juifs. Leur hôte, Viscount Haldane, ancien secrétaire d'État à la Guerre et dont la fille s'évanouit, paraît-il, à la vue d'Einstein, avait organisé un dîner de bienvenue auquel assistèrent des personnalités de la science, du théâtre, de l'armée, de la politique et de l'Église : Arthur Eddington, Alfred Whitehead, George Bernard Shaw, le général sir Ian Hamilton, Harold Laski, le doyen de l'université Saint-Paul et l'archevêque de Cantorbéry.

Einstein rassura le primat. La relativité n'avait aucune influence sur la moralité car c'était « purement abstrait — de la science[37] ». Elsa éclata de rire quand la femme de l'archevêque avança que la théorie d'Einstein était « mystique », sous-entendant que son auteur l'était tout autant[38].

Albert et Elsa furent invités à déjeuner chez les Rothschild le dimanche. Les réponses d'Einstein aux éternelles questions déroutèrent même Lord Rayleich, un scientifique, qui en conclut : « Si vos théories sont exactes, j'en déduis (...) que des événements comme, disons, la conquête normande ne se sont pas encore produits[39]. »

Einstein déposa une couronne sur la tombe d'Isaac Newton, à l'abbaye de Westminster, avant de donner une conférence dans l'après-midi au Collège royal de Londres. Il s'adressa sans difficulté pendant une heure, sans notes, à un public dans lequel se trouvaient son ami Frederick Lindemann et l'astronome James Jeans. Une ovation suivit sa péroraison.

Le lendemain, Lindemann le conduisit à Oxford où il détenait la chaire de philosophie expérimentale, et lui fit visiter le laboratoire de Clarendon. Puis il le déposa chez les Haldane, à Londres. Cette première semaine en Angleterre était l'une des plus mémorables de sa vie, dit Einstein à la maîtresse de maison. Les conversations scientifiques avec son brillant mari l'avaient stimulé intellectuellement et leur amitié lui était précieuse.

Avant de repartir pour l'Allemagne, Einstein envoya à quelques amis des lettres qui décrivaient avec émerveillement l'exubérance des Américains, leur mode de vie rationnel et leurs omniprésents gadgets. Il raconta l'accueil chaleureux qu'on leur avait réservé en Angleterre et outre-Atlantique, et se félicitait de la reprise de la collaboration entre scientifiques des anciens camps ennemis.

Il expliqua lors de la soirée organisée à son retour par le président de la Croix-Rouge allemande qu'il avait été surpris, à son arrivée aux États-Unis, par le violent sentiment antiallemand qui y régnait. La langue allemande elle-même était traitée comme une sorte de maladie contagieuse. Puis il avait constaté un changement d'attitude. Des gens s'étaient mis à lui parler en allemand et avaient affiché leur sympathie envers des scientifiques germaniques avec lesquels ils étaient « très amis avant guerre[40] ».

Einstein s'était sans doute heurté à d'autres manifestations d'hostilité que celle du conseiller municipal de New York qui l'avait qualifié d'« ennemi étranger ». Trois cent soixante-quatre mille huit cents soldats avaient été blessés ou tués pendant la guerre et les Allemands étaient, pour beaucoup d'Américains, synonymes de gaz mortels et de camps de prisonniers.

Le *New York Times* avança que « s'il était resté plus longtemps dans le pays il aurait découvert que les Allemands y sont considérés comme des individus et traités, comme ailleurs, en fonction de leurs comportements et de leurs attitudes personnels. Nos sentiments envers l'"Allemagne" sont autre chose. Ce nom désigne toujours pour nous le gouvernement qui a déclenché et mené une guerre contre le reste du monde[41] ».

Einstein n'était pas au bout de ses difficultés avec la presse. Il semble s'être fait piéger par un journaliste hollandais qui lui demanda ses impressions sur l'Amérique. Il lui faudra des années avant de comprendre qu'un personnage public comme lui « devait rendre des comptes sur tout ce qu'il disait, même en plaisantant, dans un instant d'enthousiasme ou sous le coup de la colère[42] ».

Selon l'article censé rapporter ses dires, les Américains s'ennuyaient tellement dans leur désert culturel que son séjour les avait passionnés et qu'ils l'avaient accueilli avec un enthousiasme exubérant. Les scientifiques américains étaient si inférieurs à leurs homologues européens qu'il était « absurde » de vouloir les comparer. Les hommes étaient menés par le bout du nez par leurs femmes, qui contrôlaient tout le pays, les traitaient comme des chiens de compagnie et gaspillaient leur argent au gré de la mode[43]. Ce qui, comparé à ses déclarations précédentes sur l'Amérique et les Américains, le faisait passer pour un hypocrite.

Mme Countiss, de Chicago, déclara à un journaliste américain que les accusations d'Einstein étaient « parfaitement ridicules. Le professeur a dû rencontrer une bande d'acteurs de cinéma, ici. C'est la chance de l'Amérique que les Américains puissent donner à leurs femmes davantage d'argent que d'autres hommes ». Une Mme Baueur estima que « les hommes et les femmes sont égaux » et que les premiers n'étaient pas traités comme des chiens de compagnie[44]. Millikan prit la défense d'Einstein qui « a eu un séjour très mouvementé » et « a vu les Américains dans de très mauvaises conditions ».

Einstein affirma que ses propos avaient été déformés, ce qui est plausible puisqu'ils avaient été traduits d'allemand en hollandais, à nouveau en allemand puis en anglais. Il n'avait pas encore appris que la presse se nourrissait de polémiques, et que ses plaisanteries seraient publiées littéralement, sans indiquer que c'était de l'humour. Les Américains auraient sans doute ri avec lui quand le spectacle de la vie quotidienne l'amusait. Ses critiques de l'Amérique peuvent d'ailleurs être prises pour des louanges, si on les compare au seul commentaire noté dans son journal après un voyage à Marseille : « Des insectes dans le café. »

Il émit un jugement plus prudent et réfléchi dans le *Berliner Tageblatt*. Les Américains construisaient de solides maisons avec un minimum de main-d'œuvre. Mieux que les Européens. Leurs biens de consommation étaient de meilleure qualité. Ils étaient amicaux, sûrs d'eux-mêmes, optimistes, désintéressés, et avaient bon cœur. Les activités intellectuelles et artistiques les attiraient cependant moins que les Européens. Le niveau atteint par les scientifiques américains ne s'expliquait pas seulement par la richesse du pays. Leur dévouement, leur patience, leur esprit de camaraderie et les collaborations qu'ils savaient nouer étaient des facteurs déterminants.

Einstein avait été surpris que les écoles, le télégraphe, le téléphone et les chemins de fer fussent le plus souvent privés. Il avait été frappé du contraste entre une richesse et une pauvreté extrêmes, mais reconnaissait que la philanthropie permettait d'éviter une trop grande misère.

Il détestait « le culte de la personnalité ». Il lui paraissait « injuste, et même de mauvais goût, de sélectionner des individus qu'on voue à une admiration sans borne et auxquels on attribue des pouvoirs et un caractère surnaturels. C'est mon sort. L'idée que le public se fait de mes capacités et de mes découvertes est simplement grotesque, comparée à la réalité[45] ». Les admirateurs y virent une nouvelle preuve de sa modestie. Ses détracteurs, la pure vérité.

Il concédait que la glorification d'individus « dont les objectifs se situent dans la sphère intellectuelle et morale » pouvait avoir un aspect positif. « Elle prouve qu'une grande partie de l'humanité place la connaissance et la justice avant la richesse et le pouvoir. Cette perspective idéaliste est particulièrement fréquente en Amérique, qu'on accuse à tort d'être un pays exclusivement matérialiste. »

La prohibition était une erreur car il était impossible de la faire respecter et « c'est un secret de polichinelle que la progression inquiétante de la criminalité lui est étroitement liée ». Il avertissait, enfin, l'Amérique que sa politique isolationniste mènerait à la catastrophe et demandait au pays le plus puissant du monde d'impulser des conférences pour le désarmement[46].

Il passa un mois de juillet heureux au bord d'un lac avec ses fils âgés de dix-sept et onze ans, avant de retrouver son travail à l'Institut Kaiser Wilhelm et à l'université de Berlin.

La plupart des professeurs berlinois s'habillaient de façon très formelle, donnaient leurs cours à partir de notes, regardaient rarement leurs étudiants et traitaient les subalternes comme des serviteurs. Le physicien Erwin Schrödinger et Einstein faisaient figure d'exceptions. Après avoir entretenu une correspondance, les deux hommes étaient devenus amis dès qu'ils s'étaient rencontrés. Ils se retrouvaient à Caputh pour faire de la voile sur la rivière ou partir en randonnée dans les bois des environs.

Les jeudis après-midi ils participaient avec von Laue, Nernst et Lise Meitner à des séminaires où des étudiants présentaient leurs idées aux critiques et aux encouragements de leurs illustres aînés. Des curieux se glissaient parfois au fond de la salle pour apercevoir Einstein, généralement assis au premier rang. Une prostituée abondamment maquillée lui fit part un jour de ses commentaires avant de repartir. C'est dans ce cadre quelque peu théâtral qu'une étudiante « terriblement nerveuse », Esther Salaman, prit la parole. Elle distinguait Einstein dans l'obscurité, la lumière ayant été réduite pour la présentation de diapositives. Il la regardait « d'un air de dire "Ne vous inquiétez pas"[47] ».

Salaman exposa un problème de radioactivité qui s'était récemment posé aux laboratoires Cavendish de Cambridge, en Angleterre. Un jeune assistant l'interrompit et se lança dans une explication interminable qui égara totalement l'oratrice. Elle raconte que « Einstein est venu à mon secours. "C'est brillant, mais c'est faux", a-t-il dit avant de reformuler le problème et d'exposer ce qu'on savait et ce qu'on ignorait d'une façon si simple et si claire que tout le monde comprit ».

Un autre étudiant, Max Herzburger, eut des discussions « inoubliables » avec Einstein en se promenant dans un parc. « Il ne considérait jamais rien comme une vérité établie simplement parce que c'était écrit dans des livres, et posait constamment des questions qui conduisaient à une meilleure appréhension des problèmes. » Les paroles d'Einstein résonnaient toujours à l'oreille de l'étudiant hongrois Dennis Gabor, cinquante ans plus tard. Il se rappelait textuellement les adages qu'Einstein aimait citer : « Celui d'Oxenstiern, selon lequel une petite quantité de sagesse fait tourner le monde, s'applique aussi à la science. La contribution d'un individu est minime. Mais l'ensemble est admirable. » Gabor n'avait « jamais rencontré personne qui aime aussi sensuellement la science. La physique fondait dans sa bouche ! ». Gabor participa ensuite à l'invention du microscope électronique et remporta le prix Nobel de physique en 1971 pour son travail sur l'holographie.

Un autre futur prix Nobel, le Hongrois Eugene Wigner, distingué en 1963 pour ses recherches en physique nucléaire, assistait aux séminaires. Von Laue, qui présidait les réunions, choisissait des articles récents et demandait à des étudiants d'en préparer une présentation orale pour la semaine suivante. Wigner raconte :

> « Si la présentation était claire, le premier rang demeurait silencieux. Mais si la revue de l'article était confuse, les questions jaillissaient, notamment de la part d'Einstein. Il discutait ou critiquait tout travail qui n'était pas parfaitement intelligible. Une de ses expressions favorites était : "Non, ce n'est pas si simple." Il aurait pu étaler son importance, mais cela ne semblait même pas lui venir à l'esprit. Il ne voulait intimider personne. Il acceptait au contraire la logique d'un colloque : l'intelligence humaine est limitée, personne ne peut tout trouver tout seul, chacun apporte sa contribution. C'est peut-être pour cela que je n'ai jamais eu le trac. Einstein me donnait l'impression qu'on avait besoin de moi.
>
> « Il avait les manières simples et encourageantes d'un ami davantage que d'un enseignant. Il aimait les réflexions philosophiques. Il nous a un jour demandé : "La vie est finie. Le temps est infini. La probabilité que je sois en vie aujourd'hui est nulle, mais je suis quand même vivant. Comment est-ce possible ?" Aucune réponse. Il a attendu un peu, puis poursuivi : "Eh bien ! après avoir observé un fait, il vaut mieux ne pas se poser de question sur les probabilités."
>
> « Einstein était un solitaire qui aimait méditer sur le monde en se promenant tout seul. Mais il m'encourageait, comme beaucoup d'autres étudiants, à établir des rapports personnels avec lui. Il m'invitait chez lui et nous ne discutions pas seulement de mécanique statistique, mais de tous les aspects de la physique. Et pas seulement de physique, mais de questions sociales et politiques. Il écoutait attentivement. Il avait une personnalité presque magique.
>
> « C'était pratiquement impossible de le surprendre dans le domaine de la physique. Il semblait prévoir toutes les découvertes majeures, saisissait les concepts d'un coup, dans toute leur dimension, et voyait immédiatement leurs faiblesses et leurs implications[48]. »

Max Born voyait là « le don de repérer l'importance de faits bien connus et anodins qui avaient échappé à tout le monde. Le meilleur exemple est l'équivalence de la gravitation et de l'accélération, connue depuis Newton, mais dont on n'avait jamais vu que c'était une clé pour la compréhension du cosmos[49] ».

Leopold Infeld avait acquis quelques notions sur la relativité restreinte à l'université de Cracovie en 1917. Devenu enseignant dans une petite ville, il donna une conférence publique sur le sujet deux ans plus tard, alors que la théorie avait été confirmée, et que son auteur connaissait la célébrité. La salle était comble malgré un froid mordant. Infeld s'installa ensuite à Berlin, en 1921, en espérant y suivre les cours d'Einstein. L'université ayant refusé son inscription, désespéré par sa solitude dans cette ville « hostile », il trouva le courage de téléphoner directement à Einstein. Il fut aussi étonné que ravi d'entendre celui-ci lui proposer de passer tout de suite le voir[50].

Ces étudiants admiratifs, Salaman, Gabor, Wigner et Infeld, ignoraient que les cours d'Einstein avaient été perturbés l'année précédente, ou préférèrent passer les incidents sous silence dans leurs mémoires. Mais l'opposition persistait, et pas seulement à Berlin. Einstein dut annuler des conférences prévues à Munich en novembre, car les étudiants locaux de la Majorité de la croix gammée avaient refusé de s'engager auprès du recteur à s'abstenir de toute agitation contre sa venue[51].

Le prix Nobel de physique ne fut pas attribué en novembre 1921, mais Max von Laue avertit Einstein que, selon des informations qui avaient filtré du comité Nobel, il avait des chances d'être le lauréat de l'année suivante.

Einstein fut abordé fin décembre par un étudiant, Leo Szilard, auquel von Laue avait soumis pour sa thèse de doctorat un problème épineux sur la théorie de la relativité. Six mois d'efforts l'avaient convaincu qu'il ne trouverait jamais la solution. Puis, raconta-t-il à Einstein, il se réveilla un matin avec une idée entièrement nouvelle, et radicalement différente de la façon dont son directeur de thèse avait formulé la question. Son travail sur cette hypothèse fut « la période la plus créative de ma vie », écrira-t-il plus tard. Il révéla son idée à Einstein qui la considéra comme « impossible... Quelque chose d'infaisable ». « Oui, mais je l'ai fait, insista Szilard. Comment avez-vous fait ? » demanda Einstein. La réaction enthousiaste d'Einstein quand il lui exposa son travail encouragea Szilard à le soumettre à von Laue. Après avoir tout juste accepté de le lire, celui-ci lui téléphona dès le lendemain matin pour lui annoncer : « J'accepte votre manuscrit comme thèse de doctorat. » Szilard comprit plus tard que son hypothèse — selon laquelle la deuxième loi de la thermodynamique s'appliquait également aux lois gouvernant les fluctuations thermodynamiques — n'était pas du tout une idée nouvelle mais plutôt « le faîte d'une vieille théorie[52] ».

William Lanouette, biographe de Szilard, raconte : « Einstein appréciait réellement la pensée latérale de Szilard qui piochait dans différents domaines. Plutôt que d'approfondir un domaine précis, celui-ci glanait des éléments un peu partout et les synthétisait. Mais Szilard n'était pas toujours un étudiant respectueux. Il pouvait même être injurieux. Un témoin se rappelle un échange entre eux à l'Institut Kaiser-Wilhelm. Einstein avait écrit quelque chose au tableau noir et Szilard s'était exclamé : "Idiot ! Cela ne peut pas être juste !" Einstein réfléchit, puis tomba d'accord. Szilard avait en général raison, mais il ne mâchait pas ses mots[53]. »

Les réactions d'Einstein étaient difficiles à prévoir. Après avoir annulé sa visite à Munich, il accepta de donner des conférences à Paris où il courait davantage de dangers physiques qu'en Bavière. Une haine féroce des Allemands sévissait toujours en France, qui avait également son lot d'antisémites.

## 18

# Le prix Nobel

*1922-1925*
*De 43 à 46 ans*

Une intuition hantait Einstein : la nature était harmonieuse. Il en déduisait que l'électromagnétisme et la gravitation devaient avoir la même origine. Qu'il le démontre, et il détiendrait la clé des mystères de l'univers. Après plusieurs années de recherche d'équations unifiant les deux forces fondamentales de la nature, il publia enfin en janvier 1922 un court article sur la question. C'était le premier pas d'une quête à laquelle il ne renoncera jamais.

Puis il se lança dans de nouvelles tournées de conférences. Recevant Harry Kessler à dîner, le 20 mars, il lui parla de son départ quelques jours plus tard pour Paris. Il espérait que sa visite réchaufferait les relations entre scientifiques français et allemands et se souciait comme d'une guigne de l'opposition de certains de ses collègues germaniques. La popularité étant parfois éphémère, il voulait profiter de la sienne tant qu'il était temps. Il se rendra, plus tard dans l'année, en Chine, au Japon, en Palestine et en Espagne.

Kessler raconta que parmi les convives se trouvaient « le richissime Koppel et Bernhard Dernburg (aussi mal habillé que d'habitude) », et que « la bonté et la simplicité qui émanaient de nos hôtes évitèrent à ce dîner typiquement berlinois de sombrer dans la convention et en firent une soirée presque patriarcale et magique[1] ».

Chaïm Weizmann et Walther Rathenau, nouveau ministre des

Affaires étrangères allemand, passèrent voir Einstein un autre soir, peu après. Einstein avait conseillé à Rathenau de s'abstenir d'entrer au gouvernement, de crainte des conséquences négatives que pourrait avoir pour les Juifs le fait qu'un d'entre eux occupât un fauteuil si puissant. La fonction était trop exposée pour un homme dont il estimait que c'était « un idéaliste même s'il a les pieds sur terre et connaît l'odeur du terroir mieux que quiconque[2] ». Un journal d'extrême droite avait écrit lors de la nomination de Rathenau, en février : « Voilà qu'on en a un ! L'Allemagne a un ministre des Affaires étrangères juif ! Sa nomination est une provocation sans précédent envers le peuple ! » Et des manifestants avaient défilé aux cris de : « Descendons ce salaud de Juif de Rathenau[3] ! »

Rathenau se considérait comme un pur Allemand et n'avait pas le sentiment d'appartenir à une communauté juive. Il n'éprouvait aucune sympathie envers le sionisme et disait de la Palestine que ce n'était qu'une mer de sable[4]. Cela ne l'empêchait pas de recevoir des menaces de mort quotidiennes.

Weizmann écrivit :

> « L'attitude de Rathenau était typique des Juifs allemands assimilés. Ils semblaient ne pas réaliser qu'ils étaient assis sur un volcan. Ils étaient convaincus que les difficultés des Juifs en Allemagne étaient un phénomène transitoire dû à l'afflux de Juifs d'Europe de l'Est mal intégrés dans le mode de vie allemand et qui représentaient des cibles idéales des attaques antisémites (...). Même avec beaucoup d'imagination il était difficile de dépeindre Rathenau (né en Allemagne et raffiné) comme un immigrant d'Europe de l'Est[5]. »

Einstein aussi était l'objet de menaces. Des barricades l'attendaient autour du Collège de France où il devait donner sa première conférence à Paris. Paul Langevin et l'astronome Charles Nordmann préférèrent l'attendre à la frontière belge et accomplir avec lui les quatre heures du voyage en train jusqu'à la capitale.

Einstein, alors âgé de quarante-trois ans, fit à Nordmann l'impression « d'une incroyable jeunesse et d'un caractère romantique qui évoque par moments irrésistiblement chez moi l'image d'un jeune Beethoven sur lequel la méditation aurait laissé ses marques et qui aurait, autrefois, été d'une grande beauté. Puis il éclate de rire et on découvre un étudiant. C'est ainsi que nous est apparu l'homme dont l'intelligence a sondé les mystères de l'univers plus profondément que personne avant lui[6] ».

Pendant le trajet, un télégramme de la police française avertit Langevin de la présence de groupes d'étudiants excités à la gare du Nord, où ils devaient arriver. Sans doute des sympathisants d'une ligue qui dénonçait Einstein, les Jeunesses patriotiques. Langevin suivit les conseils de prudence de la police et ils quittèrent le train à une gare de banlieue. La police était en fait mal informée. Il s'agissait d'admirateurs rassemblés par le fils de Langevin.

Le comité d'accueil fut apparemment informé de la modification de l'itinéraire. Hilaire Cuny, alors âgé de dix ans, se trouvait par hasard à la gare où Einstein descendit. Il remarqua un groupe de messieurs en redingotes, coiffés de chapeaux, qui entouraient un homme tête nue dont « les yeux erraient sur son entourage et l'environnement avec une lueur d'ironie amusée (...). Einstein était entré en France presque clandestinement (...). La haine envers l'Allemagne était toujours féroce, malgré la victoire (...). Après cette arrivée discrète, les journaux du lendemain titrèrent : "Le professeur Einstein a disparu !" On l'avait, en fait, prudemment conduit à l'ambassade d'Allemagne[7] ».

Le séjour d'Einstein chez l'ambassadeur, sur l'insistance de ce dernier, fut émaillé d'incidents avec le valet de chambre qui tenait à cirer plusieurs fois par jour l'unique paire de chaussures qu'il avait apportée. « Il passait son temps à me les retirer, se plaignit Einstein à un ami, même quand je lui disais que j'allais sortir sous la pluie et qu'elles allaient tout de suite se salir[8]. »

Il n'y avait plus une place assise pour sa première apparition dans l'amphithéâtre du Collège de France, le 31 mars. Paul Painlevé, mathématicien et ancien président du Conseil, avait écarté les fauteurs de troubles en organisant une conférence sur invitation. Marie Curie et Henri Bergson étaient dans la salle. Einstein parlait bien français, mais lentement, et Langevin lui soufflait les mots justes lorsqu'ils lui manquaient. Il couvrit un tableau noir d'équations. Il donna, dans la foulée, une seconde conférence à la Sorbonne dans un amphithéâtre qui débordait, et où son ami Solovine avait pris place.

La presse française fut en général dithyrambique. Charles Nordmann avait pris les devants en soulignant dans *Le Matin* que « lorsque la guerre éclata » Einstein protesta « contre l'agression du militarisme prussien », en oubliant diplomatiquement qu'il avait aussi condamné le militarisme français.

La relativité était sans doute quelque peu obscure pour les journalistes français. Son défenseur l'était moins.

Pour *Le Figaro* : « M. Einstein a ce qu'on appelle "une belle tête". Le front haut, les cheveux — coupés court depuis ses dernières photographies — naturellement bouclés et mêlés de fils d'argent, les yeux plutôt "inspirés" que mélancoliques, la bouche ombragée d'une petite moustache brune, ce mathématicien n'a rien d'excessivement austère, ni de farouche, ni de sec. Au contraire.

Ses traits sont arrondis, son sourire est doux ; sa voix un peu nasale est ténue et insinuante[9]. »

Quant à *L'Humanité*, elle écrivit : « C'est un honneur pour les savants français d'avoir pour hôte à l'heure présente Eisntein dont les théories géniales ont révolutionné nos conceptions les plus générales sur le monde extérieur, et en particulier nos conceptions de l'espace et du temps. (...) Une voie nouvelle pour la mécanique, pour la physique, pour la géométrie a été ouverte. Et, comme le disait le président de la Société astronomique anglaise, lors de la réception d'Einstein, nous voyons se clore l'ère newtonienne de l'espace absolu, et s'ouvrir pour une meilleure connaissance du monde l'ère de la relativité einsteinienne[10]. »

Sa mission de réconciliation fut dans l'ensemble un succès même si, devant la menace brandie par trente académiciens de quitter la salle s'il prenait la parole, l'Académie française préféra ne pas l'inviter. Philipp Frank explique :

> « L'attitude envers Einstein dépendait beaucoup des sympathies politiques. Un célèbre historien de la Sorbonne résuma : "Je ne comprends pas les équations d'Einstein. Tout ce que je sais c'est que les dreyfusards affirment que c'est un génie, et les antidreyfusards un idiot. Le plus remarquable est que, bien que l'affaire Dreyfus soit oubliée depuis longtemps, les mêmes groupes se retrouvent face à face à la moindre occasion[11]." »

Einstein voulut visiter les champs de bataille avant de quitter le pays. Solovine, Langevin et Nordmann l'accompagnèrent. « Il faudrait amener ici tous les étudiants de l'Allemagne, tous les étudiants du monde, pour qu'ils vissent combien la guerre est laide[12] », dit-il, ému par les destructions. Alors qu'ils quittaient un restaurant de Reims, deux officiers en grand uniforme attablés à côté d'eux se levèrent et s'inclinèrent devant Einstein.

Selon son habitude, il oublia à Paris les quelques affaires qu'il avait apportées. Remerciant Solovine qui les lui avait renvoyées, il écrivit : « Ces journées ont été inoubliables mais terriblement fatigantes ; je suis encore sur les nerfs[13]. »

Rathenau parapha en avril le traité de Rapallo qui renouait les relations diplomatiques et économiques entre l'Allemagne et la Russie. Il signait son arrêt de mort. Les extrémistes qui le détestaient déjà en tant que juif et libéral l'accusaient maintenant de vendre le pays aux bolcheviques. Il accepta temporairement une protection policière et montra un jour à Harry Kessler un browning qu'il gardait à portée de main. Puis il renvoya ses gardes du corps sans explications.

Un prêtre reçut peu après, en confession, les confidences d'un homme qui lui livra les détails d'un complot pour assassiner Rathenau. Enfreignant les règles de l'Église, le confesseur en informa le nonce apostolique, Eugenio Pacelli, futur pape Pie XII, qui l'autorisa à avertir le chancelier allemand, Joseph Wirth. Lequel prévint, à son tour, son collègue des Affaires étrangères. Mais celui-ci se contenta de poser ses mains sur les épaules de Wirth, comme pour le consoler, en lui disant : « Mon ami, ce n'est rien. Qui voudrait me faire du mal ? »

Le comportement de Rathenau est incompréhensible. Il continua d'agir comme s'il ne courait aucun danger quand le chef de la police prussienne, le docteur Weizmann, lui déclara le 23 juin qu'il ne pouvait garantir sa sécurité s'il persistait à se rendre tranquillement au ministère dans une voiture décapotée.

Le lendemain même, alors que Rathenau était assis dans son véhicule ouvert qui roulait à sa vitesse réduite habituelle, deux jeunes gens en voiture se portèrent à son niveau et le criblèrent de balles de mitraillette qui l'atteignirent à la mâchoire et à la colonne vertébrale, avant de jeter une grenade qui lui arracha presque les jambes. Il ne reprit jamais connaissance[14].

Einstein avait de bonnes raisons de craindre le même sort. Un an plus tôt, un Berlinois avait reçu une amende pour avoir mis sa tête à prix. La police l'avertit que son nom figurait sur la liste d'un groupe qui prévoyait d'assassiner des Juifs influents, à côté de ceux de l'éditeur du *Berliner Tageblatt*, Theodor Wolff, et du banquier Max Warburg. Le *New York Times* publia que, sur le conseil d'amis, Einstein avait « fui provisoirement l'Allemagne à cause des menaces de mort proférées par les assassins de Rathenau[15] ».

L'information était fausse. Einstein n'avait pas quitté le pays, mais seulement Berlin. Le meurtre de Rathenau l'amena également à annuler sa participation au congrès des scientifiques et physiciens allemands, le 18 septembre, à Leipzig, dont il devait être l'invité d'honneur. Planck, qui présidait la réunion, comptait sur l'intervention d'Einstein pour qu'« un exposé purement objectif » remplace « les déclarations stupides de promotion de la théorie de la relativité[16] ». Mais Lenard avait menacé de perturber le congrès.

Einstein assura Planck que ces menaces ne l'auraient pas empêché de donner sa conférence si sa participation avait été capitale, ce qui est certainement vrai, mais qu'en l'occurrence von Laue pouvait parfaitement le remplacer. « Le problème, dit-il à Planck, est que les journaux ont trop souvent mentionné mon nom, ce qui a mobilisé la populace contre moi. Je n'ai d'autre choix que de prendre mon mal en patience — et de quitter la ville. » Il demanda à Planck de prendre l'incident avec humour, comme il le faisait lui-même[17].

Planck, qui avait toujours admiré Einstein, traita ces attaques de « venimeuses (...), viles (...), horribles et vicieuses ». Il était furieux qu'« une bande d'assassins qui agit dans l'ombre dicte le programme scientifique d'une réunion purement scientifique ». Von Laue ayant accepté de remplacer Einstein, Planck estima que, « d'un point de vue purement objectif, ce changement présente peut-être l'avantage que des gens qui croient toujours que la relativité est une simple propagande en faveur d'Einstein (...) apprendront la vérité[18] ». Sans doute grâce à l'aval de deux scientifiques non juifs, Planck et von Laue.

Un membre du groupe d'extrême droite qui avait assassiné Walther Rathenau livra, contre récompense, les noms des tueurs. Le 17 juillet, la police cerna un château dans lequel les assassins se cachaient et en tua un. Le second se suicida. Joseph Wirth les qualifia de garçons manipulés par les forces du mal ; Adolf Hitler, de héros allemands.

Plus d'un million de personnes entourèrent silencieusement le Parlement pendant les funérailles. Non seulement Einstein y assista, mais il publia une notice nécrologique dans laquelle il déclarait : « J'ai toujours éprouvé et j'éprouve encore envers Rathenau de l'admiration et de la gratitude pour l'espoir et le réconfort qu'il a su me donner dans les années noires que traverse l'Europe[19]. »

Harry Kessler remarqua qu'on « honorait davantage la mort de Rathenau qu'on n'avait soutenu l'homme et ses idées ». Pas Philipp Lenard. Il donna un cours à Heidelberg le jour où toutes les universités allemandes étaient fermées en hommage au ministre assassiné. Pour lui, c'était presque une célébration, puisqu'il avait appelé à éliminer Rathenau, l'ennemi de la patrie. Un groupe d'ouvriers vint protester et exiger l'annulation du cours. On les aspergea avec des jets d'eau depuis le premier étage. Ils fracturèrent la porte et s'emparèrent de Lenard qu'ils s'apprêtaient à jeter dans une rivière quand la police intervint pour le libérer et l'emmener en lieu sûr.

Einstein confia à Solovine que depuis l'assassinat de Rathenau il était constamment en alerte et vivait sur les nerfs.

« Toutes les forces obscures du monde sont contre nous, dit Weizmann à Einstein. Les riches Juifs serviles, les Juifs obscurantistes fanatiques, associés au Vatican, aux terroristes arabes, aux réactionnaires anglais impérialistes et antisémites — tous les chiens aboient. Je ne me suis jamais senti aussi seul de ma vie. Ni aussi sûr de moi et confiant[20]. » Son instinct était juste. Un mois plus tard, le 24 juillet, la Société des Nations plaçait à l'unanimité la Palestine sous mandat anglais.

L'étudiant Werner Heisenberg arriva au congrès de Leipzig enchanté par la perspective d'entendre Einstein et, peut-être même, de lui être présenté. On lui tendit un tract à l'entrée de la salle. Dix-neuf professeurs et physiciens dénonçaient la relativité comme une extravagance défendue par la presse juive et contraire à l'esprit allemand. Il se dit d'abord que c'était l'œuvre d'un fou. « Mais quand on me dit que l'auteur [Lenard] était un scientifique réputé pour ses recherches expérimentales, j'ai eu l'impression qu'une partie de mon univers s'effondrait. Je faisais la triste découverte que des hommes faibles ou déséquilibrés pouvaient empoisonner la vie scientifique avec leurs passions politiques malsaines. Ma réaction immédiate fut d'abandonner les réserves que je pouvais avoir envers la théorie d'Einstein. » Heisenberg était profondément troublé. « J'ai été incapable d'écouter attentivement Einstein lui-même et à la fin de la conférence j'ai oublié la proposition de Sommerfeld qui devait me présenter à Einstein[21]. » Si les présentations avaient eu lieu, il aurait découvert que c'était von Laue qu'il venait d'écouter et non Einstein.

Le départ le 8 octobre pour la tournée en Chine et au Japon offrit à Albert et Elsa une occasion d'échapper à l'atmosphère pesante de Berlin. Leur bateau fit escale à Colombo, Singapour et Hong Kong. Ils visitèrent Colombo dans un pousse-pousse traditionnel, « honteux de se rendre complices d'un traitement abominable infligé à des êtres humains ». À Shanghai, une délégation de la colonie allemande les accueillit en chantant « *Deutschland über Alles* ».

Le gouvernement japonais était divisé sur la relativité. Le ministre de l'Éducation affirmait que des gens ordinaires pouvaient la comprendre, son collègue de la Justice pensait que c'était impossible, tandis que celui de l'Agriculture se tenait à mi-chemin en estimant que le commun des mortels la déchiffrait « vaguement ». Le ministre de la Justice, homme pragmatique, ouvrit un livre sur la relativité et tomba dès la première page sur des calculs mathématiques fort complexes. Il emporta la conviction du cabinet[22].

Le public japonais fut d'une patience remarquable. La plupart des auditeurs de la conférence d'Einstein étaient seulement venus voir une célébrité. Ils écoutèrent cependant sans broncher un exposé qui, avec la traduction, dura presque quatre heures. L'endurance de l'orateur les impressionna.

Le balcon de la suite d'Einstein à l'hôtel Impérial donnait sur une place où des milliers d'admirateurs l'attendirent toute la nuit en silence. Une gigantesque clameur le salua quand il se montra, au lever du soleil. Il s'inclina pour remercier, en murmurant à Elsa qui se trouvait à ses côtés : « Aucun être vivant ne mérite un tel accueil. » Puis, comme les cris se poursuivaient : « J'ai l'impression que nous sommes des escrocs. Nous finirons en prison[23]. »

Il rencontra l'empereur et l'impératrice, qui lui parla en français. L'ambassadeur allemand eut un regard critique sur sa tenue informelle, mais apprécia ses façons simples et amicales. Einstein était enchanté par les manières raffinées des Japonais, leur intérêt en toutes choses, leur honnêteté intellectuelle, leur sensibilité artistique et leur bon sens. Il trouva, également, le pays magnifique. La musique fut sa seule déception. Il ne put retenir ses larmes en quittant le pays[24].

Einstein apprit quelques jours après son départ de Tokyo qu'il avait obtenu le prix Nobel de physique.

Pourquoi avait-il fallu si longtemps ? Pourquoi avait-il été écarté à huit reprises alors qu'il était considéré comme l'un des plus grands savants de tous les temps ? Irving Wallace, auteur d'un roman sur le prix Nobel, *The Prize*, a peut-être découvert la réponse[25]. Cherchant de la documentation pour son livre, il écrivit à Einstein pour lui demander comment il avait appris qu'il avait été enfin couronné, et s'il avait des critiques sur la procédure et les choix du comité Nobel. Einstein répondit : « J'ai appris que j'avais obtenu le prix Nobel par un télégramme reçu sur le bateau alors que je revenais d'une visite au Japon (...). On ne m'a pas remis le prix en personne. On m'a invité, à la place, à assister à un congrès scientifique suédois à Goeteborg *(sic)* où j'ai prononcé un discours (...). Je trouve que la procédure de sélection des lauréats est équitable et consciencieuse, en tout cas dans ma discipline. »

Désireux d'en savoir plus, Wallace se rendit en Suède où il eut la chance de rencontrer un membre du comité Nobel prêt à discuter d'un sujet d'habitude secret. Le docteur Sven Hedin lui raconta que Philipp Lenard exerçait une grande influence sur ses collègues et lui-même. Lenard les convainquit que la relativité n'était pas une découverte au sens propre du terme (ce pour quoi la distinction avait été créée), qu'elle n'avait pas été confirmée expérimentalement et qu'elle n'avait, de toute façon, aucun intérêt. Wallace subodora que Hedin n'avait pas été difficile à convaincre. Il avait soutenu les nazis durant la Seconde Guerre mondiale et était fier d'avoir compté Goering, Himmler et Hitler parmi ses meilleurs amis.

La femme de Wallace, Sylvia, interviewa en 1949 Robert Millikan, qui avait remporté le prix Nobel en 1923 et était président de l'université Caltech. Deux bustes ornaient le bureau de Millikan :

Ben Franklin et Einstein. Il lui raconta à titre confidentiel qu'une seconde raison avait retardé l'attribution du prix à Einstein. Le comité s'apprêtant une année à le désigner, un de ses membres « passa tout son temps à étudier la théorie de la relativité. Il n'y comprit rien. On n'a pas osé décerner le prix en courant le risque d'apprendre ensuite que la théorie de la relativité était erronée ».

C'est cette combinaison de venin antisémite distillé par Lenard et de perplexité du comité qui explique que le nom d'Einstein ait été écarté pendant douze ans, de 1910 à 1922. Jusqu'à ce que l'influence de Lenard décline, et que le soutien rencontré par Einstein devienne écrasant.

Arnold Sommerfeld rédigea en 1922 une lettre enthousiaste en faveur d'Einstein. D'autres scientifiques de premier plan l'imitèrent, dont Marcel Brillouin qui cherchait visiblement à embarrasser le comité en écrivant : « Imaginez un instant ce qu'on pensera dans cinquante ans si le nom d'Einstein est absent de la liste des lauréats[26]. » Felix Ehrenhaft, le mathématicien français Jacques Hadamard, Edgar Meyer, Stefan Meyer, Bernhard Naunyn, Gunnar Nordström et Emil Warburg intervinrent dans le même sens. Ainsi que le Bruxellois Theophile de Donder, l'astrophysicien suisse Robert Emden, le munichois Ernst Wagner, les amis d'Einstein Max von Laue et Paul Langevin, et enfin Edward Poulton d'Oxford.

Le comité Nobel avait demandé à Carl Wilhelm Oseen, de l'université d'Uppsala, de résumer l'importance de l'effet photoélectrique pour lequel il avait proposé le nom d'Einstein en 1921. Son rapport élogieux semble avoir emporté la décision.

C'est finalement « pour ses travaux en physique théorique, et particulièrement sa découverte des lois de l'effet photoélectrique », qu'Einstein obtint le prix Nobel de physique en 1922, et non pour la relativité qui déroutait toujours le comité. Einstein étant au milieu de sa tournée mondiale, un envoyé allemand reçut la récompense en son nom, lors d'une cérémonie qui se déroula le 10 décembre.

Albert et Elsa Einstein s'arrêtèrent en Palestine sur le chemin du retour. Ils se rendirent de nuit en train à Lydda, un voyage fatigant car Albert refusa une couchette en première classe et préféra une banquette de seconde.

Ils séjournèrent au palais du gouverneur de Palestine, Herbert Samuel, un lieu régi avec davantage de cérémonie que Buckingham Palace. On tirait le canon chaque fois qu'Einstein sortait, et celui-ci ne se déplaçait qu'escorté par des troupes montées. Il n'aimait certes pas tout ce protocole, mais d'autres soucis occupaient son esprit. Elsa détestait tellement l'étiquette qu'elle trouva des prétextes pour se retirer de bonne heure le soir.

Le 7 février, Einstein fut reçu par le Conseil exécutif sioniste de Palestine, devant lequel il s'excusa de ne pas parler hébreu car son cerveau y était rétif. Le lendemain, Elsa et lui pénétrèrent entre deux haies d'enfants en liesse dans l'école Lemel où une réception les attendait. Einstein déclara : « C'est le plus beau jour de ma vie. C'est un grand moment, le moment de la libération de l'âme juive. Cela a été rendu possible grâce au mouvement sioniste, et personne au monde ne pourra détruire ce qui a été accompli[27]. »

Ils dînèrent chez le ministre de la Justice Norman Bentwich et sa femme Helen. Avant de passer à table, Einstein interpréta le second violon d'un quatuor, en compagnie du ministre et de ses deux sœurs. Il fit rire Helen en la dissuadant de lire un livre dont ils discutaient parce que « l'auteur écrit comme un professeur ».

Le clou de leurs douze jours de séjour fut un discours d'Einstein le 9 février sur le mont Scopus de Jérusalem, site de la future Université hébraïque pour laquelle il avait fait une tournée de collecte de fonds. L'après-midi, il commença une conférence sur la relativité par quelques mots en hébreu, avant de poursuivre en français au grand plaisir du consul de France.

« J'ai été charmé par nos frères de race en Palestine, que ce soit en tant que paysans, ouvriers ou citoyens », raconta-t-il à Solovine. Il était optimiste pour leur avenir, mais ne voulait pas se joindre à eux. Cela le couperait de ses amis et de son travail en Europe, expliqua-t-il au dirigeant sioniste Frederick Kisch, et il perdrait sa liberté car en Palestine il serait toujours prisonnier d'une fonction d'objet d'ornement.

Après avoir planté un arbre sur le mont Carmel, il visita le lycée et le collège technique d'Haïfa. On le fit citoyen d'honneur de Tel-Aviv.

Lors d'une visite d'un kibboutz, il fit rougir une jeune fille en lui demandant quel était le rapport sexuel de la colonie. Il répéta. Obtenant la même réaction, il lui dit de ne pas s'offusquer : « Pour nous, physiciens, le mot "rapport" veut dire quelque chose de très simple : combien y a-t-il d'hommes, et combien de femmes[28] ? »

En raccompagnant Einstein à la gare de Jérusalem, le 14 février, Kisch lui demanda s'il avait une suggestion à faire pour améliorer la situation en Palestine. Oui, répondit-il, « collectez davantage d'argent[29] ». Il raconta à Weizmann : « Il y a de grosses difficultés, mais ils ont le moral et ils font un travail magnifique. »

L'étape suivante fut l'Espagne, avec Barcelone et Madrid où il « chanta son air de la relativité », comme il le dit au roi Alphonse XIII et aux membres de l'Académie des sciences. Malgré sa gêne devant des gens qui s'agenouillaient à sa vue, il avait l'impression de vivre un rêve. « Profitons de tout cela avant de nous réveiller », dit-il à Elsa.

Il apprécia modérément le voyage en train depuis Madrid jusqu'à la frontière française, dans un wagon luxueux prêté par le roi. En descendant, il dit à Elsa : « Tu fais ce que tu veux, mais à l'avenir je ne voyagerai plus qu'en troisième classe[30]. »

L'ambassadeur de Suède en Allemagne passa le voir peu après son retour à Berlin pour lui remettre la médaille et le diplôme du prix Nobel.

Einstein démissionna au cours de l'été du comité pour la collaboration intellectuelle de la Société des Nations dont l'impuissance le révoltait, en déclarant : « La Société ne fait rien contre les agissements des puissances actuelles, aussi brutaux soient-ils[31]. »

Puis il partit en Suède pour s'adresser à la Société scientifique scandinave, à Göteborg. Deux mille personnes, dont le roi Gustave V, assistèrent à la conférence. Einstein revêtit un smoking pour l'occasion, mais un smoking dans un tel état que quelqu'un lui en tendit un autre, impeccable, juste avant qu'il fasse son entrée. Il se contenta de brosser ses manches de veste du bout des doigts, en disant : « Ça va. Vous n'avez plus qu'à me coller une étiquette sur le dos : "Ce costume vient d'être brossé"[32]. »

Et il monta sur l'estrade où il surprit l'assistance en parlant de relativité, sans mentionner l'effet photoélectrique pour lequel il avait été récompensé.

Il envoya, comme promis, les trente-deux mille cinq cents dollars du prix à Mileva. Il pouvait se le permettre. L'inflation galopante laminait son salaire de professeur et il refusait d'être payé pour ses conférences, n'acceptant qu'un remboursement de ses frais, mais il gagnait des revenus substantiels comme conseiller de diverses sociétés allemandes, soit en matière de propriété industrielle, soit pour le lancement de nouveaux produits. Il fit ainsi la fortune d'une entreprise à laquelle il avait recommandé de se lancer dans la production massive de réfrigérateurs à gaz, ou encore effectua un voyage en avion pour tester des instruments de navigation.

Il se rendait souvent à Zurich, à dix heures de train, pour voir ses fils et donner à Mileva des conseils sur leur éducation. Après s'y être opposé, il avait fini par accepter la décision de Hans Albert de devenir ingénieur. L'étrange intensité qui habitait Eduard l'inquiétait, mais il était fier de sa soif d'apprendre et de son extraordinaire mémoire.

Hans Albert était conscient de l'affection que son père lui vouait.

Il raconta plus tard : « Quand il était là, c'était un sentiment très fort. Il avait besoin qu'on l'aime. Mais il vous repoussait dès que vous établissiez un contact. Il ne se laissait jamais aller. Il fermait ses émotions comme un robinet[33]. »

Il avait beau trouver les voyages épuisants, il ne cessait jamais de bouger. C'était une façon de s'échapper, de se débarrasser de ses ennemis. Mais il ne pouvait prévoir les méthodes peu ragoûtantes que ceux-ci étaient capables d'employer pour le discréditer ou pousser à l'assassiner.

Un journal nationaliste publia un article selon lequel il se rendrait en Russie en septembre, et qui avait tout d'un appel au meurtre. Le *Berliner Tageblatt* reprit la nouvelle en précisant, le 6 octobre, qu'il était déjà en route pour le pays communiste. Le 27, un autre journal nationaliste annonça qu'il serait à Petrograd le lendemain. Et un quatrième journal écrivit le 2 novembre : « Einstein est à Petrograd pour trois jours. »

Ce n'était que mensonges car il n'avait jamais eu ne serait-ce que l'intention de se rendre en Russie. Mais ces inventions impliquaient qu'il aidait les dangereux bolcheviques et méritait le même sort que Rathenau.

Il était, en fait, sur le point de partir pour son séjour annuel chez Paul Ehrenfest, dans la tranquille ville de Leiden.

Ce fut un mois de vacances au milieu d'amis chaleureux, loin des menaces et insultes de Berlin. Il était totalement libre. Du lait, du pain, du fromage, des gâteaux et des fruits l'attendaient en permanence sur une petite table, dans la salle à manger. Il disposait d'un endroit pour travailler, d'un lit, de son violon, et jouissait d'une ambiance intellectuelle stimulante. « Qu'est-ce qu'un homme peut vouloir d'autre ?[34] » se demandait-il en oubliant Elsa. Il discuta avec Ehrenfest de la nature déroutante de la lumière. Le physicien américain Arthur Compton venait de conclure une série d'expériences qui confirmaient l'hypothèse des quanta de lumière défendue par Einstein. Celui-ci s'opposait cependant aux idées de Compton selon lesquelles la lumière avait aussi une nature ondulatoire.

Il se rendit un jour avec son couple d'amis à Spa, une station thermale belge. Il se promenait dans la ville, en grande discussion avec Tatiana Ehrenfest, qui était également physicienne, quand une horde de photographes les entoura soudain. « C'est impossible d'avoir une conversation intelligente dans ces conditions ! » s'exclama sa compagne.

Quand les photographes s'éloignèrent enfin, une femme s'approcha et, interrompant à nouveau leur discussion, demanda à Einstein de lui donner une interview. Il répondit patiemment à ses questions et posa pour de nouvelles photos. Il expliqua ensuite à Tatiana qu'il ne pouvait refuser de répondre à une journaliste qui était venue spécialement d'Allemagne, et qui avait trois enfants à nourrir.

Il n'hésitait en revanche jamais à se débarrasser des importuns. Une femme en vue, par exemple, qui s'était invitée chez lui à une soirée musicale. En partant, elle lui demanda : « J'espère que vous me permettrez de revenir, professeur ? — Non », répondit-il simplement. Comme Elsa lui reprochait sa rudesse, il expliqua : « Mais pourquoi devrait-elle revenir ? Je n'en vois pas le besoin[35] ! »

L'aînée de ses belles-filles raconta que son intérêt envers les gens était indépendant du niveau social ou des fonctions de ceux-ci. Il pouvait parler pendant des heures avec un mendiant et rembarrer sans façon une « personnalité importante[36] ». Attitude sympathique aux yeux des Ehrenfest.

Il était toujours chez eux quand il apprit par les journaux le putsch manqué de Hitler à Munich. Trois mille nazis en chemise brune avaient marché sur la ville avant d'être dispersés par la police, en laissant seize morts et de nombreux blessés. Hitler se cacha pendant trois jours, avant d'être arrêté et inculpé de trahison.

Planck craignit qu'Einstein ne décidât de demeurer en Hollande ou de s'installer en Suisse en apprenant ces nouvelles et le redoublement de la campagne de diffamation orchestrée par Lenard. Il aurait, en vérité, troqué une vie menacée contre une existence choyée. Planck fit une proposition exceptionnelle à celui qu'il considérait comme « un joyau pour lequel le monde entier envie l'Allemagne » : un poste de professeur dont les seules obligations étaient de donner une conférence annuelle à Berlin et de faire de la ville sa résidence « officielle[37] ». Il n'aurait à affronter la capitale et ses persécuteurs qu'une seule journée par an.

Einstein refusa. Il ne voulait pas se laisser intimider et se transformer en réfugié virtuel. Il aurait facilement pu trouver un poste à l'étranger. L'université de Leiden lui offrait, par exemple, la chaire de Lorentz qui venait de prendre sa retraite. L'Espagne le réclamait. Malgré le danger, c'était à Berlin qu'il travaillait le mieux. Et il appréciait le soutien d'un petit groupe de collègues comme Planck, Nernst, Haber, Meitner et von Laue.

Le correspondant à Berlin de l'agence *North American Newspaper Alliance* lui demanda au début de l'année 1924 s'il était vrai qu'il prévoyait de s'installer à Jérusalem à cause de l'antisémitisme allemand. Il répondit que non.

Il écrivit à Hedi Born qu'il n'aimait pas la nouvelle hypothèse de son mari « selon laquelle un électron soumis à une radiation choisirait *de sa propre volonté* non seulement l'instant de son saut, mais

191

la direction de celui-ci ». Si c'était vrai, il préférerait se faire cordonnier ou croupier. Il reconnaissait que ses nombreuses « tentatives pour donner une forme tangible aux quanta ont constamment échoué, mais je suis loin d'être désespéré ». Il avait envie de lui caresser la joue en réponse à une « gentille remarque » d'une lettre qu'elle lui avait adressée, « si cela était acceptable envers une femme mariée[38] ».

L'intérêt d'Einstein envers les femmes ne se limitait pas à Hedi Born, avec laquelle il ne dépassa d'ailleurs probablement pas le simple flirt. Son biographe Pais découvrit que pendant plusieurs années « il fut amoureux d'une femme plus jeune que lui », et que les lettres qu'il lui adressait « exprimaient des sentiments peut-être absents de son mariage. Cet épisode finit en 1924, quand il lui écrivit qu'il devait chercher dans les étoiles ce qu'on lui refusait sur terre[39] ».

En 1924 également la belle-fille d'Einstein, Ilse, âgée de vingt-sept ans, se maria avec Rudolf Kayser, rédacteur en chef d'un magazine littéraire. Celui-ci publiera peu après un livre sur la théorie de la relativité et son inventeur qui s'ajoutera aux centaines déjà existants.

Cet été-là, Einstein s'arrêta quelques jours à Göttingen pour rencontrer des amis et collègues. Il fit la connaissance de Heisenberg qui assistait à un séminaire organisé par Max Born sur la nouvelle et controversée mécanique quantique. Heisenberg fut désappointé par les multiples objections qu'Einstein opposa à ses conceptions sur la structure des atomes et leur stabilité.

Einstein changea d'avis et rejoignit en juillet le comité de la Société des Nations. Ses ennemis, qui espéraient que l'organisation internationale échouerait, s'étaient trop félicités de sa démission et il espérait utiliser sa position dans cet organisme pour améliorer les relations franco-allemandes.

La préface qu'il écrivit l'hiver suivant pour les *Lettres des prisons russes* d'Isaac Don Levine était une réponse, s'il en était besoin, à ceux qui croyaient qu'il soutenait les communistes. Le livre de Levine, publié par un comité international présidé par le militant des droits civiques américain Roger Baldwin, donnait de nombreux exemples de la persécution dont étaient victimes les opposants au régime soviétique. Einstein dénonça le « règne de la terreur en Russie. Vous découvrirez avec horreur cette tragédie de l'histoire humaine dans laquelle on tue par peur d'être tué. Les meilleurs des hommes, les plus altruistes, sont torturés et massacrés — et pas seulement en Russie — parce qu'on redoute la force politique potentielle qu'ils représentent[40] ».

Le domicile d'Einstein devenait le pôle d'attraction d'admirateurs et d'ennemis haineux. Les premiers l'assaillaient de questions cosmiques ou comiques, s'ils parvenaient à franchir le barrage rigoureux du concierge Otto et d'Elsa. D'autres sollicitaient des tirés à part d'articles ou des lettres de recommandation. Et il ne savait jamais si la prochaine personne à passer la porte ne venait pas l'assassiner.

Des femmes lui écrivaient qu'elles avaient donné son nom à leur fils, lui demandaient conseil pour leur vie intime ou s'offraient comme maîtresses. L'une se proposa comme compagne de ses « contemplations cosmiques ». Malgré l'aide d'Elsa qui répondait à une grande partie de ce courrier, il était en permanence submergé de correspondance. L'arrivée du facteur était une terreur.

Une étrange série de lettres de menaces postées en France était signée Eugenia Dickson, outrée qu'Einstein ait écrit dans la préface du livre de Levine que les bolcheviques étaient « risibles mais pas aussi mauvais qu'on les dépeignait[41] ». Pour cette réfugiée russe ruinée, ils étaient l'incarnation du démon et son attitude était purement scandaleuse. Les lieux d'expédition s'approchèrent de Berlin. Par un retournement complet, la femme l'accusait maintenant du même ton menaçant d'être un agent provocateur tsariste, Azef-Einstein, qui se faisait passer pour le physicien Albert Einstein. Elle faisait également allusion à des motifs plus personnels de rancœur. Albert voulait oublier cette hystérique à l'imagination débordante, mais Elsa s'inquiétait.

Un matin, Margot, qui revenait de faire des courses, trouva dans l'entrée de l'immeuble une femme au comportement étrange. Otto était occupé ailleurs. Se doutant de quelque chose, Margot ressortit et téléphona à sa mère depuis une cabine publique pour la mettre en garde. Elsa ouvrit peu après la porte à Eugenia Dickson qui brandissait une grande épingle à chapeau en exigeant de voir « Azef-Einstein ». Elsa la désarma et appela la police[42].

Einstein, qui se trouvait dans son bureau, apprit l'incident quand il était clos... et éprouva de la sympathie pour l'assassin malchanceux. Il devait partir, ce matin-là, pour Leipzig où Paul Ehrenfest l'attendait. Il arriva par le train de l'après-midi avec une excuse stupéfiante : il avait été rendre visite dans sa cellule à la femme qui avait tenté de le tuer. Il était allé au commissariat de police pour porter plainte et, une fois sur place, avait demandé à parler à l'émigrée russe.

Eugenia Dickson l'avait accueilli avec des excuses. Une simple erreur d'identité. « Vous n'êtes pas l'agent provocateur tsariste Azef-Einstein, lui avait-elle dit, car votre nez est beaucoup plus petit. » Mais ce n'était pas tout : il avait quand même été son amant et l'avait abandonnée avec un enfant qui était décédé. Elle l'avait supplié de lui éviter l'hôpital psychiatrique. Non seulement il accepta de l'aider en ne portant pas plainte, mais il alla acheter divers objets dont elle avait besoin. Et elle avait été libérée.

Un esprit cynique pourrait penser qu'Einstein avait mauvaise conscience et cherchait à acheter le silence d'Eugenia Dickson. Mais comme l'écrivit son ami John Plesch, qui était médecin : « Einstein est un homme extrêmement généreux (...) toujours prêt à se porter au secours des gens en détresse. Il donne le peu d'argent qu'il a, et il n'en a jamais beaucoup, à ceux qui sont dans le besoin[43]. »

Elsa et Albert furent interviewés peu après par Anatole Lounat-charski, journaliste et commissaire du peuple soviétique à l'Éduca-tion. Celui-ci avait rencontré quelques années plus tôt Eugenia Dickson à Paris, où elle vivait depuis la révolution d'Octobre. Elle voulait qu'il démasque Einstein qui était, en réalité, un agent provo-cateur et son ancien amant. Elle avait déjà accusé un ex-ministre du tsar, Pavel Milioukov, de lui avoir fait un enfant qu'il aurait tué pour une raison politique obscure. Puis elle avait tenté d'assassiner l'ambassadeur de Russie en France. Elle n'avait pas été emprison-née car on avait estimé que son attentat, commis avec un revolver non chargé, relevait davantage de l'opéra-comique que de la justice.

L'article de Lounatcharski, « Rencontre avec un génie », publié dans un magazine de Moscou, décrivit l'attaque à l'épingle de cha-peau et le rôle courageux d'Elsa comme garde du corps. L'auteur, visiblement charmé par Einstein, brossait de lui un portrait flatteur :

> « Il y a une expression rêveuse dans le regard myope d'Einstein, comme si une partie de sa vision était tournée vers ses propres pen-sées. On a l'impression que ses pensées et ses calculs ne l'abandon-nent jamais et donnent à ses yeux ce reflet songeur et même mélancolique. C'est cependant un compagnon jovial qu'une bonne plaisanterie fait éclater d'un rire exubérant et enfantin. Et ses yeux deviennent alors ceux d'un enfant. Sa simplicité est si attirante qu'on est tenté de lui donner l'accolade, de lui serrer la main ou de lui taper sur le dos — sans que cela entache l'estime qu'on éprouve pour lui. On ressent un étrange sentiment de respect infini mêlé d'affection envers un homme sans défense et d'une si grande simplicité. »

D'Elsa, Lounatcharski écrivit :

> « Elle n'est plus jeune et porte d'abondants cheveux gris. C'est une femme charmante dont la beauté pure est davantage que de la beauté physique. Elle déborde d'amour envers son illustre mari et fait son possible pour le protéger des agressions de la vie et sauvegarder la

tranquillité d'esprit nécessaire à la maturation de ses grandes idées. Elle est gonflée de l'importance de son époux en tant que penseur, mais lui prodigue la tendresse d'une compagne, d'une femme et d'une mère envers un grand enfant brillant et délicat[44]. »

Elsa dit un jour qu'Albert n'avait pas changé depuis la première fois qu'elle avait joué avec lui, quand il avait cinq ans et qu'elle en avait dix.

Un jour qu'il discutait avec une étudiante, Esther Salaman, des perspectives de carrière de celle-ci, Elsa vint le prévenir que deux hommes qui avaient l'air de Juifs orthodoxes demandaient à le rencontrer pour une œuvre de bienfaisance. Il les fit entrer. Ils portaient de longs manteaux noirs et des chapeaux noirs à large bord, et parlaient un mélange de yiddish et d'hébreu. Albert et Elsa ne comprenant pas un traître mot au-delà du traditionnel « Shalom Aleichem », Salaman fit office d'interprète. Les deux visiteurs venaient de Varsovie. Ils étaient à Berlin pour affaires et n'avaient pas reculé devant quelques kilomètres à pied pour serrer la main d'un grand Juif. Comme Elsa s'étonnait qu'ils n'aient pas pris le métro, l'un d'eux répondit qu'ils ne voyageraient jamais dans les boyaux de la terre. Avant de repartir, ils demandèrent à Salaman de dire à Einstein qu'on vit plus vieux après avoir posé ses yeux sur un grand homme et que « c'est une bénédiction de contempler un roi[45] ».

« C'était vraiment gentil, dit Mme Einstein quand les deux hommes furent partis, mais on ne nous laisse jamais tranquilles. La police a téléphoné l'autre jour pour dire qu'on avait arrêté un clochard qui affirmait avoir trinqué avec Einstein toute la nuit, et pour me demander si c'était vrai. J'ai répondu que mon mari avait joué du violon toute la soirée et n'avait pas quitté la maison. Cela ne leur a pas suffi et ils vont venir pour je signe un témoignage ! Avant, je me plaignais à Rathenau, qui était un ami, mais il ne trouvait jamais rien à redire à ce que faisaient les Allemands. Il aurait trouvé des excuses à ses propres assassins. »

Einstein se rendit à pied à l'université, avec Salaman, pour assister à une réunion de l'Académie des sciences. L'étudiante craignait qu'un manque de créativité ne l'empêche de faire de la physique théorique. Il ne fut pas réconfortant. Peu de femmes, selon lui, étaient créatives, et s'il avait une fille il ne lui recommanderait pas d'étudier les sciences. « Je suis content que ma femme ne connaisse rien en sciences, ajouta-t-il. Ma première femme était une scientifique. »

Salaman citant Marie Curie comme exemple de femme créative, il lui dit qu'il avait passé des vacances avec le couple Curie, et que

« Mme Curie n'entendait même pas les oiseaux chanter ! ». À une autre occasion il sous-entendit que l'entêtement et la ténacité de Marie Curie lui avaient fait manquer beaucoup de joies de la vie.

Einstein et Salaman traversèrent le Tiergarten et pénétrèrent sur Unter den Linden. Il suggéra à la jeune fille, pour le cas où elle quitterait l'Allemagne, d'essayer de travailler au laboratoire Cavendish de Cambridge : « Les meilleurs physiciens ont toujours été anglais. Je ne pense pas seulement à Newton : la physique moderne n'existerait pas sans les équations de Maxwell sur l'électromagnétisme. Il n'y a personne à qui je doive autant qu'à Maxwell. Mais rappelez-vous qu'en Angleterre on juge les gens sur leurs résultats. »

Salaman dit de ses sentiments pour Einstein que « c'était différent du respect, de l'admiration ou de l'affection. Je savais que ce n'était pas de la fierté — n'importe qui pouvait parler à Einstein. Je n'avais jamais rien connu de semblable : son intelligence m'intimidait. J'avais vingt-cinq ans et j'étais surprise de sentir les battements de mon cœur accélérer comme sous l'effet de l'amour ou de la peur[46] ».

En mai 1925, Albert prit de la distance avec ses aventures romantiques européennes en s'embarquant avec Elsa pour l'Amérique du Sud où il devait donner des conférences dans des universités de Buenos Aires, Rio de Janeiro et Montevideo. Les effusions de l'ambassadeur d'Allemagne en Argentine l'amusèrent. « Les Allemands me considèrent en général comme "une fleur nauséabonde", mais ne peuvent s'empêcher de m'accrocher à leur boutonnière », écrivit-il dans son journal. Il s'effondra avant la fin de la tournée. Un médecin diagnostiqua des problèmes cardiaques et lui conseilla de rentrer se reposer en Allemagne, en sautant une étape prévue en Californie.

La convalescence n'empêcha pas Einstein de poursuivre sa recherche d'une théorie unifiée des champs. En août, il écrivit à Ehrenfest : « J'ai à nouveau une théorie de la gravitation et de l'électricité. C'est magnifique mais douteux. » Un mois plus tard : « J'ai écrit cet été un article passionnant sur la gravitation et l'électricité, mais aujourd'hui je me demande vraiment s'il est exact ! » Il l'abandonna deux jours après : « Pas bon. »

Il reçut en novembre la visite de Satyendranath Bose, un physicien indien qui lui avait adressé, avec une lettre de couverture commençant par « *Respected Sir* », un manuscrit refusé par diverses revues scientifiques. Cette « merveilleuse » mais « obscure » dérivation des lois de Planck l'avait intéressé[47]. Il avait traduit l'article et l'avait fait publier dans une revue allemande. Puis il avait perfectionné le travail de Bose qui passa à la postérité sous le nom de « statistique de Bose-Einstein », une application de la mécanique quantique. Einstein et Bose prédirent indépendamment qu'à des températures très basses « des atomes d'un gaz dilué, sans interactions, se condenseraient au point de tomber dans le même état quantique et se comporteraient comme un atome unique[48] ». (Ce qui fut vérifié expérimentalement en 1995.)

Einstein fut parmi les premiers scientifiques à apprendre une découverte fondamentale en physique quantique effectuée par Werner Heisenberg, âgé alors de vingt-trois ans, avec lequel il était en correspondance. Selon le « principe d'incertitude » démontré par le jeune physicien, la double nature ondulatoire et corpusculaire de la matière empêchait de déterminer précisément à la fois la position et la vitesse d'une particule. Les explorateurs du monde atomique pénétraient dans un pays des merveilles ou dans un jeu de dés où le futur était imprévisible.

Mileva tira Einstein de ses méditations sur les corpuscules. Elle voulait discuter avec lui de la situation de Hans Albert qui, à vingt-deux ans, n'avait aucune perspective de travail et voulait se marier à une femme du nom de Frieda, plus vieille que lui de neuf ans. Il rejoignit son ancienne femme dans l'opposition au projet. Cette union serait un crime, pensait Einstein qui craignait que ses petits-enfants n'héritent d'une maladie mentale dont semblait souffrir la mère de Frieda. Eduard avait déjà, pensait-il, hérité d'une anomalie présente dans la famille de Mileva dont la sœur, Zorka, était internée depuis des années à l'hôpital psychiatrique Burgholzi de Zurich. Il ne voulait pas que son fils répète son erreur de jeunesse.

Hans Albert l'ayant rabroué, Einstein eut une idée. Convaincu que l'origine du problème était une inhibition sexuelle de son fils, il suggéra à Mileva de le mettre entre les mains d'une quadragénaire de sa connaissance, aussi attractive qu'expérimentée. L'amour pour Frieda n'y résisterait pas[49].

Eduard causait finalement moins de soucis malgré les craintes d'Albert et le jugement de ses enseignants qui le trouvaient rêveur et distrait. Il passait pour un jeune homme intelligent et vif. Il venait de faire un excellent exposé sur l'histoire de l'astronomie, composait des poèmes satiriques et jouait du piano avec autant de plaisir que son père du violon. Les lettres qu'il écrivait à Albert, et que celui-ci conservait précieusement, étaient émaillées d'opinions très arrêtées sur des compositeurs et des philosophes[50].

Le 25 décembre, Einstein était à nouveau plongé dans la physique quantique, émerveillé par la magie mathématique de la théorie ingénieuse et apparemment inattaquable de Werner Heisenberg,

Max Born et Pascual Jordan. Mais il résistait avec acharnement à une conception qui remettait en cause sa croyance en la causalité.

Il se réjouit du pacte de Locarno censé réconcilier les ennemis de la guerre mondiale, et qui préparait l'adhésion de l'Allemagne à la Société des Nations. Les hommes politiques semblaient plus raisonnables que les professeurs d'université. Hitler avait, pendant ce temps, appelé devant vingt-sept mille nazis enthousiastes à l'extermination des marxistes et des Juifs. La majorité des Allemands s'en moquaient et le tenaient pour un Charlie Chaplin ignorant et grinçant, mais la presse le prenait au sérieux et son procès pour trahison fit pendant trois semaines la une des principaux journaux du pays. Hitler profita de ses neuf mois de prison, sur les cinq ans auxquels il avait été condamné, pour entamer la rédaction de *Mein Kampf*.

Einstein signa à côté du Mahātmā Gandhi un manifeste contre le service militaire obligatoire, l'une des innombrables pétitions qu'il recevait en permanence.

# 19

# Le principe d'incertitude

*1926-1927*
*De 46 à 48 ans*

Le comte Kessler organisa un dîner, en février 1926, en l'honneur du couple Einstein. Albert portait dignement un smoking... et de grosses chaussures qui, estima son hôte, gâchaient l'effort vestimentaire de son ami mais s'accordaient parfaitement à son image bohème. Einstein avait pris un peu de poids, peut-être à cause d'un récent voyage à Paris où il avait donné une conférence à l'invitation de la société France-Palestine, mais ses yeux étincelaient comme d'habitude « d'un rayonnement enfantin et d'une espièglerie pétillante[1] ».

Elsa amusa la tablée avec ses histoires sur l'indifférence de son mari envers les récompenses qu'on lui attribuait. Elle avait dû lui rappeler à maintes reprises de passer au ministère des Affaires étrangères prendre deux médailles d'or décernées par la Société royale anglaise et la Société astronomique royale. Et quand elle lui avait demandé, le soir, comment étaient ces médailles... il ne s'était pas encore donné la peine d'ouvrir les paquets. Niels Bohr venait de recevoir l'American Barnard Medal conférée tous les quatre ans à un scientifique d'exception. Lisant dans un journal qu'il avait été le précédent médaillé, Albert avait montré l'article à sa femme en lui demandant si c'était exact. Il avait oublié.

Einstein plongea tout le monde dans la perplexité en déclarant à un neveu du physicien allemand Hertz, celui qui donna son nom aux ondes « hertziennes » : « Votre oncle a écrit un livre excellent. Tout était faux, mais c'était quand même un excellent livre[2]. »

Dayton Miller tint à peu près les mêmes propos, en mars, sur le travail d'Einstein en déclarant durant un congrès de l'Association américaine pour l'avancement de la science qu'il avait pratiqué plus de cent mille observations qui prouvaient l'existence de l'éther[3]. Einstein écrivit à Besso, sans se démonter : « L'expérience est le juge suprême. Si les résultats du professeur Miller sont confirmés, c'est l'effondrement de la théorie de la relativité restreinte et de la théorie de la relativité générale sous sa forme actuelle[4]. »

Au cours du même printemps, Werner Heisenberg donna une conférence sur la mécanique quantique au colloque de physique de l'université de Berlin. Einstein l'invita ensuite chez lui pour discuter en détail de la question.

« Ce que vous nous avez dit est très étrange, commença-t-il. Vous avez sans doute raison de supposer qu'il existe des électrons au sein de l'atome, mais vous refusez de prendre en considération leurs orbites, alors qu'on observe des traînées d'électrons dans une chambre d'ionisation. J'aimerais beaucoup en savoir davantage sur ce qui vous permet d'avancer de telles suppositions... Vous ne croyez pas sérieusement qu'uniquement des grandeurs observables devraient entrer dans une théorie physique ?

— N'est-ce pas exactement ce que vous avez fait avec la relativité ? demanda Heisenberg, quelque peu surpris. Vous avez, après tout, insisté sur le fait qu'il est inacceptable de parler de temps absolu, simplement parce qu'on ne peut pas observer le temps absolu, que seule la lecture des horloges permet de déterminer le temps. »

D'accord, il avait peut-être employé ce raisonnement, répondit Einstein, qui ajouta : « Cela ne change rien. C'est absurde... C'est en fait exactement l'opposé qui se produit. La théorie détermine les observations. »

Bien que surpris par l'accueil d'Einstein, Heisenberg trouva l'argument convaincant. Il suggéra cependant d'attendre les développements de la théorie atomique. Einstein lui demanda, d'un air sceptique : « Comment pouvez-vous avoir une telle confiance dans votre théorie alors que tant de problèmes cruciaux ne sont pas du tout résolus ? »

Heisenberg ne fut décontenancé qu'un instant, car la même remarque s'appliquait à la théorie unifiée des champs d'Einstein. « Je crois comme vous, répondit-il, que la simplicité des lois naturelles a un caractère objectif... On devrait pouvoir mener de nombreuses expériences dont les résultats peuvent être prévus par la théorie. Et si ces expériences confirment les prévisions, il y aura peu de doutes que la théorie interprète correctement la nature. »

Einstein était d'accord pour dire que l'expérimentation était fondamentale pour valider toute théorie, mais « on ne peut pas tout vérifier[5] ». Il résuma sa conclusion dans une lettre souvent citée à Max Born : « La mécanique quantique est incontestablement imposante, mais une voix intérieure me dit qu'on n'a pas encore résolu le problème pour de bon. La théorie dit beaucoup de choses mais elle ne nous rapproche en fait pas d'un pouce du secret du "vieux". Je suis, de toute façon, convaincu qu'Il ne joue pas aux dés[6]. » Einstein, en d'autres termes, était et resterait déterministe.

En juillet, il écrivit pour le soixante-dixième anniversaire de Bernard Shaw un bref hommage dans lequel il saluait l'art et l'humour avec lesquels l'écrivain avait révélé leurs faiblesses et leurs folies à ses contemporains.

Puis il vola au secours de Besso, sur le point de se faire licencier du Bureau de la propriété industrielle pour manque de productivité. Personne ne connaissait mieux que lui les qualités et les faiblesses de Besso, ainsi que les exigences de son travail. Il prit soin de ne pas nier ce qui sautait aux yeux de tous : Besso était aussi indécis qu'un Hamlet. Mais il était intelligent et consciencieux.

Einstein l'écrivit aux chefs de Besso, en ajoutant :

> « Tout le monde au bureau sait qu'on peut toujours aller trouver Besso pour un conseil sur un dossier difficile. Il saisit immédiatement tous les aspects techniques ou légaux d'une demande de brevet et aide de bonne grâce ses collègues à traiter rapidement les dossiers. C'est en quelque sorte lui qui fournit l'inspiration, et le collègue l'esprit de décision. Mais son indécision est un grand handicap quand c'est à lui de trancher, et cela se traduit par une situation paradoxale : l'un des employés les plus précieux du Bureau, un employé que je qualifierais d'irremplaçable, donne l'impression d'être inefficace[7]. »

Besso garda son travail.

Albert et Elsa Einstein rendirent visite à Sigmund Freud et sa femme qui s'apprêtaient à repartir pour Vienne après avoir passé le nouvel an à Berlin avec leurs enfants et petits-enfants. C'était la première rencontre entre les deux grands penseurs de l'époque, l'explorateur des mystères cosmiques et celui des énigmes humaines.

Freud était très affaibli. Âgé de soixante-dix ans, il avait subi une série d'opérations d'un cancer du palais, le prix de son goût pour les cigares. Il parlait à l'aide d'un douloureux palais artificiel. Il était également pratiquement sourd de l'oreille droite.

Freud trouva Einstein « gai, agréable et sûr de lui ». Ils eurent une « très sympathique » discussion de deux heures, en évitant leurs principaux sujets d'intérêt car « Einstein comprend aussi bien la psychologie que moi la physique[8] ».

Les yeux vifs et interrogateurs de Freud étaient assombris, mais son humour était intact. Il menait une conversation sur le même mode simple et direct qu'Einstein. « Son sens de l'humour et sa simplicité transparaissaient même dans les exposés les plus techniques. Il aimait la méthode socratique. Il s'arrêtait au milieu d'une explication académique pour solliciter des questions et des critiques. Et il répondait avec esprit et vigueur aux objections qu'on lui opposait[9]. »

La route qui avait mené Einstein au succès paraissait bien pavée aux yeux de Freud qui n'avait jamais cessé de se battre. Il écrivit peu après à son amie et collègue Marie Bonaparte que le physicien avait de la chance « car il a eu la vie beaucoup plus facile que moi. Il s'appuyait sur l'héritage d'une longue suite de prédécesseurs depuis Newton, alors que j'ai dû me frayer mon chemin tout seul au milieu d'une jungle épaisse. Il n'est pas étonnant que ce chemin ne soit ni très large ni très long[10] ».

Tout en admirant les écrits de Freud, Einstein se méfiait de la psychanalyse à laquelle il n'avait aucune envie de goûter car, dit-il, « je préfère de beaucoup vivre dans l'obscurité de celui qui n'a pas suivi d'analyse[11] ».

Il ne parla apparemment pas à Freud d'Eduard, souvent malade, dont l'étrange façon intense et mécanique de jouer du piano suggérait un trouble émotionnel. Les deux hommes avaient des enfants mentalement fragiles. Freud disait de son fils Oliver, un ingénieur, qu'il avait eu de nombreux talents et un caractère parfait jusqu'à ce que « la névrose s'en empare et fane toute sa floraison[12] ».

Einstein laissa également passer la chance d'obtenir une explication freudienne du comportement des hordes de gens qui le poursuivaient alors qu'elles étaient incapables de comprendre ses idées, et qui menaçaient la « contemplation silencieuse » nécessaire à son travail. « Qui est fou ? Eux ou moi ? » se demandait-il.

La grande presse reflétait cet intérêt insatiable. Les reporters le traquaient comme un animal rare. Le défricheur de l'inconscient aurait pu découvrir pourquoi parmi tous les éminents scientifiques c'était lui qui était l'objet d'un tel intérêt. Il se demandait à moitié sérieusement s'il n'était pas lui-même à blâmer. Son image de charlatan, d'hypnotiseur, voire de clown, attirait peut-être l'attention. Peut-être suscitait-il inconsciemment la chasse dont il était victime. Il refusa, en tout cas, la vérification psychanalytique, même conduite par le maître.

La rencontre de Freud et Einstein fut suivie d'un échange de lettres. « Vous avez de la chance », écrivit Freud. « Comment pouvez-vous dire cela sans connaître mes pensées intimes ? » répondit Einstein. « Parce que vous faites de la physique théorique, pas de la psychologie où tout le monde croit qu'il a quelque chose à dire[13]. » Leur correspondance porterait ensuite davantage sur la paix et la question juive.

Un journaliste tenace d'origine russe, Dimitri Marianoff, parvint à contourner toutes les défenses dressées par Elsa, Margot et le concierge de l'immeuble. Ayant appris qu'un professeur de danse tenait un studio juste au-dessous de l'appartement des Einstein, il s'inscrivit comme élève et prit même quelques leçons dans l'espoir de croiser le grand homme dans le hall ou d'emprunter avec lui l'ascenseur étroit. Son manque de chance ne le laissa pas à court d'idées. Il finit par atteindre son objectif en sortant avec la belle-fille d'Einstein, Margot, une prouesse vu la phobie de celle-ci envers les inconnus.

Lors de sa première rencontre avec Einstein, Marianoff eut la prudence de ne discuter que de Tolstoï, que le physicien aimait autant que lui, et d'éviter toute question personnelle. Le temps et un début de familiarité endormirent la méfiance d'Einstein, qui livra quelques confidences. La théorie de la relativité générale lui avait été révélée comme une vision. Après des années de calculs inutiles il s'était alité, déprimé par la conviction que sa quête était sans espoir. Et la réponse lui était soudain apparue « avec une précision parfaite et son unité de taille, structure, distance, temps et espace qui se mettait en place, pièce par pièce, comme un puzzle monolithique. Puis une immense carte de l'univers se dessina distinctement, comme si une immense estampe imprimait son empreinte indélébile[14] ».

Marianoff ne se contenta pas de quelques anecdotes. Il s'était mis en tête de rédiger une biographie d'Einstein vu de l'intérieur de la famille. Le livre se doubla d'un mariage avec Margot.

Einstein était, selon Marianoff, extrêmement timide et souvent mal à l'aise avec des inconnus. Mais il était expansif et amusant au milieu de ses amis, en général des médecins ou des physiciens, et s'entendait parfois particulièrement bien avec leurs femmes.

L'une de ces amies d'Einstein était, nous l'avons vu, Hedi, femme de Max Born et auteur de pièces de théâtre. Elle partageait ses idées politiques et sociales, et croyait, seule peut-être en son genre, que la façon dont Einstein maîtrisait les choses de la vie surpassait encore ses succès scientifiques. Elle en fut frappée pour la première fois un jour qu'elle lui rendit visite durant une de ses maladies graves et qu'il lui dit : « J'éprouve un tel sentiment de solidarité envers les êtres humains que la limite où l'individu commence et finit n'a aucune importance pour moi[15]. »

Hedi sollicita son opinion sur une pièce qu'elle venait d'achever, *Un enfant d'Amérique*, et qui était un regard satirique sur les Américains. Einstein abandonna son travail pour lire le manuscrit et rédiger sa critique. Les personnages étaient dignes d'un théâtre de marionnettes, mais il comparait l'auteur à Bernard Shaw. Il conclut que l'esprit de Hedi sauvait cette pièce intelligente, amusante et moderne qu'il promettait de recommander au directeur du Théâtre national de Berlin[16]. Bernard Shaw considérait Einstein comme un excellent critique théâtral : il écrivit qu'une critique de *Saint Jean* à laquelle il s'était livré dans une lettre était la meilleure qu'il eût jamais lue.

En matière de mariage, le critique Einstein manquait quelque peu d'esprit d'à-propos. Il tenta d'empêcher l'union de Hans Albert et Frieda Knecht en déclarant à son fils, la veille de la cérémonie, que leur séparation était inévitable, et que le divorce serait douloureux. Hans Albert fut plus têtu que son père et le mariage fut célébré comme prévu.

Sa tentative ayant échoué, il retourna à Berlin se détendre à bord du yacht de son meilleur ami dans la ville et l'un de ses rares confidents, le chirurgien Katzenstein. Ils étaient comme deux frères et discutaient, selon Einstein, leurs expériences, ambitions et émotions.

> « S'il avait pratiqué une opération délicate le matin, comme c'était presque toujours le cas, il téléphonait pour prendre des nouvelles du patient avant de monter sur le bateau. Il n'était pas difficile de voir à quel point il se sentait responsable des vies qui reposaient entre ses mains. C'était un plaisir de voir que cette existence si contraignante n'affectait en rien ses dispositions d'esprit ; son imagination et son sens de l'humour étaient irrésistibles. Il était si heureux quand il était parvenu à rendre une vie normale à quelqu'un (...). Et tout autant quand il réussissait à éviter une opération (...). Notre amitié était une bénédiction car nous nous comprenions et nous enrichissions réciproquement. Chacun trouvait en l'autre l'écho amical indispensable à tout être réellement vivant[17]. »

De retour chez lui, il rattrapa le temps perdu en s'enfermant dans son bureau. Elsa devait insister pour qu'il sorte manger. Il maugréait qu'on l'avait interrompu, même quand elle servait son plat préféré, des lentilles aux saucisses. « Tout le travail que tu as à faire m'est égal, lui disait-elle. Assieds-toi et mange. L'humanité a des siècles devant elle pour trouver ce que tu cherches, mais ton estomac n'attendra pas aussi longtemps. »

Un jour qu'elle avait accepté une invitation à dîner, il se plaignit : « Pourquoi as-tu fait cela ? Tu sais que je n'ai pas beaucoup de temps libre. Pourquoi ne m'as-tu pas demandé mon avis d'abord ?

— Si je te le demandais, tu ne viendrais jamais », répondit-elle[18].

On discuta, au cours de ce dîner, de l'idée du dramaturge Gerhart Hauptmann d'ajouter à sa dernière pièce une scène dans laquelle un personnage mourait littéralement de rire. Puis quelqu'un parla d'astrologie. Hauptmann pensait qu'elle n'était pas totalement dénuée d'intérêt. Einstein la rejetait en bloc. Croire en l'astrologie était aussi absurde que croire dans les démons. Copernic avait depuis longtemps retiré la Terre du centre de l'univers.

« C'est sans doute le plus grand bouleversement qu'aient subi les idées de l'homme sur le cosmos, continua-t-il. La planète était en quelque sorte réduite au rang d'une province et perdait sa place de capitale et de centre de l'univers[19]. »

Un autre invité, le comte Harry Kessler, qui décrivit la soirée dans son journal, ajouta :

> « Kerr, qui était là avec sa petite femme vulgaire, interrompait sans arrêt la discussion avec des remarques facétieuses qu'il croyait spirituelles, mais qui n'étaient pas drôles. Dieu est un de ses objets de dérision favoris. J'ai essayé de le faire taire en lui disant qu'il ne devrait pas inutilement froisser les sentiments d'Einstein qui était profondément religieux. "Quoi ? s'est-il exclamé. C'est impossible ! Il faut que je le lui demande tout de suite. Professeur ! On me dit que vous êtes profondément religieux ?" Einstein répondit dignement et calmement : "Oui, vous pouvez utiliser cette expression. Essayez de percer les secrets de la nature avec nos moyens limités et vous découvrirez qu'au-delà de toutes les concaténations discernables, il reste quelque chose de subtil, d'intangible et d'inexplicable. La vénération envers cette force qui se trouve derrière ce que nous sommes en mesure d'appréhender est ma religion. Dans cette mesure, je suis véritablement religieux." »

C'est sans doute la meilleure explication qu'Einstein ait jamais fournie de ses convictions religieuses. La discussion revint sur Copernic. Kessler ayant avancé que les conceptions d'Einstein sur le cosmos étaient aussi révolutionnaires que celles de l'astronome de la Renaissance, Einstein écarta sèchement cette idée en assenant : « Il n'y a *rien* d'aussi révolutionnaire dans mes observations[20]. »

Bohr et Heisenberg étaient pendant ce temps, à Copenhague, sous le coup de la révolution que représentaient leurs propres résultats. Leurs nouvelles hypothèses anéantissaient la croyance rassurante qu'on comprendrait un jour intégralement l'univers. Elles seraient le défi de toute la vie d'Einstein. Loin d'exulter, Heisenberg était désespéré et Bohr inquiet. Et ils se livraient à des tentatives inutiles pour réfuter les conclusions auxquelles ils avaient abouti.

L'ambiance de l'Institut dirigé par Bohr était en général des plus détendues. Le professeur, dans la quarantaine, faisait figure de père jovial pour des étudiants venus du monde entier et âgés d'une vingtaine d'années. Il se distrayait, selon un ancien élève russe, George Gamow, en allant voir des films de cow-boys en compagnie de quelques étudiants qui lui expliquaient les intrigues compliquées :

> « Sa tournure d'esprit théorique apparaissait même au cours de ces expéditions au cinéma. Il trouva une loi qui expliquait pourquoi le héros était le plus rapide et tuait son adversaire, alors que le méchant dégainait toujours le premier. La loi de Bohr utilisait la psychologie. Comme le héros ne tirait jamais le premier, le méchant devait décider à quel moment sortir son arme, ce qui ralentissait ses gestes. Le héros, de son côté, réagissait par un réflexe conditionné et tirait son revolver dès qu'il voyait bouger la main de son ennemi. Comme nous n'étions pas d'accord sur son interprétation, je suis allé à un magasin de jouets, le lendemain, pour acheter deux pistolets et leurs étuis. Nous nous sommes battus en duel avec Bohr qui jouait le héros. Il a "tué" tous les étudiants, l'un après l'autre[21]. »

Mais Bohr et Heisenberg n'avaient plus ni le temps ni l'envie de jouer. Ils devaient présenter à l'automne leurs nouvelles hypothèses à leur critique le plus redoutable, Einstein. Ils passèrent deux mois à discuter, répéter leurs expériences, inviter des étudiants et collègues à leur poser des questions pièges et solliciter les conseils de Wolfgang Pauli. Ils s'abîmèrent tellement dans le travail qu'il fallut presque les nourrir de force. Le monde étrange et mystérieux qu'ils avaient révélé semblait être l'œuvre commune d'un illusionniste et d'un croupier. C'en était trop pour Bohr qui laissa tout tomber et partit skier en Norvège pour faire le vide, en espérant revenir avec une hypothèse plus plausible.

Il revint avec une nouvelle approche du problème et, montant les marches de l'Institut deux à deux, se précipita dans le bureau de Heisenberg pour en discuter avec lui. Il allait prouver le principe d'incertitude de Heisenberg selon lequel la nature était aussi retors qu'un tricheur professionnel. D'après Heisenberg, une pièce du puzzle s'échappait, chaque fois qu'on en plaçait une autre. Par exemple, la force lumineuse nécessaire pour observer l'orbite d'un électron dans un atome éjectait l'électron de cet atome. On pouvait connaître sa position ou sa vitesse, mais pas les deux simultanément. Et comme il fallait à la fois la position et la vitesse d'un électron pour prévoir son activité, celle-ci demeurerait toujours incertaine. Cela semblait être une caractéristique intrinsèque de la nature qu'on ne dépasserait jamais.

Einstein était pratiquement seul à s'opposer à cette conclusion pessimiste. Max Born craignait que son ami ne se coupât définitivement de sa génération de physiciens. Heisenberg comprenait l'opposition d'Einstein dont il connaissait « la conviction que le monde pouvait être entièrement divisé entre une sphère objective et une sphère subjective » et dont il savait que « ses opinions philosophiques étaient fondées sur l'hypothèse selon laquelle l'homme doit être en mesure de connaître avec précision la sphère objective[22] ».

Bohr était d'accord avec Heisenberg pour dire qu'il fallait renoncer à définir précisément l'énergie d'un atome. Il résolut le dilemme devant lequel ils se trouvaient en suggérant d'en prendre leur parti au lieu de viser l'impossible. La connaissance de la position d'une particule et la mesure de sa vitesse étaient complémentaires. Mieux on connaîtrait ces deux paramètres pris isolément, meilleure serait l'image du monde subatomique obtenue en les combinant.

Le comportement de l'électron, à la fois onde et particule semblait-il, était encore plus déroutant. Si on réglait les appareillages pour détecter une particule, on détectait une particule. Mais si on cherchait une onde, c'était une onde qu'on trouvait. Au lieu de considérer la double nature ondulatoire et corpusculaire de l'électron comme un nouveau problème, Bohr y voyait un chemin vers la compréhension illuminé par sa théorie de la complémentarité.

> « "Ces phénomènes peuvent paraître totalement contradictoires, dit-il, mais il faut comprendre qu'ils sont complémentaires en ce sens qu'ils réunissent à eux deux toutes les informations qu'on puisse exprimer sans ambiguïté dans le langage courant à propos de l'atome." La théorie de Bohr et Heisenberg stipulait, en résumé, qu'il y avait deux vérités au lieu d'une (...). Ces deux vérités offraient ensemble à la science et à l'homme une vision et une compréhension plus complètes du monde atomique que chacune d'elles ne le ferait séparément, et proposaient ainsi en dernière analyse une conception plus claire du monde visible édifié sur le soubassement invisible des atomes[23]. »

À des étudiants qui lui disaient que sa complémentarité ressemblait davantage à un paradoxe qu'à une solution, Bohr répondit en citant l'abbé Galiani : « On ne peut s'incliner devant quelqu'un sans tourner le dos à quelqu'un d'autre[24]. »

Les hypothèses de Bohr et Heisenberg, connues sous le nom d'« interprétation de Copenhague de la mécanique quantique », ne se fondent pas seulement sur le postulat de l'incertitude et la dualité, mais également sur celui d'un comportement étrange de la matière qui serait créée à partir de rien et s'évanouirait tout aussi mystérieusement. Leur volet positif est « l'explication du fait que les atomes et les molécules conservent leur identité, leur forme et leur structure malgré des collisions et des perturbations, que l'or est toujours de l'or quel que soit l'endroit où on le trouve, et que les mêmes fleurs s'épanouissent à chaque printemps[25] ».

Einstein ignorait les efforts de Bohr et Heisenberg pour consolider leur vision schizophrénique de l'atome. Il passa une partie du mois d'août 1927 avec Eduard dans une station des Alpes suisses, à faire de la randonnée dans la journée et lire Nietzsche le soir.

Il manqua ensuite une conférence organisée en septembre près du lac de Côme, où les deux physiciens exposèrent une conception plus élaborée de leur théorie, et à laquelle assistèrent pratiquement tous les scientifiques qui travaillaient sur cette question. Einstein boycotta la réunion parce qu'elle était financée par le gouvernement de Mussolini. Il était prévu qu'il assiste à la cinquième conférence de Solvay, en Belgique, où Heisenberg et Bohr défendraient à nouveau leurs idées. Einstein serait-il convaincu ? C'était la grande question.

Bohr arriva sûr de lui à Solvay, en octobre. Il avait demandé à ses collègues et à ses étudiants de soulever toutes les objections possibles à sa théorie, et les avait toutes réfutées. Sa conception avait beau être révolutionnaire, ce n'était en fin de compte que le prolongement de la découverte d'Einstein, en 1905, qu'un photon était à la fois une particule et une onde.

Le président de la conférence, Lorentz, auquel il ne restait que deux mois à vivre, demanda à Bohr d'exposer clairement les difficultés auxquelles se heurtait la théorie quantique. Une voix basse et une mauvaise prononciation faisaient de Bohr un piètre orateur[26]. Il ouvrit « le débat le plus étrange de l'histoire de la découverte du monde » sur ce que John Wheeler appelle « le concept scientifique le plus remarquable du siècle[27] ».

Bohr résuma les conclusions auxquelles Heisenberg et lui étaient parvenus après mûre réflexion, et couvrit un tableau noir de courbes et d'équations. La salle écouta en silence Einstein réfuter d'un ton mesuré mais catégorique la théorie quantique qu'il considérait comme une mauvaise tentative pour détruire le déterminisme. Il dira plus tard que Bohr et ses disciples marchaient sur des œufs pour éviter la réalité physique.

Einstein n'eut pas le temps de se rasseoir que plusieurs personnes se levaient dans la salle et demandaient bruyamment le micro. Lorentz tenta de rétablir l'ordre à grands coups de marteau sur son bureau de président. Ehrenfest s'approcha du tableau et écrivit à la craie : « C'est là que Yahvé confondit le langage de tous les habitants de la terre. » Sans qu'on sache s'il visait la Babel des voix dans la salle, la communication confuse de Bohr ou le principe d'incertitude lui-même. Les hurlements de rire déclenchés par Ehrenfest conclurent la première journée de discussion.

Les invités séjournaient tous dans le même hôtel. Le lendemain matin au petit déjeuner Einstein se livra, de bonne humeur, à une nouvelle attaque contre la théorie quantique en recourant à une série d'objections ingénieuses. Bohr retint le feu de ses répliques jusqu'au dîner. Heisenberg se souvint :

> « Einstein avait l'air quelque peu inquiet. Le lendemain matin il avait conçu le projet d'une nouvelle expérience, plus compliquée que la précédente, et dont il affirmait qu'elle réfuterait le principe d'incertitude. L'offensive ne résista pas à la contre-attaque de la soirée. Après plusieurs jours de ce petit jeu, l'ami d'Einstein, Paul Ehrenfest (...). lui dit : "Vous me faites honte, Einstein. Vous critiquez la théorie quantique exactement de la même façon que vos détracteurs attaquent la théorie de la relativité." Mais la réprimande amicale tomba dans l'oreille d'un sourd. C'était pour moi une nouvelle démonstration magistrale de la difficulté d'abandonner une position sur laquelle toute une démarche et une carrière scientifique sont fondées (...). Nous étions en train de miner le sol sous les pieds d'Einstein et il n'était pas prêt à nous laisser faire[28]. »

L'un des principaux spécialistes de la théorie quantique, Louis de Broglie, alla se promener un soir avec Einstein. Il fut conquis par l'homme, « sa gentillesse, sa simplicité et sa chaleur », mais pas convaincu par sa position. « La gaieté l'emportait de temps à autre et il introduisait une note personnelle (...). Puis, revenant à son comportement caractéristique lorsqu'il réfléchissait, il se lançait dans la discussion profonde et originale d'une variété de problèmes scientifiques ou non. Je me rappellerai toujours l'enchantement de ces conversations qui me laissèrent l'impression ineffaçable des grandes qualités humaines d'Einstein[29]. » Einstein aussi fut impressionné. Il recommanda de Broglie pour le prix Nobel de physique, que celui-ci obtint l'année suivante pour la découverte de la nature ondulatoire de l'électron.

Bohr, Einstein et quelques autres physiciens se retrouvèrent chez Ehrenfest après le congrès. Einstein reprit ses affrontements verbaux avec Bohr. Leur hôte, ami des deux adversaires, était triste de voir l'un des hommes qu'il admirait le plus refuser les développements rapides de la théorie quantique. Les larmes dans les yeux, il confia à un collègue qu'il « ne pouvait qu'être d'accord avec Bohr[30] ».

Einstein prit le train avec de Broglie jusqu'à Paris, par où il passait pour rentrer à Berlin. Ils eurent leur dernière discussion sur un quai de la gare du Nord. Pour Einstein un enfant devait être capable de comprendre n'importe quelle théorie physique, à l'exception des calculs mathématiques. Mais avec ses quarante-huit ans il craignait d'être trop vieux pour s'attaquer aux questions de la physique quantique. Il semblait vouloir passer le flambeau à de Broglie en le quittant avec des encouragements : « Continuez ! Vous êtes sur la bonne voie[31] ! »

Elsa trouva qu'Albert avait perdu son entrain habituel. Il refusa une seconde proposition de Millikan d'entrer à Caltech et admit être totalement épuisé.

# 20

## Un patient exemplaire

*1928*
*49 ans*

Einstein se rendit en Hollande début 1928, pour l'enterrement de Hendrik Lorentz, décédé deux mois après avoir présidé la conférence de Solvay. Le « voyageur solitaire », comme il se décrivait lui-même, était très attaché à un grand nombre d'amis[1]. De Lorentz il avait dit : « Il n'y a aucun homme que j'admire autant que lui, je pourrais même dire que je l'aime[2]. » Et à Lorentz en personne : « J'ai une admiration sans borne envers vous[3]. » Il reconnaissait ce qu'il devait au physicien néerlandais qui avait bâti les fondations de la théorie de la relativité restreinte.

Einstein déclara dans l'oraison qu'il prononça au nom de l'Académie des sciences de Prusse :

« Me voici devant la tombe du plus exceptionnel et du plus généreux de nos contemporains. Son esprit lumineux a éclairé la route qui mène de la théorie de Maxwell aux succès de la physique actuelle (...). Sa vie était ordonnée avec la perfection minutieuse d'un chef-d'œuvre. Sa bonté infatigable, sa magnanimité et son sens de la justice, associés à une compréhension intuitive des hommes et des situations, faisaient de lui le Maître dans toutes les sphères où il pénétrait. On l'écoutait avec joie parce qu'on savait qu'il ne cherchait pas à s'imposer mais à servir. Son œuvre, son exemple éclaireront et guideront les générations futures. »

Einstein dira deux ans avant sa mort, en 1955 : « Personne, dans toute ma vie, n'a autant compté pour moi[4]. »

Une lettre de Besso l'attendait à son retour en Allemagne. Visiblement froissé qu'Einstein ait fait allusion lors d'une conversation récente à son incapacité à obtenir un doctorat, Besso énumérait ce qu'il avait fait à la place : « Je t'ai aidé à mettre tes idées au clair en 1904 et 1905. Je t'ai retiré une partie de ta gloire mais t'ai donné un ami en Planck. J'ai défendu le judaïsme et la famille juive quand ta vie privée a connu un tournant difficile, et j'ai ramené Mileva de Berlin à Zurich[5]. » Il se sentait très concerné par la situation des fils d'Einstein et sous-entendait que celui-ci les négligeait.

Un autre père adoptif des fils d'Einstein, Zangger, estimait également que, par crainte d'apparaître trop gentil, Einstein tordait le bâton dans l'autre sens. Il avait trouvé remarquable la thèse de doctorat en mathématiques soutenue par Hans Albert, alors que la seule réaction du père avait été, à propos d'un passage du mémoire : « Tu aurais pu formuler cela un peu mieux[6]. »

Einstein partit peu après à Davos, en Suisse, pour donner une conférence à des pensionnaires d'un sanatorium, en majorité des étudiants dont la tuberculose avait interrompu les études.

Il s'arrêta en route pour retrouver un ami du lycée, Hans Byland, qui l'attendit sur le quai de la gare en compagnie de sa femme et de leur fils Willy, un peintre de talent. Willy vit son père se diriger « gaiement vers le professeur Einstein qui avait l'air complètement perdu. Puis il laissa tomber ses deux valises sur le quai et donna l'accolade à son vieux camarade du lycée ».

Ils se rendirent chez Byland où Einstein joua du violon, fuma la pipe et écouta son ami se faire le porte-parole d'un collègue qui déplorait que ce qu'écrivait Einstein soit incompréhensible. « Personne ne me comprendra si j'écris plus succinctement, répondit-il. Et si j'entre davantage dans les détails, les arbres cacheront la forêt. »

À Davos, il expliqua que les idées de Newton avaient été le tremplin de la théorie des champs et de la théorie de la relativité. « Maintenant, ajouta-t-il, la causalité stricte est menacée (...) par les représentants de la physique. » De nombreux scientifiques qui étudiaient la structure des atomes affirmaient que « toutes les lois naturelles fonctionnent d'une façon statistique, et que seules les limites de nos observations ont pu nous faire croire en une stricte causalité ». Cette nouvelle théorie, conclut-il, définit la radiation et la matière comme à la fois corpusculaires et ondulatoires, « une nouvelle propriété que les théories strictement causales en vogue jusqu'ici sont incapables d'appréhender[7] ». Puis il appela à soutenir

212

financièrement le sanatorium. Il joua un morceau de violon et déclencha l'hilarité en brandissant la partition de Schubert pour la faire applaudir.

Il était hébergé par un ami, Willy Meinhardt, qui avait un jour lâché, en rendant leurs vêtements à des invités qui le quittaient : « Ce manteau doit être à Einstein, il vient de chez... » Il avait nommé un magasin bon marché de Berlin, ce qui était une pure constatation et non une critique. Un autre ami confirma qu'Einstein « n'attache aucune importance à l'apparence extérieure et en particulier à la tenue vestimentaire. N'importe quel vieux costume ou vieille paire de chaussures fait l'affaire, du moment qu'il est confortable (...). Il détestait passer du temps à s'arranger, mais la netteté, la propreté, des joues et un menton glabres faisaient partie de ses obligations envers le monde ».

De chez Meinhardt, Einstein se rendit à Leipzig où il devait témoigner dans un conflit de propriété industrielle. Quant il revint, tard un soir, personne de la famille de Meinhardt n'était présent pour l'aider à porter sa lourde valise, qu'il traîna seul dans la neige, sur une rue en pente, avant de s'effondrer. Meinhardt craignit une crise cardiaque.

On l'aida à revenir à la maison de son ami. Il retourna ensuite par petites étapes jusqu'à Berlin où il fut pris en charge par Janos Plesch, l'auteur d'une *Physiologie et Pathologie du cœur et du système sanguin* dédicacée à Einstein. Le médecin et son malade évaluèrent ensemble, comme deux spécialistes, les symptômes et les causes possibles du malaise. Einstein estimait qu'il avait soumis son cœur à rude épreuve depuis un bon moment. Pas seulement par surmenage. Par exemple, quand il était sur son voilier et que le vent tombait, il était incapable d'attendre calmement et se mettait à ramer avec énergie vers son point de départ. La valise avait été la dernière goutte. C'était aussi l'opinion de Plesch qui, excluant une attaque, diagnostiqua une dilatation du cœur à la suite d'un effort physique trop violent. Il soumit Einstein à un régime sans sel et sans tabac, agrémenté d'un repos au lit de durée indéterminée.

Plesch ne pouvait trouver meilleur patient. Einstein était obéissant, confiant et reconnaissant pour « ce qu'on faisait pour lui ».

> « Il expliqua un jour qu'il avait saisi que "nos capacités de raisonnement élémentaire ne peuvent qu'être inadaptées à une machine aussi complexe que le corps humain. La seule attitude convenable est la patience et la résignation, aidées par un sens de l'humour et une certaine indifférence envers sa propre existence". Il suivait de bonne grâce mes instructions, en analysant les manifestations de sa maladie et les effets de mon traitement[8]. »

Mais il épuisait Elsa. Après plusieurs semaines comme infirmière, gouvernante, secrétaire et imprésario, elle chercha une secrétaire pour son mari. Son amie Rosa Dukas lui conseilla de publier une annonce, mais elle craignit d'attirer des curieux et des paparazzi. Rosa lui proposa alors les services de sa plus jeune sœur, Helen.

Helen Dukas était une grande et jolie femme brune de trente-deux ans, naturelle, pleine d'entrain et au sourire charmeur. Son père était marchand de vins. Sa mère était décédée quand elle était enfant. Elle venait de perdre un emploi chez un éditeur qui avait fait faillite. Quand Rosa lui parla du travail, Helen lui répondit : « Tu es folle, je ne pourrai jamais faire quelque chose comme cela. »

Elsa insista pour qu'au moins elle essaie.

La perspective de rencontrer une célébrité comme Einstein la pétrifiait et elle craignait de trahir son ignorance s'il lui posait des questions scientifiques. Sa sœur la persuada de se présenter à l'appartement berlinois, où elle se rendit, les jambes flageolantes, le 13 avril. Elsa l'accueillit avec du thé et des gâteaux. Elle n'avait aucune raison de s'inquiéter car « mon mari est très gentil avec tout le monde ». Encore plus rassurant : elle n'avait pas besoin de connaissances en physique.

Elsa la conduisit jusqu'à la chambre où Albert était alité. Il l'accueillit en lui serrant la main et en lui disant : « Vous avez devant vous la dépouille d'un vieil enfant[9]. »

Sa simplicité et sa bonne humeur la mirent tout de suite à l'aise. « Il était comme cela avec tout le monde, se souviendra-t-elle par la suite. C'était une de ses grandes qualités. Il mettait les gens à l'aise[10]. »

Dukas commença son travail le vendredi 13. Un bon augure. Elle vivra avec Einstein vingt-sept années passionnantes, jusqu'à la mort de celui-ci. Elle expliquera : « Je n'avais rien à voir avec son travail scientifique. Ma fonction était de m'occuper de sa correspondance privée. J'étais sa cuisinière attitrée et sa plongeuse[11]. » Ainsi que son amie et confidente.

« Elle lui a consacré sa vie, estime leur ami commun Thomas Bucky. Elle l'aidait à répondre au flot de lettres qu'il recevait : il lui indiquait les grandes lignes et elle faisait le reste. Elle était plus intelligente que sa femme, et exactement complémentaire de lui. C'était madame Futilités. Elle savait tout ce qui se passait, connaissait les derniers films et les dernières nouvelles de la radio, toutes choses au-dessus desquelles il se situait. Cette connaissance ne lui était pas inutile (...). Elle savait quel film passait au Roxy, qui était en cours de divorce, ce que Bertrand Russell pensait des coutumes matrimoniales des Esquimaux, ou dans quel océan se trouvait l'île de Psumbe. Elle avait toujours lu le dernier grand succès et le dernier roman policier. » Et l'une de ses grandes qualités était son habileté à éloigner les importuns pour qu'Einstein puisse travailler tranquillement.

On la traitait comme un membre de la famille. « Elle comprenait parfaitement son patron. Elle eut une fois un rêve sur Einstein qui dépeint, à mon avis, parfaitement le caractère de celui-ci. Einstein mangeait dans un restaurant quand un voleur entra et aligna tous les clients le long d'un mur, les mains en l'air, y compris Einstein. Puis le voyou commença à prendre l'argent, les montres et tous les objets de valeur de ses prisonniers, à un bout de la rangée. Quand il arriva au niveau d'Einstein, il s'exclama : "Ah non ! Je ne peux rien prendre au Professeur Einstein. — C'est impossible, je veux être traité comme tout le monde", répliqua ce dernier. Et il retourna rageusement ses poches, d'où ne sortit qu'une pièce de dix centimes[12]. »

Elsa autorisa quelques étudiants à pénétrer dans la chambre d'Einstein, reclus depuis quatre mois, après leur avoir recommandé de ne pas discuter de physique pour ne pas le fatiguer. Elle écouta de l'autre côté de la porte pour vérifier qu'Albert ne parlait pas trop. Mais c'était sans compter avec l'ingénuité de son mari : les élèves partis, elle constata que le drap du lit était couvert d'équations.

Ses désaccords avec Schrödinger et Heisenberg n'empêchèrent pas Einstein de les proposer pour le prix Nobel de physique en 1929. De Broglie, qu'il avait également présenté, obtint la récompense en 1929. Heisenberg attendit jusqu'en 1932 et Schrödinger jusqu'en 1933.

Einstein aimait faire rebondir ses idées chez d'autres scientifiques et engager « de jeunes collaborateurs, surtout des mathématiciens, pour l'aider dans des calculs compliqués[13] ». Les quelques candidats potentiels à l'université de Berlin étaient surtout préoccupés par leur carrière et totalement absorbés par leur doctorat ou la révision de leurs examens. Il avait vécu une mauvaise expérience avec l'un de ses premiers assistants, un Juif russe au corps peu harmonieux qui opta finalement pour le cycle d'études qui menait à l'enseignement. Malgré la recommandation d'Einstein, personne ne voulut l'embaucher, peut-être à cause de son aspect physique. « Il reprocha pourtant à Einstein de ne pas l'avoir suffisamment aidé et finit par se disputer avec lui[14] », écrivit Abraham Pais. Grommer quitta Einstein en 1928. Il trouva un poste à Minsk, en Russie, l'année suivante et fut ensuite élu à l'Académie des sciences de Biélorussie.

Quand il trouva enfin un assistant à l'automne 1928, Cornelius Lanczos, Einstein commença par lui demander de résoudre un problème retors. Selon L.L. Whyte, un jeune physicien anglais qui faisait ses études à Berlin :

> « Le jeune homme fut très flatté qu'Einstein lui eût confié une telle tâche, mais repartit intimidé et inquiet de ne pas réussir. Il étudia l'équation et après trois ou quatre jours — paf ! — la solution exacte lui apparut soudain. Elle avait les trois propriétés qu'Einstein recherchait. Ce fut un événement extraordinaire pour Lanczos. Cet homme très humble et religieux crut que l'inspiration lui était venue du ciel. Offrir un tel succès à Einstein pour sa première semaine à Berlin le bouleversa (...). Quand il montra ses calculs à Einstein, celui-ci les étudia et commenta : "Oui. Très intéressant. C'est remarquable." Puis après un court silence il s'exclama avec une certaine impatience : "Mais vous ne voyez pas que l'équation que je vous ai donnée était mauvaise. C'était complètement faux !"
>
> « Nouveau silence. Ces deux hommes aussi intelligents que sensibles n'avaient pas besoin d'ouvrir la bouche. Ils mesuraient ce qui venait de se produire. Einstein alla chercher son violon, Lanczos s'installa au piano et ils interprétèrent Bach ensemble pendant près d'une heure. Lanczos m'a raconté cette histoire une semaine ou deux plus tard[15]. »

Il fallut près d'une année de convalescence à Einstein avant de retourner à l'Institut Kaiser-Wilhelm où il passa ses matinées à discuter avec son assistant et des collègues. « Il se reposait après le déjeuner et avait ensuite des rendez-vous jusqu'à trois heures de l'après-midi, raconte Helen Dukas. Il passait le reste de son temps à travailler, parfois tard dans la nuit. Il se contentait alors d'un bol de ses pâtes favorites, des macaronis[16]. »

La presse signala qu'il était à la veille d'une grande découverte ; Dukas redoubla d'énergie dans son rôle d'ange gardien. Mais elle était indulgente envers les gens en difficulté et ouvrait la porte à ceux dont elle savait qu'Einstein les aiderait. Ce fut le cas de Philippe Halsman, un Juif de vingt-deux ans qui purgeait une peine de dix ans de prison en Autriche pour l'assassinat de son père. Sa famille était convaincue de son innocence. La jeune sœur de Philippe écrivit à Einstein que l'accusation ne reposait sur rien de solide, et que la condamnation était un produit de l'antisémitisme ambiant.

Einstein n'eut aucun mal à croire qu'un jury autrichien pût envoyer un Juif innocent en prison. L'Autriche était un des pays les plus antisémites d'Europe. À Berlin, des bandes nazies venaient de piller des magasins juifs et de tabasser leurs propriétaires. Une centaine d'écrivains s'étaient associés pour publier un livre qui l'attaquait, *Hundert Autoren Gegen Einstein (Cent auteurs contre Einstein)*.

Quelques mois plus tôt, Einstein avait écrit en réponse à un article antisioniste d'un certain professeur Hellpach que depuis des années il avait vu « des Juifs de grande valeur honteusement caricaturés. Ce spectacle m'a fait pleurer des larmes de sang. J'ai vu comment des écoles, des journaux satiriques et bien d'autres forces aux mains de la majorité non juive avaient sapé la confiance en eux-mêmes des meilleurs de mes frères juifs, et je me suis dit que cela ne pouvait plus continuer ainsi[17] ». Il s'imaginait très bien dans la peau du prisonnier, lui qu'on avait accusé de quasiment tout, sauf de meurtre.

Il demanda des détails à la sœur de Halsman et se procura des articles de la presse autrichienne, qui avait couvert l'affaire. Philippe Halsman, ingénieur électricien et photographe amateur, faisait une excursion dans les Alpes tyroliennes, près d'Innsbruck, avec son père Max, un dentiste. Max souffrait du mal des montagnes, mais sans que cela l'oblige à renoncer aux randonnées. Il se contentait de marcher lentement et de s'arrêter fréquemment pour souffler. Philippe partait devant et jetait un coup d'œil derrière lui de temps à autre. Ayant perdu de vue son père lors d'une promenade, il revint sur ses pas et le trouva allongé, mort, dans un torrent. Il était apparemment tombé du sentier et s'était fracassé la tête sur des rochers. Le fils alla chercher des secours à l'auberge la plus proche, d'où quelqu'un appela la police. En arrivant sur les lieux, celle-ci ne put que constater que le dentiste avait été assassiné et dévalisé.

Deux meurtres non élucidés avaient été commis récemment dans la région et la police était soumise à une forte pression. On interdit à la famille d'enterrer le défunt sous prétexte que le corps servirait de pièce à conviction dans un procès qui ne saurait tarder. Puis Philippe Halsman fut accusé d'homicide sans avoir jamais été averti qu'on le suspectait.

Mobile du crime : la cupidité. Le procureur accusa le fils d'avoir tué son père pour toucher une assurance vie. La défense réduisit l'accusation à néant car la victime n'avait pas contracté d'assurance vie et sa mort n'avait rien rapporté à l'accusé.

Le jury n'avait besoin ni de motif plausible ni de preuves crédibles pour prendre sa décision. L'état d'esprit des jurés est trahi par ce commentaire entendu par hasard par des journalistes dans un train : « Que ce gredin de Juif ait tué son père ou non ne change rien ! Le prestige de la justice autrichienne est en jeu. C'est à prendre ou à laisser pour les Juifs[18]. » Halsman fut jugé coupable de meurtre au second degré et condamné à dix ans de prison.

Le condamné fit immédiatement, sans succès, la grève de la faim pour réclamer un nouveau procès. Il était enfermé depuis un an quand les démarches de sa famille et d'une poignée de sympathisants aboutirent enfin à une révision. Un groupe de nazis dénonça « l'influence monstrueuse et la solidarité de la juiverie ». Un évêque local compara le jeune homme à Judas Iscariote et le traita d'individu « avare » et « inhumain » qui n'avait même pas « la fibre morale de Judas qui s'était, au moins, repenti et suicidé[19] ».

Lors du second procès, un policier déclara qu'il était matériellement impossible que Halsman ait commis le crime, si c'était un crime, et l'avocat de la défense, Joseph Hupka, démontra l'absence de motif.

Le procureur se rabattit sur le complexe d'Œdipe. L'amour excessif de l'accusé pour sa mère l'avait conduit à tuer son père. Impossible, répondit le spécialiste de la question, Freud en personne, qui déclara à Hupka qu'il était dangereux d'appliquer sa théorie du complexe d'Œdipe au cas de Halsman car aucune analyse n'avait décelé ce trouble mental inconscient qu'on ne pouvait évoquer, surtout chez un adulte, « sans disposer de preuves incontestables de son existence[20] ».

Mais le jury voulait condamner Halsman, quels que fussent les faits et les témoignages des experts. Huit jurés sur douze votèrent une condamnation pour homicide, un crime moins grave sanctionné par quatre ans de prison. Le jeune homme quitta la salle d'audience en proclamant son innocence, et en traitant le procureur, le juge et le jury de « criminels ».

La Cour suprême autrichienne rejeta un appel. Un comité composé de chrétiens et de Juifs organisa alors une collecte de fonds pour un second appel. La sœur de Halsman lança une campagne pour sa libération, qui recueillit le soutien de Thomas Mann et de l'ancien Premier ministre français Paul Painlevé. Toutes ces démarches avaient échoué quand Einstein fut contacté. Celui-ci s'adressa directement au niveau le plus élevé en écrivant au président autrichien Wilhelm Miklas, catholique pratiquant et père de quatorze enfants. Cet ancien enseignant s'opposait de toutes ses forces à la progression du parti nazi et compatissait au sort de Halsman. En octobre 1930, il réduisit la peine du condamné aux deux ans déjà effectués. Halsman fut libéré à la condition de quitter le pays sur-le-champ. Il se rendit en France où il entama une nouvelle vie.

Philippe Halsman, devenu entre-temps un photographe parisien réputé, appela à nouveau Einstein au secours lors de la débâcle de 1940. Le physicien, réfugié à Princeton, obtint la délivrance d'un visa exceptionnel qui permit à Halsman, sa femme enceinte et leur petite fille de fuir aux États-Unis.

Halsman acquit la nationalité américaine et devint le premier président de la Société américaine des photographes de magazine. *Popular Photography* dit de lui qu'il était « le plus célèbre spécialiste des portraits au monde ». Il détient le record du nombre de « une » de *Life* (cent une), dont des photos de Churchill, Kennedy, Bertrand Russell et Marilyn Monroe.

Halsman fit, bien sûr, les portraits des grands hommes qui l'avaient aidé, Freud et Einstein. Il rendit visite au second à Princeton à plusieurs reprises. Une de ses photos d'Einstein datant de 1947 fut choisie pour illustrer un timbre américain mis en circulation le 14 mars 1966. Pendant qu'il arrangeait l'éclairage, Einstein « lui dit son désespoir de savoir que sa formule $E = mc^2$ et sa lettre au président Roosevelt avaient permis la bombe atomique ». Après la pose, Halsman lui demanda :

« Alors vous croyez que nous ne connaîtrons jamais la paix ?

— Non, répondit-il. Tant qu'il y aura des hommes, il y aura des guerres. »

Peu de gens connaissaient l'histoire tragique de Halsman, dont il parlait lui-même rarement. Un envoyé du journal viennois *Die Presse* enquêta sur sa condamnation au lendemain de la guerre et découvrit que personne, parmi ceux qui avaient suivi le procès, ne croyait à sa culpabilité. Avant de mourir en 1979, Halsman vit le gouvernement autrichien reconnaître officiellement son innocence dans les années soixante[21].

L'année 1928 avait été positive pour Einstein, excepté le décès de son ami Hendrik Lorentz. Sa maladie lui avait permis d'échapper aux foules et de se consacrer à son travail. Sa nouvelle secrétaire, Helen Dukas, était un vrai trésor. Et il avait aidé un innocent à échapper à la prison, et peut-être à la mort.

# 21

# La théorie unifiée des champs

*1929*
*50 ans*

Einstein profita de ses mois de convalescence entouré du cocon de ses amis et de sa famille pour élaborer le modèle mathématique d'une théorie unifiée des champs. Mais sa disparition des colonnes des journaux donna naissance à une rumeur selon laquelle il avait enfin percé les pensées divines et découvert que l'Éternel avait tout créé à partir de l'électricité. Des journaux se firent l'écho de ces bruits en espérant pousser Einstein à réagir. En vain. Restant muré dans le silence, il demanda à Elsa et Helen Dukas de décliner toute demande d'interview. Des journalistes assaillirent son immeuble. Il leur échappa en se bouclant dans son appartement.

La rumeur caricaturait, en fait, son travail. Aidé par son mathématicien « maison » Lanczos, il avait conçu une théorie qui démontrait que les forces fondamentales de la nature n'étaient que des manifestations d'une seule et unique force. Et il avait discrètement soumis ses résultats à l'Académie des sciences de Prusse, pour publication.

Il écrivit à Michele Besso :

« J'ai maintenant le temps de lire avec intérêt et plaisir un livre de George Bernard Shaw sur le socialisme [*The Intelligent Woman's Guide to Socialism and Capitalism*, publié en 1928]. C'est un point de vue délicieux, perspicace et profond sur le comportement des hommes (...). Je tâcherai de faire de la publicité pour cet ouvrage.

Quant à mon travail, j'y ai consacré des jours et des nuits et il est maintenant terminé, devant moi, sous la forme condensée d'un manuscrit de sept pages [bientôt réduites à six] titré : "Une théorie unifiée des champs." Il a l'air démodé. Ta première réaction sera de tirer la langue parce que je ne mentionne pas une seule fois la constante de Planck *(h)* dans mes équations. Je t'enverrai l'article quand il sera publié et tu seras un fieffé hypocrite si tu ne tires pas la langue. Je te connais, mon garçon, comme dirait un Berlinois[1]. »

L'Académie de Prusse, à laquelle on demandait si Einstein avait résolu les mystères de l'univers, choisit la solution de facilité en diffusant sans commentaire des copies de l'article. Il fit l'effet d'un texte codé aux journalistes anglais et américains qui se déchargèrent sur leurs rédactions en câblant le papier mot pour mot. Et c'est ainsi que la nouvelle parvint au grand public.

Une centaine de journalistes, auxquels leurs rédactions avaient demandé d'obtenir des éclaircissements d'Einstein, faisaient le siège de son domicile. Les plus acharnés montaient une garde ininterrompue, leurs véhicules monopolisant tous les parkings du quartier.

Einstein refusa de recevoir quiconque pendant une semaine. Quand il fut manifeste que son silence ne faisait que renforcer l'intérêt des médias, il se décida à accorder quelques minutes à un envoyé du *New York Times*, journal qu'il respectait depuis que son brillant directeur de la rédaction, Carr Van Anda, avait corrigé une erreur mathématique qu'il avait commise. Ce qui n'avait pas surpris ceux qui connaissaient les talents de Van Anda en mathématiques, physique, astronomie et égyptologie.

Le journaliste du *Times*, Wythe Williams, s'était rendu célèbre par des récits envoyés depuis les tranchées de la guerre mondiale. Correspondant du journal dans l'ancien pays ennemi, il était toujours à la recherche de détails colorés pour illustrer ses articles. Einstein lui avait promis une explication de sa nouvelle théorie, mais ce qu'il espérait réellement dévoiler était le personnage privé Einstein. Il était conscient de sa chance quand Elsa l'introduisit dans l'appartement en compagnie d'un photographe, tout en se plaignant que son mari fût rendu fou par le tapage qu'on faisait autour de lui. Einstein était, pour le moins, tendu et agité. Le journaliste l'ayant salué d'un « Le monde attend vos explications » bien intentionné, il se prit la tête dans les mains en s'exclamant : « Mon Dieu ! » Il se perdit un instant dans la contemplation d'une récente chute de neige sur le balcon. Puis un vase posé sur un radiateur attira son attention. Le saisissant, il demanda à Elsa : « Pourquoi l'as-tu posé ici ? Il s'est fêlé. »

221

Elle répondit sans lever les yeux d'un journal dans lequel elle était plongée :

« Il s'est fêlé en tombant, il y a trois ans.

— Ah ! » grommela-t-il.

L'interview commença. Elsa intervint après un moment pour dire qu'avoir câblé la théorie d'Albert aux Américains, « qui de toute façon ne comprendront pas », était un gaspillage d'argent.

Pas autant que de dépenser de l'argent en « vêtements inutiles », lâcha Einstein.

Williams étant sur le point de partir, Einstein s'interrogea sur ce que voulait le photographe en lui demandant une « photo en action ». Il voudrait peut-être qu'il se tienne sur la tête ! Puis il conclut l'interview en ajoutant avec un sourire : « Je ne comprends pas pourquoi on fait tant de bruit à propos de ce petit article[2]. »

L'article n'était effectivement pas long. Six pages d'équations résumaient dix ans de travail. Son ami Max von Laue remarqua à juste titre que, « bien qu'Einstein ait eu recours aux mathématiques par nécessité plus que par goût, ses formules mathématiques et ses calculs sont fondés sur des connaissances colossales. Qu'il soit capable ou non de prouver sa théorie est une question ouverte. Tel que je le connais, il consacrera le reste de sa vie à concevoir une méthode de vérification qui bouleversera l'hypothèse actuelle selon laquelle les lois mathématiques et électrodynamiques sont indépendantes[3] ».

Un second journaliste parvint à contourner les défenses d'Einstein quelques semaines après l'envoyé du *New York Times*. Le physicien tenta de mettre fin aux rumeurs extravagantes en lui expliquant :

> « Ma théorie de la relativité réduit à une formule toutes les lois qui gouvernent l'espace, le temps et la gravitation. Le but de mes nouvelles recherches est de poursuivre cette simplification, et en particulier de réduire à une formule l'explication du champ de gravitation et du champ électromagnétique. C'est pourquoi mes résultats sont une contribution à "une théorie unifiée des champs". Nous savons maintenant, mais maintenant seulement, que la force qui meut les électrons sur leurs ellipses autour du noyau des atomes est la même que celle qui meut notre Terre dans sa course annuelle autour du Soleil, et que celle qui nous apporte les rayons du Soleil et la chaleur qui rend la vie possible sur notre planète. »

Si Einstein n'avait pas directement lu les pensées divines, il semblait disposer d'une source officieuse exceptionnelle.

À une question sur les preuves qui confirmeraient son intuition selon laquelle toutes les forces de l'univers n'auraient qu'une seule origine, il répondit : « L'électricité et la gravitation sont nécessairement étroitement liées. Les ondes lumineuses, les ondes calorifiques, les ondes radio et la gravitation se déplacent toutes à la même vitesse. Je crois, en dernière analyse, qu'on ne peut séparer ces divers phénomènes[4]. »

Son but ultime était de « trouver une formule qui explique en un seul souffle la chute de la pomme de Newton, la transmission de la lumière et des ondes radio, les étoiles et la composition de la matière », résuma-t-il de façon lapidaire auprès d'un ancien étudiant, Fritz Zwicky[5].

Peu de gens comprenaient ne serait-ce que sa théorie de la relativité restreinte, formulée vingt-cinq ans plus tôt. À Edgar Ansel Mowrer du *Chicago Daily News* qui lui faisait part de sa perplexité face à un aspect de la relativité qui lui semblait illogique, Einstein répliqua : « Ne vous tracassez pas avec cela : ma théorie est une théorie mathématique, pas logique[6]. »

Et il écarta toute question supplémentaire en se mettant à jouer du Bach sur son violon.

Il tenta cependant d'expliquer le temps comme la quatrième dimension du continuum espace-temps de la théorie, à l'occasion d'une interview donnée la même année à George Sylvester Viereck, auquel il déclara :

> « Imaginez une scène dans un espace à deux dimensions, par exemple un tableau représentant un homme allongé sur un banc. Un arbre se dresse à côté du banc. Puis imaginez l'homme en train de s'éloigner du banc et de se diriger vers un rocher situé de l'autre côté de l'arbre. Il ne peut atteindre le rocher qu'en passant *devant* ou *derrière l'arbre*. Ce qui est impossible dans un espace à deux dimensions. Il ne peut atteindre le rocher que par une excursion dans la troisième dimension. Imaginez maintenant un autre homme assis sur le banc. Comment ce second homme a-t-il pu occuper cette place ? Comme deux individus ne peuvent pas se trouver au même endroit en même temps, il ne peut avoir atteint son emplacement que *avant* ou *après* que le premier homme a bougé. En d'autres termes, il s'est déplacé dans le temps. Le temps est la quatrième dimension[7]. »

Einstein mit en garde Viereck auquel le concept semblait limpide : « Personne ne peut se représenter quatre dimensions, excepté par les mathématiques. Je pense en quatre dimensions, mais seulement d'une façon abstraite. »

Il envoya au printemps une lettre au docteur Frosch, qui mêlait bonnes et mauvaises nouvelles. Quelques-uns de leurs vieux amis étaient « sous terre » ainsi qu'un ou deux de « nos gamins ». « J'ai failli les imiter l'an dernier, mais on dirait que des mauvaises herbes de mes entrailles [sans doute des légumes] ont triomphé. »

Einstein entretenait une correspondance suivie avec Upton Sinclair, qui se battait comme lui pour la justice sociale et s'intéressait autant que lui aux mystères. Contrairement à Einstein le Réaliste, Sinclair croyait qu'il était toujours possible de dialoguer avec ces amis « sous terre ». Il avait étudié le psychisme à l'université de Columbia, appris avec le célèbre magicien Harry Houdini les tours de charlatans qui se faisaient passer pour médiums, et lu sur l'hypnose, la psychiatrie et le spiritualisme. Et il croyait en la télépathie et la communication avec les morts, malgré les nombreuses fraudes qui entachaient ces pratiques.

Sinclair utilisa son domicile de Pasadena, en Californie, comme laboratoire d'essai et un invité permanent, Roman Ostoja, comme sujet. Il conviait des amis à des séances au cours desquelles un Ostoja extasié, « solidement tenu aux genoux et aux chevilles, faisait monter une table de dix-sept kilos à un mètre de hauteur, puis la laissait lentement glisser de deux mètres sur le côté ». Sinclair abandonna ensuite Ostoja pour étudier les aptitudes psychiques de sa propre femme, emballé par l'expérience.

Mary Craig Sinclair avait des dispositions. Lorsqu'elle était enfant, elle avait semblé lire les pensées de sa mère et avait même un jour vécu le même rêve qu'elle. Le couple Sinclair s'installa dans deux pièces adjacentes et ferma la porte de communication. Puis Upton dessina des objets ou des scènes qui lui venaient à l'esprit, tandis que Mary essayait de lire ses pensées et de reproduire les dessins. Les résultats dépassèrent largement ce que les seules lois du hasard permettaient de prévoir. Sinclair en fit un livre, *Mental Radio*, dans lequel il décrivit les conditions de l'expérience et reproduisit de nombreux dessins.

Il envoya des copies de son manuscrit à Freud et à d'autres « grands noms » en sollicitant des commentaires qu'il utiliserait pour la promotion de l'ouvrage. Freud ne répondit pas. Einstein remercia l'auteur pour « son livre du plus grand intérêt » et accepta d'en rédiger la préface. Les scientifiques qui combattent les tenants de la perception extrasensorielle se demandent toujours comment Sinclair réussit à convaincre Einstein. Ce serait, selon certains, un service rendu à un vieil ami.

Einstein écrivit dans sa préface :

> « Je suis convaincu que ce livre mérite la plus sérieuse considération (...). Les résultats des expériences de télépathie soigneusement et sobrement exposés dans l'ouvrage vont bien au-delà de ce que peut concevoir un spécialiste des sciences de l'univers (...), il est hors de

224

question qu'un observateur et écrivain aussi consciencieux qu'Upton Sinclair puisse délibérément chercher à tromper ses lecteurs. Sa bonne foi et son sérieux ne font aucun doute. Si les faits décrits ici ne relevaient pas de la télépathie mais d'une certaine influence hypnotique inconsciente d'une personne sur une autre, cela serait également d'un grand intérêt psychologique. Les milieux intéressés par la psychologie devraient, quoi qu'il en soit, considérer ce livre avec intérêt[8]. »

Einstein déclara un jour à une amie, Antonina Vallentin, qu'il pouvait exister « des émanations humaines que nous ignorons. Vous vous rappelez le scepticisme qui a accueilli les courants électriques et les ondes invisibles[9] ? ». Mais quand on en venait au surnaturel, il était, selon Helen Dukas, le plus sceptique d'entre les sceptiques. Elle se rappelle l'avoir entendu dire : « Je ne croirais pas aux fantômes, même si j'en voyais un[10]. »

Il n'était pas loin de penser la même chose du monde incertain et schizophrène de la physique quantique. Niels Bohr lui-même admit que « si vous n'êtes pas déconcerté par la physique quantique, c'est que vous ne l'avez pas comprise[11] ».

Et Einstein travaillait avec opiniâtreté à sa théorie unifiée des champs, en tentant d'intégrer les phénomènes quantiques et la causalité. Un esprit futuriste promettait un régal aux agences de voyages : « Puisqu'on sait aujourd'hui isoler contre l'électricité, si l'électromagnétisme et la gravitation sont la même chose que l'électricité on peut supposer qu'on parviendra un jour à isoler contre la gravitation. Des avions traverseront le ciel sans moteur, des gens enjamberont les fenêtres de gratte-ciel sans s'écraser au sol, et un voyage sur la Lune deviendra théoriquement possible[12]. »

En février 1929, les Berlinois étaient loin de rêver à la Lune. La ville comptait quatre cent cinquante mille chômeurs. Les écoles privées de chauffage fermèrent pendant une semaine. La crise frappait particulièrement des milliers de Juifs réfugiés de Russie et de Pologne, dont de nombreux intellectuels et artistes incapables de travailler car ils ne parlaient pas allemand.

Einstein proposa à l'écrivain Arnold Zweig d'intervenir en faveur de ces réfugiés. Zweig écrivit à Freud, le 18 février :

« Nous ne pouvons laisser les réfugiés périr au milieu de nous en silence. Les besoins sont si importants qu'un mécène isolé ne pourrait espérer fournir davantage qu'un soulagement temporaire à une poignée de gens, et nous avons décidé de mettre en place avec nos propres moyens l'organisation décrite dans le texte joint (...). Nous vous demandons seulement, Professeur Freud, de bien vouloir autoriser une cause dont les besoins sont urgents à utiliser le poids de votre nom[13]. »

Freud répondit : « J'ai presque été blessé que vous ne me demandiez que mon nom, même si je n'ai pas grand-chose d'autre à offrir. J'envie souvent la jeunesse et l'énergie qui permettent à Einstein de soutenir tant de causes avec une telle vigueur. [Einstein avait quarante-neuf ans, Freud, soixante-treize.] Je ne suis pas seulement vieux, faible et fatigué, mais je suis accablé de lourdes obligations financières. J'aimerais cependant devenir un membre souscripteur de votre association. » Une offre sans doute acceptée.

Elsa négocia avec un agent américain la vente du manuscrit original de la dernière théorie d'Einstein, afin de recueillir de l'argent pour cette action de bienfaisance et d'autres. Einstein donna, dans le même but, des autographes et des interviews payants.

Le cinquantième anniversaire d'Einstein approchait et celui-ci tenait à tout prix à éviter les importuns qui chercheraient à le fêter avec lui. Le roi du cirage berlinois, Franz Lemm, lui offrit une échappatoire en le cachant dans les communs de son immense propriété champêtre. Dukas demeura à Berlin pour recevoir les télégrammes de vœux et les cadeaux, et répondre à ceux qui voudraient le voir que « le professeur Einstein a quitté la ville voici quelques jours pour échapper aux ovations qui risquaient de se produire. J'ai reçu des consignes strictes de ne pas dire où il se trouve ». Un inspecteur des impôts passa pour discuter de la déclaration de revenus d'Einstein. Il battit en retraite en s'excusant avec confusion quand il apprit que c'était l'anniversaire de son illustre contribuable[14].

« Jubilant d'apprendre que le monde entier le cherchait en vain », Einstein partagea avec sa famille un déjeuner d'anniversaire au menu duquel se trouvaient de la salade, du brochet farci aux champignons, des fruits cuits et une tarte. Sa faiblesse cardiaque lui interdisait le vin et le café, mais lui autorisait tout de même une pipe de tabac[15].

Chaque pipe qu'il allumait était un coup de poignard dans le cœur d'Elsa.

« Tu en as déjà fumé combien ? demandait-elle timidement.

— C'est la première, répondait-il invariablement.

— Mais je viens juste de te voir...

— Alors, c'est peut-être la seconde.

— C'est au moins la quatrième, poursuivait la femme.

— Tu ne vas quand même pas me dire que tu es meilleure que moi en mathématiques », répliquait-il dans un rire.

Janos Plesch eut souvent l'occasion d'entendre ce rire, parfois dans des circonstances déplacées. Il écrivit qu'Einstein était capable de « voir l'aspect comique de situations que tout le monde considérait comme dramatiques, et je n'entends pas dramatiques pour ces personnes mais pour lui-même. Je l'ai vu rire alors qu'un incident ou un malheur l'avait réellement touché (...). Il estimait que la vie était trop courte pour être gaspillée avec des sujets désagréables, quand il y avait tant de choses importantes dont s'occuper (...). On pourrait en déduire qu'il était insensible, mais ce n'était pas le cas[16] ».

Un journaliste américain le surprit dans sa retraite campagnarde alors qu'il examinait un microscope reçu en cadeau d'anniversaire. Plus impressionné que fâché par la performance de l'homme qui était parvenu à le dénicher, il le laissa l'observer pendant qu'il se piquait le doigt et appelait Margot pour examiner une goutte de sang sous le microscope. À cinq heures de l'après-midi, la famille et le journaliste laissèrent Einstein se livrer à son occupation favorite, la réflexion solitaire[17].

Des vœux d'anniversaire du chancelier et du gouvernement allemands, du roi d'Espagne, de l'empereur du Japon et du président des États-Unis l'attendaient à son retour chez lui quelques jours plus tard. Il apprit également qu'on avait donné son nom à une nouvelle forêt plantée en Palestine. Des amis avaient envoyé des violons. Ses étudiants et une banque s'étaient cotisés pour lui offrir un voilier en remplacement de son vieux rafiot qui prenait l'eau et qu'il appelait par dérision *Lisa qui boit*. Le cadeau le plus touchant était peut-être celui d'un chômeur qui lui offrait un petit paquet de tabac accompagné d'une carte : « C'est *relativement* peu de tabac, mais il vient d'un bon *champ*. » Ému aux larmes, il répondit immédiatement, avant de remercier les riches et les puissants.

Il profita des vœux du ministre des Finances allemand, Rudolf Hilferding, pour lui demander d'accorder l'asile politique à Léon Trotski poursuivi par les tueurs de Staline. « Mais si Monsieur le Ministre n'autorisait pas l'homme malade qu'est Trotski à entrer dans le pays et y trouver un asile, alors (...) s'il ne s'agissait pas d'un ministre je lui tirerais l'oreille. » La démarche échoua.

La ville de Berlin inaugura un buste d'Einstein dressé dans un observatoire appelé la « tour Einstein ». Potsdam commanda une statue à un sculpteur. Plesch estimait cependant que le grand physicien méritait davantage et convainquit le maire et le conseil municipal de Berlin de lui offrir une maison. Mais quand Elsa alla visiter la villa qu'on leur donnait, située dans un parc et entourée d'arbres fruitiers, elle eut la surprise d'y trouver des occupants. Une femme lui répondit : « Je n'ai pas entendu dire que cette maison avait été donnée à Einstein, mais nous y habitons et nous y habiterons encore pendant des années. »

Elle avait raison. Les généreux donateurs avaient oublié le bail des locataires. Ils proposèrent à Einstein de choisir un terrain qu'on lui achèterait. Le projet fut ébruité, les protestations des ennemis habituels d'Einstein s'élevèrent et les représentants de la ville retardèrent l'achat de la parcelle retenue. Einstein finit par écrire au maire : « La vie humaine est brève et l'administration travaille lentement. J'ai l'impression que ma vie est trop courte pour m'adapter à vos rythmes. Je vous remercie pour vos intentions amicales, mais mon anniversaire est maintenant passé et je décline le présent[18]. »

Il se fit construire une résidence d'été avec ses économies et sur un terrain qui lui appartenait à Caputh, un village isolé sur la rivière Havel. Les murs en bois étaient si minces qu'on pouvait entendre une conversation dans toutes les pièces, mais il adorait l'endroit. La gare la plus proche était à des kilomètres et l'état de la route décourageait beaucoup de visiteurs. L'un des premiers à venir fut Hans Albert, qu'Einstein emmena en excursion sur son voilier flambant neuf. La promenade ne fut pas dénuée d'émotions car Einstein, absorbé dans l'exposé de sa théorie, manqua échouer le bateau sur des rochers.

Les journaux faisaient état d'affrontements sanglants dans la capitale. Des voitures de police avaient foncé sur des communistes et des chômeurs qui avaient bravé l'interdiction de manifester le 1er Mai, faisant plusieurs morts et de nombreux blessés. Quelque huit mille policiers avaient repoussé à coups de lances à eau, de gaz lacrymogènes et de fusils la foule révoltée. Il s'était ensuivi trois jours d'émeutes. Trente-cinq personnes avaient été tuées. Le chef de la police de Berlin prétendait avoir maté une guerre civile fomentée par les communistes.

Einstein partit quelques jours plus tard pour son voyage annuel à Leiden, chez Ehrenfest. Il se rendit de là chez son oncle favori, Caesar, qui se trouvait à Anvers. Il fut reçu par la reine des Belges Élisabeth, avec laquelle il prit le thé sous les châtaigniers du parc royal. En rentrant dans le palais pour le dîner, il lui donna « un petit aperçu » de sa « théorie ingénieuse[19] ». C'était le début d'une amitié durable entretenue par une correspondance franche et amicale.

Hans Albert, âgé de vingt-cinq ans, était ingénieur. Il allait souvent à Caputh en compagnie de sa charmante femme Frieda, d'origine suisse. Son père le prévint : « N'aie pas d'enfant. C'est beaucoup plus difficile de divorcer quand on en a. »

Mais c'était trop tard. Frieda attendait un garçon.

Son expérience personnelle rendait Einstein amer en matière de mariage. Après son échec avec Mileva, ses relations avec Elsa étaient de plus en plus tendues. Il fit un jour une allusion à ces discordes avec des amis. Quelqu'un lui avait demandé s'il fumait uniquement pour curer et remplir sa pipe, à cause de sa manie de toujours la nettoyer. Il répondit : « Mon but est de fumer, mais une des conséquences est que la pipe a tendance à s'encrasser. J'ai peur que la vie ne soit comme la pipe, surtout le mariage[20]. »

Les caractères d'Albert et d'Elsa étaient profondément différents. Il n'avait cure des apparences, dont elle se souciait beaucoup. Il était spontané et ne mâchait pas ses mots. Elle était prudente et conciliante. La gloire l'effrayait. Elle savourait la célébrité. C'était une femme aimante et fidèle. Les aventures d'Einstein lui gagnèrent la réputation d'un tombeur, parmi les rares amis qui connaissaient son intimité.

L'écrivain allemand Friedrich Herneck fut sans doute le premier à révéler des détails sur la vie amoureuse d'Einstein dans *Einstein privat*, suivi de *The Private Lifes of Albert Einstein* de Roger Highfield et Paul Carter.

Une employée de maison qui vécut chez les Einstein de 1927 à 1932, Herta Waldow, fut l'une des principales sources d'informations. Elle déclara à la femme de Highfield, Doris, qu'Einstein « aimait les jolies femmes », et que celles-ci « l'adoraient[21] ».

Waldow raconta qu'au cours de l'été 1931 une belle Autrichienne blonde, Margarette Lebach, passait presque toutes les semaines à Caputh, donnait une boîte de gâteaux faits maison à Elsa et se précipitait sur Albert. Malgré sa jalousie, Elsa partait à Berlin tôt le matin et rentrait dans la soirée les jours où sa rivale devait venir. Waldow se demandait pourquoi sa maîtresse « dégageait le terrain, si on peut dire », surtout que « l'Autrichienne était plus jeune que Mme le Professeur, très belle, pétulante, et éclatait de rire facilement, exactement comme le professeur ».

Une autre amie d'Einstein, la riche et élégante veuve Elsa Mendel, avait les mêmes façons. Elle rendait fréquemment visite à Einstein dans sa voiture avec chauffeur, offrait une boîte de chocolats à Elsa, puis emmenait sa prise au concert ou à l'opéra. Elle fournissait apparemment les tickets, mais Einstein payait les extra et c'était cela qui, selon Waldow, contrariait le plus Elsa. Ce n'était pas directement à propos de la séduisante veuve que des querelles éclataient dans le couple, mais à cause de l'argent qu'Elsa devait donner à Albert pour ses sorties.

Une autre riche et élégante femme qui distrayait Einstein par des promenades en ville était Estella Katzenellenbogen, propriétaire d'une entreprise de fleurs.

La tolérance d'Elsa finit par atteindre ses limites. Un jour qu'Einstein venait une fois de plus de quitter la maison, Waldow l'entendit discuter vivement avec ses filles de « l'intruse autri-chienne (...). Les filles dirent à leur mère qu'elle devait choisir entre s'accommoder de cette relation ou demander une séparation (...). Elsa était en larmes, mais elle a pris sa décision. Les voyages à Berlin ont continué ».

« Ce genre d'humiliation déclenchait des crises de jalousie chez Elsa. Un jour, Einstein avait oublié de rapporter des vêtements sales qui étaient restés dans le voilier, après une sortie en bateau à Caputh », raconta Konrad Wachsmann, un ami architecte qui avait dessiné leur chalet. Walther Mayer, l'assistant d'Einstein, alla les chercher et les donna à Elsa. « Celle-ci intima peu après à Einstein l'ordre de venir la rejoindre dans la maison et nous avons entendu une dispute. » Elle avait trouvé dans le tas de linge un maillot de bain féminin qui n'appartenait à aucune des femmes de la famille. Selon Wachsmann « le slip appartenait à quelqu'un qu'Einstein connaissait bien et Elsa entra dans une colère noire ».

« Wachsmann croyait que les aventures d'Einstein étaient "sans exception" purement platoniques, mais il était triste de voir les conséquences qu'elles avaient sur Elsa, écrivent Highfield et Carter. Elle se disait sans doute inconsciemment qu'elle ne faisait qu'em-prunter son mari, et qu'elle risquait chaque jour de le perdre (...). La pensée que son mariage était en sursis était suspendue au-dessus d'elle comme une épée de Damoclès. »

Mais le mariage tenait. Aucun de leurs amis ne l'aurait pris pour modèle. Certains reprochaient à Elsa de traiter Albert comme un mauvais garnement, mais les affirmations selon lesquelles elle l'au-rait dominé sont contraires à la réalité.

Le peintre américain Samuel Johnson Woolf, venu faire un por-trait d'Einstein, put témoigner du fait que celui-ci était loin d'être mené à la baguette. Woolf, arrivé de bonne heure, bavarda un moment avec Elsa pendant que la femme de ménage cirait le plan-cher du salon. « Je suis contente que vous ayez réussi à le convaincre de poser, dit Elsa, lui qui redoute tellement le vedetta-riat. Les journaux ont publié plusieurs photos de lui la semaine dernière et cela l'a tellement contrarié qu'il n'a pas pu travailler pendant deux jours. Vous l'avez-vu ? Est-ce qu'il n'a pas une tête magnifique ? »

Elsa passa le temps en montrant au visiteur un livre de citations et de poèmes d'Albert que des amis lui avaient offert pour ses cinquante ans.

Woolf entendit quelqu'un qui marchait nu-pieds. Einstein entra dans le salon en peignoir. Elsa lui tapota le dos en lui disant d'aller s'habiller, puis s'adressa au peintre avec un sourire : « C'est très difficile de s'occuper de lui. »

Einstein revint dans un costume brun froissé. Les deux hommes se dirigèrent vers l'escalier qui montait au bureau, mais Elsa les arrêta pour ajuster le col d'Albert et tenter de coiffer ses cheveux rebelles.

Einstein, qui montait devant le peintre, lui rappela sa promesse que le tableau ne serait pas reproduit dans la presse. « C'est le genre de chose qui convient à une prima donna qui veut faire parler d'elle », expliqua-t-il.

Il ouvrit une porte blanche puis, quelques pas plus loin, une seconde porte qui donnait sur un bureau exigu. La lumière pénétrait par un vasistas. Les murs blancs étaient presque entièrement masqués par des étagères encombrées de livres et de brochures. Des papiers s'entassaient sur une table et deux chaises à barreaux. Einstein s'installa sur une chaise rembourrée posée sur une estrade sous la fenêtre et se mit à tirer sur une cigarette fichée verticalement dans un fume-cigarette, sans inhaler la fumée. Il prenait des notes en tournicotant ses cheveux avec ses doigts d'un geste inconscient.

Woolf prenait lui aussi des notes tout en esquissant la figure de son sujet. « Une expression ironique ne le quitte jamais (...). Il sourit souvent d'une façon discrète et embarrassée (...). Il y a chez lui quelque chose de timide et malléable, presque enfantin, qu'accentue l'attitude de sa femme. Cette femme affectueuse et maternelle traite Einstein comme une mère gâteuse un enfant précoce (...). Il donne l'impression de penser à autre chose quand il parle, et fixe les objets comme s'il ne les voyait pas. Ces attitudes sont si marquées qu'elles pourraient sembler anormales. »

Le tableau plut à Einstein qui demanda à Woolf de lui en donner une photo. Quand l'artiste revint quelques jours plus tard avec le cliché, Elsa recevait des parents. Albert portait le même costume fripé et mangeait un sandwich d'un air distrait. Il regarda la photo pendant un instant et se précipita sans un mot dans la bibliothèque. On entendit quelques instants plus tard un grand remue-ménage. « Venez avec moi, dit Elsa à Woolf. Je sais ce qu'il est en train de faire. »

Einstein tentait de décrocher un grand portrait de lui-même qui pendait au mur. Le travail de Woolf lui avait rappelé ce tableau qu'il détestait. « Combien de fois est-ce que je t'ai dit de l'enlever ? se plaignit-il à Elsa. Eh bien ! je suis en train de le faire. Et si je le vois encore, je lui donne un coup de couteau ! »

Woolf l'aida à descendre le cadre. Retrouvant ses manières douces et amicales, Einstein le reconduisit à la porte[22].

Einstein déjeuna chez Plesch le 28 juin et s'endormit sur le canapé. Il se réveilla à quatre heures, juste une heure avant une réception à l'Institut de physique au cours de laquelle il devait recevoir la première médaille Planck, une nouvelle distinction pour laquelle des physiciens et mathématiciens du monde entier s'étaient cotisés. Il écrivit en une vingtaine de minutes un discours de remerciement, au dos d'une facture qu'il trouva sur le bureau de son hôte, se dépêcha d'enfiler un costume qu'il avait apporté et atteignit l'institut à temps. Planck lui remit la médaille. « Je savais que je serais profondément ému par un tel honneur et j'ai préféré mettre par écrit ce que je voudrais vous dire en guise de remerciement. Je vais le lire. »

Et, raconta Plesch, « il sortit la facture de mon bottier d'une poche de son gilet et lut ce qu'il avait gribouillé au dos sur le principe de causalité. Il expliqua qu'aucun être pensant ne pouvait s'y retrouver sans causalité et établit le principe de super-causalité. L'ambiance était tendue et des plus émouvantes[23] ». La cérémonie terminée, Plesch réclama la facture de son bottier. En même temps que le papier, Einstein lui tendit par inadvertance la médaille.

Un certain docteur Chaïm Tschernowitz figura parmi les nombreux visiteurs qui défilèrent à Caputh durant l'été. Il raconta que leur « conversation oscilla entre de graves considérations sur la nature de Dieu, l'univers et l'homme, et des sujets plus légers et futiles. Einstein se mit soudain à fixer le ciel clair, devant eux, et dit : "Nous ne savons rien sur tout cela. Nous n'en savons pas plus que des enfants de l'école primaire. — Vous croyez qu'on percera un jour le secret ? demanda le médecin. — Nous ne connaîtrons jamais la véritable nature des choses. Jamais[24]" ».

Le seizième congrès sioniste qui se tint au mois d'août à Zurich offrit à Einstein l'occasion de rendre visite à Mileva et Eduard, âgé de dix-neuf ans. L'adolescent admirait son père, mais ne lui pardonnait pas d'avoir abandonné sa famille. Albert, Elsa et Helen Dukas avaient beau l'entourer d'affection quand il venait à Berlin ou à Caputh, il se sentait rejeté. Brûlant d'envie que son père soit fier de lui, et ses ambitions artistiques ne s'accompagnant d'aucun talent créatif, il s'était tourné vers des études de médecine qu'il suivait d'arrache-pied, car il connaissait l'estime d'Einstein envers les médecins.

Eduard demanda à son père : « Pourquoi te rends-tu à un congrès juif, et pas à un congrès scientifique ? »... et éclata de rire à la réponse : « Parce que je suis un saint juif. »

Einstein appuya la proposition de Chaïm Weizmann de rechercher un *modus vivendi* avec les Arabes et une coopération avec les Anglais. Il se leva avec la salle pour ovationner l'orateur quand il déclara : « Nous n'avons jamais réclamé la Palestine pour les sionistes. Nous la voulons pour les Juifs. La déclaration Balfour s'adresse à l'ensemble de la communauté juive[25]. »

L'optimisme des congressistes fut rapidement mis à l'épreuve. Des émeutiers arabes tuèrent ou blessèrent près de cinq cents personnes, détruisirent des universités, des synagogues et des hôpitaux en Palestine. Une « attaque sauvage » contre Hébron « se traduisit par des destructions systématiques et des pillages », racontera un rapport officiel britannique[26]. Plus de soixante Juifs furent massacrés, dont de nombreuses femmes et des enfants. À Safad, des « émeutiers arabes » tuèrent ou blessèrent plus de quarante-cinq Juifs, tandis que quatre mille colons de la banlieue de Jérusalem durent fuir en abandonnant leurs maisons à la merci des pillards. On comptait cent trente-trois morts juifs au 29 août. Quatre-vingt-sept Arabes avaient été tués, dont la majorité par l'armée et la police anglaises.

Les Juifs accusaient les Arabes du carnage. Les Arabes disaient que les Juifs étaient responsables. Quinze mille Juifs manifestèrent devant le consulat anglais à New York pour dénoncer la politique britannique en Palestine, et plus d'un millier d'entre eux se portèrent volontaires pour aller se battre contre les Arabes. Les Arabes new-yorkais dénoncèrent également l'attitude de l'Angleterre et réclamèrent l'annulation de la déclaration Balfour. À Londres, les magnats de la presse Viscount Rothermere et Lord Beaverbrook estimaient que l'Angleterre était dans une impasse et leurs journaux se firent les avocats d'un retrait des troupes de Palestine.

Einstein prit position par une déclaration publique : « N'est-ce pas déroutant que (...) des massacres ignobles commis par des bandes fanatiques puissent faire oublier tout le travail accompli par les Juifs en Palestine et conduire à demander l'annulation d'engagements solennels à les soutenir et les protéger ? » Einstein soulignait que « les Juifs ont payé chaque hectare de terre qu'ils occupent, les Juifs et les Arabes ont prouvé qu'ils pouvaient vivre en bon voisinage si les gangsters étaient éliminés, et les idéaux du sionisme doivent bénéficier d'un soutien international ».

Winston Churchill fit porter la responsabilité du bain de sang sur la jalousie des Arabes envers les Juifs, et Lord Arthur Balfour assura Weizmann que les Anglais n'abandonneraient jamais la cause juive. Les troupes anglaises placées sous le commandement du général Dobbie écrasèrent les émeutes et repoussèrent les attaques lancées à partir d'États arabes voisins.

Le 29 septembre, le haut-commissaire en Palestine, *sir* John Chancellor, envoya un câble au Bureau des colonies, à Londres : « La haine latente et profondément enracinée des Arabes envers les Juifs remonte aujourd'hui à la surface dans tout le pays. On brandit ouvertement la menace de nouvelles attaques que la présence ostensible d'une force considérable parvient seule à éviter. »

Einstein ne faisait pas confiance à cette « force considérable ». Il mit Weizmann en garde dans une lettre datée du 25 novembre 1929 : « Nous devons éviter de trop dépendre des Anglais. Les Anglais nous laisseront tomber *de facto*, à défaut de le faire formellement, si nous ne parvenons pas à établir une collaboration réelle avec les représentants de la communauté arabe. Et ils se proclameront, à leur habitude, innocents de notre débâcle et ne lèveront pas le petit doigt[27]. »

Einstein essaya toute sa vie d'éviter les journalistes qui le harcelaient pour obtenir des interviews. Il tenait la plupart d'entre eux pour des « casse-pieds » qui reproduisaient ses plaisanteries comme s'il s'agissait de commentaires sérieux, ou ses remarques outrageantes sans signaler qu'elles avaient été dites sous l'emprise de la colère. Il s'en accommodait, même si cela déplaisait à ses ennemis et leur fournissait des armes. Ce qui l'exaspérait était qu'on lui demande d'expliquer ce que d'autres avaient dit en son nom et que, quelle que soit sa réponse, les journalistes la déforment.

Einstein se prit cependant de sympathie pour un journaliste américain d'origine allemande, George Sylvester Viereck, qu'on appelait le « chasseur de célébrités » pour avoir fait tomber dans ses filets, entre autres, Freud, Clemenceau, George Bernard Shaw, Henry Ford et le Kaiser, personnages dont il regroupera par la suite les interviews dans un livre intitulé *Glimpses of the Great*. Shaw mit en cause l'exactitude des propos que l'auteur lui prêtait et Upton Sinclair le traita de « menteur et hypocrite pompeux[28] ». Freud diagnostiqua un « complexe de superman » dont les symptômes étaient un besoin impérieux d'interviewer des « grands » et une prétention à appartenir au club des « supermen[29] ».

Viereck avait interviewé Hitler quelques années auparavant, et disait prophétiquement que « cet homme se fera un nom comme grand prêtre du mal ou en accomplissant de grandes choses ».

Einstein fit confiance à Viereck et n'accorda jamais d'interview qui couvrît autant de sujets.

Elsa accueillit Viereck dans leur appartement berlinois, servit deux verres de sirop de fraise et deux assiettes de salade de fruits, et laissa les deux hommes seuls. La collation avalée, ceux-ci montèrent dans le bureau d'Einstein et l'interview commença.

« *Vous croyez au libre arbitre de l'homme* ?

— Non, je suis déterministe, obligé d'agir comme si le libre arbitre existait parce que dans une société civilisée je dois me comporter d'une façon responsable. Je sais que d'un point de vue philosophique un meurtrier n'est pas responsable de ses crimes, mais je préfère éviter de prendre le thé avec lui. Ma carrière a incontestablement été déterminée par divers facteurs qui échappent à mon pouvoir, en premier lieu ces glandes mystérieuses dans lesquelles la nature prépare l'essence même de la vie. Henry Ford appelle cela sa "voix intérieure", Socrate son démon : chacun explique à sa façon le fait que la volonté humaine ne soit pas libre... Tout est déterminé, le début autant que la fin, par des forces sur lesquelles nous n'avons aucun pouvoir. C'est déterminé pour l'insecte autant que pour l'étoile. Les êtres humains, les légumes, la poussière cosmique, tout le monde danse sur une musique mystérieuse interprétée au loin par un joueur invisible.

— *Comment expliquez-vous vos découvertes ? Par l'intuition ou l'inspiration ?*

— Les deux. Il m'arrive de *sentir* que j'ai raison, mais sans le *savoir*. Le jour où deux expéditions scientifiques sont parties tester ma théorie [en photographiant la lumière provenant d'étoiles], j'étais convaincu d'obtenir une confirmation. Je n'ai pas été surpris que les résultats vérifient mon intuition, mais je l'aurais été de m'être trompé. Je suis suffisamment artiste pour me laisser porter par mon imagination qui est, à mon avis, plus importante que le savoir. Le savoir est limité. L'imagination embrasse le monde entier.

— *Vous vous considérez comme Allemand ou comme Juif ?*

— Il est possible d'être les deux. Je me considère comme un homme. Le nationalisme est une maladie infantile, la rougeole de l'humanité.

— *Alors, comment justifiez-vous votre nationalisme juif ?*

— Je soutiens le sionisme, malgré le fait que ce soit un projet national, parce qu'il donne aux Juifs un intérêt commun. Ce nationalisme ne menace personne. Sion est trop petite pour avoir des visées impérialistes.

— *Vous ne croyez pas à l'assimilation ?*

— Nous, les Juifs, avons toujours été trop prêts à sacrifier nos idiosyncrasies. Les autres groupes et nations cultivent leurs traditions. Pourquoi devrions-nous sacrifier les nôtres ? Priver les groupes ethniques de leurs traditions propres revient à transformer le monde en une immense usine Ford. Je suis pour la standardisation des automobiles. Pas des êtres humains.

— *Croyez-vous que la défense de la race puisse être un succédané du nationalisme ?*

— La notion de race est une fraude. L'humanité actuelle est un conglomérat de tant de groupes ethniques qu'il n'existe plus de race pure.

— *Êtes-vous un opposant à Freud ?*

— Il n'est peut-être pas toujours utile de fouiller dans l'inconscient. Nos jambes sont contrôlées par une centaine de muscles différents. Vous croyez que d'analyser nos jambes, de connaître la fonction de chaque muscle et de savoir dans quel ordre ils entrent en action nous aiderait à marcher ? La contribution de Freud à la science du comportement humain est d'une valeur immense, mais je n'accepte pas toutes ses conclusions. Je le considère encore plus grand comme écrivain que comme psychologue. Personne n'a surpassé son style brillant depuis Schopenhauer.

— *Vous croyez dans le Dieu de Spinoza ?*

— Je ne peux répondre simplement par oui ou par non. Je ne suis pas athée et je ne crois pas que je puisse me définir comme panthéiste. Nous sommes de jeunes enfants qui pénètrent dans une immense bibliothèque remplie de livres en de nombreuses langues. L'enfant sait que ces livres ont tous été écrits par quelqu'un. Il ne sait pas comment. Il ne comprend pas les langues dans lesquelles ils sont écrits. Il soupçonne vaguement l'existence d'un ordre mystérieux derrière l'arrangement des livres, mais ne sait pas de quoi il retourne. C'est, me semble-t-il, l'attitude de n'importe qui envers Dieu, même la personne la plus intelligente. Nous voyons un univers merveilleusement arrangé et qui obéit à certaines lois, mais nous comprenons seulement vaguement ces lois. Nos esprits limités ne peuvent appréhender la force mystérieuse qui meut les constellations. Le panthéisme de Spinoza me fascine, mais j'admire encore plus sa contribution à la pensée moderne parce que c'est le premier philosophe à avoir abordé l'âme et le corps comme une unité, et non comme deux entités séparées.

— *À quel point êtes-vous influencé par le christianisme ?*

— On m'a enseigné la Bible et le Talmud dans mon enfance. Bien que je sois juif, j'ai été ébloui par le personnage rayonnant du

Nazaréen. Le livre d'Emil Ludwig sur Jésus est superficiel*. Jésus est un personnage trop colossal pour la plume d'un phraseur, aussi talentueux soit-il. Personne ne peut se débarrasser du christianisme avec un *bon mot***. Personne ne peut lire les Évangiles sans ressentir la présence réelle de Jésus. Sa personnalité transparaît dans chaque mot. Aucun mythe n'est empli d'une telle vie.

— *Vous croyez en l'immortalité ?*

— Non. Et une vie me suffit. Je suis conscient que tout individu est le produit de la conjonction de deux individus. Je ne vois ni où ni quand le nouvel être serait doté d'une âme. Je vois l'humanité comme un arbre porteur de nombreuses pousses. Je n'ai pas l'impression que chaque pousse et chaque branche ait son âme propre. »

Einstein poursuivit en disant qu'il aurait sans doute été musicien s'il n'était devenu physicien, parce que « c'est mon violon qui me fournit le plus de joie dans la vie. Je pense souvent en musique. Mes rêves éveillés sont en musique. Je regarde ma vie en termes de musique ». Il attribuait son bonheur à la modestie de ses besoins : « Je ne demande rien à personne. L'argent, les décorations ou les titres ne m'intéressent pas. Je ne recherche pas les louanges. En dehors de mon travail, je trouve mon plaisir dans mon violon, mon voilier et l'estime de mes collègues. »

Elsa et ses enfants brillaient par leur absence de ces sources de joie.

Il dit en conclusion à Viereck qu'il avait beaucoup apprécié cette interview. Il se sentait totalement à l'aise avec lui car ils étaient tous les deux juifs. « Mais je ne le suis pas, répondit Viereck. Je descends d'une longue lignée de protestants qui ont émigré de Scandinavie en Allemagne. » Einstein n'en crut pas ses oreilles. « Vous avez certainement du sang juif, insista-t-il. C'est pour cette raison que je me sens aussi à l'aise avec vous[30]. »

Certains contemporains estimaient qu'Einstein se trompait souvent sur les individus et accordait trop facilement sa confiance. Viereck fut, pour eux, l'une de ses plus grandes erreurs. Non seulement Viereck n'était pas juif, mais il était pronazi. Il purgera cinq années de prison aux États-Unis pour espionnage au service de l'Allemagne pendant la Seconde Guerre mondiale[31].

Einstein se rendit à Paris en octobre pour une conférence à l'Ins-

---

\* Emil Ludwig était un biographe prolixe qui écrivit notamment sur Napoléon, Lincoln et Theodore Roosevelt, aussi bien que sur Jésus-Christ.

\*\* En français dans le texte. *(N.d.T.)*

titut Henri-Poincaré sur la théorie unifiée des champs. À peine de retour à Berlin, on lui proposa d'intervenir à la radio pour commémorer le cinquantième anniversaire de l'invention de l'ampoule électrique par Edison. Il pouvait, lui aussi, prétendre être un inventeur puisqu'il venait récemment de concevoir un réfrigérateur miniature. Son nouvel assistant, Leo Szilard, l'avait aidé à mettre au point cet appareil dont l'originalité était de n'avoir aucune partie mobile. L'engin se révéla malheureusement beaucoup plus bruyant que ceux équipés d'éléments mobiles et ne fut jamais commercialisé.

Einstein, désireux comme toujours de se libérer pour ses recherches, définit une stratégie radicale pour se débarrasser des visiteurs gênants et de ceux qui s'attardaient. Un étudiant en physique, Lancelot Law Whyte, en fit l'expérience[32].

Cet Anglais qui suivit des études à Berlin grâce à une bourse de la Fondation Rockefeller espérait depuis des mois rencontrer Einstein, mais était trop timide pour faire le premier pas. Il discuta un jour de ses travaux avec Emil Ludwig, qu'il rencontra à une soirée, et lui dit à quel point il aimerait faire la connaissance d'Einstein, même si ses propres idées étaient encore loin d'intéresser un si grand savant. Ludwig, qui connaissait Einstein, prit l'adresse de Whyte.

Et l'Anglais reçut, quelques jours plus tard, une lettre d'Einstein : « Mon ami Emil Ludwig m'a dit que nous avons tous les deux le même dada. Je suis toujours content de discuter avec des gens qui s'intéressent aux mêmes questions que moi. Donnez-moi un coup de téléphone et passez me voir. Ne vous laissez pas décourager par Frau Einstein. Elle est là pour me protéger. »

Malgré ce mot amical et la recommandation bienveillante, Whyte était très tendu en arrivant chez Einstein. Il devint franchement mal à l'aise quand, après une vingtaine de minutes de conversation, une employée de maison apporta à son interlocuteur un grand bol de soupe qu'il poussa de côté sans s'interrompre. L'étudiant prit cela pour une invite à partir.

C'était, en fait, un signe qu'il pouvait rester, comme Einstein le lui expliqua d'un ton de conspirateur : « C'est une astuce. Si je m'ennuie avec quelqu'un je ne repousse pas le bol, et la fille fait sortir la personne avec laquelle je me trouve. Et je suis libre. »

Le froid mordant n'empêcha pas Albert et Elsa de rejoindre leur retraite campagnarde où ils ne demeurèrent pas longtemps seuls. Bravant le mauvais temps, les routes dangereuses et les panneaux indicateurs incertains, Dudley Heathcote, du *London General*

*Press*, arriva à Caputh largement après la tombée de la nuit. « Il est dix heures du soir et vous savez que le professeur n'aime pas les journalistes. Enfin, je vais voir ce que je peux faire », lui dit Elsa en lui ouvrant la porte.

Elle revint avec un sourire et conduisit le visiteur dans le bureau où Einstein l'attendait : « Vous savez peut-être que je ne donne jamais d'interview [sauf aux journalistes qu'il aimait et auxquels il faisait confiance]. Mais comme vous venez avec une lettre de mon ami le docteur Plesch, dites-moi ce que vous voulez savoir[33]. »

L'allemand de l'un étant rudimentaire et l'anglais de l'autre pittoresque, les deux hommes se parlèrent en français. Selon Heathcote, Einstein lui déclara à propos de la Palestine : « C'est sans doute la question qui me tourmente le plus en ce moment. Le peuple juif a salué avec chaleur et enthousiasme la proposition anglaise de rétablir un foyer national juif en Palestine et attend maintenant que l'Angleterre respecte ses engagements... La dernière fois que j'ai visité la Palestine, j'ai été surpris de voir le travail immense accompli par les colons sur une terre jusque-là en grande partie inculte. Ce travail est menacé par les agitateurs arabes. » Les agriculteurs de colonies isolées devaient bénéficier, selon lui, d'une protection particulière.

> « On doit concevoir une politique qui permette de rapprocher les Arabes et les Juifs afin de parvenir à une meilleure compréhension mutuelle. Les Anglais ne peuvent pas résoudre ces différends par eux-mêmes. Ils ne peuvent prétendre comprendre la psychologie de deux races très différentes de la leur. Les différences raciales entre les deux nations sont gigantesques et les Arabes sont facilement poussés au fanatisme religieux par une caste de politiciens qui ont intérêt à les maintenir séparés des Juifs. Je pense qu'il serait possible de remplacer la méfiance actuelle par une intelligence pacifique, si seulement les autorités anglaises maintenaient l'ordre et punissaient convenablement les émeutiers... En tant que puissance mandataire, la Grande-Bretagne pourrait facilement créer des institutions qui obligeraient les Juifs et les Arabes à gouverner eux-mêmes et à comprendre qu'ils ont intérêt à collaborer au lieu de se combattre. Ces institutions seraient également des arbitres en cas de conflit. Mon ami *sir* Herbert Samuel [le premier haut-commissaire britannique en Palestine, de 1920 à 1925] fit beaucoup pour améliorer les relations entre les Arabes et les Juifs.
> « Nous ne cherchons pas à créer un État juif et nous ne sommes pas des chauvins qui veulent priver les non Juifs de leurs droits ou de leurs biens. Je suis convaincu que la très grande majorité des Juifs ne tolérerait pas un tel programme. Nous voulons installer le peuple juif dans le vieux foyer de sa race, afin que les valeurs spirituelles juives puissent s'épanouir à nouveau dans un environnement juif. Quant à

239

l'avenir des relations avec les Arabes, nous prévoyons une coopération des plus amicales. »

Heathcote envoya une transcription de l'interview à Einstein qui en interdit la publication sans pour autant reprocher quoi que ce soit au journaliste. Il expliqua que le sujet était si sensible qu'il craignait que ses conceptions ne soient mal interprétées. Son français déjà mauvais avait visiblement souffert de la traduction. Il était, par exemple, peu probable qu'il eût dit que les Juifs et les Arabes devaient être « obligés » à gouverner eux-mêmes.

Einstein demanda au haut-commissaire de commuer les sentences de vingt-cinq émeutiers qui avaient été condamnés à mort pour l'assassinat de Juifs. Une organisation pacifiste juive, Brit Shalom, en fit autant. Tous les condamnés furent graciés, à l'exception de trois d'entre eux qui avaient commis plusieurs meurtres.

Einstein fut, peu après, exaspéré par un discours prononcé à Berlin par Selig Brodetsky, professeur de mathématiques à l'université de Leeds et dirigeant sioniste anglais. Einstein l'accusa de parler « comme Mussolini » et de ne faire preuve d'aucun esprit de réconciliation[34].

Brodetsky, piqué par la critique, répliqua à Einstein qu'il l'avait probablement mal compris à cause de son mauvais allemand :

> « Je me suis attaché, pendant la plus grande partie de mon discours, à expliquer que notre travail en Palestine devait reposer sur une attitude amicale envers nos voisins arabes (...). Je pense que votre remarque selon laquelle j'aurais le même langage que Mussolini faisait référence aux quelques phrases par lesquelles j'ai tenté d'énoncer un ou deux principes fondamentaux (...) selon lesquels notre entreprise en Palestine est quasiment impossible sans la reconnaissance et la garantie des principes du mandat et de la déclaration Balfour (...). Je veux éviter l'émergence d'un climat de guerre civile entre les Juifs et les Arabes. »

Sentant également le danger de guerre civile, Einstein écrivit à Weizmann : « Nos deux mille ans de souffrance ne nous auront rien appris, si nous sommes incapables de trouver un moyen d'établir une coopération franche avec les Arabes (...). Mais nous ne devons pas nous quereller entre nous (...). Ne me réponds pas tout de suite ; tu as trop besoin de ton énergie. Je vais faire mon possible pour rester silencieux[35]. »

# 22

# Conférencier international

*1930*
*51 ans*

Les élèves de dernière année de l'université de New York en 1930 désignèrent Einstein comme personnage le plus célèbre au monde, juste devant le héros américain Charles Lindbergh. Mais ils auraient sans doute tous été recalés si on leur avait demandé d'expliquer les théories de leur héros. L'intérêt envers le travail énigmatique d'Einstein était tel que plus de quatre mille personnes se bousculèrent pour tenter de voir un film sur la relativité projeté au Muséum d'histoire naturelle de New York.

Einstein et Elsa débutèrent l'année par une participation surprenante à une investigation du paranormal. Le sceptique convaincu qui avait proclamé : « Je ne croirais pas aux fantômes même si j'en voyais un », se penchait avec sérieux sur les prétentions d'Otto Reiman, un employé de banque qui devinait la personnalité des gens en « sentant » leur écriture[1]. Il assista à une réunion de la Société médicale de parapsychologie de Berlin au cours de laquelle Reiman demanda à l'assistance de lui remettre des feuilles manuscrites. « Je ne crois pas que des individus puissent posséder des dons uniques, écrivit Einstein. Je crois seulement qu'il existe d'un côté des talents, et de l'autre des compétences acquises par un entraînement. »

Les échantillons d'écriture furent collectés et glissés l'un après l'autre dans une poche de Reiman. On demanda aux personnes qui avaient écrit de confirmer si celui-ci les décrivait fidèlement. Arrivé à la note d'Einstein, Reiman la parcourut des doigts comme s'il lisait du braille. Il y lut l'œuvre d'un homme aux prétentions artistiques mais aux capacités moyennes, et ajouta : « Ce doit être un acteur de second rôle. » Le silence de la salle sembla sanctionner un échec embarrassant, jusqu'à ce que Reiman ouvre les yeux, tourne la page et remarque que l'écriture était différente au dos. Einstein avait écrit au verso d'une lettre reçue d'un directeur de théâtre qui correspondait à la description. Reiman avait « déchiffré » un autre homme. Tentant sa chance une seconde fois, il scruta l'écriture d'Einstein, au lieu de la sentir. Ignorant apparemment qui était l'auteur de ces mots, il le décrivit comme une personne logique, capable de fournir un travail intense d'une manière aisée, presque artistique, « en partant du point A, puis en faisant un grand saut jusqu'au point D, avant de remplir les points B et C plus tard ». Il ajouta que c'était quelqu'un qui jouait du violon d'une façon exquise en s'arrêtant souvent pour noter des calculs, n'avait pas le sens pratique dans la vie quotidienne, était extrêmement bon, et dont on abusait souvent.

Quand Einstein fit savoir qu'il s'agissait de lui, une personne dans le public objecta : « Mais on n'a rien dit sur le fait que c'est un grand physicien. » À quoi il répondit : « C'est le plus convaincant. Cela prouve la réalité du don de cet homme. Si elle est importante d'un point de vue scientifique, la théorie de la relativité est secondaire en ce qui concerne ma personnalité, à laquelle Herr Reiman s'est intéressé. »

Elsa confirma que tous les détails étaient exacts. « Je préférerais dire que tout ce que j'ai vu ce soir n'est qu'escroquerie, commenta Einstein à la sortie, mais c'est impossible. Je suis abasourdi. »

Reiman accepta de venir quelques jours plus tard chez Einstein pour une nouvelle épreuve. Einstein et quelques amis glissèrent dans des enveloppes identiques des échantillons de diverses écritures, dont les leurs. On mélangea les enveloppes avant de les tendre à Reiman. Celui-ci introduisit les doigts dans l'une d'elles comme pour sentir l'écriture, et décrivit un homme dans lequel Einstein reconnut immédiatement le physicien Wolfgang Pauli. Après avoir obtenu un pourcentage élevé de bonnes réponses avec les autres présents, l'employé de banque fit la démonstration de ses pouvoirs télépathiques. Il passa dans une autre pièce pour laisser le groupe se mettre d'accord sur le nom d'une personne à laquelle tout le monde penserait, le dramaturge et ami d'Einstein, Gerhart Hauptmann. À son retour, Reiman mima l'homme choisi, ses façons de marcher, manger et parler. Tout le monde tomba d'accord. C'était Hauptmann. Aucun doute possible. Reiman avait-il lu leurs pensées ou se jouait-il d'eux ? Einstein était déconcerté, mais pas convaincu. Il demeurait sceptique.

Il dévora à la même période un livre sur Démocrite, cadeau de Maurice Solovine qui en avait écrit l'introduction. Démocrite avait été considéré comme fou, peut-être parce qu'il croyait que toutes choses au monde avaient été créées à partir d'atomes éternels et invisibles. Einstein fut emballé par le sujet comme par l'introduction. Il écrivit à Solovine qu'il appréciait particulièrement « la croyance solide » du philosophe « dans une causalité physique que même la volonté d'*Homo sapiens* est incapable d'arrêter. À ma connaissance, seul Spinoza a été aussi radical et conséquent[2] ». Il ajouta : « Ma théorie des champs progresse tranquillement (...). Je travaille avec un mathématicien [le Viennois Walther Mayer avait remplacé Cornelius Lanczos], un type extraordinaire qui serait professeur depuis longtemps s'il n'était pas juif. Je pense souvent aux jours charmants que j'ai passés à Paris [pendant sa dernière visite dans la capitale], mais je suis content de l'existence relativement sereine que je mène ici. N'hésite pas à faire appel à moi si tu penses que je peux t'être utile en quoi que ce soit. »

Un docteur en physique de vingt-deux ans, Edward Teller, et un enseignant en sciences de vingt-huit ans, Eugene Wigner, assistèrent à une conférence au cours de laquelle Einstein rendit publiques ses derniers résultats sur la théorie unifiée des champs. Le duo alla ensuite se promener au zoo. Wigner demanda ce qui le tourmentait à son ami qui semblait trop déprimé pour discuter ce qu'ils venaient d'entendre ou s'intéresser aux animaux.

« Je n'ai pas compris un traître mot de ce qu'Einstein a expliqué, répondit Teller, et je me fais l'impression d'un "idiot".

— Oui, l'idiotie est une propriété humaine très répandue[3] », répliqua le futur prix Nobel.

Mais si Teller, qui serait un des concepteurs de la bombe à hydrogène, n'avait « pas compris un traître mot », Einstein n'était pas près d'atteindre le but qu'il s'était fixé, rendre son travail intelligible à un enfant.

Les opinions politiques d'Einstein étaient nettement plus claires. Son soutien aux opprimés et aux persécutés ignorait les races, les religions et les frontières nationales. Il sollicita, par exemple, auprès du ministre finlandais de la Guerre, la grâce d'un jeune qui risquait la prison pour avoir tenté d'échapper au service militaire. Le ministre répondit qu'il ne prendrait jamais une telle décision avec les Russes massés à la frontière et armés jusqu'aux dents. L'appui d'Einstein n'était pas garanti d'avance pour toutes les causes. Il refusa de prendre la parole lors d'une réunion pacifiste organisée par un groupe chrétien en expliquant abruptement : « Si je m'adressais à votre congrès, je dirais que les prêtres ont été responsables de nombre de conflits et de guerres entre les êtres humains, au cours de l'histoire. Ils ont beaucoup à expier. »

Il effectua peu après l'une de ses rares visites à une synagogue. Selon le biographe Jeremy Bernstein :

> « Plus Einstein découvrait l'antisémitisme allemand, plus il se sentait proche des autres Juifs. Aucune photographie d'Einstein n'est aussi émouvante que celle qui le montre dans une synagogue de Berlin en 1930. Le sceptique et libre penseur qu'il serait toute sa vie est assis, le violon à la main et ses cheveux rebelles dépassant sous le traditionnel chapeau noir, prêt à jouer sa partition dans un concert de soutien à la communauté juive. On devine l'assemblée en arrière-plan, et on imagine son sort avec douleur[4]. »

Berlin était toujours la capitale musicale du monde, malgré sa pauvreté massive et ses émeutes sporadiques. Yehudi Menuhin y fit ses débuts le 12 avril, à l'âge de treize ans, lors d'un concert donné par l'orchestre philharmonique sous la direction de Bruno Walter. Des œuvres de Beethoven, Bach et Brahms étaient au programme. Le directeur de la salle dut appeler la police pour contenir l'enthousiasme du public. Einstein parvint cependant à rejoindre Menuhin dans sa loge par le chemin le plus court, en traversant la scène. Serrant le garçon dans ses bras, il s'exclama : « Maintenant je sais qu'il y a un Dieu au ciel[5] ! »

Einstein donna cet été-là une conférence devant le public totalement différent de l'université de Nottingham, en Angleterre. Un journaliste expliqua ensuite les froncements de sourcils étonnés et les toux poliment assourdies qui avaient ponctué l'exposé. Il avait été le seul, avec trois professeurs, à comprendre Einstein qui avait parlé en Allemand.

Einstein critiqua étonnamment ses héros Faraday et Maxwell pour avoir manqué du « courage d'admettre la réalité de l'espace » et avoir inventé à la place « une matière appelée éther[6] ». En réalité, dit-il, « l'espace est le solide et la matière n'a qu'une importance secondaire. C'est un rêve sans substance. Autrement dit, l'espace a fait volte-face et dévore la matière. Il prend sa revanche ».

Sa théorie unifiée des champs gagnait en crédibilité, même si « de nombreux collègues pensent que je suis fou et qu'il soit vrai que ma théorie n'a pas encore été parfaitement testée. Mais les tests ont jusqu'à présent confirmé mes conceptions sur l'unité de l'univers physique ».

Einstein avait couvert de formules mathématiques un tableau noir que les trois professeurs le convainquirent de signer, en espérant le conserver pour la postérité. On traduisit les questions des auditeurs et les réponses apportées. Comme on lui avait demandé ce qui assure le succès en physique théorique, il offrit quasiment un portrait de lui-même : « Si vous vous emparez de quelque chose qui ne vous lâche plus, si vous vous consacrez corps et âme à un grand travail, que vous faut-il de plus ? De la patience ! Et encore de la patience[7]. »

Il passa la nuit chez Arthur Eddington et sa sœur, à l'observatoire de l'université de Cambridge, où il s'était rendu pour recevoir un diplôme honoraire. Eddington venait de prendre la défense d'Einstein lors d'une réunion de la Société astronomique royale, après la découverte sensationnelle de l'astronome américain Edwin Hubble selon laquelle l'univers était en expansion. Ce qui menaçait sérieusement la conception d'Einstein d'un univers statique.

Pour adapter ses équations de 1919 aux idées de la plupart des astronomes, ainsi qu'à son propre sentiment selon lequel l'univers était statique et immuable, Einstein avait divisé les deux membres d'une équation capitale par une grandeur proche de zéro. Cette « constante cosmologique » représentait en fait une force naturelle si faible qu'elle n'aurait de contre-effet significatif sur la gravité qu'à l'échelle de milliards d'années-lumière. Puis un mathématicien russe, Alexander Friedmann, s'opposa à Einstein en retirant la constante cosmologique de l'équation, d'où il déduisit que l'univers était en expansion ou en contraction.

Selon l'astronome Robert Jastrow, « Einstein a d'abord passé sous silence la lettre dans laquelle Friedmann décrivait la nouvelle solution ; puis, après la publication des résultats de celui-ci dans le *Zeitschrift für Physics* en 1922, a écrit une courte note au *Zeitschrift* expliquant que le résultat de Friedmann était faux. Les calculs de vérification d'Einstein étaient faux et il reconnut sa double erreur dans une lettre au journal, en 1923[8] ». Friedmann mourut prématurément à l'âge de trente-six ans, en 1925, et la question resta à l'abandon jusqu'en 1929, quand Hubble découvrit à travers son télescope, en Californie, que les galaxies s'éloignaient les unes des autres. L'univers était en expansion.

Eddington cita pour la défense d'Einstein des résultats récents de Georges Lemaître, prêtre et professeur de physique, qui avait repris le travail de Friedmann. Lemaître avait également découvert que les équations de la relativité d'Einstein, s'accordant au concept d'un univers initialement statique, laissaient pourtant prévoir l'expansion ou la contraction de l'univers si on éliminait la constante cosmologique arbitraire, comme Friedmann l'avait fait. La position d'Einstein se rétablit, surtout quand il admit que l'introduction de la constante cosmologique avait été la plus grande gaffe de sa vie.

Einstein n'avait pas de défenseur plus enthousiaste qu'Eddington, à en croire un compliment ironique de sir Joseph Thomson : « Eddington est le meilleur expert anglais de ce sujet important, évasif et difficile, la relativité. Il a (...) convaincu une multitude de gens dans ce pays et en Amérique qu'ils comprennent la relativité[9]. » *Sir* Oliver Lodge attribua aussi, sur un mode plus gentil, la popularité d'Einstein en Grande-Bretagne à Eddington : « Eddington est surtout connu du grand public comme l'apôtre et l'interprète du grand génie Einstein (...) qui, sans Eddington, serait relativement inconnu dans ce pays, alors qu'ils ont à eux deux enflammé l'imagination du public à un point surprenant. »

Le plaisir qu'Einstein et Eddington avaient à se retrouver éclate sur une photographie où on les voit, assis côte à côte, dans le jardin de l'astronome. C'étaient deux hommes simples, amicaux bien que plutôt timides et réservés, qui fuyaient les projecteurs, et que les louanges excessives gênaient. Ils avaient, selon Allie Vibert Douglas, le même sens aigu de l'humour : « Si on demandait à Eddington quand l'univers avait été créé, il ne donnait pas la réponse avec un nombre arrondi, mais avec un âge précis à l'année près. Il expliqua une fois avec un plaisir évident que l'univers en expansion deviendrait bientôt trop grand pour un dictateur, puisque des directives envoyées à la vitesse de la lumière n'atteindraient jamais ses points les plus éloignés. »

Les deux hommes se retrouvèrent fin juin à la conférence de Berlin des grandes puissances. Einstein salua à peine les délégués, tandis qu'Eddington faisait les titres des journaux en prédisant la possibilité de libérer la gigantesque énergie inexploitée de l'atome et en utilisant « l'énergie infinie stockée dans la matière — la puissance illimitée qui chauffe le soleil[10] ». Des ingénieurs considéraient cette énergie comme un rêve utopique et des physiciens comme une aimable spéculation, mais elle était sérieusement étudiée par ses collègues astronomes.

Une série de lettres violemment agressives de son fils Eduard tira Einstein des spéculations sur les potentiels de l'atome. Le jeune homme, âgé de vingt ans, reprochait à son père d'avoir « jeté une ombre sur sa vie » en l'abandonnant. Einstein, désemparé et blessé, se précipita à Zurich. Mileva était éperdue. Il était désormais clair aux yeux des deux parents qu'« Eduard faisait une dépression nerveuse (...). La famille comprit qu'il éprouvait depuis longtemps des sentiments intenses et contradictoires envers son père — de

246

l'amour, de la vénération même, étrangement mêlés au sentiment d'être rejeté et à l'idée de sa médiocrité personnelle. Son esprit égaré ne semblait plus renfermer que de la haine à l'égard d'Einstein. Eduard se rendait curieusement compte qu'il était malade, mais il était incapable de sortir de sa dépression. Sa vie était ruinée et il blâmait son père[11] ». Einstein l'envoya, malgré sa méfiance, chez les meilleurs psychanalystes suisses. Quand ceux-ci échouèrent, il l'expédia à Vienne, mais apparemment pas chez Freud.

Eduard Rubel apprit de plusieurs amis d'Eduard que celui-ci faisait sa médecine à l'université de Zurich juste avant sa dépression, et qu'il s'était entiché d'une étudiante plus vieille que lui, peut-être mariée, qui le maternait[12]. Il fut profondément affecté quand elle refusa de devenir sa maîtresse. Einstein lui recommanda, dans une lettre non datée, de chercher un travail pour améliorer sa situation. « Même un génie comme Schopenhauer a été écrasé par le chômage. » Il suggérait également que l'expérience d'une dépression pouvait avoir un bon côté pour quelqu'un qui souhaitait devenir psychiatre. Cela l'aiderait à être un « excellent docteur de l'âme ». Loin de lui conseiller d'oublier les femmes, il lui suggéra de sortir avec une « poupée » plutôt qu'une « maligne ». Eduard n'en fut pas consolé.

On n'entendit pas le rire d'Einstein cet été-là à Caputh et il vieillissait à vue d'œil. Elsa dit à son amie Antonina Vallentin, qui écrira plus tard une biographie d'Einstein : « Albert est rongé par le chagrin qu'Eduard lui cause. Il a toujours essayé de demeurer au-dessus des soucis personnels, mais cette fois il a été cruellement touché. » Vallentin ajoute qu'Einstein « s'est toujours voulu totalement insensible aux événements humains. C'était en fait l'homme le plus sensible que j'aie connu. Cette situation était horrible pour lui et il la vécut très difficilement. Son sens de l'humour débridé et son goût de l'imprévisible l'avaient abandonné ».

On lui demanda, peu après l'effondrement d'Eduard, de définir sa philosophie de la vie. La réflexion qu'il livra était la négation de son détachement maintes fois affirmé vis-à-vis des liens humains : « Que la destinée des mortels que nous sommes est étrange ! Nous sommes ici pour un bref séjour et pour une raison que nous ignorons, même si nous croyons parfois la percevoir. Mais (...) la vie quotidienne nous apprend que nous existons pour les autres — d'abord pour ceux dont les sourires et le bien-être sont essentiels à notre bonheur[13]. »

« Eduard était schizophrène et passa le reste de sa vie dans des institutions spécialisées, raconta la seconde femme de Hans Albert,

Elizabeth Roboz Einstein. Dans son enfance, c'était une sorte de génie qui se souvenait de tout ce qu'il lisait. Il jouait merveilleusement du piano (avec frénésie, selon son père) et parlait parfaitement l'anglais, appris au lycée. Il était sur le point d'entrer à l'école de médecine quand une déconvenue amoureuse déclencha sa névrose. Mon mari pensait que son frère avait été détruit par un traitement aux électrochocs. Mileva consacra le reste de sa vie à Eduard. Elle le reprit un jour chez elle, mais il dut retourner en maison psychiatrique. Son père payait. Je n'ai pas compris pourquoi on le gardait enfermé, car il n'a jamais fait de mal à personne. Il mangeait et se comportait normalement. Un jour on l'a laissé sortir se promener seul, pour voir s'il fallait vraiment l'enfermer. Après avoir traversé la rue, il ne savait plus où il était. Il était incapable de revenir, alors qu'il était juste sur le trottoir d'en face[14]. »

Mileva et Hans Albert espéraient qu'Einstein reviendrait en Suisse pour aider Eduard. C'était là qu'il avait mené ses recherches les plus créatives et il y échapperait à l'atmosphère empoisonnée par les nazis, lui expliquèrent-ils en chœur. Il répondit qu'il préférait demeurer à Berlin. Il semblait que le soutien de collègues loyaux tels que Planck et von Laue lui permettrait d'y faire encore du bon travail.

J'ai demandé au spécialiste d'Einstein, Robert Schulmann, de me parler d'Eduard, sur lequel on a peu écrit.

DENIS BRIAN. — *Les amis d'Eduard lui ont rendu un hommage public[15]. Qu'en pensez-vous ?*

SCHULMANN. — Je trouve ce témoignage très émouvant. Il montre que ses camarades de classe l'aimaient beaucoup. L'impression que je retire de ce livre et d'autres sources est qu'Eduard était un garçon, puis un homme, charmant. Ils décrivent un Eduard mal traité par son père. Pas seulement parce qu'il l'a laissé en Suisse. Il ne fait aucun doute qu'Einstein avait un sentiment ambigu vis-à-vis des gens fragiles ou atteints de maladies mentales. Cela tenait sans doute à sa génération allemande. Vous vous rappelez qu'au début de leur vie commune il répétait souvent que Mileva était très forte ? J'ai l'impression qu'il s'est senti très maladroit avec Eduard, et qu'il n'a pas fait ce qu'il aurait dû.

D.B. — *Aurait-il pu emmener Eduard en Amérique avec lui ?*

R.S. — Je ne crois pas. Il aurait été très difficile de le faire entrer dans le pays, une fois qu'il avait manifesté des symptômes de maladie mentale. Je ne reproche rien à Einstein à ce sujet. Je parlais de l'époque où il se trouvait encore à Berlin.

D.B. — *Du fait qu'il n'ait pas vu Eduard plus souvent ?*

R.S. — Oui. Mais c'était une situation complexe et je ne l'ai pas encore entièrement démêlée. Les garçons vivaient avec leur mère. Einstein avait l'impression qu'on les dressait contre lui. Il faut prendre ce contexte en considération. Il mettait également la schizophrénie d'Eduard sur le compte de l'hérédité de la famille de Mileva et affirmait que son fils souffrait de la même maladie que Zorka.

D.B. — *Elle était perturbée ?*

R.S. — Pas perturbée. Zorka était totalement folle. Il y a des histoires horribles sur sa vie lamentable, au milieu de chats, et sur sa mort.

D.B. — *Mais Mileva ne lui ressemblait pas...*

R.S. — Parfaitement. Mais Einstein disait explicitement que les comportements d'Eduard et de Zorka avaient la même cause. Il ne cachait pas qu'il pensait que la maladie mentale d'Eduard venait de la famille de sa femme. Qu'il ait eu raison ou tort est une autre question, mais il l'a écrit à des amis. Il a aussi accusé Mileva d'avoir éloigné les garçons de lui après leur séparation.

D.B. — *Quel a été le sort d'Eduard ?*

R.S. — Carl Seelig a aidé à s'en occuper. Ils avaient un lien affectif. Seelig, qui était journaliste, avait une fortune personnelle. Il possédait une grande propriété au bord du lac de Lucerne. Il s'était également occupé d'un poète suisse qui avait été interné en hôpital psychiatrique. Il jouait aux échecs avec Eduard et prenait soin de lui, d'une façon générale. Eduard finit par ne plus pouvoir être gardé à domicile. Seelig lui rendit souvent visite après la mort de Mileva, en 1948. Einstein avait une dette envers lui. Seelig mourut tragiquement. Il se coinça le pied en sautant d'un tramway en marche, à Zurich, et fut écrasé par le wagon[16].

Einstein assista à une réunion à Genève de la commission de coopération intellectuelle de la Société des Nations[17]. Un journaliste qui le vit travailler sur les équations de sa théorie unifiée des champs lui demanda :

« Est-ce plus intéressant que vos théories précédentes ?

— C'est ce que je crois, répondit-il avec un sourire, mais on pensera peut-être que je suis fou quand on lira ma démonstration. »

On le vit souvent en grande discussion avec la fragile Marie Curie, aux cheveux blancs, l'un des vice-présidents de la commission, et sa fille de vingt ans aux yeux vifs, Ève. Marie Curie lui rappela l'époque du jeune Einstein, « le plus amusant des hommes », toujours obsédé par la même idée, discutant sans arrêt de la relativité, et qui cherchait à parler avec n'importe quel scientifique de n'importe quel domaine susceptible d'avoir un rapport avec la relativité.

Il ne passa certes pas pour amusant lors de cette réunion. Conforme à sa réputation de franc-parler, il attaqua à boulets rouges le comité auquel il reprocha d'avoir quasiment « donné son absolution à l'élimination des minorités. Il n'a pas pris position contre le militarisme. Les scientifiques se sont faits les représentants de traditions nationales, et pas de la science ». Puis il donna sa démission en qualifiant la commission d'« entreprise la plus inefficace à laquelle j'aie jamais participé (...) malgré ses membres prestigieux[18] ».

Durant le déjeuner, un rabbin de Saint Louis, dans le Missouri, lui demanda ce qu'il pensait des mariages entre Juifs et non-Juifs. « Je crois, répondit-il, que c'est possible en théorie, mais impossible en pratique[19]. »

Elsa craignait les commérages sur Margot et Dimitri Marianoff qui ne se quittaient plus. Albert n'était pas inquiet mais finit quand même, sous la pression de sa femme, par leur suggérer mollement de se marier. N'attendant que cela, ils acceptèrent et convolèrent quatre jours plus tard. Einstein assista à la cérémonie « vêtu d'un imperméable usé, d'un vieux pantalon bouffant et de son chapeau à large bord préféré[20] ».

Après son voyage de noces, le jeune couple s'installa dans l'une des neuf pièces de l'appartement d'Albert et Elsa. Marianoff était dans la place. Il observait son sujet prendre son petit déjeuner dans une chemise de nuit qui lui tombait jusqu'aux chevilles (et qu'il ne revêtait pas pour dormir) ou se raser avec du savon ordinaire. Il le vit un jour appeler Dukas pour lui dire, en lui montrant un manuscrit qu'il avait bariolé de diverses couleurs : « Regardez, Dukas, on dirait qu'il n'y a que les dingues qui m'envoient leur travail. »

Son médecin l'autorisa à reprendre son voilier, mais sans toucher aux rames, ce qui l'obligeait à attendre patiemment que le vent se lève quand son bateau était encalminé. Il demeura ainsi une nuit à la dérive jusqu'à deux heures du matin, avec à son bord une jeune fille dont nous ignorons le nom.

Il aimait aborder au cottage de Plesch et passer des heures à improviser sur un orgue. « Des gens se rassemblaient sur la rivière, à bord de bateaux, de canoës, de voiliers, et écoutaient (...) son jeu magnifique, raconta Plesch. Ce n'était pas la curiosité qui les attirait, car tout le monde ignorait que c'était Einstein qui jouait. Je ne connais personne d'une plus grande ferveur et d'une plus grande sensibilité. »

La dépression s'aggravait en Allemagne. Les faillites bancaires se multipliaient. Les files d'attente s'allongeaient devant les soupes populaires. Le nombre de sièges des nazis au Reichstag passa de douze à cent sept, et le seul obstacle qui se dressait devant Hitler était le vieux maréchal Paul von Hindenburg, âgé de quatre-vingt-trois ans et presque sénile.

Einstein avait voté pour le parti social-démocrate, qui remporta les élections. Il était optimiste car « le vote en faveur de Hitler n'est qu'un symptôme, pas nécessairement d'une haine contre les Juifs, mais d'un ressentiment temporaire engendré par la misère et le chômage chez de jeunes Allemands trompés. Presque toute la France se trouvait dans le camp antisémite pendant la période dangereuse de l'affaire Dreyfus. J'espère que le peuple allemand trouvera aussi son chemin vers la lumière dès que la situation s'améliorera[21] ».

Plus clairvoyant, Freud écrivit : « Nous allons au-devant de temps difficiles. L'apathie de la vieillesse devrait me rendre indifférent, mais je ne peux m'empêcher d'être triste pour mes sept petits-enfants[22]. »

Einstein laissa la politique pour contrer les étranges idées de Bohr et Heisenberg, convaincu que « si la physique quantique est exacte le monde est aberrant[23] ». La spectroscopie, qui avait été le meilleur outil d'investigation des étoiles, n'était ici d'aucun secours. Il ne lui restait que son imagination.

Quand aucune expérimentation réelle n'est possible, les physiciens jouent parfois à Dieu. Ils appellent cela une expérience « imaginaire ». À son arrivée au sixième congrès de Solvay, Einstein s'apprêtait à affronter les champions de la théorie quantique avec une expérience imaginaire.

Il demanda à Bohr d'imaginer une boîte fermée contenant un élément radioactif et une horloge. L'horloge déclenche à une heure précise un obturateur qui libère une certaine quantité de radiations à l'intérieur de la boîte. « Imaginez, ajouta-t-il, qu'on pèse la boîte avant et après l'émission de radiations. [D'après son équation $E = mc^2$, selon laquelle la masse est égale à l'énergie, la perte de masse se traduit en perte d'énergie.] On peut ainsi déterminer, conclut-il, l'énergie des radiations émises et le moment de cette émission, ce qui est en contradiction directe avec le principe d'incertitude. »

Bohr sembla avoir reçu un choc, raconta le physicien Leon Rosenfeld. Il passa la soirée à « aller de l'un à l'autre pour tenter de les persuader que cela ne pouvait être vrai, que ce serait la fin de la physique si Einstein avait raison. Mais il ne proposait aucune réfutation. Je n'oublierai jamais les deux antagonistes, Einstein (...)

marchant calmement, avec un sourire quelque peu ironique, Bohr trottant à côté de lui, très excité (...). Bohr triompha le lendemain[24] ».

Une nuit blanche lui avait apporté la réponse : la théorie d'Einstein réfutait elle-même l'« expérience imaginaire ». La relativité générale établit qu'une horloge non soumise à la gravitation tourne plus vite que si elle se trouvait dans un champ de gravitation. (Ce qui fut confirmé expérimentalement plus tard à l'aide d'horloges atomiques placées dans des avions et des satellites.) Einstein s'est trompé, expliqua Bohr qui avait retrouvé un visage radieux. Exposer l'horloge aux effets, même infimes, du champ de gravitation rend incertain l'instant précis où l'obturateur s'ouvrira et émettra des radiations. Einstein concédera, des années plus tard, que la mécanique quantique « contient incontestablement une parcelle de la vérité suprême ».

Continuant sa navette entre les questions scientifiques et humanitaires, Einstein passa quelques jours à Londres comme invité d'honneur d'une campagne de soutien aux pauvres de la communauté juive européenne. George Bernard Shaw fut chargé d'un discours de bienvenue que la BBC prévoyait de diffuser aux États-Unis, en Allemagne et sur les îles Britanniques. Il écrivit au directeur de la BBC, John Reith :

> « Vos gens n'ont pas compris l'importance de l'événement. Je dois saluer, au nom de la culture (et de la science) britannique, le plus grand philosophe de la nature des trois cents dernières années. Le Premier ministre m'a confié ce que devrait être sa tâche. Cette visite devrait recevoir le plus de publicité possible, si nous ne voulons pas mériter d'être stigmatisés comme philistins (...). Je ne peux pas le faire en quinze minutes, et m'estimerai heureux si j'y parviens en vingt-cinq. Quant à limiter Einstein, c'est hors de question : nous devons être préparés pour deux minutes ou trente minutes, à son choix[25]. »

Il espéra également, en vain, qu'Einstein aurait « perfectionné son anglais depuis son dernier voyage, car je n'ai aucun don pour les langues et je suis incapable, contrairement à Eddington, de discuter avec lui à l'aide d'équations[26] ».

Le banquet en l'honneur d'Einstein se déroula à l'hôtel Savoy, sous la présidence de lord Rothschild et en présence d'un millier de convives, dont H.G. Wells et Arthur Eddington. S'éloignant parfois de son texte, Shaw se lança dans une rapide, éblouissante et vertigineuse histoire de la physique :

> « Je dois parler de Ptolémée et d'Aristote, de Kepler et de Copernic, de Galilée et de Newton, de gravitation et de relativité, d'astrophy-

sique moderne et de Dieu sait quoi, et saluer Einstein comme le successeur de Newton...

« Newton construisit un univers qui dura trois cents ans. Einstein en
a édifié un dont vous voulez sans doute que je dise qu'il ne s'effon-
drera jamais, mais je ne sais pas combien il durera (...). Quand la
science a atteint Newton, elle est entrée en conflit avec cet Anglais
extraordinaire. Si je parlais quinze ans plus tôt, je dirais qu'il avait
l'esprit le plus grand qu'aucun individu ait jamais reçu en partage. En
combinant la lumière de cet esprit merveilleux avec de la crédulité,
de la superstition et des illusions.

« Cet Anglais partit du postulat que l'univers était rectiligne parce
que les Anglais désignaient du mot "carré" l'honnêteté, la véracité,
en un mot, la rectitude. Newton savait que l'univers était constitué
de corps célestes en mouvement, et qu'aucun ne se déplaçait en ligne
droite, ni même ne le pouvait. Mais de simples faits n'arrêtent jamais
un Anglais. Newton inventa une ligne droite, la loi de gravitation. Il
créa un univers merveilleux, un univers parfaitement anglais, qu'il
éleva au rang de religion et dans lequel on crut avec dévotion pendant
trois cents ans. C'est le cadre dans lequel on m'a élevé. C'est la
croyance qu'on m'a inculquée. Un jeune professeur s'est levé, trois
cents ans après la fondation de cet univers. Il a beaucoup parlé. On
l'a traité de blasphémateur. La théorie de la pomme est fausse, a-t-il
prétendu : "Newton ne savait pas ce qui arrivait à la pomme et je
peux le prouver lors de la prochaine éclipse."

« Le monde n'est pas rectiligne. Il est courbe. Les corps célestes décrivent des courbes parce que c'est leur façon naturelle de se déplacer.
L'univers de Newton se fripa et l'univers d'Einstein le remplaça. On
le considère ici, en Angleterre, comme un homme formidable. Il ne
conteste pas les observations de la science, mais les axiomes de la
science. Et la science s'est inclinée[27]. »

Demandant à Einstein de leur pardonner d'avoir brisé son « auguste solitude » pour lui demander d'aider « les plus pauvres d'entre
les pauvres de la planète », Shaw conclut : « Je bois à la santé du
plus grand de nos contemporains, Einstein ! »

Einstein se leva pour répondre. Il transpirait sous la chaleur des
projecteurs installés par les cameramen.

« La meilleure façon d'aider les Juifs d'Europe de l'Est est de leur
ouvrir l'accès à de nouveaux domaines d'activités, ce pour quoi ils se
battent dans le monde entier. C'est aujourd'hui à vous, Juifs d'Angleterre, que nous faisons appel pour nous aider dans cette grande entreprise. Nos amis ne sont pas nombreux, mais parmi eux se trouvent
des âmes nobles et dotées d'un sens de la justice inflexible, des gens
qui ont consacré leur vie à l'amélioration de la société humaine et à
l'émancipation des individus dégradés par l'oppression. Nous avons
le bonheur et la chance d'avoir parmi nous ce soir de tels hommes du
monde des Gentils. Je suis très heureux de voir ici Bernard Shaw et

H.G. Wells, dont les approches de la vie me séduisent particulièrement.

« Vous avez, monsieur Shaw, réussi à gagner l'affection et l'admiration du monde entier, tout en suivant un chemin qui en a conduit d'autres au martyre... En brandissant un miroir devant nos yeux, M. Shaw nous a libérés, comme aucun autre contemporain n'a su le faire, et a allégé le fardeau de notre vie. Nous vous en sommes sincèrement reconnaissants, monsieur Shaw.

« Je vous suis également personnellement reconnaissant pour les mots inoubliables avec lesquels vous avez parlé de mon homonyme mythique qui me rend la vie si difficile, même si c'est, en réalité, malgré sa démesure, un compagnon plutôt inoffensif (...). Je vous dis à tous que l'existence et l'avenir de notre peuple dépendent moins de facteurs externes que de notre fidélité aux traditions morales qui nous ont permis de survivre à travers les millénaires malgré les violentes tempêtes qui nous ont secoués. Le sacrifice au service de la vie est une grâce[28]. »

Shaw s'étant excusé de s'être égaré sur les questions scientifiques et d'avoir, peut-être, trop critiqué Newton, Einstein lui répondit, par l'intermédiaire d'un interprète : « Quelle importance ? Ce n'est pas votre domaine ! »

Einstein prit la parole, deux semaines plus tard, devant des étudiants berlinois entassés à étouffer dans un auditorium, et dont beaucoup revenaient d'une manifestation communiste contre des baisses de salaire. Il les invita à poser toutes les questions qu'ils voulaient. Face à un flot d'interventions sur la crise politique, il répondit que son domaine était la science, l'univers. Les peuples primitifs croient que chaque événement est provoqué par « une entité humaine, divine ou démoniaque », mais l'homme moderne a encore un long chemin à parcourir pour percer les secrets de l'univers. « Plus nous avançons, plus grandes sont les énigmes que nous avons à résoudre. »

Il demeurait cependant optimiste[29].

Leo Szilard raconta qu'Einstein était dans sa meilleure forme quand il parlait dans sa langue maternelle, ce qu'il faisait le plus souvent, devant une grande salle : « C'est l'homme le plus simple que je connaisse. Il s'adresse à un millier de personnes de la même façon qu'à des amis au coin du feu. Cela ne veut bien sûr pas dire qu'il ne soit pas timide. Le succès scientifique exige souvent une certaine sorte de sensibilité, et la sensibilité entraîne la timidité. Sa simplicité est peut-être la clef de compréhension de son travail — en science, les idées les plus grandes sont les plus simples[30]. »

Einstein se prépara en novembre pour son deuxième voyage aux États-Unis. Il devait se rendre à l'Institut californien de technologie

(Caltech), puis à l'observatoire du mont Wilson pour y discuter de cosmologie avec Richard Tolman, professeur de chimie physique et de physique mathématique, et mettre au point des observations qui testeraient ses dernières hypothèses. Il se réjouissait de passer l'hiver au milieu des orangers et sous un ciel bleu. Il éviterait New York : « Je déteste la foule et les discours. Je déteste les appareils photos et les rafales de questions. Je suis dépassé par cette manifestation de la psychologie des masses qui fait qu'un scientifique comme moi, qui manie des idées abstraites et aime la tranquillité, soit devenu une telle coqueluche des foules[31]. »

Des propositions mercantiles affluèrent à l'annonce de son voyage. Il éclata de rire quand on lui offrit d'exposer une de ses vieilles paires de chaussures à côté de celles de stars de Hollywood et de candidats à la présidence des États-Unis, mais fut révulsé par les dizaines de milliers de dollars qu'on lui promettait s'il faisait de la publicité pour des cravates, des eaux de toilette, des instruments de musique et des désinfectants. « N'est-ce pas tristement éloquent sur le marketing ? fit-il remarquer. Et je dois ajouter que ces sociétés me font ces propositions sans chercher le moins du monde à m'offenser. Ce qui signifie que cette sorte de corruption est largement répandue. »

Les nouvelles de Palestine étaient plus alarmantes. Usant d'un double langage, le gouvernement anglais annonça que la Palestine demeurerait un foyer national juif, mais qu'aucun Juif ne pourrait plus s'y installer. L'explication officielle selon laquelle le pays avait atteint sa limite de population cachait mal un geste pour apaiser les Arabes aux dépens des Juifs.

Le couple Einstein se rendit à Anvers en train. À l'arrivée, le consul allemand offrit un bouquet de fleurs à Elsa pendant qu'Albert déclarait à un groupe de journalistes son indignation contre la politique anglaise : « Nous, les Juifs, sommes partout sujets aux agressions et humiliations provoquées par l'exacerbation du nationalisme et d'un sentiment de supériorité raciale qui se transforme dans la plupart des pays européens en un virulent antisémitisme. Le foyer national juif n'est pas un luxe, mais une nécessité absolue pour le peuple juif. La réponse des Juifs aux difficultés actuelles doit être leur détermination à redoubler d'efforts en Palestine[32]. »

Einstein accentua sa critique du gouvernement anglais durant la traversée à bord du *SS Belgenland*. Les Anglais n'abordaient pas « la question de la Palestine avec l'objectivité qu'on attendait d'eux. Cela fait cependant plaisir de voir que l'opinion publique anglaise est "solide", et que des voix s'élèvent en faveur de la justice[33] ».

Einstein était lui-même attaqué à la fois par les nazis et des Juifs. L'organe de Hitler, le *Volkische Beobachter*, dénonçait son manque de patriotisme parce qu'il voyageait sur un bateau belge et non pas allemand, tandis qu'un groupe juif antisioniste, l'Union nationale des Juifs allemands, lui reprochait de mettre sa réputation au service du sionisme.

Un ouragan de journalistes et de photographes envahit le paquebot dès qu'il toucha le quai du port de New York. Einstein se boucla dans sa cabine pour « échapper à ces hommes qui attendent comme des loups de pouvoir me donner un coup de dents[34] ». On le convainquit d'affronter les loups pendant un quart d'heure, dans le restaurant.

Les journalistes, pressés par le peu de temps dont ils disposaient, hurlèrent tous en même temps leurs questions comme des agents de change à la corbeille. L'obstacle de la langue n'arrangeait pas les choses. Elsa et le consul allemand, Paul Schwartz, faisaient office d'interprètes.

Un homme grimpa sur une table et cria : « Définissez la quatrième dimension en un mot ! » Einstein eut l'air surpris et lança, avec un rire : « Demandez cela à un spirite ! » Le reporter insista : « Ce n'est pas une question-piège. Est-ce que le temps serait la bonne réponse ? » Einstein approuva.

Des journalistes grimpaient sur des chaises ou sautaient en l'air pour attirer son attention. L'un d'eux parvint à faire entendre :

« Est-ce qu'il y a une relation entre la science et la métaphysique ?

— La science est la métaphysique.

— Pouvez-vous définir la relativité en une phrase ?

— Il me faudrait trois jours pour donner une définition courte.

— Est-ce que votre nouvelle théorie des champs sera aussi importante que la théorie de la relativité ?

— Personne ne peut le dire.

— Est-ce que vous avez apporté votre violon ?

— Je l'ai laissé chez moi parce que le climat tropical que nous allons rencontrer en franchissant le canal de Panama pourrait l'abîmer.

— Qu'est-ce que vous pensez d'Adolf Hitler ?

— Je n'ai pas le plaisir de connaître M. Hitler. Il prospère sur l'estomac vide de l'Allemagne. Dès que les conditions économiques se seront améliorées, il ne comptera plus.

— La religion peut-elle apporter la paix au monde ?

— Elle ne l'a pas fait jusqu'ici. Quant à l'avenir, je ne suis pas prophète. »

Il changea d'avis sur New York. Avoir goûté une fois à Manhattan lui donnait envie d'y retourner. Il descendit à terre les cinq jours de l'escale. Il contempla la ville depuis une terrasse sur le toit de l'immeuble du consul allemand, célébra Hanoukka au milieu de quinze mille personnes à Madison Square, et fut l'invité d'honneur d'un déjeuner au *New York Times*. On l'ovationna un soir au Metropolitan Opera, alors qu'il tentait d'entrer discrètement dans sa loge. Il surmonta son allergie aux discours pour demander à la Société d'histoire nouvelle de « déclarer avant la conférence mondiale sur le désarmement, en février prochain, que vous refuserez de participer à toute guerre ou préparation de guerre ». La Légion américaine de Californie le déclara *persona non grata*.

Il fut reçu comme un souverain à la mairie de Manhattan où le président de l'université Columbia, Nicholas Murray Butler, le présenta comme « le roi de l'esprit ». L'orchestre municipal salua le monarque en chantant avec un entrain égal « *Deutschland Über Alles* » et « *Hatikwah* » , le chant sioniste qui deviendrait l'hymne national d'Israël. Le maire Jimmy Walker risqua un compliment honnête : « Nous avons la plus haute estime pour vos contributions scientifiques, même si nous ne les comprenons pas[35]. »

Elsa le persuada de se rendre dans un temple, Riverside Church, où on avait installé une effigie de lui. Le pasteur, Harry Fosdick, avait repris la pratique médiévale de décorer les églises, en remplaçant les effigies de saints et de rois par celles de savants, d'artistes et de philosophes. Il avait demandé à quatorze éminents scientifiques américains de désigner leur candidat. Einstein avait été choisi.

> « [Selon le *New York Times*], le pasteur accueillit Einstein et sa femme à l'entrée du temple. Le vitrail devant lequel Einstein s'arrêta le plus longtemps réunissait Emmanuel Kant dans son jardin avec un serviteur tenant une ombrelle au-dessus de sa tête, Moïse les tables de la Loi à la main et Beethoven en train de composer. Il passa devant John Bunyan, Milton, Hegel, Pasteur, Darwin, Thomas d'Aquin, Descartes, Emerson et des centaines d'autres. "Est-ce que je suis le seul vivant parmi tous ces personnages ?" demanda-t-il. "C'est exact, Professeur Einstein", répondit gravement Fosdick, pénétré de l'importance du moment. "Alors il va falloir que je fasse très attention à ce que je vais dire et faire pendant le reste de ma vie." »

Il plaisanta plus tard : Je savais qu'on ferait de moi un saint juif, mais je n'avais jamais imaginé que je deviendrais un saint protestant ! »

Le bateau fit une nouvelle escale à Cuba, où l'Académie des sciences reçut Einstein avec les honneurs, avant d'emprunter le canal de Panama. Pendant qu'Elsa tuait le temps au salon de beauté ou au solarium, Einstein dictait des notes scientifiques à son assistant, Walther Mayer, et des lettres à Helen Dukas.

Le paquebot arriva à San Diego le 31 décembre, peu après le lever du jour[36]. La cohue habituelle des journalistes, dont deux tombèrent de la passerelle, envahit le pont. Cinq cents écolières en uniforme blanc attendaient Einstein pour lui offrir une sérénade. Mais il était toujours au lit et Elsa se chargea de faire patienter tout le monde. Apparaissant peu après, il échangea avec sa femme un regard éloquent : « Nous y revoilà ! » Un concert de protestations s'éleva quand un journaliste tenta de discuter directement avec lui en allemand. Puis les questions affluèrent.

Il était d'accord avec un de ses interlocuteurs pour dire qu'il n'y avait pas de conflit entre la science et la religion, et ajouta : « Mais cela dépend de vos conceptions religieuses. »

Il déclara qu'il pratiquerait des « expériences imaginaires » pendant sa visite, afin de déterminer l'influence de la rotation de la Terre sur les rayons du Soleil. À la question : « Est-ce que des hommes vivent ailleurs dans l'univers ? » il répondit avec un sourire : « Des hommes ? D'autres êtres peut-être, mais pas des hommes. »

Interrogé sur les risques d'une nouvelle guerre en Europe, il répliqua : « Il y en aura peut-être une si vous ne faites rien. Il ne s'agit pas d'attendre, mais d'agir. La paix mondiale est possible avec une organisation convenable et de bonnes idées. »

Il se reposa quelques semaines au « paradis », comme il appelait Pasadena, à l'abri des rencontres avec les chasseurs de scoops.

Le public n'était pas pour autant privé de nouvelles. Marianoff avait été pris de vitesse par l'autre gendre d'Einstein, Rudolf Kayser, marié à la fille aînée d'Elsa, qui publia sous le nom d'Anton Reiser une biographie de son illustre beau-père. « Essai non transformé », avait écrit Einstein dans la préface. L'ouvrage n'était pas assez osé. L'auteur avait écarté « l'irrationnel, le contradictoire, le bizarre, le fou même, que la nature inépuisable implante, apparemment pour se distraire, chez un individu[37] ».

# 23

# Einstein en Californie

*1931*
*51 et 52 ans*

Les photographes avaient de bonnes raisons de se bousculer à l'arrivée d'Einstein à Caltech. L'université allait, selon le *Times*, être le théâtre d'une « rencontre entre les plus éminents physiciens américains et un Européen qui est le plus grand pionnier actuel en physique, et sans doute l'un des deux ou trois plus grands savants de l'histoire des sciences[1] ».

Einstein répondit aux questions des journalistes par l'intermédiaire du professeur de physique Richard Tolman. Il espérait que les chercheurs de Caltech et de l'observatoire du mont Wilson l'aideraient à répondre à la question primordiale à ses yeux : la gravitation, la lumière, l'électricité et l'électromagnétisme sont-ils des formes différentes du même phénomène ? Il s'accrochait curieusement toujours à sa conception d'un univers globalement statique, même « s'il n'est pas statique dans le détail car nous voyons des choses changer en son sein ». Peut-être n'avait-il pas encore étudié les récentes conclusions de Harlow Shapley, astronome à Harvard, qui remettait en cause le modèle d'univers fini dans lequel la matière et les galaxies seraient uniformément réparties. Shapley avait découvert et mesuré dix-huit mille nouvelles galaxies, et observé que leur répartition dans l'espace était loin d'être uniforme. « L'ensemble de l'univers est en expansion, déclara-t-il, les galaxies s'éloignent ou se dispersent dans l'espace. Il ne restera un jour que du vide. La taille du cosmos ou de l'espace-temps a doublé au cours des deux derniers milliards d'années[2]. »

La position d'Einstein sur ce point était vacillante. Il concéda que le décalage vers le rouge de la lumière de la nébuleuse observé récemment par Hubble et Humason indiquait que l'univers n'était pas statique, et que « les travaux théoriques de Lemaître et Tolman » intégraient « cette conception dans la théorie générale de la relativité[3] ».

On lui demanda si la civilisation était menacée. Ne saisissant pas l'occasion de dire ce qu'il pensait de Hitler et de Staline, il répondit que les recherches scientifiques ne peuvent modifier la situation internationale. Seule la volonté humaine le peut. Il esquiva la question « La science entre-t-elle en conflit avec la croyance en un Dieu tout-puissant et omniprésent ? », en disant qu'il faudrait un livre entier pour répondre.

La source et la nature des rayons cosmiques faisaient partie, selon Einstein, des mystères de la nature à résoudre. (Robert Millikan, qui dirigeait Caltech, était un spécialiste des rayons cosmiques. L'origine de ces particules subatomiques à haute énergie est toujours inconnue.) On lui demanda s'il avait entendu parler d'un garçon de quatorze ans, de Los Angeles, qui passait pour un spécialiste de la relativité. La lettre se trouvait peut-être dans la pile de courrier de un mètre qui l'attendait, avança-t-il. Une sombre perspective pour quelqu'un qui décrivit un jour l'enfer comme habité par un diable brandissant toutes les demi-heures une fourche chargée d'une nouvelle botte de lettres auxquelles répondre.

Il mit fin à la conférence de presse avec un sourire et une remarque traduite par Tolman : « Le professeur espère qu'il a réussi l'examen[4]. »

Il passa la journée du 3 janvier dans le laboratoire de Tolman, la « cellule », à échanger des idées et écrire des équations avec Tolman et Paul Epstein, un autre professeur de l'université. Il écrivit ce soir-là dans son journal : « J'ai eu des doutes sur le travail de Tolman sur la cosmologie, mais c'est finalement lui qui a raison. »

Elsa et lui louèrent le lendemain une petite villa blanche et ensoleillée, dotée d'un réfrigérateur et d'un lave-linge, qu'ils préférèrent à une demeure plus vaste et des employés de maison.

Il assista le 7 janvier, à l'observatoire, à une conférence de l'astronome Charles Saint-John qui expliqua que la théorie de la relativité générale prédisait un décalage vers le rouge de la lumière du soleil. Puis il discuta avec le directeur Walter Adams, qui avait vérifié la théorie de la relativité avec des observations de l'étoile compagne de Sirius, le Grand Chien. C'est un objet véritablement unique, lui dit l'astronome. On n'en trouve aucun dans tout l'univers qui soit aussi brillant et dense. Dix centimètres cubes pèsent une tonne.

Einstein coucha dans son journal : « C'est un endroit très intéressant. Soirée hier avec Millikan, qui joue le rôle de Dieu (...), aujourd'hui un colloque sur l'astronomie, la rotation du soleil, avec Saint-John. Le tout très sympathique. J'ai trouvé la cause probable de la variabilité de la rotation du soleil dans le mouvement circulatoire de sa surface (...). J'ai fait un exposé aujourd'hui sur une expérience imaginaire, au cours du colloque de physique théorique. »

Il accepta une invitation à visiter en compagnie d'Elsa le First National Studio. Des techniciens de langue allemande le convainquirent de se laisser filmer, en l'assurant que ce n'était pas pour utiliser son image à des fins publicitaires, mais seulement pour lui démontrer ce qu'on entendait par « relativité » à Hollywood[5]. Il n'avait qu'à s'installer avec Elsa dans une voiture qui se trouvait là et faire semblant de conduire. Il comprendrait plus tard. Il s'exécuta et pointa de temps à autre un doigt vers le sol, comme on le lui demandait.

Les cinéastes vinrent chez lui le soir même, installèrent un écran et projetèrent leur film. La voiture n'était plus garée dans le studio. Elle les emmenait à travers les rues de Los Angeles, avant de décoller comme un avion. Et le doigt d'Einstein ne montrait plus le sol du First National Studio mais, loin en dessous d'eux, les montagnes Rocheuses. La machine volante atterrit dans la campagne allemande et les conduisit à différents points de vue. On remit le film à Einstein, pour qu'il soit certain que nul ne l'utiliserait à des fins commerciales.

Einstein visita également les studios de la Warner et d'Universal. Le directeur de celui-ci se précipita sur son téléphone quand il lui dit qu'il aimerait rencontrer Charlie Chaplin. Chaplin arriva sans tarder et déjeuna avec le couple Einstein au restaurant des studios. Il les invita à dîner chez lui, à Beverly Hills.

Le clou de la soirée fut le récit par Elsa de la façon dont Albert avait trouvé sa théorie de la relativité générale. Il était descendu un matin en robe de chambre, avait délaissé son petit déjeuner car une « idée magnifique » lui coupait l'appétit, et s'était assis à son piano. Il s'interrompait de temps à autre pour répéter : « J'ai eu une idée magnifique ! » et avaler une gorgée de café. Il suffisait seulement d'un peu de travail. Il retourna dans son bureau en exigeant de ne pas être dérangé et y demeura pendant deux semaines. Il s'y faisait servir ses repas et ne sortait que pour une brève promenade, chaque soir. Puis il apparut enfin un matin, épuisé, et posa deux feuilles de papier sur la table. « Voilà », dit-il. C'était, conclut Elsa, sa théorie de la relativité.

On lui demanda s'il croyait aux fantômes. Il n'en avait jamais rencontré, mais il se laisserait convaincre de leur existence, dit-il avec une mimique qui signifiait le contraire, s'il trouvait une douzaine de personnes qui affirmaient avoir observé ensemble le même fantôme. Non, répondit-il à Chaplin, il n'avait jamais assisté à une séance de spiritisme au cours de laquelle une table s'élevait en l'air. Les phénomènes psychiques étaient à la mode à Hollywood et les médiums une spécialité locale florissante. Devant le manque d'intérêt d'Einstein, Chaplin passa à la physique. Sa théorie s'opposait-elle à celle de Newton ? « Au contraire, répondit Einstein. C'est un prolongement de celle de Newton. »

Elsa dit qu'elle avait écarté de nombreuses propositions de faire tourner Albert dans des films, mais qu'il avait posé pour des photos d'actualité à Berlin, en échange d'un cachet qu'il avait donné à des œuvres charitables. Elle invita Chaplin à s'arrêter chez eux pendant le tour du monde qu'il allait entreprendre, tout en insistant sur le fait que leur petit appartement berlinois n'avait rien à voir avec cette immense propriété. Ils avaient choisi de ne pas être riches, ajouta-t-elle. Albert avait refusé un million de dollars de la fondation Rockefeller.

Caltech organisa un banquet pour son invité d'honneur. Parmi les deux cents convives se trouvaient sept scientifiques auxquels Einstein devait beaucoup : les physiciens Michelson, Robert Millikan et Richard Tolman, les astronomes William Campbell, Walter Adams, Charles Saint-John et Edwin Hubble.

Millikan le présenta comme celui qui avait le plus contribué à imposer à la science moderne une démarche empirique. Einstein souligna ensuite à quel point ses recherches avaient reposé sur le travail de scientifiques présents dans la salle :

« Je viens de loin, mais je n'arrive pas parmi des étrangers. Je retrouve ici des hommes qui sont depuis des années de véritables camarades de travail. Vous avez, Professeur Michelson, entamé ces recherches quand je n'étais qu'un gamin de trois pieds (...). Votre magnifique travail expérimental a pavé le chemin de la théorie de la relativité (...). Sans vos travaux, ce serait aujourd'hui à peine plus qu'une intéressante spéculation. Vos vérifications expérimentales ont, pour la première fois, placé la théorie sur ses véritables bases (... et) les découvertes récentes de Hubble sur la relation entre la distance des nébuleuses spirales et le décalage vers le rouge des raies spectrales ont conduit à une conception dynamique de la structure spatiale de l'univers, à laquelle Tolman a donné une expression théorique originale et particulièrement éclairante. Je vous suis tout aussi reconnaissant pour l'aide précieuse de vos investigations expérimentales dans le domaine de la mécanique quantique. Je dois beaucoup aux recherches de Millikan sur l'effet photoélectrique[6]. »

Michelson, qui à soixante-dix-huit ans se remettait d'une attaque, fut visiblement ému par l'hommage d'Einstein. Il admit modestement qu'en réalisant son expérience « il ne mesurait pas les formidables conséquences engendrées par la grande révolution de la théorie de la relativité du professeur Einstein, une révolution de la pensée scientifique sans précédent dans l'histoire des sciences ».

Einstein décrira ainsi l'apport de Michelson, dans une lettre au biographe de ce dernier, Bernard Jaffe :

> « L'expérience de Michelson eut une influence considérable sur mon travail en renforçant ma conviction que la théorie de la relativité restreinte était juste. J'étais bien sûr déjà persuadé que cette théorie était exacte avant de connaître cette expérience et ses conclusions, mais l'expérience de Michelson supprima quasiment tous les doutes qui pouvaient subsister sur la validité de la théorie de la relativité restreinte dans le domaine de l'optique, et montra qu'un changement radical des concepts fondamentaux de la physique était inévitable. »

Einstein rendit visite à Michelson chez lui, quelques jours après le banquet. Le vieil homme était trop faible pour se lever de sa chaise. La rencontre fut émouvante. Leur froideur passée, quand Michelson résistait à la théorie de la relativité restreinte, était oubliée. Ils discutèrent de la prohibition pendant le déjeuner, tout en buvant du vin. Einstein, qui était pour son annulation, décrivit avec couleur les discussions des intellectuels allemands dans des brasseries. Les salons de l'Amérique d'avant la prohibition étaient différents, dit Mme Michelson. C'était « souvent le lieu d'une grande convivialité et d'un oubli agréable de la grisaille quotidienne, mais ils n'étaient pas réputés pour leurs échanges philosophiques[7] ».

Ce fut la dernière rencontre entre les deux hommes. Michelson décéda l'été suivant.

Einstein fit un exposé devant une trentaine d'étudiants déroutés par la théorie de la relativité. Ses réponses à leurs questions couvrirent d'équations un tableau noir. Il expliqua que ces équations contenaient dix grandeurs inconnues, dont quatre étaient déterminées arbitrairement. Stupéfaction. « Moi aussi, j'ai été étonné quand j'ai découvert en travaillant sur une équation qui expliquerait à elle seule l'univers et ses propriétés — la théorie unifiée des champs — qu'elle comportait seize grandeurs inconnues dont quatre devaient être postulées, plus ma théorie de la gravitation combinée aux lois de Maxwell sur l'électromagnétisme[8]. » Einstein pensait cependant que malgré les nombreuses inconnues la vérification expérimentale de certains aspects de sa théorie était imminente.

Edwin Hubble lui fit visiter le lendemain soir le télescope de cent pouces du mont Wilson, le plus grand au monde, grâce auquel il était l'homme qui avait vu le plus loin dans l'univers. Il y avait, estimait-il, au moins trente millions de galaxies aussi grandes que la Voie lactée. La distance moyenne entre les galaxies était d'un million et demi d'années-lumière et chacune contenait des centaines de milliards d'étoiles. L'astronome ajouta qu'il avait observé des galaxies lointaines qui s'éloignaient de nous à une vitesse proche de celle de la lumière.

Einstein fut très impressionné. L'idée d'un univers en expansion l'avait « irrité » et lui avait paru « insensée ». Il pouvait maintenant difficilement nier des preuves aussi spectaculaires. Il était par ailleurs sans aucun doute content que ses théories aient prévu la loi de Hubble — plus les galaxies sont éloignées, plus leur vitesse est élevée.

Il se rendit à plusieurs reprises à Hollywood, notamment pour la première des *Lumières de la ville*, de Charlie Chaplin. Au grand dam de Millikan, qui haïssait ce qui détournait son hôte des questions scientifiques, le pire de tout étant ce « dangereux radical » d'Upton Sinclair. Chaplin comparait l'écrivain au Christ pour son action en faveur de la justice sociale. Sinclair avait récemment écrit à Einstein : « Je viens de lire que vous alliez venir à Pasadena (...) je serai heureux de vous offrir un coin de jardin tranquille où vous pourrez vous isoler. Vous devriez apporter votre violon et nous jouerons des duos [Sinclair au piano], si vous me pardonnez quelques fausses notes[9]. »

Einstein avait promis à Sinclair de lui rendre visite dès qu'il aurait « un moment de libre ». Et un beau jour la belle-sœur de Sinclair, Dolly, vint trouver la femme de celui-ci en lui disant : « Il y a un vieil homme étrange qui regarde partout dans la rue. Il regarde ici, comme s'il s'apprêtait à entrer. »

S'approchant de la fenêtre, Mme Sinclair vit « un individu d'allure frêle, les cheveux gris ébouriffés, coiffé d'un chapeau noir et vêtu d'un costume qui n'avait jamais vu un pressing. J'ai dit à Dolly d'aller voir ce qu'il voulait. Elle est revenue en me disant : "Il dit qu'il est le professeur Einstein, mais je ne sais pas si je dois le croire" ». Mme Sinclair lui dit de le faire entrer et appela son mari[10].

« Ainsi commença la plus belle amitié possible en ce monde, racontera Upton Sinclair[11]. C'était le meilleur, le plus aimable et le plus agréable des hommes. Il avait une intelligence vive, un délicieux sens de l'humour et une langue parfois acerbe, mais seulement contre les démons de notre époque. » Les Sinclair organisèrent un dîner avec quelques amis écrivains au fameux restaurant Town House de Los Angeles. À son arrivée, Einstein passa devant le vestiaire sans le voir et pénétra dans la salle vêtu de son pardessus noir et de son chapeau usé. Il ôta son vêtement, « le plia soigneusement, le rangea par terre dans un coin de la pièce et posa son chapeau dessus. Il était prêt à rencontrer l'élite littéraire de Californie ». La façon dont Einstein flirta avec de jolies invitées, sa « vieille femme », comme il disait, à ses côtés, avait quelque chose de chaplinesque.

Sinclair monopolisa Einstein pendant plusieurs jours. Il l'emmena au cinéma voir *Orage sur le Mexique* de Sergheï Eisenstein et organisa une projection privée de *À l'Ouest rien de nouveau*. Le roman d'Erich Maria Remarque et le film qui en avait été tiré étaient interdits en Allemagne pour propagande pacifiste.

Une femme millionnaire offrit dix mille dollars à Caltech pour le privilège de rencontrer Einstein[12]. Celui-ci refusa une proposition de jouer sur un Guarnerius, l'équivalent d'un Stradivarius, estimé à trente-trois mille dollars, « en expliquant qu'il était habitué à son vieil instrument[13] ». Il accepta en revanche du saumon venu par avion d'Alaska, un jambon d'Armour and Co., des cageots d'oranges et de pamplemousses, des pierres polies de la forêt pétrifiée d'Arizona, des cactus rares et une selle en mouton que le directeur de l'hôtel Ambassadeur de Los Angeles avait fait venir d'Angleterre pour lui. Il n'y avait plus un centimètre de libre dans le bungalow, se plaignit Elsa, « et si on nous donne d'autres cadeaux on va devoir déménager[14] ». Des voleurs cambriolaient, au même moment, la maison de Caputh d'où ils emportèrent des broderies sur soie.

Tout cela effleurait à peine Einstein qui avait d'autres préoccupations. Il annonça à un auditoire enthousiaste qu'il avait changé d'avis et ne croyait plus que l'univers était « fermé ». Ses conversations avec Tolman et Hubble l'avaient convaincu que la vieille théorie d'un espace sphérique ne décrirait jamais la réalité, quelles que soient les équations de champ utilisées. Ce retournement démolissait sa propre conception d'un univers statique et uniforme, et celle de son ami astronome hollandais, Willem De Sitter, d'un univers statique et non uniforme. Quant à sa théorie unifiée des champs, il reconnaissait qu'elle était dans une impasse : « Disons que c'est une boîte fermée dans laquelle je ne sais pas ce qu'il y a[15]. » À quoi

Walter Adams répondit, optimiste : « Nous espérons en ôter rapidement le couvercle pour voir ce qu'il y a dedans. »

Le conservateur Millikan n'apprécia guère de voir Einstein s'occuper de politique. Les sionistes tiquèrent également quand il déclara que le Pérou serait une meilleure Terre promise que la Palestine, car la terre y est fertile, les ressources naturelles abondantes, les animaux dangereux et les serpents venimeux peu nombreux, et « la population indigène si dispersée qu'on peut légitimement considérer le pays comme une terre vierge[16] ». Il apaisa cependant leur mécontentement en participant à des soirées de collecte de fonds à Los Angeles et New York.

Einstein partageait de nombreuses convictions socialistes de Sinclair et Chaplin. Il était en faveur d'un salaire minimum, de l'instauration d'une retraite et d'un maximum pour les fortunes individuelles. « Nous ne devrions plus avoir deux classes d'individus, disait Sinclair, l'une qui a davantage de nourriture dans son assiette que d'appétit, l'autre davantage d'appétit que de nourriture dans son assiette[17]. »

Einstein se fit l'écho des *Temps modernes* de Chaplin en déclarant à des étudiants de Caltech : « Pourquoi ces merveilleuses applications de la science qui économisent du travail et rendent la vie plus facile n'apportent-elles que si peu de bonheur ? La réponse est simple : parce que nous n'avons pas encore appris à en faire un usage raisonnable. En temps de guerre, la science nous aide à nous empoisonner et nous mutiler mutuellement. En temps de paix, elle nous fait vivre dans la hâte et l'incertitude. Au lieu de libérer les hommes de travaux abrutissants, elle en a fait des esclaves des machines. Elle a transformé la journée de travail en une corvée que beaucoup de salariés accomplissent en tremblant pour leurs pauvres rations[18]. »

« Mon père et Einstein avaient le même idéal socialiste, raconta le fils d'Upton Sinclair, David. Le professeur Millikan, qui avait invité Einstein à Caltech, était d'une opinion totalement opposée et traitait mon père d'"homme le plus dangereux en Californie". Il n'aimait pas qu'Einstein et lui se rencontrent[19]. »

Les Einstein prirent le train pour New York après deux mois de « fainéantise au paradis », comme Albert l'écrivit à Max Born. Ils s'arrêtèrent au Grand Canyon où le physicien fut intronisé chef par une tribu Hopi, sous le nom de *Great Relative*, le Grand Parent, peut-être un jeu de mots avec relativité*. Puis il posa coiffé de la parure adéquate devant les inévitables photographes. À Chicago, il

---

* Parent se dit *relative* en anglais et relativité *relativity*. (*N.d.T.*)

s'adressa depuis la plate-forme arrière du train à un rassemblement pacifiste qu'il encouragea à s'opposer au service militaire.

Le couple Einstein prit le bateau à New York, fit une escale de plusieurs jours à Londres et arriva enfin à Berlin à la mi-mars.

Albert était de retour en Angleterre, à Oxford, au mois de mai pour un cycle de conférences sur la relativité. Cinq cents étudiants suivirent, debout, son premier exposé. « Les bases empiriques de la relativité restreinte, dit-il, étaient les expériences des physiciens Armand Fizeau et Albert Michelson[20]. » Les curieux ayant été satisfaits par la première journée, l'assistance à son deuxième cours, consacré à la cosmologie, était en baisse[21]. Il parlait en allemand et sans notes, en recourant fréquemment à un tableau qu'il avait à l'avance couvert d'équations.

Il cita à l'appui de son hypothèse d'une « densité moyenne » de l'univers le fait que les rayons cosmiques semblent provenir de toutes les directions, et que la matière interstellaire paraisse dispersée au hasard. Il attribuait à Hubble le mérite d'avoir fourni des preuves de l'expansion de l'univers. Cette cosmologie soulevait une question mystérieuse : *À partir de quoi* l'univers a-t-il commencé son expansion ? Une question particulièrement déroutante car, dit-il, l'univers peut difficilement avoir été « tout petit ».

Il prévint les auditeurs de sa troisième conférence que la théorie unifiée des champs était un exercice hautement spéculatif de mathématiques pures, vers lequel il n'avait pas été « poussé par la pression des faits expérimentaux, mais attiré par la simplicité et la logique mathématiques. Espérons que les expériences se rallieront au drapeau mathématique[22] ».

Il passa l'été en Allemagne. Il intervint en faveur de huit jeunes Noirs condamnés à mort en Alabama pour le viol de deux jeunes Blanches, alors qu'une des « victimes » s'était rétractée et avait reconnu qu'aucun crime n'avait été commis. Il demanda ensuite au gouverneur de Californie, James Rolph, la liberté du socialiste Tom Mooney qui purgeait une peine de prison à vie au pénitencier de San Quentin, malgré l'aveu par certains témoins de son procès qu'ils avaient fourni un faux témoignage. Le militant syndicaliste Mooney avait été jugé coupable d'avoir placé une bombe qui avait tué plusieurs personnes pendant un défilé. Einstein écrivit à Rolph que de nombreuses personnes respectables considéraient Mooney et son coaccusé Warren Billings comme totalement innocents : « Je ne prétends pas que mon opinion soit correcte, mais je pense qu'il s'agit d'une erreur judiciaire (...) et vous feriez énormément pour la justice en commuant leurs sentences. »

Le gouverneur transmit la lettre à la presse. Millikan fut embar-

267

rassé. D'un côté, son université dépendait financièrement de bour-geois conservateurs locaux pour lesquels Mooney et Billings étaient de sanglants extrémistes, de l'autre il espérait toujours faire venir Einstein à Caltech. Il écrivit à ce dernier pour obtenir sa garantie qu'il ne ferait plus de vagues. Einstein répondit le 1er août que sa lettre au gouverneur était une correspondance privée qui n'était pas destinée à être publiée, et qui n'avait été motivée que « par un pur amour de la justice ». Mooney et Billings étaient sans doute inno-cents, mais « je comprends que ce ne soit pas mon rôle d'insister sur une question qui ne concerne que les citoyens de votre pays ».

Dans son propre pays, Einstein était révolté par l'agitation menée par des étudiants contre un professeur pacifiste qui s'élevait contre les assassinats politiques. « Il est terrible de voir à quel point une jeunesse inexpérimentée peut être manipulée, écrivit-il dans le *Berliner Tageblatt*. Si cela continue, nous allons parvenir à une terreur rouge, en passant par la tyrannie fasciste. »

La tyrannie régnait déjà en Yougoslavie dont il accusait le gou-vernement d'être responsable de la mort d'un dirigeant croate, le professeur d'histoire Milan Sufflay de l'université de Zagreb. Les dirigeants yougoslaves, et notamment le roi Alexandre Ier, traitaient les Croates avec une « brutalité horrible » qui poussait au terro-risme. Le *New York Times* publia une lettre d'Einstein et de Hein-rich Mann qui pressait la Ligue des droits de l'homme de protester[23]. Les deux hommes racontaient que le roi avait incité une organisation terroriste, Jeune Yougoslavie, à chasser du Parlement les élus croates, à la suite de quoi trois représentants croates, dont le dirigeant Stefan Raditch, avaient été assassinés « à l'intérieur du Parlement ». Une visite du roi à Zagreb, la capitale croate, en jan-vier 1931, avait été marquée par des appels ouverts de la presse gouvernementale à l'extermination de l'élite politique et intellec-tuelle croate. « On va briser des crânes », avait écrit le 18 février un organe officiel. Le professeur Sufflay avait été frappé à mort à coups de barre de fer le soir même.

En Allemagne, les proclamations de Hitler contre un système qu'il voulait renverser tombaient dans de nombreuses oreilles compréhensives. Les capitaux fuyaient massivement un pays dont la situation financière était désespérée. Le chômage touchait près de cinq millions de personnes. L'ambassadeur de Grande-Bretagne à Berlin rapporta : « J'ai été frappé par le vide des rues et le silence anormal qui règne sur la ville. On ressent une atmosphère de ten-sion extrême similaire par bien des aspects à celle que j'ai observée à Berlin durant les jours critiques qui ont précédé la guerre[24]. »

C'est dans une telle ambiance qu'on convainquit Einstein de

divertir une assemblée de personnalités et d'hommes d'affaires importants de Berlin en leur exposant la solution de phénomènes surprenants de la nature. « En des heures si graves il est du devoir de chacun d'essayer d'égayer ses voisins, commença-t-il. Je vais tâcher d'apporter ma contribution. »

Il ignorait qu'une bonne partie du public prisait également les réunions de Hitler. Il expliqua pourquoi les feuilles de thé se concentrent au milieu d'une tasse quand on tourne le liquide, pourquoi un avion plus lourd que l'air demeure en l'air, pourquoi le sable humide forme une boule compacte qui se disperse dans l'eau, et d'autres bizarreries scientifiques. Pour illustrer son explication de la chute du vent à la tombée du jour, le calme qui « abandonne le marin sans recours au milieu de l'eau », il raconta sa dérive dans un voilier jusqu'à deux heures du matin, avec une jeune fille. Il conclut en regrettant de ne pas avoir le temps de présenter toutes les « friandises » qu'il avait préparées.

Il était à nouveau sur une estrade une semaine plus tard, comme s'il avait soudain contracté un penchant pour les apparitions publiques. C'était, cette fois, devant le planétarium comble. Une mauvaise acoustique s'ajoutait à « l'habitude d'Einstein de toujours parler en direction de sa gauche[25] ». Cela n'empêcha pas le public de le suivre avec une attention intense, son éloquence simple donnant à ses auditeurs l'illusion de comprendre même quand ils étaient perdus. « Le but des physiciens n'est pas, déclara-t-il, d'améliorer le sort de l'humanité mais de comprendre l'univers. » Il avait abandonné une carrière d'ingénieur pour la physique après s'être dit : « On a déjà inventé tant de choses, pourquoi est-ce que je me consacrerais à ce genre d'activité ? » La méthode scientifique ressemble à ce que l'on fait quand on interprète le comportement de quelqu'un en se fondant sur sa connaissance de soi, ce qui n'est rien d'autre que l'élaboration d'une théorie. Ce qui ne veut pas dire que les physiciens ne dépendent que de leurs observations, même si sans observations « il n'y aurait pas une seule loi en physique ». Il souligna, par ailleurs, que « l'expérience seule ne peut engendrer la physique ». La physique est le résultat d'une spéculation « constamment vérifiée par des comparaisons avec les phénomènes observés dans la nature ».

Puis Einstein partit pour Vienne avec la bénédiction de la république de Weimar toujours prête à l'utiliser pour le prestige de l'Allemagne. Mais aucun émissaire gouvernemental ne l'accueillit à son arrivée, et il ne fut invité à aucune réception officielle. Après une absence remarquée du ministre de l'Éducation et du recteur de l'université à la conférence d'Einstein, l'ambassadeur d'Allemagne déploya des efforts acharnés pour convaincre quelques hauts personnages de se joindre à un petit déjeuner qu'il prenait avec l'illustre visiteur. Il conclut ainsi une note adressée au ministère allemand des Affaires étrangères : « La réserve affichée par les autorités autrichiennes envers le professeur Einstein, parce qu'il est juif et considéré comme de gauche, est typique de la manière dont les préjugés politiques influencent la conduite des affaires à Vienne. » Einstein en a-t-il été humilié ? C'est peu probable. Les représentants des autorités autrichiennes ne l'attiraient sans doute guère après le sort qu'elles avaient infligé à Philippe Halsman. Mais quel contraste avec l'accueil délirant de la Californie, où il s'apprêtait à retourner !

Tom Mooney était certainement l'un des Américains les plus impatients de son retour. Il espérait qu'Einstein lui rendrait cette fois visite au pénitencier de San Quentin. Il demanda, « la voix brisée par la gratitude », à une amie, Rebekah Raney, de transmettre à Einstein « sa reconnaissance indicible pour son intérêt généreux et bienveillant ». Il voulait qu'Einstein sache qu'il avait milité pendant huit ans pour le parti socialiste aux côtés d'Eugene V. Debs. L'ancien pompier des chemins de fer et militant syndical Debs, décédé en 1926, avait été l'un des fondateurs du Parti socialiste américain et son candidat attitré aux élections présidentielles. Il avait été condamné à une peine de prison pour pacifisme pendant la Première Guerre mondiale.

L'avenir donna raison à Einstein pour presque toutes les condamnations contre lesquelles il était intervenu : Halsman, Mooney, Billings et les garçons de Scottsboro furent tous proclamés innocents. Mooney bénéficia d'un pardon total en 1939 et Billings fut libéré neuf mois plus tard.

Début décembre, Einstein repartait pour Caltech sous le mauvais temps et par une mer agitée. Elsa avait empaqueté un choix éclectique de lectures. Après les *Contes de fées* de Grunberg, il passa à la *Mécanique quantique*, à peine moins fantastique, de son ami Max Born.

La traversée fut l'occasion de réfléchir à sa vie. Le 6 décembre, il confia à son journal : « Aujourd'hui, j'ai décidé d'abandonner mon poste à Berlin. Voilà. Je serai un oiseau migrateur tout le reste de ma vie. Des mouettes accompagnent le bateau. Elles volent constamment. Elles vont nous suivre jusqu'aux Açores. Ce sont mes nouveaux collègues, mais Dieu sait qu'elles sont plus heureuses que moi. La vie de l'homme dépend tellement de contingences extérieures, en comparaison de celle de n'importe quel animal ! J'apprends l'anglais, mais il ne veut pas s'incruster dans mon vieux cerveau. »

Quatre jours plus tard, un coup de vent chassa la mélancolie du voyageur : « Je n'avais encore jamais vécu une telle tempête... La grandeur de la mer est indescriptible, surtout au coucher du soleil. On a l'impression de s'être dissous et fondu dans la nature. On ressent encore plus que d'habitude l'insignifiance de l'individu, et cela rend heureux. »

Marianoff, qui était du voyage ainsi que Walther Mayer, Margot, Ilse et son mari Rudolph Kayser, fut impressionné par la témérité avec laquelle Einstein parcourait les ponts glissants comme un vieux loup de mer. Ils atteignirent Los Angeles le 29 décembre au soir, trop tard pour l'inspection des officiers sanitaires, et les passagers durent attendre le lendemain matin pour débarquer. Millikan avait respecté ses souhaits. Les seules personnes rassemblées au pied de la passerelle étaient une poignée de dockers qui applaudissaient, quelques représentants de Caltech et un petit groupe d'étudiants.

Des chercheurs de l'université choisirent ce jour pour annoncer les résultats de nouvelles expériences qui confirmaient la théorie de la relativité restreinte. Neuf années de travaux intensifs avec des instruments sophistiqués avaient permis aux professeurs Roy Kennedy et Edward Thorndike de vérifier que « la vitesse de la lumière est constante et indépendante de celle de la source émettrice (...). La vitesse de la lumière émise par une étoile en direction de la Terre ne dépasse pas trois cent mille kilomètres à la seconde, quelle que soit la vitesse de cette étoile[26] ».

La confirmation d'une théorie qu'il savait exacte intéressait peu Einstein. Autre chose lui occupait l'esprit. Wolfgang Pauli, l'humour toujours aux lèvres, avait salué d'un bon mot ses tentatives d'unification de l'électromagnétisme et de la gravitation : « L'homme ne rassemblera jamais ce que la main de Dieu a dispersé. » Et Pauli continuait d'ironiser sur cette quête futile :

> « La créativité dont Einstein n'est jamais à court et son énergie tenace dans la recherche d'une unification nous ont dotés depuis quelques années d'une nouvelle théorie par an, en moyenne (...). Il est psychologiquement intéressant de constater que la théorie en cours est en règle générale considérée comme la "solution définitive" par son auteur[27]. »

## 24

## L'heure des choix

*1932*
*52 et 53 ans*

La journaliste américaine Dorothy Thompson traita de caricature insignifiante Adolf Hitler qu'elle venait d'interviewer au début de l'année 1932 à Berlin. Winston Churchill commença, lui, l'année dans un hôpital de Manhattan, après s'être fait renverser par une voiture en traversant la Cinquième Avenue. Albert Einstein observait les étoiles à travers le télescope géant du mont Wilson, à Pasadena. Il avait finalement rejoint l'opinion de Willem De Sitter et Edwin Hubble. L'univers était en expansion et avait connu un « début ».

Le voyage d'Einstein était financé par des dons de riches conservateurs qui souhaitaient, comme Millikan qui avait lancé cette nouvelle invitation, que leur hôte se cantonne à la science. L'espoir était vain quand l'Occident se débattait encore dans les affres de la dépression, et qu'en Orient le Japon venait d'envahir brusquement la Chine.

Après d'inévitables conférences sur le cosmos, Einstein parla, le 27 février, de paix et de lutte contre la misère. Il déclara devant des enseignants de onze universités qu'une cour d'arbitrage internationale ne garantirait la paix que si les différents pays en faisaient respecter les décisions de concert. Quant à la pauvreté et au chômage qui touchaient de larges pans de la population mondiale, ce n'était pas la course individuelle effrénée pour le pouvoir et la richesse qui les résorberait. La solution résidait dans une économie planifiée.

Einstein demanda à l'Amérique, l'Angleterre, l'Allemagne et la France d'exiger la suspension immédiate de l'intervention nippone sous peine d'un boycott économique total. « Pourquoi n'envisage-t-on pas cette solution ?[1] » questionna-t-il. Pourquoi chaque individu et chaque pays tremble-t-il pour sa propre existence ? Parce que chacun recherche son petit avantage immédiat, au lieu de se subordonner au bien et à la prospérité de la communauté.

Il eut ce commentaire désabusé dans son journal : « J'ai fait un discours auquel l'auditoire a malheureusement été quasiment insensible. Les classes possédantes d'ici s'emparent de tout ce qui pourrait fournir des munitions dans la lutte contre l'ennui (...). Quel triste monde que celui dans lequel on laisse de tels gens jouer les premiers violons[2]. »

Einstein fut amèrement déçu par la façon dont la dépression d'Eduard avait été traitée. Il écrivit à Mileva le 29 février 1932 pour lui interdire de faire suivre un nouveau traitement psychanalytique à leur fils. C'était extrêmement dangereux et il s'y opposait formellement. Il proposa, à la place, qu'Eduard vienne avec lui à Caputh où l'atmosphère était tranquille et reposante, et où son propre tempérament placide ferait le plus grand bien au garçon.

Une visite surprise d'Abraham Flexner, venu à Caltech pour rencontrer Millikan, lui remonta le moral. Flexner avait une heure devant lui avant de prendre le train pour la côte est, et on lui avait conseillé d'en profiter pour voir Einstein.

Flexner était convaincu du déclin de l'enseignement supérieur aux États-Unis. Une thèse de l'université de Chicago consacrée à la « Comparaison de la durée et du mouvement de quatre méthodes pour laver la vaisselle » l'avait décidé à agir. Et il s'apprêtait, grâce à une bourse de cinq millions de dollars donnée par les philanthropes Louis Bamberger et sa sœur, Felix Fuld, à créer un paradis professoral dans lequel il comptait attirer l'élite scientifique mondiale. Ces scientifiques, bien payés, totalement libres de poursuivre leurs recherches et secondés par les assistants de leur choix, se consacreraient à autre chose que la plonge.

Flexner et Einstein discutèrent pendant près d'une heure en déambulant dans le hall du club des enseignants de l'université, l'Athénée[3]. L'implantation du centre n'avait pas encore été choisie, mais il se situerait probablement à proximité d'une grande université. Flexner espérait que son exemple serait imité, et qu'un phénomène d'osmose élèverait le niveau et les ambitions de l'enseignement supérieur dans tout le pays. Einstein était intéressé et ils convinrent de se revoir à Oxford où ils se trouveraient tous les deux pendant l'été.

Einstein profita du voyage de retour pour lire une biographie de Staline par son vieil ami Isaac Don Levine. Levine, d'origine russe, avait quitté le pays enfant et y était revenu pour couvrir la Révolution en tant que journaliste. Les bolcheviques avaient, selon lui, sabordé les chances du gouvernement provisoire et leur violence, leurs mensonges et la discipline qu'ils imposaient avaient ruiné l'avenir du peuple russe. Einstein avait préfacé un premier livre de Levine, publié dans les années vingt, qui dénonçait la persécution des opposants politiques par le régime soviétique. Il écrivit à l'auteur :

> « Votre ouvrage sur Staline (...) est sans aucun doute le travail le meilleur et le plus profond qui me soit passé entre les mains sur ce grand drame (...). Votre autorité semble inattaquable. Je vous suis sincèrement reconnaissant pour tout ce que j'ai appris en vous lisant (...). L'ensemble du livre m'apparaît comme une symphonie sur un thème : la violence engendre la violence. La liberté est le fondement indispensable du développement des véritables valeurs. Il devient évident qu'aucune société ne peut s'épanouir sans moralité ni confiance[4]. »

À son arrivée en Allemagne le 6 avril, Einstein déclara à des journalistes qu'il avait fait un excellent séjour en Californie où il avait travaillé avec des astronomes et des physiciens. Il ajouta qu'il avait été touché par la sympathie des Américains envers les difficultés économiques et sociales de l'Allemagne, même s'ils souffraient toujours eux-mêmes de la dépression.

Il était heureux que les récentes élections présidentielles allemandes aient vu la réélection de von Hindenburg avec 18,5 millions de voix. Hitler avait gagné 5 millions d'électeurs en deux ans, mais était largement battu avec 11,3 millions de suffrages. Les communistes étaient loin derrière avec 5 millions de voix.

À peine arrivé, Einstein repartit pour l'Angleterre où il devait donner une conférence sur les mathématiques à l'université de Cambridge, puis séjourner à l'université d'Oxford comme « assistant de recherche ». Il reprit sa discussion avec Flexner sur l'Institut d'études supérieures, nom du centre que ce dernier mettait sur pied. Ils arpentèrent cette fois l'impeccable pelouse du campus, sous un ciel clair et accompagnés du chant des oiseaux. Flexner était conscient du succès que représenterait le recrutement d'Einstein, le plus grand scientifique au monde. Il lui proposa de fixer ses « propres conditions[5] ». Einstein réserva sa réponse jusqu'à une

En haut : 1889. Albert Einstein *(troisième à partir de la droite, au premier rang)*, âgé de dix ans, est le seul à sourire parmi ces cinquante-deux élèves d'une école de Munich. Albert n'était pas heureux dans cet établissement mais tenait tête courageusement. (Photo : Stadt Ulm Stadtarchiv.)

*À gauche :* 1896. Einstein à dix-sept ans, quand il était lycéen à Aarau, en Suisse, et amoureux de Marie Winteler. (Photo : ETH, Zurich.)

1914. La première femme d'Einstein, Mileva, et leurs deux garçons à Zurich : Edouard *(à gauche)*, quatre ans, et Hans Albert, dix ans. Mileva avait quitté Einstein qui venait d'entrer à l'université de Berlin. Leur union touchait à sa fin. (Photo : ETH, Zurich.)

1921. Éclat de rire général. Rencontre entre Einstein, qui effectue sa première visite aux États-Unis, le rabbin Stephen Wise *(au centre)* et Fiorello La Guardia, futur maire de New York. Cette photographie donne une idée du rire exubérant d'Einstein.
(Photo : Archives juives américaines.)

1922. Un professeur mondialement connu : Einstein à Berlin, son pardessus fermé par un seul bouton selon son habitude.
(Photo : Bibliothèque du Congrès américain.)

Début 1931. Première visite en Californie. Les voyageurs qui sourient au photographe sont, *de gauche à droite*, Helen Dukas (secrétaire d'Einstein), Elsa Einstein (sa seconde femme), Albert Einstein et Walter Mayer (son assistant). (Photo : Bibliothèque du Congrès.)

1931. Pasadena, Californie. Albert et Elsa posent devant la maison dans laquelle ils résidèrent pendant le séjour d'Einstein à l'Institut californien de technologie. (Photo : Bibiliothèque du Congrès.)

1933. Einstein et Winston Churchill dans le jardin du second, à Chartwell, dans le Kent. Au cours de cette rencontre, Einstein prévint l'homme politique que l'Allemagne se préparait secrètement à la guerre. (Photo : Mme Soames.)

1933. Einstein à vélo, à Pasadena. Il dit un jour que la vie était comme une bicyclette : il faut avancer pour ne pas perdre l'équilibre. (Photo : Archives de Caltech.)

Mai 1933. Zurich. Dernière rencontre entre Edouard Einstein, alors âgé de vingt-trois ans, et son père. (Photo : Margot Einstein.)

28 décembre 1934. Conférence de presse à Pittsburgh. On demanda à Einstein si on pouvait déduire de son équation $E = mc^2$ qu'il serait possible de dégager des quantités gigantesques d'énergie. Il répondit que, pour des raisons pratiques, ce ne serait pas réalisable : « Provoquer une fission de l'atome par un bombardement serait comme tirer dans la nuit sur des oiseaux, dans une région où il y a très peu d'oiseaux. » (Photo : Archives juives américaines.)

Été 1937. L'auteur dramatique Clifford Odets et sa femme Luise Rainer, une actrice couronnée par de nombreux oscars, rendent visite à Einstein en vacances sur le lac Peconic, Long Island. Odets, jaloux d'Einstein, décapita la tête de leur hôte sur une des photographies prises au cours de cet après-midi. Celle, *ci-dessus*, où l'on voit le trio en barque, et celle, *à droite*, de Rainer et Einstein dans une pose décontractée, échappèrent à ses ciseaux rageurs.
(Photo : Luise Rainer.)

1940. Trenton, New Jersey. Einstein, accompagné par un journaliste, et sa belle-fille Margot se rendent au service de l'Immigration pour demander la nationalité américaine.
(Photo : Archives nationales américaines.)

*Ci-dessus* : 1942. Manhattan. Thomas Bucky est au volant de sa Ford Model-A, avec sa mère et la sœur d'Einstein, Maja Winteler-Einstein, à côté de lui. Einstein est à l'arrière avec Gustav Bucky. Einstein n'a jamais passé le permis de conduire. «Pourquoi l'aurait-il fait ? dit Thomas Bucky. Mon frère et moi le conduisions partout où il devait se rendre.»
(Photo : Thomas Bucky.)

*À gauche* : 1942. Devant le 112 Mercer Street, maison d'Einstein à Princeton. *À partir de la gauche* : Dukas, Thomas Bucky, Margot, Einstein, Gustav et Frida Bucky.
(Photo : Thomas Bucky.)

1948. Un modèle bien disposé : Einstein, un cigare interdit à la main, au cours d'une séance de pose dans son jardin, pour Gina Plunguian. Plusieurs bronzes ont été coulés à partir de l'original en terre. (Photo : Mark Plunguian.)

Avril 1953. Le parrain : Einstein joue avec des Lincoln Logs, les Lego de l'époque, qu'il vient d'offrir pour son quatrième anniversaire à son filleul Mark Abrams, lequel cherche un autre cadeau plus attirant – des bonbons. (Photo : Mark Abrams.)

Juin 1953. L'anthropologue Ashley Montagu dans le bureau d'Einstein. Montagu convainquit Einstein qu'il avait tort de croire que les êtres humains ont des instincts. (Photo : Ashley Montagu.)

Vue d'artiste. Ce portrait saisissant, œuvre de Winifred Rieber, montre Einstein en 1934, à l'âge de cinquante-cinq ans. Il traduit l'impression de force de la nature ressentie par le peintre. « Tout en lui est électrique, commenta-t-elle. Même ses silences sont chargés. » (Photo : Bibliothèque du Congrès.)

troisième rencontre qu'ils fixèrent quelques mois plus tard, à l'occasion d'un voyage de Flexner en Allemagne.

Puis Einstein participa à une conférence pour la paix à Genève, où il se fit l'avocat d'un désarmement mondial. Mais il refusa de signer une déclaration pacifiste en expliquant :

> « Je ne peux pas me résoudre à signer ce texte qui glorifie la Russie soviétique. J'ai récemment fait mon possible pour me forger une opinion sur ce qui se passe dans ce pays, et les conclusions que j'ai atteintes sont plutôt sombres. Il se déroule au sommet une lutte personnelle dans laquelle des individus assoiffés de pouvoir et mus par des motifs purement égoïstes utilisent les moyens les plus détestables. Cela semble s'accompagner, à la base, d'une suppression totale des droits individuels et de la liberté d'expression. On peut se demander ce que vaut l'existence dans de telles conditions[6]. »

Albert et Elsa passèrent le reste de la belle saison dans leur maison de Caputh. Philipp Frank, qui resta une journée chez eux, souligna le contraste entre le cadre forestier idyllique et les mornes conversations sur la situation politique :

> « Je me rappelle encore qu'un professeur qui se trouvait également là émit l'espoir qu'un régime militaire pût écraser les nazis. Einstein répondit : "Je suis convaincu qu'un régime militaire n'empêchera pas la révolution nazie qui menace. L'armée réprimerait la volonté populaire, et le peuple croirait qu'une révolution d'extrême droite le protégerait contre la tyrannie des *junkers* et des officiers."[7] »

D'autres visiteurs de cet été furent Gustav Bucky, un médecin américain qui exerçait à Berlin, sa femme et leurs fils Thomas, âgé de treize ans, et Peter. Thomas racontera plus tard qu'il fut « d'abord très intimidé et excité, puis déçu » quand il rencontra Einstein. « Malgré son extrême politesse, je ressentis une réserve de sa part. Jusqu'à ce qu'il brisât la glace. C'était la mode des Yo-Yo, ces petites roues qu'on fait monter et descendre le long d'une ficelle. Einstein en avait un, un modèle piteux qu'il maniait maladroitement. Il dégela l'atmosphère en jouant avec. Je lui dis que son Yo-Yo était en déséquilibre et lui montrai quelques astuces, lui expliquant que la ficelle devait se terminer par une boucle s'il voulait réussir des tours comme la roue libre. Il sembla beaucoup apprécier mes conseils et me surprit en entamant une discussion avec moi et en s'intéressant à mes opinions[8]. »

Thomas se sentait désormais à l'aise. Ce qu'il avait pris pour de la réserve n'était que manifestation de la grande timidité de leur hôte. Une timidité qui n'empêchait pas ce dernier de dire ce qu'il pensait.

« Après le dîner, par exemple, ma mère félicita Mme Einstein pour le repas, et celle-ci répondit : "Oh, ce n'est rien. Je n'ai rien fait de particulier. C'est ce que nous mangeons tous les soirs." Et Einstein s'exclama : "Quoi ! Nous mangeons comme cela *tous les soirs* ?" d'un ton sans équivoque. Je crois que Mme Einstein a piqué un fard. Vous voyez, il était franc. Elle ne l'était pas vraiment. Elle était mondaine.

« J'ai gardé le souvenir d'une femme gentille, douce, à la coiffure négligée, vêtue d'une jupe flottante et portant de grands colliers. Il était facile de lui plaire. Elle avait parfois un temps de retard dans une conversation animée.

« En plus d'être médecin et l'un des pionniers de la radiologie, mon père était inventeur et physicien amateur. Einstein et lui se lancèrent dans une discussion, dans un coin de la pièce, comme si nous n'étions pas là. Ils se rencontrèrent souvent à partir de ce jour-là, Einstein parlant de théories et mon père expliquant comment on pouvait appliquer les théories. Ils finirent par réaliser plusieurs inventions ensemble, dont un appareil photo automatique à usage médical.

« Au cours de ces conversations avec mon père, Einstein éclatait souvent d'un grand rire sonore qu'on entendait dans toute la maison. Beaucoup de choses le faisaient rire, surtout les comportements stupides et le conformisme. »

Les Bucky et les Einstein devinrent de bons amis, les premiers mettant, par exemple, leur voiture avec chauffeur à la disposition des seconds. Einstein avait toujours besoin d'un conducteur car il ne savait pas conduire.

« Einstein est devenu mon deuxième père, raconte Thomas Bucky. Je discutais politique avec lui en défendant mon point de vue. Je n'avais jamais peur de le contredire car il acceptait les opinions d'un adolescent, aussi mal dégrossies fussent-elles. Il était très tolérant, mais détestait les béni-oui-oui qu'il reniflait et évitait. C'était un démocrate, humaniste et socialiste. Il était violemment opposé à tout totalitarisme, qu'il fût russe, allemand ou sud-américain. Il était partisan d'une combinaison de capitalisme et de socialisme.

« Si j'avançais une idée bizarre, il me disait que j'étais fou mais ne m'en respectait pas moins. Il s'exclamait : "Mais tu es dingue !" ; puis il expliquait patiemment pourquoi. Mais si vous défendiez votre opinion avec arrogance ou trop d'émotion, votre attitude lui déplaisait et il vous terrassait par sa logique. De ce point de vue, il n'était pas sans défaut. Il arrivait qu'on lui explique quelque chose de logique, qu'il soit d'accord, puis qu'il revienne à son idée antérieure. Il trouvait une explication rationnelle en disant qu'il essayait seulement de se simplifier la vie. »

Einstein se rasait à l'eau, avec un rasoir de sécurité, jusqu'à ce que Thomas le persuadât d'essayer la crème à raser. Merveilleux. Il se rasait enfin sans douleur. « Tu sais, cela marche vraiment bien, dit-il à Thomas. Cela n'arrache pas la barbe. »

Il utilisa la crème tous les matins jusqu'à épuisement du tube que Thomas lui avait donné. Puis il revint à son habitude de se raser à l'eau.

« Il adorait la voile, raconte Thomas, pas seulement parce qu'il aimait le soleil et la mer, mais parce que c'était le moyen de transport le plus simple. Il n'utilisait un moteur que pour les situations d'urgence et il lui arrivait souvent, le soir, d'être en panne de vent à quelques centaines de mètres du bord, pendant que le dîner et Mme Einstein bouillaient dans la cuisine.

« Je ne l'ai jamais vu perdre son sang-froid. Je ne l'ai jamais vu en colère, aigri, prétentieux, jaloux, inquiet, impatient ou arriviste. Il semblait immunisé contre de tels sentiments. Mais il était timide avec tout le monde. Il riait tout le temps, et souvent de lui-même. Il était tout sauf collet monté. Mais il était distant, toujours timide, hésitant. Il n'était pas facile de pénétrer la carapace qui l'entourait. »

La mère de Bucky, Frida, écrivit :

> « Une sorte de mince muraille d'air séparait Einstein de ses amis les plus proches et même de sa famille — une muraille derrière laquelle, dans ses envolées imaginaires, il avait créé un petit monde à lui (...). Des gens le regardaient parfois comme s'ils avaient été touchés par quelque chose de mystique, et lui souriaient. Il retournait joyeusement le sourire. Il aimait les personnes simples qui, même si elles ne l'avaient pas reconnu, ressentaient son humanité[9]. »

Einstein aimait le café, qu'il n'avait pas le droit de boire. Mme Bucky le tentait fréquemment. « Un jour qu'il avait refusé une tasse de café, je lui ai dit : "Cela ne vous a pas fait de mal, hier." Il a répondu en souriant : "Peut-être, madame Bucky, mais le diable tient ses comptes !" »

Frida estimait qu'« Einstein était parfaitement conscient de ce que ses idées révolutionnaires avaient apporté au monde, mais il souffrit toute sa vie des injustices commises envers d'autres, en sciences ou dans la vie ». Il avait presque honte que le sort fût si généreux envers lui. Il dit un jour à Frida : « Vous me surestimez tous. Je ne suis ni spécialement intelligent ni spécialement doué. Je suis seulement très, très curieux. Je me fais quelquefois l'effet d'un escroc. »

Il avait un regard désabusé sur les médecins, y compris le docteur Bucky. « Einstein interrompit une fois mon mari avec lequel il discutait de médecine : "Après tout, on meurt même sans médecin." »

« Il fallait savoir jusqu'où on pouvait aller avec lui, remarque Thomas Bucky. Je lui ai dit un jour qu'il devrait se débarrasser de son pull-over effrangé qu'il portait depuis trop longtemps. Il répondit par un silence glacé, et garda le pull-over. Mes parents me donnaient parfois un petit coup de pied en me soufflant "chut !", mais je savais en général où m'arrêter.

« Après avoir fait de la voile dans la journée, il rentrait le soir pour le dîner et aimait discuter de n'importe quel sujet. Aux environs de neuf heures, il se retirait dans sa chambre pour lire ou s'installer sur sa chaise et noircir silencieusement pendant des heures des petits blocs de papier. Il transportait toujours ces blocs sur lui et profitait de chaque instant de liberté pour noter des petites formules précises, tout en tirant sur sa pipe jusqu'à ce que l'air prenne une couleur bleue. Mon père finit par lui conseiller d'arrêter de fumer. Einstein ne voulait pas le froisser, mais le tabac était l'un de ses rares plaisirs. Il arrêta de fumer en présence de mon père[10]. »

Bucky se souvient aussi qu'il ménageait les sentiments de sa sœur Maja qui était presque une copie de lui. Ils se ressemblaient, avaient la même crinière, et riaient et pensaient de la même façon. Elle était très intelligente et plus ouverte que son génie de frère, qui trônait sur le mont Olympe. Ceux qui la connaissaient disaient qu'elle était douce, attentive et plus chaleureuse que lui. Elle était végétarienne parce que la pensée de faire du mal à une créature vivante la révulsait.

Flexner arriva à Caputh à la fin de l'été 1932. Il n'avait jamais utilisé la menace de Hitler et ses troupes fanatiques comme argument pour convaincre Einstein de partir en Amérique, car il estimait que les mérites de son Institut devaient suffire à emporter la décision. Il était cependant convaincu que les campagnes des étudiants nazis contre les élèves et les enseignants juifs contraindraient bientôt Einstein à quitter le pays. Il peignit un tableau idyllique de la vie à Princeton où le nouvel institut s'installait et proposa à nouveau à son interlocuteur de fixer lui-même son salaire et ses conditions.

Ils discutèrent sans interruption de trois heures de l'après-midi à onze heures du soir. Einstein déclara que la perspective l'enthousiasmait, et qu'il donnerait sa réponse rapidement. Celle-ci vint le lendemain. Négative. Il ne pouvait se résoudre à quitter sa maison, ses amis et ses collègues.

Flexner partit pour Berlin profondément déçu, afin de câbler en

Amérique la nouvelle de son échec. Il admit plus tard piteusement qu'il avait essayé de lire le travail d'Einstein sans en comprendre un mot. Il ne douta cependant pas une minute avoir rencontré l'un des plus grands hommes au monde[11].

Antonina Vallentin, amie de la famille et correspondante du *Manchester Guardian*, rendit visite aux Einstein quelques jours plus tard. Elle était dans un grand état d'agitation et éclata quand Elsa lui dit qu'Albert avait refusé la proposition de Flexner : « Vous n'avez pas le droit de vous plier à son refus ! Le laisser rester ici, en Allemagne, est un véritable meurtre ! »

Le général Hans von Seeckt, commandant en chef de l'armée allemande, lui avait dit la veille de prévenir tous ses amis juifs de quitter le pays, surtout Einstein parce que « sa vie est désormais en danger ».

Einstein, qui avait entendu des voix, vint voir de quoi il retournait. Vallentin renouvela son avertissement. La femme de ménage, la voix brisée par la colère, abonda dans son sens. Un boulanger venait juste de lui dire : « Je ne comprends pas comment vous pouvez vivre chez des Juifs. » Elsa lui demandant si elle pensait qu'Albert était en danger, elle répondit : « Tout le monde aime le professeur, sauf le boulanger. » La question sembla résolue, sauf pour Vallentin.

Un groupe de jeunes nazis partagea son compartiment, dans le train qui la ramena à Berlin. Elle téléphona à Elsa dès le lendemain matin pour lui dire que les individus avaient traité le chef de la police berlinoise de « cochon de Juif » et plaisanté en disant qu'ils allaient le tuer et violer sa femme. Et elle écrivit à Einstein qu'il devait accepter la proposition de Flexner et partir en Amérique avant qu'il ne soit trop tard.

Elsa fut, sur le coup, d'accord. Puis elle changea d'avis en mesurant à quel point son mari était « divinement heureux » à Caputh. « Tout est plus violent, frénétique et féroce aux États-Unis », répondit-elle. Le bébé de Lindbergh venait juste d'être kidnappé et Al Capone entrait en prison pour purger une courte peine. « Ici, à Caputh, les villageois sont très attachés à lui. Même les nazis locaux le traitent avec respect. »

Elle supplia Albert d'être prudent, de ne plus signer de pétitions pacifistes et de ne plus afficher ses sentiments antinazis. Ce qu'il refusa en disant : « Je ne serais plus Albert Einstein, si j'étais ce que tu voudrais que je sois. »

Elle écrivit à Vallentin : « Il ignore ce que la peur veut dire. »

Einstein finit par choisir le meilleur de chacun des deux mondes. Il accepta la proposition de Flexner, tout en préservant la possibilité de revenir en Allemagne si le nazisme n'était, comme il l'espérait, qu'une fureur passagère.

Flexner était si soulagé qu'il porta à dix mille dollars le salaire de trois mille dollars réclamé par Einstein. Elsa s'occupa des autres aspects financiers : Albert prendrait sa retraite à soixante-cinq ans, âge qui pouvait être repoussé par accord mutuel. Il toucherait une pension annuelle de sept mille cinq cents dollars, dont elle conserverait cinq mille dollars si elle lui survivait.

Einstein refusa le montant de la retraite, qu'il trouvait trop élevé. Il fut ramené à six mille dollars pour lui et trois mille cinq cents pour elle. Il bénéficia d'une seconde augmentation de salaire inattendue. Un donateur, Louis Bamberger, apprit que le mathématicien Oswald Veblen, neveu du célèbre économiste américain Thorstein Veblen, entrait dans l'Institut avec des émoluments de quinze mille dollars et il insista pour que « le salaire et la pension de retraite d'Einstein, ainsi que la réversion en faveur de sa femme, soient du même montant que ceux de Veblen[*] ». Einstein, changeant de disposition, accepta ces nouvelles conditions car « il était évident que nous aurions besoin de cet argent supplémentaire pour aider les amis et la famille restés en Allemagne ».

Puis il écrivit à Flexner qu'il n'irait pas à Princeton sans Mayer : « Mon seul souhait est que le salaire de mon excellent assistant, Herr Dr W. Mayer, soit formellement indépendant du mien. Il a beaucoup souffert jusqu'ici du fait que ses compétences et ses travaux ne soient pas reconnus à leur juste valeur, uniquement parce qu'il est juif et habite en Allemagne. Il faut qu'il sente qu'on lui propose un poste pour ses propres mérites et pas pour mon bon plaisir[12]. »

Il adressa le même jour une lettre à Sigmund Freud avec lequel il envisageait de proposer à la Société des Nations une motion sur la paix mondiale. Les hommes partent à la guerre et sacrifient leur vie « parce qu'un penchant pour la haine et un goût de la destruction font partie de l'homme (...). Il est relativement facile de jouer sur ces émotions et de les transformer en psychoses collectives. C'est peut-être là le point crucial de l'ensemble des facteurs qui sont en face de nous. C'est une énigme qu'un expert des instincts humains est seul en mesure de résoudre (...). Est-il possible de maîtriser l'évolution mentale de l'homme pour le rendre imperméable aux psychoses de haine et de destruction[13] ? ».

Freud, qui souffrait d'un cancer de la bouche, trouvait cette cor-

---

[*] La pension annuelle de Veblen était fixée à huit mille dollars, dont cinq mille dollars à sa femme si elle lui survivait.

respondance ennuyeuse et stérile. Il ne s'attendait pas à ce qu'elle lui vaille un jour le prix Nobel de la paix, railla-t-il. Persistant cependant, il répondit à Einstein :

> « On estime qu'il y a deux sortes d'instincts humains : ceux qui conservent et unifient et qu'on appelle "érotiques" (avec le sens que Platon donne à l'Éros dans son Symposium), ou encore "sexuels" (ce qui étend la connotation habituelle de "sexe"), et les instincts qui poussent à détruire et tuer. Ce sont les fameux contraires, l'amour et la haine. Transformés en entités théoriques, ils sont peut-être un autre aspect de ces polarités éternelles, l'attraction et la répulsion, qui tombent dans votre domaine[14]. »

Ce qui ne répondait pas à la question d'Einstein : peut-on maîtriser l'évolution mentale de l'homme ?

Einstein risqua son propre avenir en insistant, malgré l'opposition de Flexner, pour que l'Institut engage Walther Mayer. Il avait déjà renoncé à Caltech parce que Robert Millikan lui avait dit qu'il ne prendrait pas Mayer, et qu'il ne reviendrait pas sur sa décision — ce que Millikan regrettera plus tard. Einstein respectera sa promesse de venir à Caltech au cours de l'hiver, mais ce sera la dernière fois. Il se réservait également la possibilité d'accepter le poste d'assistant de recherche que lui offrait l'université Christ Church et conservait son siège à l'Académie des sciences de Prusse.

Elsa écrivit à Paul Ehrenfest que « les intentions d'Albert sont insondables ». Ce qui n'était pas vrai de ses engagements les plus profonds. Son soutien au projet des États-Unis d'Europe et à la paix mondiale par le désarmement ne fut jamais douteux. Il était membre depuis plusieurs années du comité directeur de la Ligue des droits de l'homme allemande qui militait depuis 1914 pour une Europe unifiée. C'est d'ailleurs devant les adhérents de la Ligue qu'il prononça l'un de ses discours publics les plus révélateurs. Il résuma en quelques mots qui il était et ce en quoi il croyait :

> « Notre situation sur cette terre est étrange. Nous semblons être ici pour un court séjour, involontairement et sans invitation, sans savoir pourquoi ni dans quel but. Nous sentons seulement dans notre vie quotidienne que l'homme est ici pour les autres, ceux que nous aimons et beaucoup d'autres êtres dont le sort est lié au nôtre. La pensée que ma vie dépende autant du travail de mes frères humains m'inquiète souvent, et je suis conscient de ma grande dette envers eux. Je ne crois pas au libre arbitre. Les mots de Schopenhauer, "l'homme peut certes faire ce qu'il veut, mais il ne peut pas vouloir ce qu'il veut", m'ont accompagné à travers tout ce que j'ai vécu, et me réconcilient avec les actions des autres hommes, même quand elles sont douloureuses pour moi. Cette conscience de l'absence d'un libre arbitre m'empêche de considérer trop sérieusement que mes

semblables et moi-même sommes des individus qui décident et agissent par eux-mêmes, et m'évite de me mettre en colère. Je n'ai jamais convoité la richesse et le luxe, envers lesquels je n'ai que mépris.

« Mon aspiration à la justice sociale m'a souvent opposé à des gens, comme l'a fait mon aversion pour toute obligation ou sujétion qui ne soit pas absolument nécessaire. J'ai toujours respecté l'individu, et la violence et les privilèges me révulsent. Tout cela a fait de moi un pacifiste et un antimilitariste convaincu. Je suis contre le nationalisme, même sous les traits du patriotisme. Les privilèges dus à la fonction et à la richesse m'ont toujours paru injustes et pernicieux, de même que tout culte exagéré de la personnalité. Je partage l'idéal de la démocratie, même si je n'ignore pas les faiblesses d'un régime démocratique. L'égalité sociale et la protection économique de l'individu m'ont toujours semblé être les buts collectifs primordiaux de l'État.

« Bien que je sois un solitaire type, ma conscience d'appartenir à la communauté invisible des gens assoiffés de vérité, de beauté et de justice m'empêche de me sentir isolé. L'expérience la plus belle et la plus profonde qu'un homme puisse vivre est celle du mystère. C'est le principe sous-jacent de la religion et de toute entreprise artistique ou scientifique digne de ce nom. Celui qui n'a jamais connu cette expérience est au minimum aveugle, si ce n'est mort. C'est cela la piété. Le sentiment que derrière tout ce que nous connaissons se trouve quelque chose qui échappe à notre esprit et dont la beauté et la sublimité ne nous atteignent qu'indirectement, comme une faible réflexion. En ce sens, je suis religieux. Il me suffit de m'émerveiller de ces secrets et de tenter humblement de saisir par la pensée une simple image de la grandiose structure de ce qui nous entoure[15]. »

Les réponses qu'il fournira dorénavant sur ses opinions religieuses seront des variantes de cette explication de 1932.

Elsa pouvait confirmer que son mari était bien un « solitaire type ». Il avait une chambre à part, à l'autre bout du couloir, tandis que Margot et Dimitri Marianoff dormaient dans la pièce voisine de la chambre d'Elsa[16]. Et quand il quittait sa chambre, c'était souvent pour s'enfermer dans son bureau. « Il va dans son bureau, expliqua-t-elle un jour à un journaliste, revient, joue quelques accords au piano, griffonne quelques notes, puis retourne à son travail. Ces jours-là, Margot et moi nous faisons discrètes. Nous lui préparons ses repas et son pardessus sans qu'il nous voie. Il sort quelquefois sans veste ni chapeau, même par mauvais temps[17]. »

Mais le solitaire n'était jamais longtemps seul. Des visiteurs, dont tous n'étaient pas invités, le tiraient de son bureau ou, quand il était à Caputh, de ses rêveries.

Il consacra le reste de l'été à un court article sur la cosmologie que Maurice Solovine devait traduire en français, en espérant ne pas être dérangé. Il avait décidé de ne pas se rendre à une conférence pour la paix qui se tenait à Genève, estimant que son soutien écrit serait plus efficace que des discours.

Mais les distractions étaient inévitables. William Fondiller et sa femme arrivèrent à Caputh en voiture, avec une lettre d'introduction du physicien et inventeur américain Michael Pupin, au moment où Einstein raccompagnait quelques visiteurs à leur autocar. Se retournant, il découvrit le couple américain et, se rappelle Fondiller, « tendit la main en disant "Einstein". Il nous fit entrer dans la maison où nous nous mîmes à discuter, moi avec le professeur et ma femme avec Frau Elsa. Il me demanda sans formalités : "Qu'est-ce que vous êtes venus faire en Europe ?" Je lui dis : "Je vais assister à un congrès sur la communication intercontinentale et internationale." Il m'a demandé : "Quels genres de problèmes se posent ?"[18] ».

Un problème récemment résolu était l'obtention de communications téléphoniques claires entre des personnes distantes de milliers de kilomètres, alors que les interlocuteurs entendaient, jusque-là, l'écho de leur propre voix. Einstein voulut connaître la solution. « Un filtre à écho », répondit Fondiller qui dut tracer un schéma des circuits. Einstein soupira de satisfaction. « J'ai réfléchi à cette question il y a vingt ans quand j'examinais des brevets, dit-il, mais je n'ai pas su la résoudre. Vous l'avez résolue. »

Elsa lui rappela que des représentants du président von Hindenburg allaient arriver et lui conseilla de troquer sa chemise à col ouvert et son pantalon de velours usé pour une tenue plus décente. Il hocha la tête distraitement sans s'interrompre. Elsa revint peu après lui dire qu'il était maintenant temps de se changer. « Si c'est moi qu'ils veulent voir, je suis ici, répondit-il. Si c'est mes vêtements, ouvre mon placard et montre-leur mes costumes. »

Puis il reprit sa conversation avec Fondiller. Une grosse société d'équipements électriques l'avait un jour engagé pour trouver « la perméabilité maximum possible d'une masse de fines particules magnétiques (...). Leurs mathématiciens et physiciens travaillaient sur la question sans trouver de réponse satisfaisante. Ils n'ont pas fait appel à moi avant d'y être contraints, car ils n'aimaient pas beaucoup les Juifs ». Fondiller fut frappé par l'exactitude des résultats d'Einstein sur la perméabilité, résultats atteints d'une « façon purement théorique ». « Ils étaient remarquablement proches de ceux que nous avons obtenus après plusieurs années d'expérimentation ». Le couple américain ne resta pas assez longtemps pour voir si Einstein se changeait avant l'arrivée de la délégation officielle. Il ne le fit probablement pas.

Une lettre décousue de Michele Besso à son « cher et vieil ami » rappela à Einstein les problèmes d'Eduard. Besso confiait qu'il avait lui-même failli faire une dépression nerveuse à cause de vieux conflits avec sa mère, mais que grâce au soutien affectif de son fils Vero « le bleu du ciel, les feuilles des arbres, le soleil et la pluie, la tendresse du regard d'Anna [sa petite-fille] et l'accueil joyeux que me réserve mon chien » l'enchantaient à nouveau. Maintenant qu'il s'en était sorti, il pouvait s'occuper des souffrances des autres — ce qui l'amenait au sujet délicat d'Eduard, envers lequel il avait une grande affection.

Besso était nostalgique de leur jeunesse, quand le génie de son ami « engendrait des brassées de découvertes d'où tu extrayais avec effort et ténacité les plus prometteuses. Je me souviens de ma joie cristalline et de mes nombreuses objections de toutes sortes ». Il poursuivait en rappelant leur désespoir à tous les deux quand ils avaient vu Eduard s'effondrer « presque sous nos yeux ».

Puis il en vint au principal but de sa lettre, réunir Albert et Eduard.

> « Quelqu'un m'a demandé pourquoi on ne voit que des photos d'Einstein avec sa fille. "Je croyais qu'il avait des fils, m'a dit cette personne. On ne voit jamais rien sur ses fils." Eduard a un père extra-ordinaire et une mère courageuse. Il est doué et séduisant, même s'il est réservé comme certains jeunes le sont. Il a un excellent ami qui l'aime beaucoup, et même un vieil ami qui le comprend. Il est cultivé et pourrait trouver le travail qu'il voudrait s'il s'y prenait correcte-ment. [Eduard voulait devenir psychiatre.]
>
> « Que fais-tu, espèce d'enfant aux cheveux blancs, de la douleur de quelqu'un qui cherche des réponses ? Et tout cela retombe sur mes épaules ? Viens à l'aide, si tu le peux. Emmène Eduard avec toi dans un de tes longs voyages. Tu finiras par le comprendre et accepter beaucoup de choses que tu refuserais à d'autres gens, une fois que tu auras passé six mois avec lui. Tu sauras alors ce qui vous réunit tous les deux et, à moins que je ne me trompe lourdement, ce sera le début de l'épanouissement de la personnalité de ton fils[19]. »

N'obtenant pas de réponse, Besso écrivit un mois plus tard : « Cher Albert *senior, major, maximus*. Tu ne m'as pas répondu, mais je ne puis croire que tu sois fâché[20]. »

Einstein lui écrivit immédiatement :

> « Comment pourrais-je être fâché contre toi ? Je t'ai toujours vu par-ler ou agir uniquement dans le but de faire du bien. C'est pareil avec Tetel [petit nom d'Eduard]. Je lui ai proposé de venir en Amérique, à Princeton, l'année prochaine. Ce ne serait pas une bonne idée cette année, car j'ai trop d'engagements et ce serait davantage un supplice pour lui que des vacances. Tout indique malheureusement qu'il est

atteint par le grave atavisme familial. J'ai vu cette démence précoce [aujourd'hui appelée schizophrénie] émerger lentement mais irrésistiblement depuis sa jeunesse. Les circonstances et les influences extérieures ne jouent qu'un rôle secondaire, comparées aux sécrétions internes contre lesquelles personne ne peut rien[21]. »

Il écrivit également à Eduard qui venait d'être hospitalisé le 8 octobre, pour le réconforter en lui conseillant de « ne pas se laisser abattre » et lui racontant l'histoire d'un homme interné pour dépression, et qui avait trouvé que l'hôpital était un lieu idéal pour produire un travail créatif.

Einstein n'avait guère de temps à consacrer aux problèmes personnels. Une foule de spécialistes semblait à l'affût des occasions de le contrer. La dernière controverse portait sur une estimation qu'il avait avancée en octobre, selon laquelle la Terre aurait dix milliards d'années. Les figures les plus en vue de Caltech préférèrent ne pas se joindre à l'assaut avant d'avoir étudié de près son article sur la cosmologie, celui traduit par Solovine, mais le professeur Fritz Swicky affirma d'emblée que la géologie indiquait un âge beaucoup plus élevé. C'était aussi l'avis d'un astrophysicien anglais en détachement temporaire à l'université, *sir* James Jeans, qui avait calculé un âge de trente milliards d'années en se fondant sur des mesures de radioactivité des roches. (Il donnera, avec deux milliards d'années, un spectaculaire coup de jeune à la planète dans un livre publié en 1942, *The Mysterious Universe*.) Edwin Hubble avança, au nom des astronomes, qu'Einstein s'était contenté de multiplier par cinq la durée d'expansion des nébuleuses, mais ne voulut pas en dire davantage tant qu'il n'aurait pas refait les calculs de ce dernier.

« Mais que veut dire Einstein ? » se demandèrent des chercheurs de Washington. Que dix milliards d'années se sont écoulées depuis l'origine de la Terre — probablement sous forme d'une masse de matière expulsée du Soleil —, ou depuis sa solidification ? Alois Kovarik, physicien à Yale, et ses collègues du Conseil national de la recherche s'en tenaient à leur estimation de 1,852 milliard d'années, tandis que Frank Schlesinger, astronome à Yale, penchait pour trois milliards. Celui-ci suggéra qu'un journaliste avait peut-être fait une erreur en ajoutant sept milliards à l'âge véritable. Personne n'était d'accord avec Einstein. Un géologue de Princeton, Richard Field, déclara que « beaucoup de géologues seront surpris d'apprendre que la Terre existe depuis dix milliards d'années » alors que leurs observations montrent clairement qu'elle n'a que quatre milliards d'années[22]. (On s'accorde en 1995 sur un âge de quatre milliards et demi d'années.)

Einstein était toujours partagé devant la perspective de quitter l'Allemagne. Il annonça en octobre : « L'Académie de Prusse m'a autorisé à m'absenter cinq mois par an pendant cinq ans. Je passerai ces cinq mois à Princeton [à partir de l'automne 1933]. Je n'abandonne pas l'Allemagne. Mon domicile permanent sera toujours à Berlin[23]. » La version de Flexner était différente : « Le professeur Einstein consacrera son temps à l'Institut et ses voyages à l'étranger seront des vacances dédiées au repos et à la méditation dans sa résidence secondaire proche de Berlin. »

Le *New York Times* accueillit avec joie une nouvelle qui présageait de sensationnels articles : « Grande nouvelle. Pendant qu'Einstein était en Californie l'hiver dernier avec Willem De Sitter et d'autres collègues, l'univers s'est étendu, s'est effondré ou a oscillé pendant des semaines à la une des journaux de Los Angeles. » Non moins enthousiaste, un juge de la Cour suprême américaine, Benjamin Cardozo, écrivit à Flexner : « J'ai lu avec grand plaisir que l'Institut est parvenu à ajouter Einstein à la liste de ses professeurs[24]. » Le coup était, en effet, d'importance. L'ami français d'Einstein Paul Langevin déclara : « Le pape de la physique a déménagé et les États-Unis vont devenir le centre des sciences physiques[25]. » « C'était comme si Dieu allait, en personne, installer ses pénates dans le nouvel institut de Flexner à Princeton[26] », commente le journaliste scientifique Ed Regis.

Toute cette excitation était cependant encore prématurée car Flexner n'avait toujours pas accepté d'engager Mayer aux conditions d'Einstein. Celui-ci était inflexible. Il n'irait pas à Princeton sans son assistant.

Il s'apprêtait à partir pour la Californie quand il reçut une lettre d'une habitante de Vienne qui lui demandait s'il était vrai, comme elle l'avait lu dans un journal, qu'un médium l'avait converti au spiritualisme. « C'est totalement faux, répondit-il. Je ne crois ni aux esprits ni au spiritualisme, et je serais heureux si tous mes frères humains partageaient cette attitude[27]. » Selon Helen Dukas, les diseurs de bonne aventure, médiums et autres individus de cet acabit n'hésitaient pas à mentir en proclamant qu'Einstein confirmait leurs dons « surnaturels[28] ».

Les spiritualistes étaient bien le dernier des soucis d'Einstein en cette fin 1932. Un petit groupe de femmes américaines très militantes, la Ligue des femmes patriotes dont la présidente était Randolph Frothingham et la vice-présidente Mary Kilbreth, faisait de l'agitation contre son entrée dans le pays. Après l'échec de leur campagne contre le droit de vote pour les femmes, elles se consacraient désormais à la protection de l'Amérique contre les étrangers

« indésirables ». Einstein, ce « communiste qui menace les institutions américaines », « membre de davantage d'organisations communistes que Joseph Staline lui-même », figurait en tête de leur liste noire[29]. Frothingham rédigea un mémoire de seize pages expliquant qu'il dirigeait un groupe anarcho-communiste dont le but était de détruire la puissance militaire de divers pays afin de préparer une révolution mondiale.

« Sa théorie de la relativité maintes fois révisée n'a pas davantage d'intérêt pratique, se moquait Frothingham, que la réponse à la vieille devinette pour universitaires : "Combien d'anges peuvent tenir sur une tête d'épingle si les anges n'occupent aucun espace ?" » Les idées d'Einstein sur les lois de la nature et les principes scientifiques menaçaient la religion. Frothingham énumérait, parmi d'autres griefs, l'incapacité visible d'Einstein à parler anglais et le fait qu'il « conseille, défende ou enseigne la "résistance" individuelle à toutes les formes d'autorité établie, *excepté Einstein*, qu'il s'agisse de guerre ou de paix, de gouvernement ou de religion, de mathématiques ou d'anthrologie », ce qui voulait peut-être dire « anthropologie ».

La première réaction de l'intéressé fut de rire. Il répliqua dans une déclaration émaillée d'humour et apte à faire enrager ses plus féroces détracteurs :

> « Jamais je n'ai trouvé, de la part du beau sexe, réaction aussi énergique contre une tentative d'approche. Si cela a pu se produire, jamais tant de femmes ne m'ont repoussé en même temps.
> « N'ont-elles pas raison, ces citoyennes vigilantes ? Doit-on accueillir un homme qui dévore les capitalistes endurcis avec le même appétit et la même volupté que ceux avec lesquels le Minotaure crétois avalait jadis les délicates vierges grecques, et qui est, de plus, assez méprisable pour récuser toute guerre, à l'exception de l'inévitable conflit avec sa propre épouse ? Écoutez donc vos femmes avisées et patriotes ; rappelez-vous aussi que le Capitole de la puissante Rome a, jadis, été sauvé par le caquetage de ses oies fidèles[30]. »

Dana Bogdan, chef du service des visas du Département d'État, prit l'affaire au sérieux et informa le consulat américain à Berlin des accusations portées par Frothingham. On ne sait si Einstein fut soumis à un interrogatoire particulièrement poussé quand il se présenta le 5 décembre pour remplir une demande de visa. En l'absence du consul George Messersmith, c'est l'adjoint de ce dernier, Raymond Geist, qui le reçut. Einstein fut interrogé pendant près de trois quarts d'heure, alors qu'il avait déjà obtenu le précieux tampon sans aucun problème pour des voyages antérieurs.

Il répondit par le silence à une question sur ses convictions politiques, mais déclara appartenir à l'Internationale des opposants à la guerre, en ajoutant qu'il comptait se rendre aux États-Unis pour des activités scientifiques. On lui demanda : « Êtes-vous anarchiste ou communiste ? » Il répliqua, furieux : « Qu'est-ce que c'est ? L'Inquisition ? »

Et il lança un ultimatum. S'il n'avait pas son visa le lendemain matin à midi, il resterait à Berlin. La colère passée, il commenta auprès d'un journaliste : « Vous ne trouvez pas que ce serait amusant qu'ils ne me laissent pas entrer dans le pays ? Le monde entier se gaussera de l'Amérique[31]. »

Loin de se gausser, nombre d'Américains étaient outrés. Des femmes réunies chez l'épouse de Gerard Swope, président de General Electric, protestèrent « au nom du peuple américain cultivé contre le fait que le Département d'État ait transmis au consulat de Berlin le document absurde d'une société qui se prétend patriotique ». Elles demandaient le rappel du consul Messersmith : « Il a humilié l'Amérique et en a fait la risée du monde entier, n'étant battu sur ce terrain que par le procès des singes du Tennessee. N'importe quelle personne dotée d'intelligence sait que les communistes et les pacifistes sont radicalement différents. Les communistes croient à la violence comme méthode politique, alors que pour les pacifistes l'emploi de la violence est toujours une erreur[32]. »

Pour le *New York World-Telegram*, le traitement infligé à Einstein est « un nouveau record absolu de bêtise bureaucratique ».

Ne s'attendant pas à ce que le consulat eût le temps de délivrer le visa avant le lendemain midi, le couple Einstein suspendit la préparation de ses bagages et retourna à Caputh. Au matin, ils étaient de mauvaise humeur, convaincus que c'était la fin de leur voyage aux États-Unis. Jusqu'à un coup de téléphone du consulat américain, à onze heures : leur interlocuteur présenta ses excuses ; leur visa les attendait. À midi, ils étaient de retour à Berlin et se préparaient à partir quatre jours plus tard pour la Californie.

Elsa, ravie, reconnut que, « hier soir, le professeur et moi étions presque décidés à tourner définitivement le dos à l'Amérique. La question du visa étant résolue, nous pouvons embarquer sur le *Oakland* à la date prévue. Le déluge de câbles que nous avons reçus hier soir et ce matin montre que beaucoup d'Américains de toutes origines sociales ont été profondément choqués par cette affaire ».

Les attaques contre les opinions politiques d'Einstein émanaient de ses détracteurs habituels. Les critiques contre ses hypothèses scientifiques venaient de personnes plus inattendues, comme le médecin Arthur Lynch qui le fusillait verbalement depuis des années. Cet ancien commandant de l'armée britannique en Irlande en 1918, et ancien député, était spécialiste de la politique, du corps humain et des manœuvres militaires, mais il eut le culot d'écrire *The Case Against Einstein*, *Dossier contre Einstein*, publié en 1932, et de l'envoyer à plusieurs de ses compatriotes dont George Bernard Shaw, en espérant que ce dernier lui ferait de la promotion. L'écrivain, dénué de toute formation scientifique, était l'un des défenseurs les moins convaincants d'Einstein. Sa réponse à Lynch fut qu'il perdait son temps.

Shaw donna à sa secrétaire, Blanche Patch, des instructions pour répondre à un autre critique d'Einstein, Wallace Salter :

> « Dites-lui que je n'adhère pas à la théorie de la relativité générale. Je ne suis pas mathématicien et ne la comprends pas. Je considère Einstein comme un génie à partir de mes observations personnelles et de certaines de ses idées qui sont du domaine de ma compréhension. Le colonel Lynch, vous-même et les autres anti-Einstein devez le combattre avec vos propres forces : je ne vais pas me ridiculiser en intervenant dans une discussion qui se déroule en dehors de mes compétences. Votre argumentation me semble peu convaincante, vu que tout le progrès des mathématiques depuis leur simplicité primitive jusqu'à ce qu'on appelle les mathématiques modernes "supérieures" a consisté en la prise en compte de l'impossible et de l'inconcevable (...). Quand l'astrophysique est en question, on ne peut dissocier le non-sens mathématique du non-sens physique. Newton, Leibniz, Young, Fitzgerald, Lorentz et Einstein sont tous des adeptes du non-sens, mais vous ne pouvez pas plus vous débarrasser d'Einstein par cette constatation que de Michel-Ange en le traitant d'illusionniste[33]. »

Le couple Einstein quitta Caputh le jour même où Shaw rédigeait cette note. Albert dit à Elsa de bien regarder, car elle ne verrait peut-être jamais plus la maison. L'avenir se profilait de plus en plus nettement. C'était la fin de von Hindenburg, âgé de quatre-vingt-quatre ans. Le 7 décembre 1932, « on lança des coups de poing, on brandit des pieds de chaise, on jeta des encriers et des livres à travers l'hémicycle du Reichstag. Trouvant les mots trop faibles, les hitlériens et les communistes laissèrent tomber leurs vestes et se défoulèrent[34] ». Les sections d'assaut nazies envahirent les rues et molestèrent des Juifs, des militants de gauche et quiconque ne retournait pas assez vite le salut nazi.

Au moment où Einstein était en route pour la Californie, son nom était évoqué devant une juridiction berlinoise où un banquier était accusé de l'avoir employé pour une escroquerie boursière[35]. Il avait prétendu qu'Einstein avait avalisé un système mathématique de son invention qui était censé prévoir sans erreur les fluctuations de la Bourse.

Einstein apprit durant la traversée une nouvelle scientifique révolutionnaire qui n'avait pas encore atteint la presse. James Chadwick, du laboratoire Cavendish de l'université de Cambridge, « la pépinière de génies », venait de mettre en évidence l'existence des neutrons. Le directeur du laboratoire avait prévu douze ans plus tôt, avec une prescience stupéfiante, l'existence et la nature de ces particules « électriquement neutres ». Son don de prophétie ne se confirmait cependant pas, puisqu'il affirmait maintenant que le neutron ne pourrait jamais servir à provoquer la fission atomique. On supposait alors que la fission de l'atome nécessitait des projectiles d'une puissance gigantesque, et que le neutron, dépourvu de charge électrique, était un mauvais candidat. Rutherford alla jusqu'à déclarer que ceux qui affirment le contraire « débitent des balivernes ». Einstein approuvait : la fission de l'atome n'était qu'un rêve.

# 25

# Exil en Belgique

*1933*
*54 ans*

La Ligue des femmes patriotes redoubla d'agitation à l'approche du paquebot du « révolutionnaire », de l'« étranger rouge », qu'elle était déterminée à empêcher de fouler le sol américain[1]. En vain. Et une foule de journalistes et photographes se précipita à bord dès que le drapeau de la quarantaine fut amené, le 9 janvier 1933.

Einstein refusa de se prononcer sur la prohibition, promit de fournir par la suite des réponses écrites aux questions compliquées, et affirma : « Je suis certain que l'univers est en expansion, mais nous ne comprenons pas encore entièrement ce phénomène. » Il ajouta qu'il espérait faire progresser sa théorie unifiée des champs au cours de ses deux mois à Pasadena et qu'il avait déjà réussi à intégrer la formule de Lorentz, selon laquelle la taille de tout corps en mouvement rapide diminue en proportion de sa vitesse.

Le couple Einstein débarqua avec trente caisses et valises, et un violon. Il fut logé à l'Athénée du campus de Caltech, où l'écrivain Fulton Oursler, introduit par Upton Sinclair, interviewa Albert pendant plus d'une heure[2]. Oursler venait de New York, où trois millions de Juifs s'inquiétaient sur les intentions de Hitler et le sort des Juifs allemands. Einstein se montra optimiste. Les minorités sont toujours maltraitées durant les temps difficiles, exactement comme les Philippins et les Mexicains en Californie, ou diverses ethnies minoritaires en Afrique. Les démagogues n'ont aucun mal à dresser contre elles des populations aux abois. Son interlocuteur insistant, il admit que des pogroms antisémites pouvaient se produire en Allemagne. « Il y a une police, mais la situation peut se révéler très dangereuse si la loi ne change pas, car la police est aux mains de militants nationalistes. »

Einstein disait de Hitler que c'était un individu médiocre qui jouait sur les émotions et les préjugés de la population, et de Mussolini que c'était le plus intelligent des deux dictateurs car son programme de réorganisation du pays était plus élaboré.

Oursler demanda à Einstein s'il connaissait l'histoire du Juif russe qui doit se rendre à Moscou. « Il a peur du voyage. Pour ne pas attirer l'attention, il s'accroupit dans un coin d'un wagon de troisième classe. Un énorme Cosaque monte dans le train : "À bas les Juifs ! C'est eux qui créent tous les problèmes. C'est à cause des Juifs qu'il y a la famine. C'est à cause des Juifs qu'il y a la guerre." Le Cosaque se tourne vers le petit homme dans son coin et lui demande : "Pas vrai que c'est eux qui sont responsables de tout cela ?" Et le Juif répond : "Oui. Les Juifs et les bicyclettes. — Pourquoi les bicyclettes ?" demande le Cosaque. "Pourquoi les Juifs ?" réplique le Juif. »

« Oui, bien sûr, dit Einstein. On connaît cette histoire en Allemagne, mais il est impossible de la raconter. »

Einstein envoya quelques semaines plus tard un télégramme à Oursler pour retirer son autorisation de publier l'interview. Sans explication. Celui-ci supposa qu'Einstein avait changé d'avis sur le sort des Juifs en Allemagne et craignait que ses propos ne les mettent en danger.

Einstein était la plus grande attraction que Caltech eût jamais offerte. Le nombre de demandes de billets pour un dîner organisé en son honneur battit tous les records.

En Allemagne, le pire se produisit une semaine plus tard. Le 30 janvier 1933, une coalition de nazis et de politiciens de droite convainquit l'indécis von Hindenburg de nommer Hitler chancelier, malgré l'avertissement prémonitoire du général Erich Ludendorff selon lequel « Hitler précipitera notre Reich dans les abysses et infligera à notre nation des malheurs incommensurables ». Le 2 mars, le *Volkischer Beobachter* accusa Einstein d'« intellectualisme culturel, trahison intellectuelle et débauche pacifiste ».

La journaliste Evelyn Seeley, du *New York World-Telegram*, avait rendez-vous avec Einstein le même jour à Pasadena. Elle le trouva « déambulant dans son jardin, incertain du jour qu'il était[3] ». Elle retourna à Los Angeles d'excellente humeur, après une intéressante interview. Comme elle était arrêtée à un feu rouge sur

Sunset Boulevard, sa voiture se mit soudain à tanguer, des mannequins d'une vitrine de vêtements à danser la rumba avant de s'affaler et des oranges à dégringoler d'un étalage. Un violent tremblement de terre secouait Los Angeles.

Le professeur anglais Herbert Dingle, venu à Caltech avec une bourse de la fondation Rockefeller pour étudier la relativité, se précipita au club des enseignants, à l'Athénée, pour prendre dès nouvelles de sa femme[4]. Il passa devant Einstein et Beno Gutenburg penchés, épaule contre épaule, sur une grande feuille de papier. Gutenburg était un sismologue d'Europe centrale qui espérait faire en Californie l'expérience d'un tremblement de terre, événement hautement improbable dans son pays d'origine. Mais Einstein et lui étaient si absorbés par l'étude du plan d'un nouveau sismographe ultra-sensible qu'ils « n'avaient pas remarqué le séisme ».

Einstein s'aperçut qu'il se passait quelque chose en voyant des gens quitter les bâtiments en courant. Il y eut quinze autres secousses durant les sept heures suivantes. On compta cent seize morts et cinq mille blessés.

En Allemagne, l'incendie du Reichstag faisait la une des journaux. Hitler accusa les communistes et proclama la loi martiale, en incitant ses troupes à se livrer « sans entraves au chantage, au pillage, à la violence et aux assassinats[5] ». Il obtint un confortable quarante-quatre pour cent des voix aux élections qui se déroulèrent le 5 mars. Presque vingt millions d'électeurs le plébiscitaient. Puis il recueillit une majorité écrasante à de nouvelles élections auxquelles les communistes et une partie des socialistes n'eurent pas le droit de se présenter. Il « balaya la Constitution et installa sa dictature ». L'ancien enfant de chœur qui avait joué avec l'idée de devenir prêtre resserra sa poigne de fer sur le pays. La Gestapo exécutait les opposants et remplissait les premiers camps de concentration.

Quittant la Californie après un séjour de deux mois à Caltech, Einstein entreprenait pendant ce temps en train les premières étapes d'un voyage de retour vers l'Allemagne. À son réveil, le 14 mars, son wagon approchait de Chicago où l'attendaient les habituels photographes. Il accepta patiemment de se faire photographier mais, comme toujours, sans poser ni sourire aux objectifs, bien que ce fût le jour de son anniversaire. Elsa et lui furent enlevés pour un déjeuner officiel. Il y rencontra l'avocat Clarence Darrow, auquel il exprima ses félicitations pour sa défense magistrale de l'instituteur John Scopes qui avait défié en 1925 les lois du Tennessee en enseignant la théorie de l'évolution.

Le prochain arrêt fut Albany, dans l'État de New York. Il y apprit que des sections d'assaut avaient mis son appartement berli-

nois à sac, à la grande terreur de sa belle-fille Ilse. Le consul allemand, Paul Schwartz, lui donna un avertissement superflu : « Ils
vont vous traîner dans la rue par les cheveux si vous y retournez,
Albert[6]. » Il savait que son sort serait certainement pire et jura ne
pas remettre les pieds en Allemagne tant que les nazis seraient au
pouvoir.

À l'arrivée à New York, il évita la foule qui l'attendait en
empruntant un monte-charge, et se rendit sur-le-champ à un dîner
de soutien à l'Université hébraïque. Il passa la soirée à côté de
Harlow Shapley, astronome à Harvard, avec lequel il discuta de
cosmologie en illustrant ses propos par des graphiques qu'il réalisa
au dos d'un carton d'invitation. Quelqu'un se pencha par-dessus
son épaule et attrapa le carton en guise de souvenir. Einstein leva
les yeux, abasourdi. Il n'était pas encore habitué aux mœurs du
Nouveau Monde.

Un journal berlinois écrivit, à la suite d'un discours d'Einstein
devant une réunion pacifiste :

> « Einstein était à New York depuis à peine une journée qu'il avait
> déjà dressé à deux reprises sa "forte personnalité" contre l'Alle-
> magne. On signale qu'au cours d'une réunion pacifiste il a souhaité
> l'intervention morale du monde entier contre l'Allemagne et l'hitlé-
> risme. À l'heure où on ment à l'Amérique en prétendant l'informer
> et où la sale propagande marxiste et démocratique essaie de la dresser
> contre l'Allemagne (...), ce petit coq vaniteux a le toupet de juger
> l'Allemagne sans savoir ce qui s'y passe — ce qu'un homme qui n'a
> jamais été allemand à nos yeux et qui se déclare lui-même juif et
> uniquement juif ne peut de toute façon pas comprendre[7]. »

Les nazis ne perdirent pas de temps. Des chemises brunes ravagè-
rent l'appartement d'Einstein cinq fois en deux jours. Elles revinrent les mains vides car Margot avait transporté clandestinement
tous les documents importants à l'ambassade de France*. Son mari,
Dimitri Marianoff, était absent de Berlin. Dès qu'elle l'eut au téléphone, elle lui dit de partir directement pour Paris, où elle le rejoin-
drait. Ilse et son époux, Rudolf Kayser, étaient déjà en Hollande.

Des sections d'assaut entourèrent la maison de Caputh, soi-disant
pour y chercher des armes et des munitions à la suite d'une information selon laquelle Einstein aurait autorisé des communistes à
cacher un arsenal dans sa propriété. N'ayant rien trouvé à leur première visite, les chemises brunes revinrent fouiller la maison centi-

---

* Les dossiers d'Einstein atteignirent Paris par la valise diplomatique, avant
de passer aux États-Unis par des voies moins orthodoxes (voir plus loin).

mètre par centimètre. En repartant cette fois avec un couteau à pain.

Les journaux berlinois racontaient qu'Einstein colportait des histoires horribles et mentait sur le sort des Juifs. Les Bucky étaient restés en Allemagne. Les enseignants et les élèves harcelaient Thomas de questions car « ils savaient que ma famille était amie avec Einstein (...) cet "abominable menteur", comme ils l'appelaient. Un ami de mon père lui a même demandé de signer une pétition destinée à la presse étrangère et affirmant qu'Einstein affabulait. Il a évidemment refusé. Il était, lui aussi, bien placé sur la liste des ennemis des nazis. Il a été arrêté, mais on l'a libéré car il était citoyen américain[8] ».

Planck n'était pas nazi, mais ce patriote conservateur et loyal arriva à contrecœur à la conclusion que les critiques qu'Einstein formulait contre le nouveau régime lui interdisaient toute fonction officielle. Il lui demanda de démissionner de l'Académie des sciences de Prusse « de crainte qu'une procédure formelle d'expulsion ne place les amis d'Einstein face à un cas de conscience douloureux[9] ». Le secrétaire de l'Académie, Heinrich von Ficker, rapporta à Einstein un jugement de Planck qui témoigne que celui-ci lui gardait son estime : « Je suis absolument certain que les siècles à venir célébreront le nom d'Einstein comme celui d'une des étoiles les plus brillantes de notre Académie. »

Einstein répondit rapidement. Il démissionna de l'Académie de Prusse le 29 mars, le lendemain de l'accostage de son bateau dans le port d'Anvers. Le ministre nazi de tutelle de l'Académie, Bernhard Rust, demanda que ses membres dénoncent Einstein comme traître. Max von Laue convoqua une réunion pour contrecarrer l'initiative. Quatorze académiciens se présentèrent, dont deux seulement appuyèrent von Laue. Quelques collègues demandèrent par la suite à Planck de protester contre la révocation de professeurs juifs ou socialistes, et celui-ci, bien que pessimiste sur la portée de sa démarche, décida d'affronter Hitler.

Planck et von Laue accusèrent Einstein d'avoir brisé une règle non écrite selon laquelle les scientifiques ne doivent pas se mêler de politique. Albert leur répondit de Belgique : « Où serions-nous si des hommes comme Giordano Bruno, Spinoza, Voltaire et Humboldt avaient raisonné et agi ainsi ? Je ne regrette pas un mot de ce que j'ai dit et je crois que mes actes ont servi l'humanité. »

Les outrages nazis continuèrent. Le 1er avril, des bandes encadrées par des chemises brunes empêchèrent les clients de pénétrer dans des magasins juifs, en maltraitant ceux qui protestaient. Les biens d'Einstein furent confisqués et sa tête fut mise à prix.

Willem De Sitter et ses collègues hollandais offrirent leur aide financière à Einstein. Il leur répondit : « Des périodes comme celle-ci permettent de découvrir qui sont vos véritables amis. » Il déclina la proposition avec de chaleureux remerciements, en expliquant que loin d'être catastrophique sa situation lui permettait d'« aider des gens à garder la tête hors de l'eau. Mais je ne pourrai sans doute rien sauver en Allemagne parce qu'on est en train de me poursuivre pour haute trahison ». Ce qui le surprenait le plus était l'incapacité de l'aristocratie intellectuelle allemande à s'opposer aux nazis[10].

Einstein écrivit à Planck que son amitié envers lui était indéfectible. Il lui rappela les années de persécution qu'il avait endurées en silence, « mais la guerre exterminatrice contre mes frères juifs sans défense me contraint aujourd'hui à placer de leur côté de la balance l'influence que je peux avoir dans le monde[11] ».

Philipp Lenard écrivit dans le principal journal nazi : « Le meilleur exemple de l'influence dangereuse des cercles juifs sur les sciences de la nature a été fourni par Einstein et ses théories fondées sur des calculs mathématiques bancals (...). Même des scientifiques qui ont fait par ailleurs du bon travail ne peuvent éviter le reproche d'avoir permis à la relativité de s'implanter en Allemagne, parce qu'ils n'ont pas vu (...) à quel point il est faux de considérer ce Juif comme un bon Allemand, à l'intérieur et en dehors du domaine scientifique [*12]. »

Le 10 mai, des milliers de « bons Allemands » envahirent la place Franz-Joseph, un grand square situé entre l'université de Berlin et l'Opéra national. Ils ovationnèrent l'arrivée d'une marche aux flambeaux d'étudiants et de nervis escortant une caravane de véhicules chargés de livres, résultat du pillage de domiciles privés et de bibliothèques. Le défilé s'arrêta devant un gigantesque feu de joie. On se précipita sur les livres qu'on jeta dans les flammes en hurlant les noms de leurs auteurs : « Einstein... Thomas Mann... Heinrich Mann... Freud... Jack London... Rathenau... Arnold Zweig... Stefan Zweig... Proust... Hemingway... H.G. Wells... Helen Keller... Gide... Zola... Dos Passos... Upton Sinclair... »

Le ministre de la propagande, Joseph Goebbels, grimpa sur une

---

\* En mai 1933, le ministre de l'Éducation nationale français, Anatole de Monzie, offrit à Einstein une chaire au Collège de France. François Coty, propriétaire-directeur du *Figaro*, demanda dans son journal : « À quel titre ? » Il ajouta : « En qualité d'israélite persécuté ? Mais le Collège de France n'a pas été créé pour hospitaliser tous les israélites qui, se croyant persécutés, se targueraient d'une science inaccessible au reste des mortels. » (*N.d.T.*)

tribune pour proclamer, à la lueur des flammes : « L'intellectualisme est mort. L'âme nationale allemande peut à nouveau s'exprimer librement[13]. »

Plus de soixante autodafés furent allumés dans le pays.

Planck prit courageusement position le lendemain lors d'une réunion très suivie de l'Académie de Prusse, en comparant Einstein à Kepler et Newton.

Lindemann écrivit à Einstein le 4 mai 1933 : « J'ai passé quatre ou cinq jours à Berlin à Pâques et j'ai rencontré beaucoup de vos anciens collègues. Le sentiment général était négatif envers l'attitude de l'Académie (...). Ils vous envoient tous leurs amitiés... surtout Schrödinger (...). Il semble que les nazis aient pris la machine en main et qu'ils soient dans la place pour longtemps[14]. »

Einstein répondit par retour du courrier : « J'ai l'impression que les nazis ont la haute main sur Berlin. J'ai appris de source sûre qu'ils accumulent du matériel de guerre en urgence, notamment des avions. Qu'on leur laisse un an ou deux et le monde fera une nouvelle expérience intéressante aux mains des Allemands[15]. »

Planck rencontra Hitler au mois de mai, en espérant le convaincre « que l'émigration forcée des Juifs tuerait la science allemande, et que les Juifs pouvaient être de bons Allemands... [Hitler répondit :] "Mais nous n'avons rien contre les Juifs, nous essayons au contraire de les protéger[16]" ».

Une autre version de l'entrevue est éloquente sur le caractère de Hitler :

> « Quand [Planck] mit en avant les apports scientifiques de [Fritz] Haber et d'autres Juifs allemands, Hitler répondit qu'il n'avait rien contre les Juifs en tant que tels, mais qu'ils étaient tous communistes. Planck tenta de s'expliquer, mais Hitler se mit à crier : "On dit que je fais des crises de nerfs, mais j'ai des nerfs d'acier." Il s'est frappé le genou et s'est lancé dans une rage qui a continué jusqu'à ce que Planck s'en aille. Planck a raconté à [Max] Born (...) que cette entrevue a tué tout espoir d'intervention en faveur de ses collègues Juifs[17]. »

Loin de protéger les Juifs, le Führer commençait à organiser leur élimination, comme le révéla un correspondant du *Times* de Londres :

> « Ce que le *Volkischer Beobachter* appelle "la répétition générale du boycott permanent des Juifs" a été brutalement mis en œuvre hier de dix heures du matin à minuit. Ce fut un succès total (...). On a vu à Kiel le premier exemple de lynchage public (...). Le boycott a totalement paralysé l'activité des entreprises et commerces juifs. À dix heures précises, des nazis prirent position devant chaque épicerie,

magasin, café ou autre entreprise juive. Les ordres de l'organisateur du boycott, Herr Streicher, selon lesquels ni la violence ni la force ne devaient être employées ne furent pas respectés. Dans les petites échoppes, un nazi se plantait à travers la porte, les jambes écartées, en général armé d'un revolver. Votre correspondant a vu plusieurs personnes qu'on empêchait d'entrer par la force, ou qu'on repoussait violemment[18]. »

Einstein retarda un voyage en Angleterre pour voir Eduard avant de quitter le continent. On ne sait quels propos ils échangèrent, mais Einstein détendit l'atmosphère en jouant du violon. Ce sera la dernière fois qu'il verra son fils et Mileva. Celle-ci, qui avait visiblement dépassé son ressentiment, lui proposa de s'installer chez elle avec Elsa, pendant qu'ils cherchaient un appartement. Il refusa. Il lui promit de toujours pourvoir à ses besoins, ainsi qu'à ceux d'Eduard.

Puis il partit pour l'Angleterre où Winston Churchill le reçut à déjeuner dans son manoir, Chartwell Manor, à Westerham, dans le Kent. Il avertit l'homme politique anglais que Hitler préparait secrètement la guerre. À l'issue d'un dîner quelques jours plus tard avec l'ancien Premier ministre David Lloyd George, à la rubrique « adresse » du livre d'honneur il inscrivit : « Aucune. » Ce qui était le cas de bien des gens à l'époque.

Churchill écrira : « J'ai vu Frederick Lindemann très souvent (...). Je l'avais rencontré pour la première fois à la fin de la Première Guerre (...). Nous avons eu de nombreuses discussions, au petit matin, sur les dangers qui semblaient s'amonceler au-dessus de nos têtes. Plusieurs visiteurs importants sont venus d'Allemagne pour s'épancher et me faire part de leur terrible détresse[19]. »

Einstein écrivit à Max Born, depuis Oxford, qu'il était devenu « un monstre malfaisant » en Allemagne. Il n'avait « jamais eu une opinion particulièrement élevée des Allemands (sur les plans moral et politique). Mais je dois avouer que leur degré de brutalité et de lâcheté est une surprise pour moi[20] ». Le comte de Birkenhead dira de cette lâcheté :

> « On ne connaît pas un seul professeur de physique ou de mathématiques sans origines juives qui ait publiquement protesté contre les agissements des nazis. Même au cours des premières années du pouvoir nazi, avant que la moindre forme d'opposition ne soit un suicide, l'*establishment* scientifique conduit par Planck et Nernst se lava les mains devant la terreur croissante et se consacra à la défense de ses propres privilèges. Le seul scientifique réputé qui désavouât clairement les nazis fut Max von Laue mais, même lui, il cantonna ses prises de position à la communauté des physiciens et ne critiqua jamais ouvertement le régime[21]. »

Un scientifique non juif, Otto Hahn, qui découvrira bientôt la fission nucléaire, proposa cependant de réunir les signatures d'une trentaine de ses confrères pour dénoncer le traitement de leurs collègues juifs. Planck le fit renoncer à son idée en expliquant que, « si vous rassemblez trente de ces messieurs aujourd'hui, cent cinquante prendront le contre-pied demain pour sauver leurs sièges[22] ».

Plusieurs anciens assistants d'Einstein figuraient parmi les nombreux Juifs chassés de leurs postes. Rudolph Goldschmidt trouva du travail en Angleterre. Ludwig Hopf en Irlande. Leo Szilard quitta l'Allemagne avec ses économies cachées dans ses chaussures.

Max Born était exaspéré par « les accusations et les injures antisémites » qu'on avait hurlées contre lui à Göttingen à son départ pour sa résidence secondaire, dans le nord de l'Italie[23]. Il écrivit à Einstein qu'il souhaitait que ses enfants « prennent la nationalité d'un pays d'Europe occidentale, de préférence l'Angleterre parce que ce sont les Anglais qui semblent accueillir les réfugiés le plus dignement et généreusement ».

Einstein aurait sans doute corroboré ce jugement. L'Angleterre lui réserva, comme d'habitude, une réception vibrante. Planck se serait joint aux applaudissements, s'il avait entendu la conférence d'Einstein au Lady Margaret Hall, à Oxford. Pas un mot sur les nazis. L'orateur se livra à un survol de l'histoire de la théorie atomique et conclut qu'on n'aurait peut-être jamais de réponse définitive : « Plus nous cherchons, plus nous découvrons l'étendue de ce qu'il reste à découvrir. Et je crois qu'il en sera toujours ainsi tant que l'espèce humaine existera[24]. »

De retour au Coq-sur-Mer, Einstein renoua ses liens d'amitié avec la reine Élisabeth qu'il retrouvait presque chaque semaine pour discuter de la sombre situation politique et jouer avec elle dans un quatuor à cordes. Il recevait les menaces de mort avec la même indifférence que Rathenau avant son assassinat. Un journal des émigrés allemands, *Freie Presse*, annonça le meurtre du professeur Theodore Lessing par les nazis, et ajouta qu'Einstein était le suivant sur la liste des tueurs nazis. Apprenant qu'une rumeur courait selon laquelle sa tête avait été mise à prix vingt-cinq mille francs, Einstein se toucha le crâne en disant gaiement : « Je ne savais pas que je valais autant ! »

L'amie bien intentionnée Antonina Vallentin accrut l'inquiétude en apportant à Albert et Elsa un magazine allemand qui dénonçait des ennemis du régime nazi[25]. La photo d'Einstein faisait la une, avec une liste de ses « crimes » commençant par la relativité et la mention : « Pas encore pendu. » Elsa ne ferma plus l'œil de la nuit. Elle se couchait tout habillée et sursautait au moindre craquement.

Elle supplia son mari d'être prudent et de ne plus participer à aucune manifestation publique. Il refusa. « Nous avons de violentes disputes, confia-t-elle à un ami. Il me reproche de n'être qu'une couarde. »

Le couple royal, qui partageait les appréhensions d'Elsa, fournit à Einstein une protection policière. Celui-ci déclara à *Newsweek* : « La sécurité est insupportable. Des policiers dorment dans les escaliers, les services spéciaux patrouillent dans le jardin et ma femme est terriblement inquiète[26]. » Les nazis menaçaient la paix et les Juifs, les deux causes qui lui tenaient le plus à cœur. Il déclara à des pacifistes belges : « Vous allez être surpris par ce que je vais vous dire (...). Si j'étais belge, dans les circonstances actuelles je ne m'opposerais pas au service militaire. L'Allemagne se prépare massivement à la guerre. » Tout citoyen doit accepter le service militaire « pour participer à la défense de la civilisation européenne ». C'était un coup contre les pacifistes et une réponse à ceux qui le considéraient comme un naïf en politique.

La vie continuait pourtant même si leur domicile était devenu, grommelait Elsa, « un asile pour malheureux envahi du matin au soir par des gens qui cherchent de l'aide ». Einstein faisait une promenade quotidienne et s'amusait de retrouver chaque jour au même endroit une jeune fille qui l'accueillait avec un : « Salut, vieille nouille. » Un reporter new-yorkais lui demanda : « Vu que la terre tourne et qu'on se retrouve ainsi une partie du temps la tête en bas, retenu par la gravitation... peut-on raisonnablement penser que c'est pendant qu'on se tient sur la tête — ou plutôt à l'envers — qu'on tombe amoureux ou qu'on fait d'autres choses insensées ? » Einstein répondit que tomber amoureux n'était certainement pas le plus insensé chez l'homme, « mais qu'on ne peut pas en accuser la gravitation[27] ».

Il déclina une offre d'asile en Turquie, hésita devant une invitation de Caltech et accepta une tournée de conférences à Paris, Madrid et peut-être Oxford. Il refusa un poste à l'Université hébraïque car il considérait le responsable du programme comme incompétent et décida finalement d'entrer à l'Institut d'études supérieures de Princeton. Flexner avait enfin accepté d'embaucher également son assistant, Walther Mayer. Einstein préféra cependant garder toutes ses options ouvertes pour les six derniers mois de l'année.

Elsa encourageait pendant ce temps le commandant Oliver Locker-Lampson, un parlementaire qui ne mâchait pas ses mots, à inviter Albert en Angleterre. Il aurait, au moins, la mer du Nord entre les nazis et lui. Albert accepta l'invitation, sans savoir que sa femme était derrière. Elle devait le rejoindre plus tard.

Locker-Lampson prenait les menaces nazies aussi au sérieux qu'Elsa. Il cacha Einstein dans un chalet de vacances sur une lande balayée par le vent, le long de la côte du Norfolk, sous la garde de deux secrétaires, d'un fermier armé de fusils, et de deux policiers qui filtraient les visiteurs. Einstein écrivit à Eduard pour décrire les événements allemands comme « une révolution des idiots contre les gens sensés. Les idiots constituent une confortable majorité ». Peu après son arrivée, on conduisit Einstein à Londres pour assister, depuis la galerie des visiteurs de la Chambre des communes, à la présentation par Locker-Lampson d'un projet de loi destiné à faciliter la naturalisation britannique des Juifs.

« L'Allemagne, dit le député, a rejeté son citoyen le plus célèbre, Albert Einstein. Les hommes les plus éminents de la planète s'entendent pour affirmer qu'il est le plus éminent de tous. Nul n'a égalé ses succès dans le domaine scientifique et il est l'exemple même de l'intellectuel désintéressé. Albert Einstein est aujourd'hui sans domicile (...). Les Huns ont volé ses biens, pillé sa maison et même dérobé son violon [ainsi que son voilier et son bateau à moteur]. C'est la fierté de ce pays de lui avoir offert un refuge. »

La loi fut adoptée à titre temporaire.

Einstein prit la parole lors d'un meeting de soutien aux intellectuels allemands en exil, à l'Albert Hall de Londres. Scotland Yard qui avait eu vent de la préparation d'un attentat lui fournit deux cars de police en protection. Des inspecteurs en civil étaient dispersés dans la salle. Einstein s'installa sur l'estrade entre Winston Churchill et l'astronome James Jeans. Ernest Rutherford présidait. Einstein se dirigea vers le micro sous les ovations d'une dizaine de milliers de personnes : « Comment sauver l'humanité et les richesses spirituelles que nous avons reçues en héritage ? Comment sauver l'Europe d'un nouveau désastre[28] ? »

Ses amis voyaient en lui le plus grand scientifique au monde autant que le symbole courageux de la résistance des Juifs et des démocrates contre l'oppression nazie. Ses ennemis le dénonçaient comme un escroc scientifique, un communiste, un pacifiste et un traître. Mais aucune de ces accusations ne l'atteignit moralement autant que la nouvelle du suicide de Paul Ehrenfest qui, au cours d'une crise de dépression, avait tiré sur son jeune fils handicapé mental en le blessant, avant de retourner son arme contre lui-même.

C'est peut-être à Ehrenfest qu'Einstein pensait en expliquant ainsi à un magazine les motifs de son opposition aux nazis :

« Je considère comme un cadeau du sort d'appartenir à la communauté juive, dont la tradition est faite d'une soif de la connaissance pour la connaissance, d'un amour de la justice qui touche au fanatisme et d'un culte de la liberté individuelle. Ceux qui se dressent aujourd'hui contre les idéaux de la raison et de la liberté individuelle, et qui instaurent par un despotisme brutal un esclavage étatique inhumain, voient à juste titre en nous leurs adversaires implacables. L'histoire nous impose un combat difficile, mais si nous demeurons les serviteurs dévoués de la vérité, de la justice et de la liberté, nous conserverons notre rang de plus vieux peuple de la planète et d'artisans de l'ennoblissement de l'humanité[29]. »

Il répondit à ceux qui le stigmatisaient comme communiste qu'il admettait avoir été abusé par des organisations se faisant passer pour pacifistes ou humanitaires, et « qui ne sont, en réalité, que des instruments de propagande au service du despotisme russe (...). Je tiens à affirmer aujourd'hui que je ne soutiens pas le communisme et ne l'ai jamais soutenu (...). Tout pouvoir qui asservit les individus par la terreur et la force est l'ennemi du genre humain, qu'il brandisse un drapeau fasciste ou communiste[30] ».

Le 7 octobre, Albert, Elsa, Helen Dukas et Walther Mayer voguaient en direction des États-Unis. Le maire de New York, John O'Brien, les attendit sous la pluie à leur arrivée, le 17 octobre, au quai de la 23e Rue. Il saisissait une occasion de faire parler de lui dans la presse et de courtiser le vote juif, alors qu'il faisait campagne pour sa réélection, contre la candidature de Fiorella La Guardia. Une foule s'apprêtait à escorter Einstein jusqu'à son hôtel. Les journalistes sortirent leurs carnets de notes et les photographes armèrent leurs caméras. Mais le héros du jour ne se montra pas. Flexner avait organisé son transport en vedette directement sur la rive du New Jersey. Les curieux cherchaient encore à l'apercevoir sur le paquebot, alors qu'il parcourait déjà les magasins de Princeton.

L'événement était d'importance pour la bourgade. « La petite ville universitaire distinguée devint du jour au lendemain l'un des centres mondiaux de la physique[31] », écrit Ed Regis. Einstein lui-même était plus modeste. Quand on lui montra son bureau en lui demandant de quoi il avait besoin, il répondit : « Un bureau ou une table, une chaise, du papier et des crayons. Ah ! oui... aussi une grande corbeille à papier pour jeter toutes mes bêtises. »

Un journal local titra « Einstein habillé en homme invisible » un article qui décrivait « la plus grande chasse à l'homme que Princeton ait jamais connue (...). Des gens qui ne le cherchaient pas l'ont vu à droite, à gauche et n'importe où. D'autres qui le cherchaient dans tous les recoins ont été incapables de le trouver[32] ».

Le journaliste Carl Peterson se promenait sur Nassau Street, à Princeton, quand il remarqua :

> « Un personnage corpulent avec les cheveux en bataille se dirigeait vers moi. Il me vint tout à coup à l'esprit que c'était Einstein. Je me suis retourné pour vérifier. Il avait disparu. Je me suis précipité au Club de la presse pour téléphoner à mon rédacteur en chef du *New York American*. Il a crié : "Alors, voilà où il est ! Il nous a fait faux bond au port ! Trouvez-le, bon Dieu, et obtenez une interview !" Je l'ai cherché en vain. Comme je l'avais perdu de vue devant Woolworth's, je suis rentré dans le magasin et j'ai demandé à une employée si elle n'avait pas vu un homme avec des cheveux longs et hirsutes. On avait vu un client qui ressemblait à ma description. Un vendeur du rayon mercerie me dit qu'il avait acheté un peigne. La première chose qu'Einstein avait faite à Princeton avait été d'acheter un peigne[33] ! »

Peterson n'avait pas décroché d'interview, mais « *The American* a fait un scoop avec mon histoire de peigne et les journaux du monde entier l'ont repris ».

Et ils se sont tous trompés. Avant le peigne, John Lampe, étudiant en théologie, l'avait vu acheter une glace à la vanille parsemée de paillettes de chocolat qu'il avait savourée avec un plaisir évident[34].

Le couple Einstein resta deux semaines au Peacock Inn.

Otto Nathan fut parmi les premiers à venir les saluer[35]. Réfugié allemand et professeur à l'université lui aussi, il les avait précédés de peu et s'offrit de leur faire découvrir la vie à Princeton. Nathan avait débuté une carrière prometteuse en Allemagne comme conseiller économique de la république de Weimar. Il participera en 1947 à la conférence économique mondiale, à Genève. Il partageait les idées social-démocrates d'Einstein. Les deux hommes devinrent rapidement d'excellents amis, bien que l'économiste fût quasiment l'opposé du physicien. C'était un homme froid, dépourvu du sens de l'humour, et qui riait rarement. Il dédia en grande partie le reste de sa vie à Einstein qu'il aida à répondre à son courrier, communiquer avec la presse, se protéger des importuns et gérer son budget. Son dévouement rivaliserait avec celui de Dukas.

Albert et Elsa louèrent une maison à proximité du campus, au numéro 2 de Library Place, à l'angle de la place et de Mercer Street. Ils pendirent la crémaillère avec une soirée musicale : un quatuor à cordes dans lequel Einstein était le second violon interpréta Haydn, Mozart et Beethoven. Elsa et deux amis formaient un public enthousiaste.

Elsa était enchantée. « Princeton est un immense parc avec des arbres magnifiques[36] », dit-elle à une amie. S'il aimait aussi la ville,

Einstein avait la dent dure pour ses habitants. La communauté intellectuelle est une assemblée de « demi-dieux piteux montés sur échasses[37] », écrivit-il à la reine Élisabeth.

Quant à Helen Dukas, elle fit rapidement connaissance avec la police locale. Freeman Dyson raconte qu'elle se rendit chez Bamman's pour faire des courses, commanda avec un accent allemand à couper au couteau et sortit de son sac une liasse de billets de vingt dollars qu'Elsa avait retirés dans une banque en Europe. La police arriva en quelques minutes, toutes sirènes hurlantes, et boucla le magasin. « Helen attendait calmement, se demandant si elle n'avait pas confondu Princeton et Hollywood. "Enfin, commenta-t-elle en racontant l'histoire, avec le professeur Einstein j'avais l'habitude que ce soit le cirque partout où il passait." » Le chef de la police la soumit à un interrogatoire et examina soigneusement les billets, avant de lui dire qu'elle était libre.

Dukas partit avec ses courses en se demandant si cela se reproduirait chaque fois qu'elle ferait ses emplettes à Princeton. Elle comprit quelques jours plus tard. La rançon du petit Lindbergh avait été payée en coupures de vingt dollars... et la police avait demandé aux commerçants du New Jersey de lui signaler immédiatement toute personne suspecte d'écouler cet argent[38].

Le rabbin charismatique Stephen Wise, outré que le président Franklin D. Roosevelt « n'ait pas levé le petit doigt en faveur des Juifs », se dit qu'Einstein était l'homme capable de le faire bouger. Il contacta un conseiller de Roosevelt et Einstein reçut peu après une invitation à se rendre à la Maison-Blanche. Mais Flexner, qui triait le courrier d'Einstein, écrivit au Président :

> « Le professeur Einstein est venu à Princeton pour accomplir son travail scientifique dans la solitude et (...) il est absolument impossible de faire une exception qui attirerait inévitablement l'attention du public sur lui. Vous connaissez l'existence, à New York, d'un groupe nazi irresponsable. Il serait pratiquement impossible au professeur Einstein de conserver le poste qu'il a accepté dans cet Institut ou même de rester en Amérique, si les journaux parvenaient à le joindre ou s'il acceptait ne serait-ce qu'un engagement ou une invitation qui serait rendu public[39]. »

Einstein, furieux de l'immixtion de Flexner, dit qu'il tenait à rencontrer le Président, et la Maison-Blanche lui adressa une seconde invitation, pour la nouvelle année. Il insista pour que son courrier lui soit directement remis. Y compris les multiples lettres d'insultes du genre : « Vous êtes un imposteur juif. Comme tous les imposteurs, vous recherchez la publicité. Vous êtes un communiste et on aurait dû vous interdire d'entrer aux États-Unis. Il est temps de commencer les pogroms ici[40]. » « Les Juifs sont aussi dangereux aujourd'hui qu'à l'époque de Jésus et de l'empereur romain Titus. Ils méritent qu'on les fasse mourir de faim par n'importe quel moien\*. Il faut se débarrasser de ces scories de la race humaine. Ce sont les agents de Satan et il faut les liquider comme Satan. À l'eau avec les phourbes, les excrots, les serpents des buissons. Il n'est pas étonnant que le monde entier lai déteste comme des putoi [41]. » Il est surprenant qu'Einstein, ou plus vraisemblablement Dukas, ait conservé ces œuvres d'illettrés et de malades mentaux.

Flexner, conscient de la haine irrationnelle dirigée contre Einstein, lui conseilla d'adopter un profil bas et de garder ses opinions politiques pour lui-même. Einstein ne fit ni l'un ni l'autre, ce qui ne l'empêcha pas, malgré ce qu'il avait écrit à la reine Élisabeth, de trouver que Princeton était un endroit agréable où il pouvait se promener dans les rues ombragées sans garde du corps.

Il se rendait presque tous les jours à pied à son bureau du département de mathématiques, Fine Hall, dont on dit qu'il ressemble à une église de l'extérieur et à un donjon de l'intérieur[42]. Ses quatre collègues de l'Institut d'études supérieures étaient Oswald Veblen, ancien professeur de mathématiques à Princeton, James Alexander, un riche topologiste qui s'était présenté à la mairie de Princeton sous l'étiquette communiste, John von Neumann, un conservateur que ses collègues considéraient parfois comme le plus grand mathématicien au monde, et Kurt Gödel, âgé de vingt-sept ans, nerveux et efflanqué. Gödel était célèbre pour son hypothèse révolutionnaire selon laquelle les mathématiques, fondations de l'expérimentation scientifique, étaient inévitablement imparfaites ou incomplètes. Il n'était plus d'humeur à créer d'autres remous mathématiques car il était déchiré entre son amour pour une danseuse de cabaret viennoise et ses parents, qui s'opposaient à sa liaison. Et il était au bord d'une dépression nerveuse.

Les problèmes d'Einstein étaient d'un autre ordre. Walther Mayer le quitta brusquement au moment où il reprenait ses recherches sur la théorie unifiée des champs. Les raisons de ce départ ne sont pas claires, mais il semble qu'après avoir traversé l'Atlantique son assistant ait choisi de voler de ses propres ailes. Plusieurs anciens collègues d'Einstein, dont Banesh Hoffmann et John Kemeny, avancent qu'il avait perdu la foi ou son intérêt pour ses travaux. Interprétant le contrat d'une façon restrictive, le

---

\* *Meanse* au lieu de *means*. Les autres fautes d'orthographe de ce passage tentent de reproduire celles de l'original anglais. *(N.d.T.)*

conseiller de Flexner, Veblen, déclara qu'Einstein n'avait pas droit à un remplaçant.

Le physicien John Wheeler assista à un séminaire donné par Einstein à l'automne 1933 sur la théorie unifiée des champs. « Je ne connaissais pas bien ce sujet à l'époque, mais j'ai senti qu'il avait des doutes sur la version particulière de la théorie unifiée des champs qu'il nous présentait. J'étais habitué aux séminaires de physique où on abordait des équations une par une, au détail. C'était la première fois que je voyais des équations traitées en bloc. Quelqu'un a compté le nombre d'inconnues et de conditions additionnelles, et l'a comparé avec le degré de liberté des coordonnées. Le but n'était pas de résoudre les équations mais de déterminer s'il existait une solution et, si oui, s'il n'en existait qu'une. Il fut évident pour moi lors de cette rencontre avec Einstein qu'il suivait son propre chemin, indépendamment de l'engouement des États-Unis pour la physique nucléaire[43]. »

Un récital de l'école de chant de Westminter, à Princeton, émut Einstein aux larmes. Il alla présenter ses compliments à la soliste mais, dans son émotion, se trompa de chanteuse. Il assista à un banquet offert à l'hôtel Roosevelt de Manhattan pour commémorer le centième anniversaire de la naissance d'Alfred Nobel, inventeur de la dynamite et fondateur du prix qui porte son nom. Il déclara, avec Hitler à l'esprit, qu'il approuvait Schopenhauer selon lequel la volonté et l'intelligence étaient des attributs antagonistes. Sinclair Lewis, qui était assis à côté de lui durant le dîner, quitta la table en colère, à cause des photographes qui le mitraillaient pendant qu'il mangeait. Einstein n'en était pas aussi irrité. « Je suis un vrai modèle », plaisantait-il parfois.

Einstein prévoyait de rester six mois à Princeton avant de retourner s'installer à Oxford, à Christ Church, et de demander la nationalité britannique comme l'y encourageaient Lindemann et Locker-Lampson. Mais Princeton sera son domicile pour les vingt-deux années à venir. Il deviendra américain et ne retournera jamais en Europe, pas même pour une visite.

# Une nouvelle vie à Princeton

Une lettre d'Einstein était le bien le plus précieux de l'assassin Nathan Leopold. Leopold purgeait une peine de prison à vie, plus quatre-vingt-dix-neuf ans, pour un assassinat commis à Chicago à l'âge de dix-neuf ans en compagnie de son ami Richard Loeb, âgé de dix-huit ans. Les deux adolescents avaient tué un garçon de quatorze ans pour se prouver à eux-mêmes qu'ils pouvaient commettre un « crime parfait ». Et ils avaient presque réussi.

Leopold parlait déjà quinze langues. Il en avait appris douze de plus derrière les barreaux, avait réorganisé la bibliothèque, écrit des articles pour des journaux de sociologie et de criminologie, et s'était porté volontaire pour des recherches sur le paludisme. Il séjournait depuis dix ans à la prison de Joliet, dans l'Illinois, quand il se tourna en 1934 vers les mathématiques appliquées à la physique et la relativité. Il avait écrit à Einstein : « Il a fallu que je rassemble mon courage pour m'adresser à celui que je considère comme le plus grand penseur au monde, mais (...) je savais que le professeur Einstein était un homme plein de gentillesse. Je lui ai écrit. Et il a répondu à ma question ! Je n'ai qu'à lever les yeux pour voir sa lettre [datée du 4 janvier 1934] car je l'ai encadrée et elle me suit partout où je vais en prison[1]. »

Einstein lui recommandait de commencer par de courts travaux scientifiques utilisant du calcul, par exemple les conférences de

Planck, avant de lire des recueils de textes de Lorentz et Minkowski ou les siens, ou encore le livre d'Eddington sur la relativité.

Tandis que Leopold s'émerveillait de la lettre qu'il venait de recevoir, Albert et Elsa passaient la nuit du 24 janvier à la Maison-Blanche où ils rencontrèrent enfin Franklin et Eleanor Roosevelt.

Selon Leopold Infeld, professeur à Princeton, Einstein ne révéla jamais le contenu de ses conversations avec le Président. Un auteur raconte en revanche qu'ils ont discuté « de leur passion commune pour la voile, de l'amitié d'Einstein avec la reine des Belges et du sort tragique des victimes de Hitler[2] ». Elsa confiera plus tard à un ami que Roosevelt avait demandé à Albert d'accepter la proposition des représentants F.H. Shoemaker et Kenney de faire de lui un citoyen d'honneur des États-Unis. Il avait refusé ce régime de faveur.

Le 30 mars, le couple Einstein rendit visite à leur ami Leon Watters dont l'appartement de la Cinquième Avenue dominait Central Park. Avant de passer à table, Watters introduisit un rouleau de musique dans un piano automatique qui se trouvait dans une autre pièce. Quand les premières notes se firent entendre, « Einstein s'arrêta de manger, écouta attentivement et demanda : "C'est du Schubert ?" Je lui dis que c'était "Romance" de Chopin[3] ». Einstein félicita pour son interprétation la nièce de Watters qui les rejoignit peu après la fin du morceau. Elsa le taquina en lui rappelant qu'il avait refusé le même instrument parce que la musique était trop mécanique.

Albert et Elsa avaient assisté quelques semaines plus tôt à une conférence donnée à Princeton par le compositeur révolutionnaire Arnold Schönberg, qui avait déclaré que le « Commandant suprême » lui avait ordonné de transmettre par sa musique « le message prophétique que l'humanité est en évolution vers une forme de vie supérieure ». Le critique musical Harold Schonberg le traita d'égocentrique amer et le compara à Einstein parce qu'il avait détruit « les vieux concepts de tonalité aussi efficacement qu'Einstein a démoli le macrocosme[4] ». Schönberg s'était converti au christianisme, mais la montée de l'antisémitisme en Allemagne l'avait poussé à revenir à la religion juive[5]. Il avait souhaité faire la connaissance d'Einstein depuis des années. Ils se rencontrèrent à nouveau le 1er avril à l'occasion d'un hommage de la musique à la science dont Einstein était l'invité d'honneur, à Carnegie Hall, et dont le but était de collecter des fonds pour l'installation d'enfants juifs allemands en Palestine et pour la région sioniste de New York. Einstein considérait Schönberg et sa musique comme « fous », ce qui dans sa bouche n'était pas forcément désobligeant. Ses amis ont souvent remarqué son attirance envers des gens considérés comme fous et, en général, les artistes.

La femme peintre Winifred Rieber raconta dans sa correspondance avec son mari ses séances de pose avec Einstein. La perspective de passer plusieurs jours en compagnie d'un génie l'impressionnait, bien qu'elle eût déjà brossé les portraits de plusieurs hommes célèbres dont John Dewey et William James. Elle se demandait, en approchant de Princeton, comment elle entretiendrait la conversation avec un tel savant.

Le physicien l'accueillit pieds nus, en sandales, vêtu d'un pullover trop grand et d'un pantalon bouffant. Elle écrivit à son mari : « Il semblait davantage perplexe que ravi de me voir. Mais il est rapidement redevenu lui-même, plein de gentillesse. Le lendemain, mon modèle s'est présenté raide dans un costume noir, avec une chemise blanche à col cassé et des chaussures cirées (...). Tout est électrique chez lui. Même ses silences sont chargés. Il m'a raconté : "On dit que je suis extraordinaire et on me pourchasse. On me dévisage partout où je vais." Il estime qu'il est victime d'une étrange curiosité populaire[6]. »

Elsa profita d'une pause pour apporter à son mari une lettre de la mère d'un garçon qui se prenait pour Jésus-Christ et s'était installé sur une montagne d'où il refusait de descendre depuis plusieurs semaines[7]. La femme suppliait Einstein de l'aider. C'était la seule personne pour laquelle son fils accepterait d'abandonner sa retraite.

Einstein répondit à « cette mère au cœur brisé » qu'il était d'accord pour rencontrer le jeune homme, malgré le risque de tomber sur un fou dangereux. Winifred Rieber déjeunait quelques jours plus tard chez les Einstein en compagnie d'Helen Dukas quand un garçon au regard intense mais vide se présenta. « Je crois que je l'aurais laissé sur sa montagne, écrivit le peintre à son mari. Mais, avec sa gentillesse, Herr Einstein a accepté de le recevoir et a discuté avec lui en se promenant dans les bois. »

Les femmes étaient impatientes de savoir ce qui s'était passé, quand Einstein rentra en fin d'après-midi. « Je n'ai pas cherché à lui faire abandonner ses fantasmes, raconta-t-il, mais je lui ai rappelé que Jésus était descendu de la montagne pour devenir pêcheur d'âmes. » Le garçon était vraiment aliéné. « Mais en sa compagnie j'ai ressenti la paix des lieux élevés et je me suis demandé si ce n'était pas lui qui était sain d'esprit et nous tous fous. »

Peut-être songea-t-il à rejoindre le jeune homme dans la montagne pour fuir les sollicitations incessantes. Un marchand de chaussures se vanta d'avoir élaboré une conception philosophique « aussi irréfutable qu'une équation mathématique, et qui lui permettait de répondre à toutes les questions que les hommes sont susceptibles de se poser. Je crois sincèrement en dire davantage en deux cents pages que toute l'humanité depuis le début de la civilisation (et je ne m'excuse pas de dire cela) ». Il réclamait quinze minutes pour convaincre Einstein de ses idées. Ce sera suffisant « pour savoir si je suis un fléau, un fou ou le type que je crois être. Vous déciderez si vous devez me tendre la main, ou me chasser d'un coup de pied ».

Dukas tenait les correspondants de cet acabit à distance en montant la garde à la porte. Elsa se chargeait de décliner une partie des invitations que son époux recevait et prospectait des lieux de vacances sans moustique où son mari pouvait faire de la voile à l'abri des curieux. Elle avait elle-même particulièrement souffert des moustiques lors d'un de leurs voyages dans le pays.

D'agréables vacances avec les Bucky se profilaient dans une maison louée par ces derniers à Watch Hill, dans l'État de Rhode Island. Mais Elsa apprit au printemps que sa fille aînée, Ilse, était gravement malade à Paris, où Margot la soignait. Elle décida de partir seule pour la France car un voyage en Europe était trop dangereux pour Albert. Elle espérait rapporter à son retour les documents et livres que Margot était parvenue à sortir clandestinement d'Allemagne.

Albert partit donc seul avec Helen Dukas à Watch Hill. Watters et un ancien ministre prussien de la Justice, Kurt Rosenfeld, passèrent les voir peu après leur arrivée. Rosenfeld était aux États-Unis pour participer à un « tribunal des avocats » qui devait juger les nazis.

Helen Dukas travaillait en maugréant. C'était le plus souvent elle qui faisait la cuisine, en général des pâtes. Einstein « ne s'occupe pas plus de moi que si j'étais une table ou une chaise », se plaignit-elle à Watters[8]. Ce que confirme James Blackwood, avec des nuances : « Oui, elle faisait partie du paysage. Mais elle vivait avec la famille, mangeait avec elle, partait en vacances avec elle et participait aux conversations. Mais mes parents ne l'ont pas emmenée quand ils sont allés avec les Einstein au marché paysan, en Pennsylvanie, et à la colonie d'artistes de New Hope. C'est peut-être pour cela qu'elle pensait qu'elle faisait partie des meubles. On laisse ses meubles chez soi quand on va quelque part[9]. »

Freeman Dyson, qui a connu Dukas après la mort d'Einstein, estime qu'« il la traitait très bien en ce qui concernait les grandes questions. Elle a toujours dit que c'était un grand plaisir de travailler pour lui, qu'il était très prévenant et amical dans le cadre de leur relation de travail. Il est également vrai qu'elle était un factotum et je suis convaincue qu'il la traitait parfois comme un meuble. Je ne pense pas que cela soit contradictoire, vu qu'elle était avec lui vingt-quatre heures sur vingt-quatre[10] ».

Watters ne se contenta pas d'enregistrer dans son journal les récriminations de Dukas, mais nota également une description de la souplesse et de la vivacité d'Einstein, ainsi que de « ses yeux doux et expressifs qui semblent fixer au loin. Il marche avec les pieds dirigés droit devant, comme un Indien. Si vous lui plaisez, il saisit votre main avec énergie et lui imprime une rotation. Nous avions l'habitude de nous retrouver tous les matins à neuf heures sur le porche de sa maison. Si je n'étais pas là, il faisait téléphoner à mon hôtel pour vérifier que j'allais bien[11] ».

Elsa arrivait, pendant ce temps, à Paris pour assister à la mort d'Ilse atteinte d'un cancer. Elle revint en Amérique avec Margot et plusieurs malles pleines de documents sauvés des bûchers allemands. Elle s'était arrangée pour prendre le même bateau que des voisins de Princeton, les Blackwood, dont le chef de famille était un pasteur presbytérien. Celui-ci accepta de déclarer que les précieux papiers lui appartenaient et inscrivit sur la feuille de douanes : « Matériaux acquis en Europe pour une utilisation académique ». Ce qui n'était, finalement, que pure vérité.

Einstein vint prendre sa femme et sa belle-fille à New York et les emmena à Watch Hill. Elsa, inconsolable, transforma une pièce en mémorial pour Ilse et accrocha le masque mortuaire sur un mur. Albert finit par le lui faire ôter car cette effigie ne faisait qu'entretenir son chagrin.

Le voilier d'Einstein était, comme d'habitude, souvent encalminé parce qu'il refusait d'emporter un moteur. Il se retrouva un jour coincé dans des rochers alors qu'une tempête approchait. Harry Darlington, alors âgé de quinze ans, passait avec des amis dans les parages. « J'ai vu ce bateau en difficulté, raconte Darlington. Je savais qu'Einstein était dans la région. Nous le voyions souvent sortir avec son voilier. Nous nous sommes doutés que c'était lui parce que, vu la façon dont il barrait, nous nous attendions à ce qu'il ait des ennuis un jour. Il était sur un petit bateau de location à un mât sans hauban. Il s'était échoué sur des rochers. Une tempête arrivait et la marée montait. Il y avait une femme avec lui. Ils n'étaient pas en forme. Ils ne s'en seraient pas sortis sans nous. Ils auraient pu se noyer. Nous nous sommes approchés avec notre voilier et nous les avons fait monter à bord. Je crois qu'on leur a sauvé la vie. Il nous a demandé nos noms et, plus tard, il m'a écrit pour me remercier et m'envoyer sa photo[12]. »

Selon Watters, Einstein n'avait jamais appris la navigation, ne connaissait pas les signaux nautiques ni les noms des différentes parties d'un bateau. Son matériel de sauvetage était sommaire bien qu'il ne sût pas nager. « Mais il avait un bon sens de l'orientation et n'utilisait jamais de boussole. Il prévoyait les orages avec une étrange exactitude et n'avait pas peur du mauvais temps, alors qu'on avait dû le remorquer à plusieurs reprises parce que ses mâts avaient été cassés. Un jour que j'étais sur son voilier, il a fallu que je lui crie *"Achtung !"* pour que nous évitions un autre bateau. Il a viré avec une parfaite maîtrise. Je lui ai fait remarquer qu'on n'était pas passé loin... il s'est esclaffé et, à mon grand effarement, s'est mis à foncer sur un voilier après l'autre en virant toujours au dernier moment, dans un grand éclat de rire. On aurait dit un gamin déchaîné[13]. »

De retour à Princeton, Einstein passa un soir où il pleuvait à verse chez les Blackwood pour voir les documents entreposés chez eux. James Blackwood, qui ouvrit la porte, se rappelle qu'il « portait un imperméable, mais pas de chapeau. Ses cheveux ressemblaient à une serpillière trempée. Mon père et ma mère l'ont salué et ont proposé de lui enlever son vêtement, mais il préféra le garder. Il m'a suivi, dégoulinant, dans le couloir, la salle à manger, l'office, la cuisine, et a fait un pas dans la remise. L'instant était solennel. Le professeur Einstein leva avec détermination le couvercle d'une vieille malle et en sortit un classeur noir qui semblait contenir des articles de jeunesse. Il ouvrit le recueil, baissa les yeux sur une page. Son expression changea. Ses yeux étincelèrent. Il regarda de côté vers mon père en brandissant le document à bout de bras et demanda d'un air étonné : "C'est moi qui ai écrit ces sornettes ?" Nous avons tous éclaté de rire, ce qui a détendu l'atmosphère. Il était visiblement ému de retrouver ses livres et ses papiers. Il a fouillé dedans pendant une demi-heure, avant de repartir sous la pluie sans chapeau et en refusant d'emprunter un parapluie[14] ».

Einstein évoquait souvent Marie Curie dont il avait dit, lors de son décès en juillet, qu'elle était la seule personne célèbre de sa connaissance à ne pas avoir été corrompue par la gloire. James Blackwood l'entendit raconter qu'« il l'avait emmenée faire de la voile sur le lac, quand il était à Genève avec elle. Quand ils se sont éloignés de la rive, elle lui a dit : "Je ne savais pas que vous étiez un bon barreur." Il a répondu : "Moi non plus." Elle a poursuivi : "Qu'est-ce que je vais faire si on dessale ? Je ne sais pas nager." Il a répondu : "Moi non plus" ».

Pour Blackwood, l'image de solitaire inaccessible qu'Einstein donnait de lui-même était une façade protectrice destinée à lui éviter d'être submergé par les curieux et les gens intéressés par ses travaux : « Einstein avait un visage public et un visage privé. S'il passait dans la rue devant chez nous, il affichait une figure impassible. Il traversait Alexander Street sans tourner la tête à gauche ou à droite pour regarder si une voiture arrivait. C'était comme s'il était en patins à roulettes. Il ne balançait pas les bras et ne marchait pas vite. Il avait une allure lente, calme, contemplative. Il donnait l'impression d'être plongé dans les problèmes d'une autre galaxie. C'était assez impressionnant. »

Blackwood vit le visage privé d'Einstein exprimer toute une gamme d'émotions depuis la gaieté jusqu'à la terreur. Un soir qu'il raccompagnait le physicien en voiture après un concert en compagnie de quelques Allemands, l'un de ceux-ci lui demanda brusquement de tourner dans une rue où il habitait. Il n'eut pas le temps de ralentir et le pare-chocs arrière accrocha un dos-d'âne « avec un bruit épouvantable. Nous avons tous eu peur. Je savais ce que c'était, mais Einstein l'ignorait. Il a dû penser à un attentat. Je le voyais dans mon rétroviseur, assis à l'arrière dans la lumière des lampadaires. Il avait un visage atterré. Il s'est écrié : "Qu'est-ce que c'était ?" Je ne l'ai plus jamais emmené en voiture ».

Dimitri Marianoff vit Einstein parcourir le pont d'un navire avec un calme parfait, en pleine tempête, sur la mer du Nord. Antonina Vallentin raconta qu'il traita Elsa de lâche parce qu'elle lui demandait d'arrêter de critiquer publiquement Hitler et d'accepter un garde du corps. Malgré son anecdote révélatrice, Blackwood confirme cette description d'un homme moralement et physiquement courageux : « Je pense que c'est vrai. Mais tout le monde peut être surpris. »

Blackwood rapporte un autre exemple du visage public d'Einstein. « Ma mère parlait avec Elsa dans le living-room des Einstein. Einstein faisait des improvisations au piano dans la salle de musique. Les dernières notes retombèrent et il traversa le salon, les cheveux ébouriffés, sans chemise ni maillot de corps, le pantalon tombant et, je crois, pieds nus. Il passa près d'elle comme s'il était ailleurs. C'était le visage public. Impassible. Aucune gêne. Il n'avait pas vu que ma mère était là. Mme Einstein claqua des mains en criant : "Eh ! Albertle !" » Blackwood présume qu'Einstein voulait seulement traverser la pièce sans interrompre la conversation. « Mais qui suis-je, conclut-il, pour juger ce qui passe dans la tête d'une taupe ou d'un génie ? »

Blackwood observa le visage privé d'Einstein un jour où *Time* avait rapporté les propos de quelqu'un qui contestait l'exactitude de ses prédictions. Il lui demanda :

« Qu'est-ce que vous pensez de ce type ?

— *Ach !* répondit Einstein avec énervement. Il est déjà officiellement fou[15]. »

Einstein était aussi étonnamment ouvert. Blackwood se souvient
que son frère Andrew Jr. avait une fois déclenché les sarcasmes de
ses amis en déclarant après un déjeuner qu'ils avaient pris dans un
restaurant situé en face de chez Einstein : « Eh bien ! Je crois que
je vais passer voir Einstein. »

Andy Blackwood a traversé Mercer Street. « Mlle Dukas lui a
ouvert. Il lui a donné sa carte de visite et elle l'a immédiatement
fait entrer. Ses amis furent sidérés. »

Andrew discuta de Hitler avec Einstein. « Il parlait sans rancœur,
d'une voix douce, mais cela était compensé par le fait que tout le
monde se taisait pour écouter. Des sécrétions glandulaires expliquaient, selon lui, le comportement du dictateur. Mon frère lui
demanda : "Et le diable ?" Einstein répondit avec un gloussement :
"C'est la même chose, la même chose." Il lui arrivait de se faire
l'écho de ses propres mots : "même chose, même chose", ou "Bach
est profond, profond". »

La plupart des gens disent qu'il était de bonne composition et
répondait, par exemple, par un sourire aux commentaires sur sa
coiffure. Le club Princeton Triangle joua un sketch qui se déroulait
dans un salon de coiffure. Des coiffeurs étaient alignés, chacun derrière le siège de son client. Une grande fenêtre fermait la scène.
Einstein passait derrière la vitre, indifférent, et la salle croulait sous
les applaudissements.

Mme Blackwood vit comment il réagissait à l'irruption d'une personne inconnue. Une femme d'allure plutôt masculine se dirigea
vers eux, alors qu'elle s'apprêtait à entrer avec Einstein dans une
galerie d'art. L'importune tendit une main en s'exclamant : « Je sais
qui vous êtes et je veux serrer la main du plus grand savant de la
terre. »

Il ôta élégamment sa pipe de sa bouche, inclina légèrement la tête
et lui serra solennellement la main. Mme Blackwood lui demanda
ensuite :

« Cela ne finit pas par être ennuyeux de toujours être "le plus
grand savant de la terre" ?

— Je ne suis pas un grand savant, répondit-il. N'importe qui
aurait pu faire ce que j'ai fait. J'ai seulement un don.

— Un don de Dieu ? demanda la femme du pasteur.

— Je le dirais autrement. Je crois ici, dit-il en mettant une main
sur son cœur, ce que je ne peux pas expliquer là, en désignant sa
tête d'un doigt. Mais j'ai la foi. J'ai la foi. »

« Je pense que ce qu'il voulait dire, ajoute Blackwood à qui sa mère rapporta cette discussion, est que sa pensée avait une dimension religieuse. Il lisait régulièrement les deux Testaments et reconnaissait des citations de Jean ou de Paul. Et on dit qu'à la fin de sa vie il aurait déclaré qu'il espérait retrouver des amis de l'autre côté. C'était peut-être une plaisanterie, mais il paraît qu'il parlait sérieusement. » (Il s'agissait très certainement d'une plaisanterie. Comme Einstein l'écrivit au journaliste George Seldes : « Beaucoup de propos qu'on m'attribue sont soit le résultat de mauvaises traductions à partir de l'allemand, soit des inventions[16]. »)

Il trouva enfin un assistant, Nathan Rosen, originaire de Brooklyn, qui vint le consulter pour une thèse et décida de rester.

Elsa fut clouée au lit à l'automne par une crise d'arthrite. Marianoff étant parti en proclamant qu'il ne supportait pas le mariage, Margot pouvait se consacrer entièrement à sa mère. Selon Thomas Bucky, toute la famille, y compris Margot, avait poussé un soupir de soulagement au départ de cet individu qu'« on considérait un peu comme un escroc[17] ». Sa disparition laissait Margot libre de s'occuper de sa mère.

Albert, Elsa, Margot, les Bucky et Watters célébrèrent l'anniversaire de ce dernier, le 13 novembre, en allant tous ensemble voir *Les Hommes d'Aran* au cinéma Westminster. C'était une fresque magnifique de la vie difficile sur une île au large des côtes d'Irlande. Einstein aima beaucoup. Le groupe se sépara ensuite, Elsa et Margot suivant les Bucky chez eux, tandis qu'Albert accompagnait Watters chez lui.

Les deux hommes fumèrent leurs pipes et mangèrent des pommes en discutant. Einstein demanda, en épluchant une deuxième pomme : « Tu as l'impression d'avoir trouvé une patrie, à New York ? » Son ami répondit oui. « Moi, je n'ai jamais trouvé de patrie, dit Einstein avec un ton de regret. Aucun pays, aucune ville ne me donne l'impression d'être dans une patrie. »

Abordant le judaïsme, il dit : « Je n'ai eu le sentiment d'appartenir à la communauté juive que très tard dans ma vie, quand j'ai vu et vécu l'antisémitisme, surtout en Allemagne. L'antisémitisme progresse dans tous les pays. La situation des Juifs ne cessera d'empirer. Le fait qu'ils aient survécu jusqu'à aujourd'hui montre l'importance de la préservation de leur culture par les Juifs. » Et il ajouta : « Il y a de l'antisémitisme à Princeton. »

Ils poursuivirent leur conversation tard dans la nuit. Einstein fixa un instant un portrait de la femme de Watters, qui était décédée, et commenta : « L'individu ne compte pas beaucoup. Les problèmes individuels des hommes sont insignifiants. On attache trop d'importance aux futilités de la vie. »

La vie avec Elsa n'était pas facile, sous-entendit-il : « Plus un instrument scientifique est délicat, plus il est difficile à manier. La femme est plus délicate et plus sensible que l'homme. Il faut la manier avec soin. Une femme excitable ressemble à un appareil électrique qu'on court-circuite. »

Einstein expliqua à Watters que ses deux maladies l'obligeaient à ménager son cœur et faire une sieste presque tous les après-midi. Son « patron » Abraham Flexner le décevait : « Je croyais comprendre Flexner quand je suis arrivé à Princeton. Mais depuis, c'est une énigme. J'ai l'impression qu'on ne me demande pas mon avis sur ce qui se passe. »

Les deux hommes se couchèrent vers une heure du matin. Einstein refusa un pyjama car « je me couche comme la nature m'a fait ». Il demanda cependant du papier et un crayon, et Watters suppose qu'il travailla jusqu'à une heure avancée, car la lumière resta longtemps allumée dans sa chambre.

Einstein était sur pied de bonne heure le lendemain. Au moment de partir rejoindre Elsa et Margot, Watters lui fit remarquer qu'il oubliait une sacoche dans sa chambre. Il alla la chercher et raconta, en riant : « Quand j'étais jeune, j'ai oublié un jour ma valise chez des amis chez lesquels j'avais passé la nuit. Ils ont dit à mes parents : "Ce garçon ne fera jamais rien de bon, car il oublie tout." »

Un jour de novembre, Dukas donna à Einstein une lettre d'un New-Yorkais qui venait d'inventer un traitement capillaire :

> « C'est garanti contre la calvitie, les pellicules et les démangeaisons du cuir chevelu. Votre magnifique chevelure est connue dans le monde entier et je m'apprête à appeler mon produit "la Lotion capillaire Albert-Einstein". Je prévois également de mettre une photographie de vous sur l'étiquette. Je suis convaincu que vous ne refuserez pas cet honneur. Pourriez-vous m'écrire une autorisation ? Si vous le désirez, je peux vous envoyer une bouteille en remerciement. »

Einstein déclina l'offre poliment mais fermement.

Son ami Upton Sinclair se présentait, pendant ce temps, aux élections de gouverneur de Californie avec un programme intitulé EPIC (*End Poverty in California*, Éliminons la pauvreté en Californie). Un habitant du canton de Los Angeles sur sept vivait des secours publics. Einstein soutint Sinclair, aux côtés de Charlie Chaplin, James Cagney, Jean Harlow et Dorothy Parker. Les milieux bourgeois de Californie se déchaînèrent et ne reculèrent devant aucune manœuvre malhonnête pour discréditer celui qu'ils présentaient comme un « communiste ». Einstein écrivit à Sinclair, après sa défaite : « En matière économique, la force de la réalité fera son chemin, même si c'est lentement. Personne n'a joué un rôle aussi important que le vôtre. Vous pouvez, la conscience tranquille, laisser l'action directe à d'autres hommes aux bras et aux nerfs plus solides. »

Isaac Don Levine demanda à Einstein de prendre position contre l'exécution par Staline de soixante-six prisonniers politiques, après l'assassinat de Serghёï Kirov. « Où sont les centaines de voix libérales et radicales qui ont, à juste titre, fait entendre un flot de protestation après la purge sanglante de Hitler, en juin dernier ? lui demanda l'écrivain. Pourquoi ces champions proclamés des droits de l'homme restent-ils étrangement silencieux devant le bain de sang médiéval de Staline ? »

Einstein répondit par retour du courrier, le 10 décembre :

> « Vous pouvez imaginer que je regrette moi aussi infiniment que les dirigeants russes se laissent aller à porter de tels coups aux exigences élémentaires de la justice en recourant à l'assassinat politique. Mais je ne peux cependant pas m'associer à votre démarche. Elle n'aura aucune répercussion en Russie, mais en aura dans les pays qui soutiennent directement ou indirectement la politique agressive et impudente du Japon envers la Russie. [La Russie risquait d'être la prochaine victime de l'armée japonaise qui avait envahi la Mandchourie en 1931.] Je déplore, dans ces conditions, la campagne que vous entreprenez et vous conseille de l'arrêter. Pensez au fait que des milliers de travailleurs juifs sont méthodiquement voués à la mort en Allemagne parce qu'on leur interdit de travailler, sans que cela ne crée de remous en dehors de la communauté juive. Considérez, par ailleurs, que les Russes ont montré que leur seul but est l'amélioration de la condition du peuple russe et qu'ils peuvent déjà se flatter d'importantes réussites sur ce plan. Pourquoi n'attirer l'attention de l'opinion publique internationale que sur les fautes du régime ? Ce choix n'induit-il pas en erreur ? »

Levine répondit quelques jours plus tard :

> « J'ai lu avec tristesse votre opinion selon laquelle le seul but des dirigeants soviétiques est l'amélioration de la condition du peuple. Comment peut-on croire cela, alors qu'en 1933 de trois à cinq millions de paysans ont été délibérément affamés par le régime de Staline ?... Je ne suis pas d'accord avec vous, non plus, quand vous dites que la politique effroyable de Hitler envers les Juifs n'a pas soulevé de concert de protestations dans le monde occidental, en dehors de la communauté juive. Que ces protestations n'aient pas été suffisamment bruyantes vient peut-être du fait que l'intelligentsia occidentale a émoussé notre sens de l'indignation en fermant les yeux sur la Terreur rouge et en se laissant séduire par les dogmes léninistes au lieu

de défendre les vieux idéaux de justice, des droits de l'homme et de la liberté. C'est à ces idéaux que les Juifs doivent leur émancipation. Le Juif d'aujourd'hui doit sa liberté à la conception anglaise de l'État, conception que la révolution américaine a contribué à traduire en actes dans la moitié du monde. Même les droits relatifs obtenus par les Juifs en Allemagne sous les Kaisers et les maigres libertés qui leur ont été attribuées en Russie durant les dernières années du tsarisme étaient des conséquences du triomphe de la conception libertaire anglaise de l'État. Comment un Juif pourrait-il manquer de se battre jusqu'à la dernière goutte de son sang pour cet idéal ? J'ai peur que le fait que tant de Juifs progressistes jurent par la liberté et cautionnent une dictature ne soit de mauvais augure pour notre avenir. J'ai peur que les Juifs américains ne commettent la même erreur que certains Juifs allemands — l'erreur de ne pas prévoir les événements quand l'écriture est déjà sur le mur. »

Einstein ne répondit pas. C'était la fin d'une amitié de dix ans.

« Einstein avait clairement pris position contre les persécutions soviétiques au cours des années vingt, explique I.F. Stone, et avait collaboré avec Alexander Burkman, Roger Baldwin, des militants des droits de l'homme et des anarchistes, à un livre qui décrivait et dénonçait les crimes soviétiques, notamment les camps de travail. Il approuvait la plupart des observations de Levine, mais toutes les forces devaient s'unir, y compris l'Union soviétique, contre le principal danger que représentaient les nazis. Contrairement à ce que pensait Levine, malgré son silence Einstein ne s'était pas mué en chantre virtuel du règne de Staline. »

Stone analyse ainsi les positions d'Einstein : « Isaac Don Levine était passé à l'extrême droite. Il écrivait dans les journaux de Hearst. En Union soviétique, l'antisémitisme ne se cristallisa que quelque temps plus tard. Il est difficile de lire l'histoire à l'envers. Le parallèle avec l'Allemagne n'était pas très bon. Beaucoup de Juifs, de libéraux, de radicaux fondaient encore des espoirs sur l'Union soviétique. Personne, en revanche, ne se méprit sur Hitler, à l'exception de quelques Juifs allemands stupides. »

Le dernier engagement d'Einstein cette année-là était une conférence à Pittsburgh, le 28 décembre. Elsa prit la préparation du voyage en main. Elle se sentait beaucoup mieux physiquement, même si elle ne s'était pas encore remise de la perte de sa fille. Albert avait retenu la première des nombreuses invitations qu'il reçut pour passer la nuit à Pittsburgh, celle de J. Edgar Kaufmann. Elsa chargea Leon Watters de veiller sur son mari : « J'aimerais qu'il se repose la veille de la conférence. Beaucoup de gens vont essayer de le rencontrer à Pittsburgh, mais cela l'épuiserait. Je préférerais, si possible, qu'on le laisse tranquille pendant le voyage. »

Dans le train de New York à Trenton, où il devait retrouver son ami, Watters se demanda si Einstein n'allait pas annuler le voyage car Elsa avait contracté une mauvaise grippe accompagnée d'une forte fièvre.

Mais Einstein l'attendait sur le quai de Trenton, en compagnie de deux collègues qui l'accompagnaient, les professeurs Howard Robertson et S. Lefshetz. Une fois installés dans leur compartiment, Einstein se sentit obligé d'expliquer qu'il avait laissé sa femme car il « ne pouvait décevoir un public qui comptait tant sur sa présence ».

Watters se rappelle qu'Einstein « parla de la physique qu'on nous avait enseignée à l'école quand les plus petites particules de matière connues étaient les molécules et les atomes. "Aujourd'hui, dit-il, nous avons les électrons, les protons et les quanta. Nos rejetons sont de plus en plus petits" ».

Watters organisa une conférence de presse le lendemain de leur arrivée à Pittsburgh pour la quarantaine de journalistes qui voulaient rencontrer Einstein. « Avec le recul, après la bombe atomique, la question la plus intéressante fut : "Pensez-vous qu'un bombardement de l'atome permettra de libérer l'énorme énergie indiquée par votre équation $E=mc^2$ ?" La réponse fut classique : "J'ai l'impression que ce sera impossible pour des raisons pratiques. Obtenir une fission de l'atome par un bombardement serait comme tirer sur des oiseaux dans l'obscurité, dans une région où il n'y a pas beaucoup d'oiseaux." »

Il dit également qu'il y avait de grandes chances que l'univers soit infini et qu'il était un des rares physiciens à ne pas croire au principe d'incertitude de Heisenberg.

Suivant les instructions d'Elsa, Watters installa « le professeur pour une sieste, dans une chambre d'ami », afin qu'il se repose avant le grand événement de la soirée, sa conférence intitulée « Vérification élémentaire du théorème sur l'équivalence de la masse et de l'énergie ».

Watters le réveilla à quatre heures et le conduisit au petit théâtre de l'Institut Carnegie de technologie, où ils empruntèrent l'entrée des artistes pour éviter la foule. Des milliers de scientifiques avaient demandé une invitation alors que la salle ne contenait que quatre cent cinquante sièges. Des personnes qui ne comprendraient pas le moindre mot offraient cinquante dollars pour une place.

Einstein attendait sur la scène, derrière le rideau, pendant que deux étudiants recopiaient à la craie sur deux tableaux noirs les équations complexes de son manuscrit. Le professeur Robertson et Watters s'assirent au premier rang pour l'aider si un mot anglais venait à lui manquer.

« Un groupe de photographes surgit à son tour derrière le rideau juste au moment où celui-ci se levait, raconte Watters. Le public éclata de rire et applaudit avec enthousiasme la réaction amusée d'Einstein. Un silence attentif s'instaura quand il commença à parler. Des mathématiciens et des physiciens de premier plan mirent leurs mains derrière leurs oreilles pour ne pas perdre un mot. Ils allaient assister à la démonstration mathématique irréfutable d'une vérité qui avait bouleversé toutes leurs croyances. L'orateur annonça, au cours de son exposé, qu'il n'allait pas s'attarder à expliquer l'une des étapes de son raisonnement "car elle est évidente". "Non, non", s'exclama l'assistance pour laquelle ce n'était pas si évident. Il parla tout le long en anglais, sans jamais buter sur un mot. »

Einstein remercia la salle qui l'applaudit frénétiquement et se plia aux exigences de chasseurs d'autographes et d'admirateurs, avant de se rendre avec Watters à une exposition d'astronomes amateurs à l'Institut Mellon.

Dans la voiture qui les ramenait chez les Kaufmann, Einstein dit à Watters : « Je n'aime pas votre toux. Elle est trop caverneuse. Venez avec moi, et je vous mettrai au lit. »

Arrivés à destination, Einstein installa Watters devant la cheminée et, comme le raconte celui-ci, « sonna le maître d'hôtel, commanda du jus d'orange et du whisky, et lui demanda de dire à Mme Kaufmann de ne pas nous déranger jusqu'au dîner. Il avait promis à Mme Einstein de ne pas fumer de tout le voyage et suçait sa pipe avec envie, mais sans l'allumer. Il reconnaissait qu'il se sentait mieux quand il ne fumait pas ».

Einstein prit un exemplaire de *Hamlet* sur un rayonnage et lut à haute voix, en s'interrompant de temps à autre pour commenter la beauté du style. « C'était merveilleusement calme. Nous discutions à la lueur du feu. Le dîner est malheureusement venu rompre le charme. En bas nous attendait un groupe de notables de Pittsburgh, la seule femme étant l'épouse de Kaufmann. Tout le monde était impatient de faire la connaissance d'Einstein. Selon son habitude, il refusa les cocktails et autres apéritifs. Après le départ des invités, il demanda à son hôte de mettre une voiture à ma disposition et me serra la main avec cette recommandation : "Rentrez chez vous et mettez-vous au lit. Et ne vous levez pas avant que je passe vous prendre, demain matin. Je resterai un moment avec vous." Il tint parole et vint le lendemain. Il demeura un peu avec moi et me dit : "Non, vous ne m'accompagnez pas. Je passerai vous prendre cet après-midi pour assister à un dîner", offert en son honneur par la Société mathématique américaine. »

Après la réception, Watters emmena Einstein à l'hôtel où Robert Millikan était descendu. Le lendemain matin Robertson et Lefshetz repartirent pour Princeton avec Einstein, tandis que Watters se rendait à Cleveland, après avoir suivi les instructions d'Elsa à la lettre.

# 27

# Installation

*1935
56 et 57 ans*

Elsa voulait faire expédier en Amérique les meubles de l'appartement de Berlin avant qu'ils ne connaissent le sort du voilier et de la maison de Caputh saisis par les nazis. Pensant que ce serait un gaspillage, Mme Bucky chargea leur ami commun Leon Watters de convaincre Albert que cet ameublement serait déplacé dans la maison de style colonial de Mercer Street. « Personne n'a autant d'influence que vous sur lui, écrivit-elle à Watters. On ne peut pas dire qu'il vous aime, il vous adore. »

Mais Watters n'avait nulle envie de s'immiscer dans les rapports entre Elsa et Albert et préféra ne pas aborder la question lors d'une visite qu'il rendit aux Einstein en janvier[1]. Il raconta divers incidents amusants de Pittsburgh, ce qui amena Elsa à l'interrompre : « Tu ne m'as jamais raconté tout cela, Albert. »

Watters révéla qu'Albert avait respecté sa promesse de ne pas fumer. « Mais il a recommencé dès qu'il a été libéré de sa parole ! » dit Elsa.

Elle admira une nouvelle veste que portait leur invité et qui, leur dit-il, lui avait coûté soixante-quinze dollars.

« C'est un scandale ! s'exclama Albert. Regardez-moi, je porte les mêmes vêtements toute l'année.

— Il s'habillait correctement pour sa première femme, se plaignit Elsa, mais pas pour moi. »

322

La façon désinvolte dont Einstein s'habillait connut une nouvelle illustration en avril. Se rendant chez Watters, à Manhattan, pendant qu'Elsa et Margot passaient quelques jours chez les Bucky, il arriva avec une grande valise dans laquelle la femme de chambre de Watters ne trouva guère plus qu'un faux col.

Ce soir-là il était d'humeur à parler de lui. Watters nota l'essentiel de ce qu'il lui confia : « Je me rends compte que mes capacités physiques diminuent avec l'âge. J'ai besoin de dormir davantage. Je n'ai pas l'impression que mes capacités mentales aient diminué. Je saisis un problème aussi vite que quand j'étais plus jeune. Mon talent particulier est une aptitude à visualiser les effets, les conséquences et les possibilités, et à discerner les rapports entre les découvertes d'autres scientifiques et les concepts actuels. J'appréhende facilement une question d'un large point de vue. Je ne suis pas à l'aise avec les calculs mathématiques. Je les effectue par obligation et laborieusement. D'autres que moi réussissent mieux dans ces détails. Je n'ai jamais acquis la nationalité allemande, bien que j'aie vécu pendant des années dans le pays. J'en ai fait une condition. C'est sans doute pour cela que je n'ai jamais rencontré le Kaiser. Comme je n'étais pas sujet allemand, on ne m'a jamais demandé de signer la proclamation des soi-disant intellectuels allemands qui tentaient de justifier la position de l'Allemagne pendant la Première Guerre mondiale. » (Cette affirmation est en contradiction avec la plupart des autres récits, selon lesquels il refusa de signer le document.)

Watters lui demanda pourquoi il avait accepté de poser pour la femme du rabbin Stephen Wise, alors qu'ils convenaient tous les deux qu'elle n'était pas un bon peintre. « Parce que c'est une femme charmante. »

Watters l'accompagna, le lendemain, à la première séance de pose. Ils traversèrent Central Park. Un vol d'oiseaux au-dessus de leurs têtes relança une conversation qu'ils avaient eue sur les mystères de la migration et du sens de l'orientation. « Ils suivent peut-être des rayons que nous n'avons pas encore découverts », dit Einstein.

Watters le laissa chez les Wise, où il passa le reprendre dans l'après-midi pour l'emmener à Greenwich Village, au studio d'un sculpteur russe, S. Konenkov, « qui mettait la dernière touche à un magnifique buste d'Einstein ».

Einstein se rendit, le soir, à un dîner chez le propriétaire d'une fabrique de prêt-à-porter, dans le Bronx. De retour chez Watters, « il était totalement dégoûté. "Bon sang ! Des gens pareils et un dîner pareil ! Toute la famille était présente. J'ai trop mangé. Je n'ai pas réussi à faire partir ma femme plus tôt" ». Il n'expliqua pas précisément pourquoi, « mais il était réellement furieux ». Et à nouveau d'humeur à bavarder. Watters garde le souvenir d'une discussion sur la liberté de parole. Les censeurs en tout genre révulsaient Einstein.

Einstein déjeuna le lendemain avec le secrétaire d'État au Trésor, Henry Morgenthau, puis dîna le jour suivant avec le banquier Henry Goldman, sans doute pour essayer d'obtenir des aides financières pour les réfugiés.

Nouvelle séance de pose pour Mme Wise le dimanche matin. Watters le « mit en garde contre la tentation de trop en faire, surtout en se rendant en des endroits qui lui déplaisaient ».

Einstein se reposa tout l'après-midi, avant de partir à une autre réception, un dîner de bienfaisance à l'hôtel Plaza auquel une dame l'avait convaincu d'assister. Il demanda à Watters s'il aimerait l'accompagner. Celui-ci répondit : « "Si ma venue dépend du fait que j'aimerais venir, ma réponse est non." Il m'a dit qu'il retirait le mot "aimerait" et me demandait, à la place, si j'irais pour lui faire plaisir. J'ai accepté. Il a ajouté avec un regard espiègle : "Nous nous débrouillerons pour nous échapper de bonne heure." »

À l'hôtel Plaza, l'organisatrice du dîner donna l'accolade à Einstein puis le fit pénétrer, tel un trophée, dans le salon de réception. Watters se réfugia dans un angle de la pièce, d'où il entendit la dame présenter bruyamment son invité. Einstein lui décocha un clin d'œil avant de poser avec son hôtesse pour les photographes. Plusieurs convives lui serrèrent la main vigoureusement en criant leur nom. Il prit place sur l'estrade aux côtés d'un prince autrichien, de l'ancien maire de New York John O'Brien et de son successeur La Guardia.

Einstein sourit à Watters « comme s'il prenait tout cela pour une énorme plaisanterie. À dix heures précises, il a sorti sa montre, m'a fait signe de venir le rejoindre et s'est levé en s'excusant. C'était l'heure à laquelle il avait prévu, à l'avance, qu'il devrait partir. Il gloussa pendant tout le chemin pour revenir chez moi. Ce dîner forcé semblait l'avoir bien amusé ».

Einstein se rendit à une nouvelle séance de pose chez le sculpteur, avant de passer prendre Elsa et Margot chez les Bucky et de repartir pour Princeton.

Un lycéen de Princeton, Henry Rosso, voulait relever le défi de son professeur de journalisme qui avait promis la note maximum à celui qui obtiendrait une interview d'Einstein pour le journal du lycée[2].

Un commerçant renseigna Rosso sur le chemin que prenait son

idole pour se rendre à son bureau. Le garçon l'attendit, dès le lende-main matin, un amical bonjour aux lèvres. Einstein, déconcerté, ne s'arrêta pas. Le jeune homme le suivit en expliquant rapidement ce qu'il désirait. Einstein s'arrêta pour lui expliquer que, s'il lui accor-dait une interview, tous les journalistes le harcèleraient à leur tour. Rosso répondit que les journalistes ne lisaient pas les journaux lycéens et proposa de protéger son article par un *copyright*. Einstein capitula.

Mais le garçon avait consacré tellement d'énergie à obtenir l'in-terview qu'il ne sut quelles questions poser. Et c'est l'interviewé qui, se rappelle Rosso, « prit les choses en main, proposant les sujets à aborder et suggérant ce qui devait être souligné ». Einstein évita les questions personnelles mais commenta avec un sourire : « Ma vie est d'une simplicité qui n'intéresserait personne. Il est de noto-riété publique que je suis né, et c'est suffisant. » Il conclut : « J'ai découvert que la nature est construite d'une façon merveilleuse. Notre travail consiste à découvrir la structure mathématique de la nature. La nature est simple si on sait l'observer convenablement... mais ce n'est pas ce que croient tous les chercheurs. C'est une sorte d'acte de foi qui m'a aidé toute ma vie à ne pas désespérer dans les travaux les plus difficiles. »

Des extraits de l'interview originellement publiée dans *The Tower* du lycée de Rosso eurent les honneurs d'un journal de Tren-ton et du *New York Times*. Einstein n'en voulut pas au lycéen. Quand celui-ci lui téléphona pour s'excuser, il lui déclara qu'il comprenait maintenant la déontologie du journalisme.

Einstein parla politique peu après avec les étudiants du Club des relations internationales de Princeton. « Il portait, se souvient John Oakes, son fameux pull-over troué à une manche. Il raconta pen-dant près de trois heures, dans une pièce du sous-sol, ce qui se passait dans l'Allemagne hitlérienne. Je me rappelle ses yeux vifs et ses manières simples et informelles. Ce fut une expérience à la fois enthousiasmante et émouvante[3]. »

Les événements d'Allemagne hantaient Einstein. Il écrivit à Fre-derick Lindemann : « Je suis très préoccupé par la situation alle-mande à cause du danger qu'elle fait peser sur le reste du monde (...). On mesure progressivement l'ampleur de ce danger qui aurait pu être enrayé facilement il y a deux ans, mais personne ne voulait en entendre parler à l'époque[4]. »

Einstein pesait les termes de ses déclarations et textes publics, car on l'avait mis en garde contre le fait que ses critiques de Hitler et du régime nazi pourraient nuire aux Juifs restés en Allemagne. Un manuscrit inédit trouvé dans ses archives témoigne en revanche clairement de ses opinions. Les Allemands sont, pour lui, le produit de siècles d'endoctrinement par l'enseignement et l'armée. La république démocratique de Weimar leur va « à peu près aussi bien que les vêtements du géant allaient à Tom Pouce ». Hitler a profité de la dépression et du désarroi de la population pour prendre le pouvoir. C'est un homme aigri et envieux, doté d'une intelligence médiocre et d'« un appétit effréné du pouvoir », qui a habilement exploité le goût des Allemands pour « l'exercice militaire, les ordres, l'aveuglement, l'obéissance et la cruauté (...) qu'il a enrobés avec la phraséologie romantique et pseudo-patriotique à laquelle on a habitué ses compatriotes (...) et avec des mensonges sur leur prétendue supériorité[5] ».

Le 30 avril, les Einstein dînaient chez les Blackwood, en compagnie du physicien William Houston, président de l'Institut Houston's Rice, et de sa femme, dont ils avaient fait la connaissance à Caltech quelques années plus tôt[6].

C'était le dix-septième anniversaire de James Blackwood, qui ouvrit la porte. La poignée de main d'Einstein était « chaude et douce, mais avec de la force. Il semblait s'être coiffé. Il portait un costume aux plis impeccables, au lieu de son habituel pantalon bouffant et de sa veste de cuir. Il aperçut les autres invités, en smoking. "*Ach !* dit-il. Je ne savais pas que l'occasion était si... si... sérieuse !" Tout le monde éclata de rire ».

Mme Blackwood tendit à Einstein un article d'un magazine pour lequel il avait répondu à trois questions.

*Dans quelle mesure avez-vous été influencé par le christianisme ?*
« On m'a enseigné la Bible et le Talmud dans mon enfance. Je suis juif, mais je suis séduit par la figure lumineuse du Nazaréen. »
*Avez-vous lu le livre d'Emil Ludwig sur Jésus ?*
« Oui, mais Jésus est trop colossal pour les plumes de phraseurs. Personne ne peut traiter Jésus avec un *bon mot*\*. »
*Acceptez-vous l'existence historique de Jésus ?*
« Sans aucun doute ! On ne peut pas lire le Nouveau Testament sans ressentir la présence réelle de Jésus. Sa personnalité vibre dans chaque mot. Aucun mythe ne respire autant la vie. »

M. Blackwood lui demanda si l'article transcrivait fidèlement ses propos. Il relut soigneusement le papier avant de répondre : « Cela correspond à ce que je crois. »

Mme Blackwood avait préparé un gâteau de Savoie pour le

---

\* En français dans le texte. *(N.d.T.)*

dessert. Quand elle s'empara d'une grande fourchette à gâteau pour le couper, Einstein glissa : « Voilà ce que je cherchais. C'est exactement ce qu'il me faut pour me coiffer. »

La tablée éclata de rire, Einstein encore plus fort que tout le monde.

James Blackwood raconte : « Ma grand-mère Philips n'avait pas ouvert la bouche de toute la soirée. Elle sortit de son silence après le départ des Einstein pour dire : "C'est peut-être un génie, mais *il devrait porter des chaussettes quand il est invité à dîner.*" »

Maintenant qu'ils avaient décidé d'élire définitivement domicile à Princeton, Albert, Elsa, Margot et Helen Dukas souhaitaient acquérir la nationalité américaine. Mais ils devaient en faire la demande depuis un pays étranger. Ils optèrent pour les Bermudes où ils partirent à bord du *Queen Mary*. Le gouverneur de l'île et le maire les attendaient à leur arrivée à Hamilton. Einstein refusa deux hôtels de luxe indiqués par le gouverneur. Ils se promenèrent en ville jusqu'à ce qu'ils vissent une pancarte « chambres à louer » sur une maison d'allure modeste. « Nous allons nous installer ici, dit Einstein. L'endroit me plaît[7]. »

Il refusa des invitations à des soirées, des banquets et réceptions diverses, et consacra la plupart de son temps à visiter l'île.

De retour aux États-Unis, Elsa et Albert jetèrent leur dévolu sur Old Lime, au bord de la rivière Connecticut, pour leurs vacances estivales. Ils louèrent une vieille maison coloniale à charpente de bois et entourée de dix hectares de terrain, avec un tennis et une piscine. La « Maison Blanche », on l'appelait ainsi, coûtait neuf cents dollars pour la saison. Pour Elsa, c'était le paradis. Leurs voisins, les Copp, étaient une pianiste professionnelle et un violoniste amateur. Mme Copp se souvient qu'Elsa et Albert « étaient si impressionnés par le luxe qu'ils mangèrent à l'office les dix premiers jours[8] ». Einstein appréciait sa solitude relative. Relative, car les visites ne manquaient pas, comme celle de l'écrivain italien Luigi Pirandello. « Elsa est malheureusement malade, sans quoi ma vie serait un véritable bonheur », écrivit Einstein à Max Born. Elsa se rendait cependant fréquemment à Princeton pour surveiller les aménagements qu'ils faisaient réaliser en leur absence dans leur maison vieille de cent vingt ans. On installait, notamment, une fenêtre panoramique dans le bureau d'Einstein, au premier étage, à l'arrière du bâtiment.

Le comité d'organisation des cérémonies du tricentenaire de l'université Harvard, en 1936, se débattait pendant ce temps avec un problème sans doute unique aux États-Unis : comment tenir Einstein à l'écart des festivités sans le froisser, car sa venue éclipserait les autres éminents professeurs. L'astronome Harlow Shapley eut l'idée de conférer à Einstein un diplôme honoraire en 1935 : il ne s'attendrait certainement pas à être invité deux années de suite. C'était un moyen, explique Shapley, « d'éviter sa présence au tricentenaire et d'épargner à notre célébration la folie qui accompagnait le nom d'Einstein à cette époque[9] ».

La direction de l'université approuva le projet. Shapley invita Einstein à descendre chez lui pour la remise du diplôme. Elsa, qui n'avait pu venir, avait recommandé à Shapley de « bien s'occuper d'Albert. C'est une plante sensible. Il ne doit pas fumer de cigare. Il peut boire du café au petit déjeuner, mais ne doit avoir que du décaféiné le soir, sinon il ne dort pas bien ».

Ce qui n'empêcha pas Shapley, après le dîner, de tendre à Einstein un cigare que celui-ci accepta en lâchant : « *Ach, mein Weib !* (Ah, ma femme !) »

L'astronome respecta davantage les consignes de sommeil et dit à son invité, après trois heures de musique, qu'il était temps de se coucher. Albert revint à Elsa reposé.

Einstein se réfugiait sur son voilier dès qu'il apercevait une voiture inconnue sur l'allée qui menait à leur villa. Une semaine après la visite à Harvard, il venait de larguer ainsi les amarres quand il reconnut Leon Watters, et revint rapidement sur la terre ferme. Il accapara son ami pour discuter avec lui, malgré l'impatience d'Elsa qui voulait lui faire visiter leur paradis.

Einstein était d'excellente humeur. « Ses recherches progressaient très bien et il était très content. Il avait trouvé de nouvelles équations (...). On a parlé de science, d'économie, de politique et de différentes personnes. Il semblait heureux de rencontrer quelqu'un à qui il pouvait se livrer librement[10]. »

« Ce fut un été mémorable, raconte Mme Copp. Je crois qu'Einstein aimait être seul, mais il adorait la musique et voulut tout de suite nous rencontrer quand il apprit qu'il y avait une pianiste et un violoniste dans le voisinage. Mon mari allait le chercher, parce que Einstein ne savait pas conduire. Mais il était terrifié à l'idée du précieux passager qu'il transportait et conduisait très prudemment. Nous le voyions pratiquement tous les jours.

« Sa femme était charmante, mais je ne parvenais pas à comprendre leurs relations. Elles n'étaient sans doute pas fondées sur un amour réciproque. Elsa ressemblait à une gouvernante qui veillait à ce qu'il soit bien habillé et n'attrape pas froid, surtout quand il faisait de la voile. Il était dingue de son petit voilier. »

Einstein raconta aux Copp que Hitler lui avait confisqué un magnifique bateau, mais ajouta : « "Je m'amuse beaucoup plus dans ma petite coque de noix." Il avait pourtant failli se noyer, un jour qu'il était tombé de son voilier. » Andy Bloomberg, qui se trouvait à proximité dans une barque, l'avait sorti de l'eau[11]. Ce ne fut pas le seul incident de l'été. Il coinça son mât sous un pont et le cassa lors d'une sortie par grand vent.

Il écrivit à Maja qui vivait avec son mari à Florence, qu'il travaillait lentement et laborieusement sur un nouvel article qu'il publierait avec un collègue, Boris Podolsky, et son assistant Nathan Rosen. Ils avaient découvert une faille dans la mécanique quantique qu'ils appelaient « action fantôme à distance ». Le « paradoxe EPR », comme on l'appelle aujourd'hui d'après les initiales des trois auteurs, stipule que deux particules provenant d'une même source s'influencent mutuellement même si elles sont éloignées l'une de l'autre de plusieurs années-lumière. L'observation d'une particule en un point de l'espace affecte instantanément l'état de la seconde particule. On peut connaître la position et la vitesse de l'une en mesurant la position et la vitesse de l'autre. Ce qui semblait conférer une réalité objective à ces deux paramètres de la particule éloignée, sans les avoir directement mesurés. Selon Jeremy Bernstein, la mécanique quantique nous enseigne pourtant qu'« il est impossible de définir précisément à la fois la position et la vitesse[12] ». Einstein, Podolsky et Rosen concluaient leur article par une question : « Peut-on considérer comme complète la description de la réalité physique à l'aide de la mécanique quantique ? »

Le physicien autrichien Erwin Schrödinger applaudit. « J'ai été très content de découvrir (...) que vous aviez attrapé par le revers du col les défenseurs des dogmes de la mécanique quantique[13] », écrivit-il à Einstein le 7 juin.

Le rabbin Harry Cohen vint voir Einstein le 30 août. Il craignait que les protestations publiques des Juifs américains ne servent de prétexte à une intensification des persécutions en Allemagne. Einstein le rassura, tout en pensant comme lui que des gens tels que le rabbin Stephen Wise réagissaient parfois de façon trop émotive et que des Juifs pussent être plus efficaces. Les Allemands redoutaient « ce que le monde disait d'eux ». Il poursuivit : « Aucun peuple sur la planète ne se délecte autant de la cruauté. Les Allemands sont cruels par nature. »

Il en rejetait la faute sur « leur système d'éducation, l'autoritarisme et le militarisme qui le gouvernent. L'obéissance aveugle aux ordres qui tombent d'en-haut ».

Cohen lui montra un article signé Robert Ripley, tiré de la chronique dessinée « Incroyable mais vrai », et qui affirmait : « Le plus grand mathématicien actuel recalé en mathématiques ». « Cette histoire est totalement déformée, dit Einstein en riant. Quand je me suis présenté à l'École polytechnique de Zurich, à l'âge de seize ans, je n'avais pas assez travaillé en français et en botanique. Je n'ai pas été recalé à cause des mathématiques. J'utilisais le calcul différentiel et intégral avant d'avoir quinze ans. »

Cohen aborda la question noire. « Les yeux d'Einstein brillèrent de la même lueur d'indignation morale que quand il avait parlé de la cruauté allemande. Il fut très clair : "Il ne devrait y avoir aucune discrimination. C'est une injustice." »

Cohen sous-entendit que le système des quotas universitaires était justifié : « Si, par exemple, quarante pour cent des candidats à l'entrée des universités sont juifs, la proportion est certainement trop élevée. Des universités ne voudraient pas avoir quarante pour cent d'Italiens, ou de luthériens. » Einstein n'était pas d'accord : « Toute discrimination est injuste. On doit admettre les étudiants uniquement en fonction de leur valeur. »

Ils discutaient depuis deux heures et le soleil se couchait. Avant de partir, Cohen demanda à Einstein d'écrire quelque chose dans son journal, en souvenir de sa visite. « Être libre veut dire être indépendant, ne pas être influencé par ce que pensent et disent les autres[14] », inscrivit Einstein.

Cohen remarqua, comme James Blackwood, qu'Einstein répétait ses phrases et parlait d'un ton grave et agréable. « Il n'a pas élevé la voix une seule fois, ni manifesté de colère ou de rancœur en parlant de la cruauté allemande et de la discrimination raciale. Son visage a seulement pris un air sévère et ses yeux ont brillé d'une lueur intimidante. Il me regardait toujours droit dans les yeux en parlant, mais semblait ne plus me voir quand il marquait une pause avant de répondre. Il donnait alors l'impression de fixer quelque chose, loin devant. »

Einstein refusa une vingtaine de demandes d'interview au cours de l'été[15]. Il fut cependant pris de pitié pour le photographe Jack Layer qui patienta un jour pendant huit heures devant sa porte. Non seulement il accepta de poser, mais « il partit à la rame dans son bateau avec Layer pour des photos dans des situations naturelles ».

Elsa tomba à nouveau malade peu après leur retour à Princeton. Elle était faible, avait du mal à respirer et avait un œil gonflé. Albert lui cacha le diagnostic du médecin, une inflammation du cœur. « Mais Elsa remarqua qu'il se faisait plus de souci que d'habitude à son sujet. » La charge de protéger Einstein contre les importuns retomba de plus en plus sur Helen Dukas.

Hiram Haydn, rédacteur en chef de *The American Scholar*, était un jour en voiture avec le doyen de l'université de Princeton, Christian Gauss, avec lequel il se rendait à un thé organisé en l'honneur d'Einstein.

> « Christian pointa du doigt devant nous : "Regardez, Einstein et Eisenstaedt ! Prenons-les." Deux personnes marchaient lentement dans la rue, dont l'une était surmontée d'une grande tignasse et vêtue d'un pull à col roulé et d'un pantalon à la Charlie Chaplin. Nous nous sommes arrêtés à la hauteur des deux hommes, je suis descendu et j'ai plié le siège sur lequel j'étais assis. J'ai regardé par-dessus le toit de la voiture, et j'ai vu Einstein qui me faisait face. Je fus frappé par la lumière qui rayonnait de son visage. Ces rayons jaillissaient comme les poils de barbe des hommes ordinaires. Ce n'était pas un homme ordinaire. Ce visage était celui d'une autre espèce que la nôtre. Et il m'a souri. Ce fut l'expérience la plus mystique de ma vie. J'ai été incapable de participer au thé qui a suivi. Je suis demeuré assis dans un coin, en état de choc. Des amis sont venus me proposer de me présenter à Einstein. J'ai affirmé avoir déjà fait sa connaissance et invoqué divers prétextes pour me défiler. Christian me reconduisit à l'hôtel. Il me retint un moment par le bras et me dit : "De tels instants déchirent les perceptions ordinaires, transpercent l'habillage de la réalité et nous ouvrent une nouvelle vision des choses."[16] »

Joseph Ceruti, étudiant à Princeton, se rendait de l'université à l'église quand il croisa Einstein. « Je lui dis : "Bonjour, Professeur Einstein." Il me retourna mon salut et me demanda quelles études je suivais. Je lui dis que je préparais une thèse en architecture. Il me raconta qu'il avait été impressionné par l'architecture de style missionnaire, dans le sud de la Californie. Il avait trouvé ce style simple, pur et organique. Il estimait que l'architecture américaine manquait parfois de caractère et ne cherchait pas assez à marier les constructions et la nature. Quand nous nous sommes séparés, j'avais l'impression d'avoir parlé à Dieu[17]. »

Einstein recevait des lettres de gens qui semblaient réellement croire que les miracles étaient de son domaine, comme celle d'une femme qui écrivit : « Cher Professeur Einstein, je ne peux pas avoir d'enfant. Je voudrais adopter un bébé, et je n'ai pas d'argent. S'il vous plaît, aidez-moi ! Je veux être mère ! Aidez-moi ! »

D'autres le considéraient davantage comme le diable que le bon Dieu. Une lettre caractéristique disait ainsi : « Professeur Einstein : Vous êtes le prince de la bêtise. Le comte de l'imbécillité. Le duc du crétinisme. Le baron des faibles d'esprit. Le roi de la stupidité. Vous n'êtes pas un scientifique, vous êtes une erreur anthropologique de naissance, un énorme menteur et un hypocrite. Vous devriez porter un masque quand vous parlez à un scientifique ! ! ! »

Un dentiste à la retraite proposait de surveiller son mode de vie pour vérifier qu'il ait « un bon régime, une bonne élimination, suffisamment d'exercice et assez de sommeil[18] ».

Le physicien Johannes Stark, lauréat du prix Nobel en 1919, déclara dans un discours inaugural de l'Institut Philipp-Lenard, du nom de l'ennemi juré d'Einstein :

> « Einstein a disparu d'Allemagne, mais ses amis et soutiens allemands ont malheureusement toujours la possibilité de continuer à travailler dans son esprit. Son principal promoteur, Planck, dirige toujours l'Institut Kaiser-Wilhelm, son interprète et ami, M. von Laue, joue encore les conseillers en physique de l'Académie des sciences de Berlin et le théoricien formaliste, Heisenberg, esprit de l'esprit d'Einstein, est même sur le point d'être nommé professeur des universités[19]. »

Les sympathisants nazis américains redoublèrent eux aussi leurs attaques contre Einstein. Les lettres d'injures continuaient à s'accumuler.

## 28

# Problèmes familiaux

*1936*
*57 ans*


Une jeune femme prétendant être une fille naturelle d'Einstein se présenta au domicile berlinois du docteur Janos Plesch. Celui-ci fut d'abord incrédule, même si l'histoire ne lui paraissait pas impossible. Mais son interlocutrice était persuasive, et le petit garçon « intelligent, éveillé et mignon » qui l'accompagnait ressemblait fortement à Einstein[1].

La jeune mère convainquit Plesch :

> « Avec des amis également persuadés qu'elle disait la vérité, j'ai décidé de l'aider à trouver du travail et à envoyer le garçon à l'école. Puis j'ai écrit une lettre pleine de tact à Einstein pour lui expliquer la situation et lui donner des nouvelles de sa fille et son petit-fils. Il n'a pas manifesté l'intérêt auquel je m'attendais. Pour toucher son cœur de père et de grand-père je lui ai envoyé un ou deux jolis dessins en couleur faits par le garçon et une photo. Je me disais que la physionomie de l'enfant l'émouvrait ».

Mais ce qui émut Einstein fut un autre message, plus impérieux, venant d'Angleterre.

Une autre femme, qui avançait les mêmes prétentions, avait raconté son histoire à différents professeurs, dont Frederick Lindemann de l'université Christ Church d'Oxford. Celui-ci, plus sceptique que Plesch et flairant un chantage, se demanda comment prévenir Einstein sans heurter Elsa qui était malade du cœur et du foie, et que l'ombre d'un scandale aurait pu tuer. Il adressa un télégramme à un collègue de Princeton, Hermann Weyl :

MLLE HERRSCHDŒRFFER PRÉTENDANT ÊTRE FILLE EINSTEIN ESSAIE TROUVER SOUTIEN DANS MILIEUX INFLUENTS STOP DIT IMPOSSIBLE RÉCLAMER AIDE À CAUSE BELLE-MÈRE [si la prétention était fondée, Elsa était sa belle-mère] STOP MERCI DEMANDER EINSTEIN EN PERSONNE ET CÂBLER RÉPONSE IMMÉDIATE STOP LINDEMANN CHRISTCHURCH[2].

Weyl fit la commission à Einstein, qui en parla à Dukas. Celle-ci chargea un ami bien informé et entreprenant de se renseigner sur la jeune femme.

Le détective amateur envoya son rapport à Dukas en août[3]. Son enquête avait été couronnée de succès. Herrschdœrffer était en réalité Grete Markstein. Elle avait travaillé dans un opéra de Berlin avant de partir pour l'Angleterre, en passant par Paris. Elle avait laissé derrière elle « une pas très bonne réputation ». Sa mère, Helene Markstein, née le 5 juillet 1863, avait donné naissance à Grete le 31 août 1894. Pour être le père, Einstein aurait dû avoir une relation avec Helene Markstein quand il avait quatorze ans, et elle trente. C'était peu vraisemblable.

Einstein, heureux que Grete Markstein ne soit pas sa fille, répondit enfin à Plesch. Le comique de l'histoire, dit-il, était que le docteur ait été manipulé par une femme escroc. Dans la même veine humoristique, il conclut sa lettre par des vers de mirliton paillards :

> Tous mes amis se moquent de moi,
> En aidant à endiguer ma famille !
> Je me contente de la vérité
> Que je porte en moi depuis longtemps.
> Mais ce serait amusant d'apprendre
> Que j'égare mes œufs
> Si cela ne faisait du mal à certains[4].

Une vérité qu'il portait en lui depuis longtemps était l'existence de sa fille Lieserl. Il la cachait au monde entier, y compris à Plesch, depuis une trentaine d'années.

J'ai interrogé le docteur Schulmann pour tenter de résoudre les contradictions évidentes des différents récits.

DENIS BRIAN. — *Quelque chose est surprenant. Le « détective » a enquêté sur Grete Markstein, alors que Lindemann avait alerté Einstein sur une Mlle Herrschdœrffer. Est-on sûr qu'il s'agisse de la même femme ?*

ROBERT SCHULMANN. — Non, il peut s'agir de deux femmes différentes.

D.B. — *Herrschdœrffer pourrait être le nom de mariage de Markstein. Mais il reste encore la jeune femme qui s'est présentée chez Plesch avec un petit garçon. Cela fait peut-être trois femmes différentes.*

R.S. — Trois groupies d'Einstein.

D.B. — *Cela n'est pas impossible, vu ce que nous savons de lui.*

R.S. — Oui, ce n'est pas impossible.

D.B. — *Mais seulement Markstein ou Herrschdœrffer prétendaient être sa fille. L'une d'elles était peut-être Lierserl.*

R.S. — Là, vous faites un grand pas. Mais c'est quand même possible. Il y a deux éventualités. L'une est que Herrschdœrffer soit un pseudonyme utilisé par Markstein. Les charlatans aiment changer de nom. La seconde est que Markstein et Herrschdœrffer aient été deux femmes différentes. Dans ce cas, il devient plus plausible qu'Einstein ait eu une liaison avec la mère de Herrschdœrffer si celle-ci était plus jeune que Markstein. Il aurait alors été plus âgé au moment de cette liaison. La seule chose qui m'intéresse est l'aspect psychologique. Einstein a réagi de façon très curieuse, quelle que soit l'identité de la femme, ou des femmes.

D.B. — *Vous voulez dire, en engageant un détective amateur ? Cela laisse supposer qu'il pensait que sa véritable fille, Lieserl, pouvait toujours être en vie. Il a d'ailleurs dit à Dukas : « C'est peut-être elle. Renseignez-vous. »*

R.S. — Oui. Je ne pense pas qu'il ait cherché à savoir ce que devenait Lieserl. Sa première femme l'a peut-être fait, mais il ne discutait plus de ce genre de question avec Mileva.

D.B. — *Mais nous sommes d'accord sur le fait que sa décision de chercher des renseignements sur cette femme implique qu'il pensait que Lieserl pouvait être en vie en 1936.*

R.S. — Absolument.

D.B. — *Parce que s'il avait su qu'elle était morte il aurait été convaincu que cette femme ou ces femmes étaient des imposteurs, et il n'aurait pas éprouvé le besoin de chercher à en savoir davantage.*

R.S. — Je suis d'accord. Cela semble parfaitement logique, vu ce que nous savons.

D.B. — *Ne trouvez-vous pas étrange qu'Einstein ait écrit « ce serait amusant d'apprendre que j'égare mes œufs » en sachant qu'il avait une fille naturelle ?*

R.S. — Je ne suis pas certain que ce soit étrange. Il sait que dans ce cas précis il ne s'agit pas de sa fille. Il ne va pas tout révéler. Il sait qu'il y en a une, mais ce n'est pas elle qui s'est manifestée.

D.B. :*Et son secret est gardé. Comment expliquez-vous la paillardise de ces vers ?*

R.S. — Le langage de corps de garde est employé dans toute l'Allemagne méridionale. Et en allemand les « œufs » désignent les testicules. Ses parents étaient des Juifs policés et assimilés qui n'employaient certainement pas un tel langage. Il a dû l'apprendre pendant ses études, à Munich.

D.B. — *Vous pensez que vous auriez une chance d'apprendre quelque chose en engageant un détective privé pour chercher des traces de la fille d'Einstein ?*

R.S. — J'y ai pensé. Mais la guerre entre les Croates et les Serbes a annulé ce projet[5].

Pendant qu'Einstein cherchait à éviter le scandale d'une progéniture cachée, les journaux américains et allemands accordaient une grande place aux tentatives de divers scientifiques pour démontrer que son travail était entaché d'erreurs fatales.

Le *New York Times* publia tout au long du mois de février les nouvelles d'une triple attaque contre la théorie de la relativité menée par Leigh Page de Yale, Ludwig Silberstein de l'université de Toronto et William Cartmel de l'université de Montréal. Les titres de la une étaient de plus en plus dévastateurs : « De nouveaux résultats déplaisent à Einstein », « Observation de l'existence de l'éther », « Une différence de vitesse de la lumière observée depuis la Terre considérée comme un défi à la relativité », « De nouveaux résultats pourraient entraîner un grand bouleversement de la pensée scientifique ».

Einstein répondit avec une assurance tranquille : « J'ai prévenu M. Silberstein que ses résultats sont fondés sur une erreur qu'il n'a, malheureusement, pas encore trouvée. » Page était un penseur superficiel et Cartmel ne méritait pas une réponse.

L'offensive capota. Silberstein tenta de la relancer en affirmant qu'il finirait par réfuter Einstein. Nous attendons toujours.

Les Allemands firent monter en première ligne six lauréats du prix Nobel de physique, emmenés par Lenard et Stark, qui proclamèrent que la physique théorique était de la « science juive » sans valeur[6].

La voix de la raison n'avait cependant pas encore été totalement étouffée en Allemagne. Un « Aryen » pure race, Werner Heisenberg, y défendait la physique théorique et indirectement Einstein en soulignant que les travaux de physique théorique de Max Planck, lui aussi pur de tout sang juif, avaient ouvert la voie à de nouvelles expériences et des résultats importants. Et Max von Laue, de l'Académie des sciences de Prusse, rejeta comme aussi honteuse que stupide la proposition du physicien Wilhelm Lenz d'attribuer la paternité de la relativité à Henri Poincaré afin de la « nettoyer » de toute parenté juive[7].

Lors de la conférence annuelle de physique qui s'était tenue trois ans plus tôt, von Laue avait comparé les attaques du gouvernement nazi contre Einstein à celles de l'Église contre Galilée et avait conclu : « Et pourtant elle tourne. » Le public l'avait applaudi et le ministre prussien de l'Éducation blâmé. Un ami qui retournait en Allemagne demanda à Einstein, quelque temps après, s'il avait des messages à transmettre.

« Saluez von Laue pour moi.

— Personne d'autre ? insista l'homme.

— Saluez von Laue pour moi », répéta Einstein.

Le correspondant du *New York Times* à Berlin, Otto D. Tolischus, écrivit : « Les tenants de la physique théorique ont le nombre pour eux, mais les physiciens "allemands" l'emportent parce qu'ils ont l'orthodoxie du parti de leur côté. » Et il ajouta cette glaçante remarque : « Rien n'intéresse autant le public allemand que des affrontements. »

Einstein dit parfois qu'il était hanté par un lutin mathématique qui ne laissait jamais son esprit en repos. Cela l'aidait aussi à oublier ses problèmes personnels et les horreurs du monde. Ses lettres à Besso, par exemple, s'étendaient en détail sur ses dernières spéculations scientifiques mais ne mentionnaient ni les femmes qui prétendaient être ses filles ni même la grave maladie d'Elsa.

Il ne put refuser de donner une interview à Robert Smith pour le journal du campus de Princeton. Le jeune homme lui demanda s'il avait goûté à la nouvelle passion des grosses têtes locales, les échecs à trois dimensions. « Non, répondit-il. Quand je me relaxe, je cherche des occupations qui ne me fatiguent pas l'esprit[8]. »

Il avait joué aux échecs une fois ou deux dans son enfance, mais n'avait plus de temps pour ce genre de distraction. Il n'avait jamais joué au bridge ni entendu parler du Monopoly. Comment y jouait-on ? Smith lui décrivant le jeu, il éclata de rire et s'exclama : « C'est vraiment un jeu américain ! »

Il écrivit à Maja : « Comme dans ma jeunesse, je reste assis pendant des heures à réfléchir et faire des calculs, en espérant élucider de grands secrets. Ce qu'on appelle le Grand Monde, autrement dit le remue-ménage humain, m'attire moins que jamais et je deviens davantage un ermite chaque jour[9]. »

Son ermitage était tout de même très fréquenté, puisqu'il le partageait avec sa femme, une secrétaire, sa belle-fille, quelques parents et un flot continu de visiteurs. Il passait la plupart des week-ends et des vacances avec des amis, souvent les Bucky. Les seuls endroits où il n'avait pas de compagnie étaient en fait sa chambre et son bureau, dont il n'était pas rare qu'il laissât la porte ouverte. Loin de chercher à travailler en solitaire, il accepta avec plaisir la proposition de deux jeunes chercheurs, Banesh Hoffmann et Leopold Infeld, de l'aider dans sa recherche d'une théorie unifiée des champs. Il reste qu'il évitait la foule, aimait la solitude et se retirait rapidement à l'approche d'un importun.

Banesh Hoffmann venait d'Oxford où il avait été étudiant à l'époque où la théorie de la relativité faisait les gros titres des journaux. Hoffmann, intrigué, avait négligé les mathématiques pour étudier la « relativité projective ». Le professeur Beldow, venu de Princeton pour un bref séjour à Oxford, avait remarqué cet unique étudiant à travailler sur la relativité et lui avait proposé un poste à l'Institut d'études supérieures. Hoffmann accepta avec allégresse. La seule pensée de s'installer dans le même bâtiment qu'Einstein l'enivrait. Il rencontra Leopold Infeld à Princeton. Après avoir publié un article ensemble, les deux jeunes hommes se demandèrent à quoi se consacrer.

Infeld avait connu Einstein à Berlin. Il proposa à son compagnon : « Demandons-lui s'il aimerait que nous travaillions avec lui[10]. »

Hoffmann était tellement intimidé qu'Infeld dut presque le pousser à rencontrer Einstein. Celui-ci leur dit, sans perdre une minute : « Je vous en prie, écrivez vos questions sur le tableau. Lentement, s'il vous plaît. Je ne comprends pas vite. »

« Je ne sais pas ce qui s'est passé, se souvient Hoffmann, mais nous fûmes d'un coup des partenaires et les mathématiques étaient l'ennemi commun. Il nous a suggéré deux thèmes de recherche. Nous en avons choisi un. Le bon, parce que l'autre n'a toujours pas débouché sur quelque chose. »

La tâche leur sembla parfois si difficile qu'ils furent tentés d'abandonner, mais Einstein ne voulait pas renoncer. Il leur proposait chaque fois de nouvelles pistes à explorer.

« Nous faisions tout le travail ingrat de calcul des équations, se rappelle Hoffmann. Nous montrions nos résultats à Einstein et tenions une sorte de conférence au sommet. Nous nous demandions parfois d'où venaient ses idées. Nous avions souvent des discussions animées, mais sur un pied d'égalité. Je me souviens d'une seule fois où Einstein s'est réellement mis en colère. J'ai été très impressionné. Il a approché une chaise de la table, mais un pied était branlant. Il s'est écrié : "Ah ! *Kaputt !*" Je ne l'ai jamais vu aussi contrarié.

« Il m'a fait prendre conscience de deux qualités qui aident à réfléchir : avoir de l'audace et ne pas renoncer.

« Einstein me traitait en égal. Sans déroger. C'est le plus remarquable. Il me mettait à l'aise et me donnait l'impression que mes idées méritaient d'être écoutées sérieusement. Il arrivait qu'Infeld et moi le retrouvions à son bureau, rentrions à pied ensemble et continuions à travailler chez lui, ou au contraire que nous passions le prendre chez lui. »

Infeld raconte qu'ils ont discuté de « centaines » de sujets avec Einstein, dont la guerre civile espagnole (ils soutenaient le camp républicain) et la question juive, mais affirme qu'Einstein était coupé de « la vie réelle qui l'entourait[11] ».

Il lui suffisait pourtant de bavarder avec Helen Dukas, toujours au courant de tout, pour prendre le pouls de la société. Dukas et les monceaux de courrier qui arrivaient étaient ses seuls liens avec le monde.

Début avril, il écrivit à Eduard qu'il s'acharnait à Princeton, avec l'aide de son assistant, sur des problèmes si ardus qu'il était surpris de son propre courage. « Ici, les gens estiment en général l'Angleterre. Ils trouvent cela amusant si tu leur dis que tu viens de Suisse, car ils croient qu'il n'y a que du fromage et du chocolat. » Il admit estimer désormais que l'hypothèse centrale de Freud était exacte et félicita son fils pour avoir tout de suite été un chaud partisan du psychanalyste. Il expliqua ses premiers doutes par le fait que sa vie personnelle était « depuis si longtemps totalement chassée de mes pensées — pas seulement réprimée, plutôt oubliée — que je n'avais aucune expérience vivante sur laquelle réfléchir* ».

Le 21 avril, Einstein écrivit à Freud pour lui souhaiter son quatre-vingtième anniversaire. Il salua en lui l'un des « plus grands maîtres » de sa génération et admit :

> « Je me suis contenté pendant longtemps d'apprécier la puissance spéculative de votre pensée et son immense influence sur les conceptions de notre époque, sans être capable de me faire une opinion bien arrêtée sur l'exactitude de vos hypothèses. Mais j'ai eu récemment connaissance de quelques cas, peu importants en eux-mêmes, dont la seule interprétation possible est celle de votre théorie du refoulement. J'ai été enchanté de découvrir ces cas, car c'est toujours un véritable bonheur de constater qu'une grande et magnifique théorie

---

\* Dukas et Hoffmann écrivirent sur leur idole deux livres aussi passionnants que bien informés.

est en accord avec la réalité. Avec mes vœux les plus cordiaux et mon profond respect[12]. »

Freud répondit le 3 mai :

« Je dois vous dire à quel point j'ai été heureux d'apprendre votre changement d'opinion, ou du moins son amorce. J'ai toujours su que vous ne m'"admiriez" que par politesse et que vous croyiez très peu dans mes doctrines, bien que je me sois souvent demandé ce que l'on peut admirer en elles si elles sont fausses, c'est-à-dire si elles ne contiennent pas une part de vérité. Ne pensez-vous d'ailleurs pas qu'on m'aurait mieux traité si mes doctrines avaient contenu un pourcentage plus élevé d'erreurs et de folie ? Vous êtes beaucoup plus jeune que moi, mais j'espère vous compter parmi mes "disciples" quand vous aurez atteint mon âge. J'anticipe aujourd'hui ce plaisir puisque je serai incapable d'en être témoin. »

Elsa fut gravement malade pendant l'été et ne quitta pas son lit de toutes les vacances qu'ils passèrent dans un chalet isolé des bords du lac Saranac, dans les monts Adirondack. Margot la soignait avec amour.

Einstein rendit de courtes visites à des amis, dont le juge Irving Lehman à Port Chester, dans l'État de New York. Dans le courrier qui l'attendait à son retour, il trouva une enveloppe cernée d'un liseré noir. Marcel Grossmann venait de décéder, après avoir souffert pendant des années de sclérose en plaques. Il écrivit sur-le-champ à la veuve :

« Vous êtes l'une des rares femmes de notre génération pour laquelle j'éprouve du respect et une véritable admiration. Le choix le plus difficile qu'un être humain puisse faire est de dévouer sa vie sans aucun espoir. Je me rappelle nos années d'étudiants. Lui, l'étudiant irréprochable, et moi, désordonné et rêveur. Lui, en bon termes avec les enseignants et comprenant tout, moi, un paria, mécontent et mal aimé. Mais nous étions d'excellents amis et les discussions que nous avions une ou deux fois par mois au Métropole, autour d'un café glacé, sont parmi mes meilleurs souvenirs. Puis ce fut la fin de nos études. Tout le monde m'a soudain abandonné, désorienté, au seuil de la vie. Il est resté à mes côtés et grâce à son père et à lui j'ai obtenu, plus tard, un travail sous la direction de Haller au Bureau de la propriété industrielle. Ce fut une sorte de salut qui m'évita sinon la mort, du moins une souffrance intellectuelle. Dix ans plus tard, nous avons travaillé fiévreusement ensemble pour formaliser la théorie de la relativité générale. Ce travail est demeuré inachevé parce que je suis parti à Berlin où j'ai continué seul mes recherches. Puis il est tombé malade.

« On décelait les symptômes de sa maladie lors des études de mon fils Albert à Zurich [dans les années vingt]. J'ai souvent pensé à lui avec une grande douleur, mais nous ne nous voyions que rarement, à l'occasion de mes visites à Zurich. Un ami berlinois me tenait informé de ses souffrances, mais je ne pouvais imaginer qu'elles dureraient si longtemps. Il ne nous a pas quittés avant que je devienne à mon tour un vieil homme. Un homme intérieurement solitaire, qui a vécu toute la gamme du destin, et auquel il reste peut-être encore quelques années d'existence tranquille.

« Mais une chose est toujours merveilleuse : nous avons été des amis tout au long de notre vie. J'ai le plus grand respect pour ce que vous avez fait, et parce que vous l'avez fait pour lui. Je vous envoie ma sympathie du fond du cœur et vous souhaite la paix et le réconfort.

« Votre Albert Einstein affectionné[13]. »

Elsa, clouée au lit par une maladie souvent douloureuse, se sentait négligée par son mari. Elle se confia à Leon Watters qui venait de se remarier : « Je pense que vous êtes le plus attentif et le plus aimant des maris. Je serais si heureuse de pouvoir vous envoyer Albert pour que vous l'éduquiez. Mais, mon Dieu, cela ne servirait plus à rien[14]. »

J'ai demandé à Thomas Bucky l'opinion d'un intime sur les relations entre Albert et Elsa.

THOMAS BUCKY. — Sa froideur envers sa femme est un des mythes qui entourent Einstein.

DENIS BRIAN. — *C'est ce que sous-entend Elsa dans sa lettre à Watters... Est-ce qu'il la considérait davantage comme une domestique qu'une femme ?*

T.B. — Si je dis oui, vous l'interpréterez mal. Einstein s'entourait d'une coquille difficile à percer. Il était un dieu, et il le savait. Il n'en tirait pas vanité, mais sa femme et lui étaient des personnes très différentes. J'essaie de me faire bien comprendre.

D.B. — *Je vais tenter de vous aider. Cela veut-il dire qu'elle était consciente que c'était un génie, un grand homme, et qu'elle agissait en conséquence ?*

T.B. — Oui, bien sûr.

D.B. — *Quelqu'un a un jour demandé à Einstein : « Elle est aux petits soins pour vous. Qu'est-ce que vous faites pour elle ? » Il est censé avoir répondu : « Je lui donne ma compréhension. »*

T.B. — C'est peut-être vrai. Mais je ne dirais pas qu'il était froid envers sa femme ou son fils Hans Albert. Il était timide avec tout le monde. Il était distant et réservé, toujours timide et hésitant. Il n'était pas du genre à taper dans le dos des gens, y compris sa femme et son fils. Il était gentil, attentif envers les autres, et tout sauf pontifiant. Mais je n'ai jamais entendu personne l'appeler par son prénom, même des amis intimes. Il se recroquevillait sur lui-même dès que quelqu'un s'adressait à lui avec une familiarité déplacée. Mon père et lui s'appelaient « Professeur Einstein » et « Docteur Bucky », alors qu'ils étaient de bons amis[15].

De retour à Princeton après les vacances, Einstein exposa sa théorie unifiée des champs devant une classe d'une vingtaine de thésards. L'un d'eux, Stanislaw Ulam, raconte que l'anglais exotique d'Einstein l'a bien amusé, par exemple quand le professeur a affirmé : « Oh, il est une très bonne formule *. »

Ulam apprécia également la gaieté et l'humour de Leopold Infeld, si différent de l'assistant précédent, Walther Mayer, « au caractère étrange ». Infeld était un Juif polonais qui avait séjourné en Angleterre avant d'échouer en Amérique. Ulam, Juif polonais également, savoura une remarque d'Infeld selon laquelle « en Pologne on parle bêtement de choses importantes et, en Angleterre, intelligemment de choses bêtes[16] ».

Einstein reçut la visite d'un ingénieur en aéronautique, Starling Burgess, avec lequel il avait un projet commun et qui était venu à Princeton en avion avec son ami Luis De Florez, un pilote d'essai qui espérait avoir ainsi l'occasion de faire la connaissance du grand homme. De Florez et Burgess rencontrèrent Einstein dans son bureau, où il était « assis avec sa chevelure épaisse et sa petite veste en cuir. Un tableau noir couvert de formules était dressé à côté de lui ».

Burgess brisa la glace en disant à son ami : « Parle au professeur Einstein de ton instrument de navigation. »

De Florez expliqua d'abord le contexte de son invention :

« L'homme ne peut pas voler sans référence spatiale. Vous savez que les oiseaux sont incapables de voler s'ils sont aveugles ou s'ils ont la tête couverte d'un capuchon. »

— Ils sont incapables de voler ? » demanda Einstein, surpris.

Le pilote confirma. Einstein réfléchit un instant puis dit : « Bien sûr. »

De Florez fut amusé d'avoir fait une remarque sur laquelle Einstein dut réfléchir avant d'admettre que c'était la réalité, « mais, ajoute-t-il, peu de gens ont conscience de ce phénomène, et il ne faisait pas exception[17] ».

Puis le pilote expliqua qu'il avait fait mieux que les oiseaux en volant les yeux bandés. Il avait fixé une petite dynamo dotée d'une hélice sur une aile de son avion. La vitesse de l'hélice augmentait

---

\* « *Oh, he is a very good formula.* » Einstein emploie le pronom masculin *he*, qui désigne un homme, au lieu du neutre *it*. (*N.d.T.*)

quand son appareil piquait vers le bas, ce qui changeait la hauteur du son émis par son installation. Il avait appris à voler à altitude constante « à l'oreille » et était parvenu à diriger son avion pendant une heure, la tête couverte par un livre.

Einstein aimait les visiteurs qui avaient, comme De Florez, des informations ou des expériences ésotériques à raconter, surtout quand elles renversaient des idées établies. Il comptait sur Helen Dukas pour écarter les gens en mal d'amour, les individus dangereux ou les malades mentaux. Elle sauva de la poubelle et conserva pour la postérité un bon échantillonnage de la correspondance délirante reçue par Einstein.

Un éditeur de la côte est lui proposa de publier sa biographie en lui garantissant « un prestige et une réputation durables » accompagnés d'« excellentes perspectives financières ». Il offrait « une gigantesque publicité » qui serait « un grand atout » pour sa carrière à venir. La seule chose qu'Einstein avait à faire était d'envoyer deux mille cinq cents dollars[18].

« Elizabeth » ne prit pas de détour. Son « Cher Monsieur Einstein » était suivi d'une guirlande de lèvres figurant des baisers. « Vous avez l'air adorable et plein d'amour. C'est exactement la photo que je voulais. [Dukas lui avait peut-être envoyé la photo d'Einstein.] Je vous ai embrassé. Je savais que vous le saviez, mon ange. Quand viendrez-vous me rendre visite, chéri ? » La lettre se poursuivait dans la même veine et s'achevait par un poème d'amour et vingt-huit baisers.

Extraits de quelques autres lettres :

> « J'aimerais beaucoup que vous me disiez ce qu'est le Temps, ce qu'est l'Âme et ce qu'est le ciel. »
>
> « Votre travail vous plaît-il ? Comment l'avez-vous choisi ? Comment êtes-vous devenu célèbre ? »
>
> « Professeur, cela vous intéresserait-il de savoir que mon ami et moi communiquons la nuit avec le surnaturel ? Ce serait un grand honneur pour moi de vous laver les pieds. »

Si ces correspondances restaient sans réponse, Einstein intervenait en revanche pratiquement toujours quand il s'agissait de réparer une injustice. Buckminster Fuller, qui deviendra célèbre pour l'invention du dôme géodésique, en est un exemple. Exclu de Harvard pour « irresponsabilité systématique », il regorgeait d'idées mais était hanté par le mauvais sort.

Au milieu des années trente, Fuller avait investi toutes ses économies dans une voiture de l'avenir. Il avait engagé Starling Burgess comme ingénieur en chef et ne vivait, lui-même, que de café et de beignets. Trois prototypes de son véhicule à trois roues furent en état de marche en 1935. L'engin, baptisé « Dymaxion », était capable de faire demi-tour sur lui-même, avait un profil aérodynamique et transportait sept personnes à deux cents kilomètres à l'heure, avec une consommation de six litres aux cent kilomètres. Wells fit figurer dans *The Shape of Things to Come* un appareil identique au Dymaxion qu'il avait essayé sur la Cinquième Avenue. Leopold Stokowski acheta un des prototypes, mais un accident survenu au deuxième, et dans lequel des passagers furent tués, brisa net le projet.

Abandonnant les voitures, Fuller écrivit *Nine Chains to the Moon*, *Neuf chaînes vers la Lune*. Il avait calculé qu'en se mettant debout sur les épaules les uns des autres, l'ensemble des êtres humains formerait neuf chaînes entre la Terre et la Lune.

La philosophie de Fuller avait été influencée par le concept développé par Einstein d'un dieu non anthropomorphique et la conviction de ce dernier que les deux principaux moteurs de l'activité humaine étaient la peur et l'envie. Fuller partageait également le point de vue d'Einstein selon lequel « les scientifiques sont considérés par l'Église comme de grands hérétiques, mais leur foi dans un univers ordonné en fait des hommes réellement religieux[19] ».

Le Bureau de la propriété industrielle avait été, selon le livre de Fuller, le catalyseur de la théorie de la relativité. L'intérêt d'Einstein pour le temps avait été suscité par les nombreuses revendications d'inventeurs qui affirmaient avoir conçu l'horloge la plus exacte qui ait jamais existé. Le physicien avait conclu, selon Fuller, que chercher à mesurer précisément le temps était un projet chimérique, car le temps « absolu » n'existait pas. D'où sa remise en cause des concepts de Newton, et son remplacement de l'« absolu » par le « relatif ».

La maison d'édition J.B. Lippincott accepta le manuscrit de Fuller. La chance paraissait enfin sourire, quand un directeur littéraire prit au sérieux la plaisanterie selon laquelle pas plus de dix personnes au monde ne comprenaient la relativité, ce qu'Einstein avait lui-même tourné en dérision. Le nom de Fuller ne figurant pas sur la liste des dix éclairés dressée par un magazine, l'éditeur retira sa proposition de crainte d'être accusé de promouvoir un charlatan.

Fuller suggéra avec quelque facétie aux responsables de la maison d'édition de soumettre son manuscrit à l'approbation d'Einstein. Puis il tenta de penser à autre chose.

Un ami d'Einstein, qui était à la fois éditeur, auteur et médecin, Morris Fishbein, donna à Fuller quelques mois plus tard un coup de téléphone stupéfiant : « Le professeur Einstein vient passer le week-end chez moi, à New York. Il a votre manuscrit et aimerait en parler avec vous si vous êtes libre dimanche soir. »

Lippincott avait pris son idée au sérieux.

Fuller se rendit le dimanche soir chez Fishbein, sur Riverside Drive. Une foule d'invités se bousculait dans l'appartement et débordait dans le hall. Einstein était assis hors de vue au fond de l'immense salon, entouré d'un groupe d'admirateurs. On présenta Fuller. « Je n'avais jamais ressenti une telle impression devant quelqu'un : il semblait émaner de lui une aura presque mystique[20] », se souvient-il.

Ils passèrent dans le bureau. Einstein lui dit qu'il avait lu son manuscrit, qui était posé devant eux sur le bureau, et recommanderait sa publication à Lippincott. « Vous me surprenez, jeune homme, ajouta Einstein. Je ne vois pas une seule chose que j'aie faite qui ait la plus petite application. J'ai fait tout mon travail en espérant qu'il puisse être utile aux cosmologues et aux astrophysiciens, des gens qui ont de vastes conceptions de l'univers[21]. »

L'*imprimatur* d'Einstein réintroduisit le livre dans le programme de l'éditeur.

Le 15 octobre, Einstein donnait une conférence à Albany, capitale de l'État de New York. Il s'éleva contre l'utilisation de la théorie de Darwin sur la « survie du mieux adapté » pour tenter de justifier la compétition égoïste entre les peuples.

Gustav Bucky et lui reçurent peu après le brevet n° 2050562 pour un appareil photo automatique. Thomas Bucky appelle ce modèle « le grand-père des appareils photos automatiques d'aujourd'hui ». (On a souvent écrit que les applications pratiques de ses idées n'intéressaient pas Einstein. Sa discussion avec Buckminster Fuller montre qu'il aimait donner cette image de lui-même, mais le brevet obtenu avec Bucky prouve qu'il ne s'agit que d'un mythe de plus.)

La santé d'Elsa se dégrada pendant l'hiver. Einstein fit enfin preuve de dévouement quand elle sembla condamnée et passa des heures à ses côtés à lire et lui parler. Elle mourut le 20 décembre, pendant une tempête de neige.

Tout en écrivant que des amis berlinois n'aimaient pas Elsa, Janos Plesch se souvint d'elle comme :

> « Une femme loyale et compréhensive qui fit son possible pour faciliter la vie à Einstein et faire face à ses besoins (...). Il n'est pas aisé d'être l'épouse d'un grand homme (...). Elle fut un précieux cerbère qui lui épargna les tracasseries qui assaillent un grand homme (...). Les hommes célèbres sont assiégés, diffamés, insultés, manipulés — et adulés. Les admirateurs ne reculent devant aucune ruse. Le cerbère

doit faire preuve de beaucoup de tact, de stoïcisme et même d'héroïsme pour ne pas se laisser abuser. Elsa Einstein remplit cette tâche à merveille[22]. »

Banesh Hoffmann approuve les amis proches qui affirment qu'Einstein aimait sa seconde femme. Infeld et lui le rencontrèrent peu après le décès. « Il était en état de choc et avait le teint terreux. » Ils lui proposèrent de repousser leur travail d'une semaine, jusqu'à ce qu'il se sente mieux. Selon Hoffmann :

« Il a répondu : "Non, j'ai plus que jamais besoin de travailler. Il faut que je continue." Cela ne ressemble pas à un homme qui n'aimait pas sa femme. Je ne l'ai jamais vu en larmes, mais il était touché à sa façon, en profondeur.

« D'un autre côté, son ami Max Born a été choqué car il estimait qu'Einstein prenait la mort de sa femme à la légère. Einstein lui a écrit quelque chose du genre : "J'ai l'impression d'avoir perdu une jambe. Elle était un peu déformée. Elle me faisait un peu boiter, mais j'ai quand même perdu une jambe." Mais leur amie Antonina Vallentin dit que la mort d'Elsa a coupé le lien le plus fort qu'il ait jamais eu avec une autre personne. Je crois que c'était l'un des plus forts[23]. »

Margot, très proche de sa mère, était au désespoir. Albert essayait de s'absorber dans son travail, mais en était souvent distrait par les nouvelles d'Union soviétique. Les procès de Moscou laissaient présager des jours sombres pour les Juifs. Léon Trotski et d'autres dirigeants juifs étaient accusés d'avoir tenté d'assassiner Staline et d'avoir conspiré avec les services secrets nazis, anglais et allemands pour renverser le régime soviétique. Einstein écrivit à Staline en faveur de Trotski, réfugié en Norvège. Sans résultat*.

Les interventions d'Einstein en faveur de personnes en danger de mort en Allemagne eurent davantage de succès. Après trois années de pouvoir hitlérien, les campagnes antijuives s'étaient intensifiées. Des boutiques affichaient « Interdit aux Juifs ». De nombreuses villes avaient placardé à leurs entrées : « Les Juifs sont formellement interdits dans cette ville » ou « Les Juifs pénètrent ici à leurs risques et périls ». Un panneau placé sur une route, à l'entrée d'un tournant, disait : « Prudence ! Virage dangereux ! 120 km/h pour les Juifs ». Dans certains endroits on refusait de vendre du lait maternisé et des médicaments aux Juifs.

Le commissaire à la Justice, nazi et avocat personnel de Hitler,

---

* Trotski fut assassiné le 21 août 1940 à Mexico par un agent de Staline.

Hans Franck, appela à « se débarrasser des Juifs d'une façon ou d'une autre. (...) Nous devons annihiler les Juifs *[24] ».

Einstein s'abstint désormais de critiquer publiquement Hitler par crainte de porter tort aux Juifs en Allemagne ou de susciter des réactions antisémites en Amérique où des foules reprenaient avec enthousiasme la propagande nazie. Mais, dès qu'il le pouvait, il aidait des Juifs à échapper au piège mortel.

Il intervint en faveur de Boris Schwarz, un violoniste rencontré à Berlin. Il s'était écrié « Ah ! On voit qu'il aime le violon ! » le jour où il avait entendu le jeune virtuose pour la première fois, dans son appartement berlinois. Ils avaient joué ensemble pendant des heures, quasiment sans interruption. Cela avait été le début d'une amitié jalonnée de nombreux duos et parfois des trios quand le père de Boris, pianiste professionnel, se joignait à eux. La seule chance de Boris était maintenant de quitter l'Allemagne, ce que les nazis avaient rendu difficile en lui supprimant, comme à tous les Juifs allemands, sa nationalité et son passeport[25].

Einstein et un ami firent une déclaration sous serment dans laquelle ils promettaient de soutenir Boris financièrement s'il était autorisé à entrer aux États-Unis. Cette démarche n'était malheureusement acceptée par l'ambassade américaine à Berlin que pour des parents ou amis de longue date. Boris rentra chez lui en se disant que sa dernière chance de fuite venait de s'envoler. Puis il trouva une photo de lui-même, de son père et d'Einstein, dédicacée par ce dernier. Ce fut son passeport pour les États-Unis.

Une place l'attendait dans l'orchestre symphonique Eugene-Ormandy, à Philadelphie, à nouveau grâce à Einstein. Ses parents arrivèrent peu après. On fêta les retrouvailles par une soirée musicale chez Einstein.

L'année avait été difficile pour Einstein qui avait perdu sa femme et un de ses meilleurs amis. La situation des Juifs avait empiré d'une façon catastrophique en Allemagne et en Russie. Une guerre civile avait éclaté en Espagne, avec son cortège d'atrocités des deux côtés. Les légions de Mussolini avaient envahi l'Abyssinie.

L'université de Pennsylvanie avait élu Einstein l'un des dix meilleurs professeurs au monde. Il figurait en tête de la liste des plus grands Juifs vivants établie par le romancier Ludwig Lewisohn, avant Sigmund Freud, Henri Bergson et Martin Buber. Les lecteurs d'un journal anglais le placèrent encore plus haut en le désignant comme le plus grand homme vivant.

---

* Franck fut condamné à mort comme criminel de guerre lors du procès de Nuremberg et pendu le 16 octobre 1945 *(N.d.T.)*.

Mais Einstein n'était pas d'humeur à se complaire dans sa gloire ou sa popularité. On lui demanda d'écrire quelques lignes pour une capsule témoin destinée à la postérité. Il inscrivit sur un papier garanti mille ans :

« Chère postérité,
Si vous n'êtes pas devenue plus juste, plus pacifique et, d'une façon générale, plus rationnelle que nous ne le sommes (ou l'étions) — eh bien, que le diable vous emporte.
Ayant, avec respect, émis ce vœu pieux,
Je suis (ou étais),
Votre serviteur,
Albert Einstein[26]. »

# 29

# Politique américaine
# et internationale

*1937-1938*
*58 et 59 ans*

Sidney Hook, directeur du département de philosophie de l'université de New York, estime que les procès de Moscou ont été un fiasco. Il écrit ainsi : « Les accusations étaient ahurissantes », les prévenus étant censés « avoir tenté d'assassiner Staline » sous les ordres de Trotski et « avoir conspiré avec les régimes fascistes, notamment l'Allemagne hitlérienne et l'Empire japonais, pour démembrer l'Union soviétique (...). Malgré l'énormité des crimes qui leur étaient reprochés, tous les hommes présents sur le banc des accusés avouèrent avec empressement et dépassèrent même parfois dans l'autodiffamation les expectorations du procureur[1] ». Ils furent tous condamnés à mort. Persuadé que ces confessions abjectes n'avaient pu être obtenues que par la torture, Hook, un ancien communiste qui avait évolué vers la droite, demanda à Einstein de soutenir le projet d'une commission d'enquête internationale sur les procès.

Craignant qu'une enquête publique ne soit utilisée par Trotski à des fins de propagande, Einstein recommanda une investigation privée par de bons juristes. Il interviendrait au moment de la publication de leurs conclusions, s'ils parvenaient à une conclusion éclatante. Hook n'étant pas d'accord, Einstein l'invita début mars à discuter de la question.

« J'y suis allé avec Benjamin Stolberg, un journaliste qui parlait allemand, raconta Hook des années plus tard dans une interview qu'il me donna. Einstein avait un fort accent mais parlait, en fait, bien anglais. Il m'écouta sans m'interrompre. Il estimait que la commission que nous voulions mettre sur pied apparaîtrait unilatérale, bien que nous prévoyions, comme je le lui dis, de proposer au gouvernement soviétique de produire des témoins et de faire subir à Trotski un interrogatoire en règle. Einstein ne fut pas convaincu, malgré la haine qu'il vouait aux communistes depuis qu'ils avaient fait cause commune avec les nazis en 1932 et collaboré avec eux contre le parti qu'il soutenait, la social-démocratie.

« Einstein nous déclara :

« "De mon point de vue, Staline et Trotski sont deux gangsters politiques.

« — C'est peut-être vrai, répondit Hook, mais dans un monde civilisé il est important de s'assurer que même les gangsters soient traités avec justice.

« — Vous avez parfaitement raison, mais je ne suis pas policier", dit Einstein avec un sourire.

« Stolberg et moi fûmes très déçus par l'attitude d'Einstein. Mais il se montra très amical et insista pour nous raccompagner à pied jusqu'à la gare. Il plaisanta en chemin à propos de différentes choses, mais devint sérieux comme la mort quand il parla de la persécution des Juifs par Hitler. Il nous dit d'un ton sinistre : "Si la guerre éclate, Hitler comprendra le tort qu'il a fait à l'Allemagne en chassant les scientifiques juifs."

« J'étais plein de déférence envers Einstein et conscient du grand privilège que j'avais de le rencontrer. Mais j'ai défendu mon point de vue. Je pense qu'il savait que j'étais social-démocrate, et qu'il m'a apprécié. Il se serait sans doute lui-même considéré également comme social-démocrate ou socialiste. Je ne l'appellerais certainement pas communiste. Il a fait une remarque ironique, dans une de ses lettres, sur le fait que j'étais un ancien compagnon de route. Mais il n'avait pas des idées très arrêtées. Il m'a écrit un jour que s'il était en Union soviétique il accepterait à contrecœur une dictature pour permettre des progrès sociaux. Une autre fois, il a affirmé qu'il ne fallait jamais faire cela parce que accepter une dictature reviendrait à utiliser un mauvais moyen pour obtenir une bonne fin, ce qui est impossible[2]. »

Einstein expliqua plus tard à Hook : en disant qu'il accepterait à contrecœur une dictature en Union soviétique, il avait parlé d'une douloureuse renonciation *temporaire* à l'indépendance personnelle pour atteindre des objectifs positifs.

Banesh Hoffmann se rappelle qu'« à cette époque les communistes convaincus disaient : "Ces procès sont inévitables", "Ce ne sont pas des mises en scène" et "Personne n'a été torturé". Einstein n'avait rien à voir avec ces gens-là. Il condamnait les communistes et pensait, à juste titre, que les accusés avaient été torturés. Je ne pense pas qu'on puisse dire, comme on le fait encore parfois, qu'il a été dupé par les communistes[3] ».

Hook souligne cependant que, « dans une lettre adressée à Max Born en 1938, Einstein écrivit qu'il avait changé d'avis sur les procès de Moscou. Des gens "parmi les mieux informés sur la Russie" l'avaient convaincu qu'ils s'étaient déroulés dans les règles et que ce n'était pas une mise en scène ».

Un autre assistant d'Einstein en ces années difficiles raconta : « Je n'ai vu personne convaincre Einstein dans un sens ou dans l'autre. Je venais d'Europe. On savait que des purges avaient commencé et on savait ce que cela impliquait. Mais les purges communistes ne visaient pas spécifiquement les Juifs. C'était autre chose avec les nazis, dont l'antisémitisme était l'un des principaux piliers politiques. La réponse à apporter était très différente. Il fallut un certain temps avant d'obtenir une image plus claire de ce qui se passait en Russie. Et j'ai l'impression qu'à ce moment-là Einstein n'a pas ménagé son soutien aux Juifs persécutés par les communistes[4]. »

Hook pensait que Leopold Infeld était communiste, et que c'était lui qui avait convaincu Einstein de l'équité des procès de Moscou. Le premier éditeur des Archives d'Einstein, John Stachel, en doute : « Je pense que personne n'avait une grande influence sur Einstein. Il se forgeait ses opinions tout seul. Rien dans sa correspondance n'indique qu'un mauvais génie ait pu l'influencer[5]. »

Hook répond ainsi aux propos de Stachel : « Einstein faisait preuve de naïveté à propos de l'Union soviétique et du pacifisme. Il croyait qu'on réaliserait la paix dans le monde en suivant le principe de non-résistance au mal de Gandhi, et que ce qui réussissait contre les Anglais serait aussi efficace contre les Japonais et les Russes. C'était totalement naïf. »

« Je ne dirais pas qu'il était naïf, réplique Stachel. Je dirais qu'il était direct, en ce sens qu'il déblayait souvent ce qui semblait être d'inextricables complications aux yeux d'autres gens, pour aller à ce qu'il considérait comme le cœur des problèmes. C'est peut-être ce qu'on prenait parfois pour de la naïveté. »

Hook écrivit à Otto Nathan, l'ami socialiste d'Einstein, pour savoir s'ils avaient discuté ensemble de la Russie soviétique et des procès de Moscou[6]. Il n'obtint pas de réponse.

La correspondance entre Einstein et Born évoque la persécution de scientifiques soviétiques qui travaillaient sur la théorie de la relativité, mais sans qu'il ne soit jamais fait allusion à un caractère antisémite de ces discriminations. Einstein était bien sûr indigné, mais il ne voyait là qu'un épiphénomène, des mesures absurdes contre un nombre limité d'individus provoquées par la suspicion de Staline envers la théorie de la relativité.

Le flair politique d'Einstein laisse Hook sceptique : « Pourquoi un grand scientifique devrait-il être bon politique ? Vous avez lu le livre de Newton sur l'Église catholique ? *The Book of Daniel* ? On ne juge pas Newton là-dessus. Et on ne devrait pas juger Einstein sur ses commentaires politiques, même si beaucoup de gens le citent comme une autorité en la matière. »

Theodore von Laue, fils de Max von Laue, a écrit une histoire contemporaine, *Why Lenin ? Why Stalin ? Why Gorbachov ?*[7], dans laquelle il partage en partie le point de vue de Hook :

« Oui, Einstein était naïf. Mais il était viscéralement pour la paix. Je pense que son engagement avait un effet positif. Des pacifistes du genre de Tolstoï ou Gandhi sont des naïfs. Mais leurs conceptions ont une portée en tant que philosophie de l'existence, si ce n'est à travers leur application politique immédiate. On célèbre toujours Gandhi cinquante ans après sa disparition.

« Staline était déterminé à mobiliser et industrialiser son pays quel qu'en soit le prix humain. Mobiliser le plus rapidement possible un pays aussi vaste, dont les hommes n'étaient pas préparés, fut une expérience inimaginable. Les hommes à qui il avait affaire étaient des gens plutôt frustes, comme il l'était lui-même. Le prix à payer fut très élevé, mais il l'aurait été encore davantage si les Allemands avaient conquis la Russie. Staline devait renforcer la cohésion et le dévouement de la population. Une déclaration qu'il fit en 1931 témoigne de sa perception très claire du danger : "Si nous ne mobilisons pas toutes nos forces, nous serons anéantis dans dix ans." Dix ans plus tard, les Allemands attaquaient. Staline considérait l'ensemble de la situation internationale comme très dangereuse et collabora avec Hitler pour tenter de s'assurer une certaine sécurité. Il estimait qu'une menace immense pesait sur l'indépendance et l'existence même de la Russie. Certains auteurs pensent que les purges dans lesquelles tant d'officiers ont été éliminés furent une véritable folie. Mais Staline était soupçonneux par nature. D'où une opposition interne pouvait-elle surgir ? Peut-être de l'armée[8]. »

Vu sous cet angle, le refus d'Einstein de s'associer à des protestations publiques paraît davantage réaliste que naïf. Max Born confirma qu'en 1937 Einstein croyait, comme de nombreux Soviétiques, que face à la menace hitlérienne la seule politique possible de l'État soviétique était d'éliminer le maximum d'ennemis intérieurs. Mais cette attitude fataliste s'accordait mal avec l'humaniste que Born connaissait en Einstein. Peu de gens en dehors de l'Union soviétique savaient à l'époque qu'un grand nombre de condamnés exécutés ou déportés au goulag étaient totalement innocents des crimes dont on les accusait.

Cela explique peut-être une intervention d'Einstein auprès de Viatcheslav Molotov, président du Conseil des commissaires du peuple, pour qu'il fournisse du travail à son ancien assistant Nathan Rosen qui se trouvait en Union soviétique. Rosen survécut heureusement aux purges, quitta le pays et s'installa en Israël.

Einstein soutenait le camp républicain depuis le début de la guerre civile espagnole. L'ambassadeur d'Espagne à Washington publia le 4 février 1937 une lettre dans laquelle il disait : « Je tiens à vous assurer que dans la crise dramatique que connaît votre pays je suis de tout cœur avec les forces loyalistes et leur lutte héroïque. J'ai honte que les pays démocratiques n'aient pas trouvé l'énergie nécessaire pour honorer leur devoir de fraternité[9]. »

Le conflit ébranlait les convictions pacifistes d'Einstein. Il déclara à la Ligue américaine contre la guerre et le fascisme qu'en retardant le réarmement de leur pays les pacifistes anglais faisaient courir un danger à la démocratie. L'Angleterre serait sans défense face à l'agressivité de régimes fascistes qui se réarmaient rapidement. Il rejoignait l'opinion de Winston Churchill et pensait que l'espoir de se tenir à l'écart d'affrontements internationaux relevait d'un aveuglement politique. Les isolationnistes étaient aussi égoïstes que myopes. Il demandait aux pacifistes de ne pas s'opposer au réarmement mais de créer une organisation internationale efficace qui garantisse la paix.

En Allemagne, le nom d'Einstein était prohibé des conférences et articles scientifiques, mais tout le monde ne se pliait pas au diktat. Arnold Sommerfeld écrivit ainsi à Einstein qu'il avait mentionné son nom à deux reprises dans ses cours, et que les étudiants avaient réagi positivement. Ils avaient même approuvé la programmation de cours sur la relativité. « Comme vous le voyez, concluait-il, vous n'avez pas été expatrié des amphithéâtres allemands[10]. »

Einstein avait cependant des problèmes immédiats à Princeton. Il craignait, avec ses collègues, que la gestion de leur directeur Abraham Flexner ne mette en péril la situation financière de l'Institut et leur avenir professionnel. Flexner rendait, par ailleurs, la vie difficile à son assistant Leopold Infeld. Après ne lui avoir accordé que la moitié de sa bourse habituelle en 1936, soit la maigre somme de six cents dollars, il la lui refusa entièrement pour 1937. Einstein dit à Infeld : « J'ai fait de mon mieux. Je leur ai dit [sans doute au conseil d'administration] tout le bien que je pensais de vous et leur ai expliqué que nous accomplissions ensemble un important travail scientifique. Mais ils ont prétendu être à court d'argent. [Des fonds largement suffisants étaient en fait disponibles.] Je ne sais pas à quel point leurs arguments sont fondés. J'ai employé un langage très ferme que je n'avais jamais utilisé jusqu'ici. Je leur ai dit qu'ils commettaient un acte injuste. Personne ne s'est rangé de mon côté[11]. »

Infeld était désespéré. Il n'avait aucune envie de retourner en Pologne où il savait qu'il ne trouverait pas de travail. Il refusa qu'Einstein lui verse lui-même l'équivalent de sa bourse, mais lui proposa de rédiger ensemble un livre à destination du grand public, *L'Évolution de la physique*, dont il toucherait les droits d'auteur. Einstein acquiesça avec joie. L'éditeur Max Schuster accepta le projet et rencontra les deux coauteurs chez Einstein le 20 avril.

Schuster était accompagné par son associé Dick Simon et un intellectuel à la hauteur d'Einstein, l'écrivain Max Eastman. Einstein et Eastman ne tardèrent pas à s'installer à une petite table dressée sur le porche pour discuter d'un article sur le marxisme que le second venait de publier dans *Harper's*. Eastman affirma que le marxisme n'était qu'une religion, même s'il prétendait être scientifique : « Marx a déclaré que le monde était matière, mais a ensuite mystérieusement découvert que ce monde de matière accomplissait avec une nécessité dialectique exactement ce qu'il voulait qu'il accomplisse. Ce n'est qu'une vaste entreprise pour prouver que le monde extérieur est partisan de la révolution prolétarienne et concourt à son avènement[12]. » Il ajouta que le philosophe américain John Dewey met lui aussi « en harmonie la réalité objective et la volonté humaine en plaçant celle-ci au cœur du processus qui détermine la réalité ». Einstein éclata d'un rire « malicieux », jeta un regard circulaire et s'exclama : « Ce type est super ! Il est vraiment super ! »

Schuster raconte qu'il se sentait si détendu en présence d'Einstein qu'il eut « même l'audace, le cran, de lui raconter quelques blagues, ce qu'il aima beaucoup. Nous parlions de l'évolution des conceptions en physique et de la vitesse de la lumière, point de départ obligé de tout livre de physique. Je lui dis sur le ton de la plaisanterie que j'avais découvert quelque chose d'encore plus rapide que la vitesse de la lumière. Il m'a demandé : "Quoi donc ? — La vitesse à laquelle une femme qui arrive à Paris se rend dans les magasins."

Il a trouvé cela drôle. Non seulement il écoutait attentivement, mais il faisait preuve d'une grande humanité. C'était un homme très gentil. Sur le point de partir, je lui ai demandé : "Que pouvons-nous faire pour vous aider à vous consacrer à l'enseignement, les mathématiques et la physique ? — Je ne vois vraiment rien. Je suis très content de la façon dont nous avons tout réglé." Mais au moment où nous le quittions il a repris : "Il y a une chose que vous pouvez faire. En repartant, vous allez passer devant une station-service, à quelques kilomètres d'ici. J'aimerais que vous donniez un exemplaire de mon livre au gérant de cette station-service." Ce n'étaient pas les gros bonnets universitaires et scientifiques, ceux qui mettaient le monde à ses pieds, qui le préoccupaient. Il aimait les garagistes, les paysans[13] ».

Einstein et Eastman se rencontrèrent à nouveau en juin, chez Infeld. Le premier était habillé à la façon décontractée d'« un étudiant, le col de chemise ouvert, un vieux blouson léger en cuir marron sur le dos et les pieds nus dans des chaussures de tennis[14] ».

Einstein se révéla différent du naïf politique que beaucoup voyaient en lui. Il prédit avec justesse l'alliance germano-soviétique et l'entrée en guerre de l'Amérique si Hitler réalisait son ambition de dominer l'Europe. Sur les « aveux » des vieux bolcheviques jugés à Moscou, il estima : « Ce n'est évidemment pas vrai. Il est impossible qu'une vingtaine d'hommes pris en train de conspirer réagissent tous de la même façon — et surtout de la façon si étrange qui consiste à se salir eux-mêmes publiquement. »

Einstein était d'accord avec Eastman sur le fait que la guerre civile espagnole aurait été écourtée si le président du Conseil français Léon Blum avait fourni au gouvernement espagnol l'armement qu'il réclamait pour se défendre, mais ajouta : « Vous ne devez pas oublier que Blum était dans une situation difficile dans son propre pays. Plus de la moitié de l'armée française était fasciste. Il n'a pas vu ce qu'il fallait faire, mais s'il l'avait vu il n'aurait pas eu les moyens de le faire. »

Eastman fut agréablement surpris que l'« ultra-pacifiste et antimilitariste » soit suffisamment réaliste et souple pour préconiser que les démocraties enrayent le fascisme par la force des armes.

Einstein dit, à propos de Freud : « J'ai fait un jour un rêve qui semblait vérifier, à une petite échelle, l'une des hypothèses de Freud. Nous avions à Berlin un professeur du nom de Rüde qui me détestait autant que je le détestais. J'ai appris sa mort un matin, et j'ai annoncé la nouvelle à un groupe de collègues en commentant : "On dit que tout individu réalise au moins une bonne action au cours de sa vie. Rüde ne fait pas exception : Il est mort !" »

La nuit suivante, il rêva qu'il se trouvait dans la salle de conférences où entra le professeur Rüde, en grande forme et pénétré de son importance. Il se précipita vers lui et lui serra la main cordialement en lui disant : « Je suis si content que vous soyez en vie ! » Einstein supposait que Freud en aurait déduit que le rêve l'avait soulagé du sentiment de culpabilité qu'il ressentait à cause de sa cruelle remarque sur Rüde.

Einstein se reposait par un après-midi ensoleillé dans une petite villa qu'il avait louée à Peconic, sur Long Island, plus tard au cours de cet été 1937, quand il vit un yacht s'approcher. Une actrice couronnée de trophées, Luise Rainer, se trouvait à bord en compagnie de son mari, le dramaturge Clifford Odets, et quelques amis. Ils venaient demander à Einstein d'aider un groupe de réfugiés récemment arrivés d'Europe — le genre de cause pour laquelle il ne ménageait pas son soutien. Selon le biographe d'Odets, Margaret Brennan-Gibson, « le bateau était trop gros pour accoster le petit ponton. Einstein s'approcha rapidement dans une barque pour prendre les passagers, ses cheveux blancs au vent et un sourire radieux illuminant son visage. Quand ce fut le tour de Luise et d'Odets, ce dernier comprit à la façon dont Einstein tira en chahutant les cheveux de sa femme que celle-ci lui plaisait. Luise, troublée, fit chavirer l'embarcation et "faillit noyer le fameux scientifique". Sur une photo prise immédiatement après cette aventure on voit Odets, dans une crise de jalousie, décapiter soigneusement une photo d'Einstein à l'aide d'une paire de ciseaux[15] ». D'autres clichés échappèrent heureusement à sa colère, dont deux de Rainer seule avec Einstein.

Einstein et Bohr reprirent leur affrontement intellectuel à l'occasion du passage de ce dernier à Princeton au cours d'un voyage autour du monde avec sa femme et son fils Hans. De nombreux physiciens pensaient que Bohr finirait par convaincre Einstein d'adhérer sans réserve à la physique quantique. Un débat public eut lieu, au cours duquel ce fut surtout Bohr qui parla, avec des arguments que la majorité de l'audience sembla approuver. Infeld compara la discussion à un match de football Pologne-Allemagne qui se serait déroulé à Varsovie. Mais la partie se termina sans qu'aucun but ne fût marqué.

Valentin Bargmann n'a pas conservé le même souvenir : « Le ton de ce débat sur la mécanique quantique ne s'est pas du tout échauffé. Mais pour un observateur extérieur, Einstein et Bohr n'étaient pas sur la même longueur d'onde. Une discussion de ce genre, sur les fondements de la physique, exigerait des jours et des jours parce qu'il faudrait entrer dans les détails et les définitions de tous les concepts employés. Ce n'est pas ce qui s'est passé au cours de cette discussion. Beaucoup d'aspects n'ont pas été abordés[16]. » John Wheeler voit dans cette polémique persistante entre Einstein et Bohr « le plus grand débat intellectuel que je connaisse de toute l'histoire. Je n'ai jamais entendu parler, en trente ans, d'un débat entre deux hommes aussi éminents, pendant aussi longtemps, sur une question aussi importante pour la compréhension de notre univers[17]. »

Les deux fils d'Einstein vivaient toujours à Zurich. Eduard était confié aux soins d'un infirmier psychiatrique. Le jeune homme à belle allure était devenu un schizophrène profond. Michele Besso passa le voir chez Mileva, qui habitait un appartement dans l'une des trois maisons que le montant du prix Nobel lui avait permis d'acheter dans la ville. Il fut impressionné par la façon dont Eduard interprétait Händel et Bach au piano, mais surpris d'apprendre qu'il n'avait pas quitté l'immeuble depuis un an. « Le fils d'Einstein eut avec lui une brillante discussion sur la psychologie, racontent Roger Highfield et Paul Carter, mais les mots lui sortaient lentement de la bouche, comme les notes d'un vieil orgue sur lequel on jouerait avec les poings[18]. »

Einstein invita son fils aîné, Hans Albert, à venir chez lui pendant trois mois. Le voyage était exclu pour Eduard, même s'il l'avait désiré, car l'entrée des États-Unis était interdite aux malades mentaux.

Hans Albert, alors âgé de trente-trois ans, accepta l'invitation en se disant qu'elle pourrait préparer une immigration avec sa femme et ses deux enfants, qu'il laisserait temporairement derrière lui à Zurich. Apprenant qu'il s'apprêtait à emprunter un bateau allemand, son père lui dit que ce serait un pur scandale et offrit de payer le coût supplémentaire d'un billet sur un navire français. Aucune place n'était apparemment disponible sur une ligne française, et Hans Albert résolut le problème en traversant l'Atlantique sous pavillon hollandais.

Einstein l'accueillit au port de Manhattan le 12 octobre 1937. Les journalistes présents se heurtèrent au refus habituel d'accorder des interviews. Leon Watters emmena les deux hommes dans sa limousine.

Einstein commença l'année 1938 découragé. Il avait entamé sa carrière scientifique en empiriste sceptique, à la façon de Mach. Puis ses découvertes sur la gravitation l'avaient converti en un rationaliste cherchant la vérité dans la simplicité mathématique. Après vingt ans de vaines tentatives pour percer les secrets élémentaires de l'électricité, il était désormais convaincu qu'il lui fallait une nouvelle source d'inspiration. Pas l'approche statistique de Bohr et Heisenberg dont il continuait à considérer la physique quantique comme un insuffisant bouche-trou, voire parfois comme du « mysticisme et de la probabilité ». Une approche entièrement nouvelle.

La plupart des chercheurs regardaient cette poursuite acharnée de la réalité objective comme la manifestation des préjugés dépassés d'un vieux radoteur. Einstein croyait que c'étaient eux qui s'égaraient en appelant vérité ultime une demi-vérité. Et il persistait à tenter de relever quasiment seul un défi irrésistible — la description de la matière dans ses moindres détails.

La visite de Hans Albert se déroula au mieux, sur les plans personnel et professionnel. Il s'entendit parfaitement avec le père qu'il avait exaspéré dans son adolescence. Il le trouva cordial, amical et même généreux. Surprenant même. Ce théoricien réputé n'aimait rien davantage que de résoudre d'insolubles questions pratiques et discuter des dernières inventions. « Cela lui rappelait peut-être, se dit Hans Albert, les jours heureux et sans souci du Bureau de la propriété industrielle de Berne, avant les horreurs de la Première Guerre mondiale. » Hans Albert trouva un poste de chercheur au ministère de l'Agriculture de Caroline du Sud et fit venir sa femme et ses deux fils, Bernhard et Klaus.

Au printemps 1938, Einstein écrivit à Maurice Solovine : « Je travaille toujours avec ardeur, soutenu par quelques collègues courageux [dont Infeld et Hoffmann]. Je suis toujours capable de réfléchir, mais ma force de travail a diminué. La mort n'est pas si mal, après tout[19]. »

Mais il écarta les pensées sur sa propre mort et « notre époque maudite [dans laquelle] aucun homme éclairé ne survit », pour entrer dans le monde imaginaire et controversé de deux romanciers. Il savoura le dernier ouvrage de son ami Upton Sinclair, *Le Roi de l'auto*, et aida un autre auteur à éviter la prison.

Ce dernier avait demandé à Einstein de juger si un livre qu'il venait d'écrire était obscène. Si oui, il le brûlerait. L'ouvrage avait été saisi et son auteur accusé de distribuer de la littérature pornographique. Einstein répondit qu'il était limité par sa méconnaissance des idiomes américains et ne pouvait juger que de la tonalité générale du livre, laquelle n'avait vraiment rien de pornographique[20]. Un tribunal prononça cependant la culpabilité du jeune auteur. « Je n'ai lu que les sept premières pages du livre et je pense qu'il faut être aliéné pour écrire des choses pareilles », estima un

juge, tandis qu'un autre disait : « Nous en avons assez de cette littérature extrémiste. L'accusé mérite une peine de prison[21]. »

On envoya l'homme en observation pendant sept jours à l'hôpital
psychiatrique Bellevue, afin de déterminer s'il « méritait » la prison
ou un traitement. Les trois premiers jours furent un cauchemar,
raconta-t-il à Einstein, mais au cours des quatre derniers : « J'ai
trouvé la paix en mettant en pratique la renonciation à la vie de
Spinoza (...). J'ai étouffé quasiment toutes mes émotions. » Le
romancier fut présenté au juge à sa sortie de l'hôpital Bellevue.
Il obtint l'autorisation de produire les lettres d'Einstein pour sa
défense.

« Vos lettres ont intéressé le juge, écrivit l'accusé à Einstein en
le remerciant. Il a écarquillé les yeux à la mention de votre nom. Il
était si furieux qu'on m'ait envoyé à Bellevue qu'il s'est exclamé :
"Quelle ignorance ! Quelle Ignorance[22] !" » L'affaire était close.
L'écrivain fut libéré.

Einstein prit la parole en allemand lors de la Pâque juive, le
19 avril, à l'hôtel Astor de New York. Il salua l'implantation d'une
patrie juive, un refuge, en Palestine, tout en craignant que le plan
anglais de partage du territoire entre les Arabes et les Juifs n'engendre « dans nos rangs un nationalisme étroit contre lequel il nous
faudra lutter énergiquement, y compris au sein de notre propre
État. Nous ne sommes plus les Juifs de Maccabée. Redevenir une
nation politique signifie que nous devons tourner le dos à la spiri-
tualisation de notre communauté léguée par le génie de nos prophètes. Les Juifs n'ont jamais subi une telle oppression depuis la
conquête de Jérusalem par Titus, mais nous survivrons aussi à cette
période, quels que soient les souffrances et les morts. Une tyrannie
fondée sur l'antisémitisme et maintenue par la terreur périra inévitablement de son propre poison[23] ».

Ses ennemis allemands faisaient courir le bruit qu'il était communiste et avait assisté à un congrès du Parti communiste russe. Un
magazine américain ayant publié cette information comme avérée,
Einstein s'adressa à Siegmund Livingstone, de la Ligue contre la
diffamation, pour savoir comment empêcher l'impression de tels
mensonges, sans recourir à une plainte en diffamation[24]. Il donna à
Livingstone un autre exemple : un journal avait publié une déclaration de l'ordre rosicrucien selon laquelle il appartenait à cette
société secrète. Il n'y avait, apparemment, d'autre riposte que judiciaire, et Einstein n'avait ni le temps ni le goût d'aller devant les
tribunaux.

Quelques esprits courageux continuaient de rendre hommage aux découvertes d'Einstein, dans l'Allemagne nazie. Heisenberg avait, en revanche, cédé aux injonctions de Heinrich Himmler de ne plus mentionner le nom d'Einstein quand il abordait la relativité pendant ses cours. Ludwig Prandtl, expert en aérodynamique à Göttingen, refusa de s'incliner. Il répondit à Himmler que « l'immense majorité des physiciens considèrent la relativité comme un phénomène physique vérifié, qu'Einstein est un physicien de premier plan, et que les expérimentateurs qui ne comprennent pas la démonstration théorique ne devraient pas en nier la valeur ni calomnier ceux qui la défendent[25] »,

Einstein retourna à la villa de Nassau Point, sur la côte orientale de Long Island, pour les vacances de l'été 1938. Watters l'y rejoignit avec les Bucky, Margot et Helen Dukas. Il raconta à Watters comment il avait aidé diverses personnes à s'échapper d'Allemagne et immigrer aux États-Unis — la dernière étant un cousin, Heinz Moos — en leur fournissant des déclarations de moralité sous serment et en versant deux mille dollars sur un compte bancaire pour garantir leur indépendance financière[26]. Il venait de se porter garant du fiancé d'une parente, Alice Kohn, mais n'avait plus d'argent liquide. Il demanda à Watters de l'aider, en l'assurant qu'il n'aurait aucune obligation légale ou morale envers le jeune homme, et en lui promettant de soutenir celui-ci financièrement en cas de besoin. Watters accepta et signa par la suite plusieurs attestations à la demande d'Einstein.

Einstein lut avec plaisir les deux derniers livres d'Upton Sinclair. Il jugea *Our Lady* l'égal des meilleures œuvres d'Anatole France et se reconnut dans les idées défendues par *Letters to a Millionaire*. Il dit à son ami qu'il serait constamment insulté et diffamé de son vivant à cause de son combat pour la vérité et la justice, mais qu'on le canoniserait après sa mort[27]. Ce qui n'était pas loin de la vérité.

À la fin de l'automne, les nazis arrêtèrent et expulsèrent vers la Pologne des milliers de Juifs polonais. Parmi ces malheureux entassés dans des wagons vides ou des casernes abandonnées se trouvait la famille Grynszpan dont le fils de dix-sept ans, Herschel, était réfugié à Paris[28]. Herschel décida d'assassiner l'ambassadeur allemand en représailles mais manqua sa cible et tua un subalterne, Ernst von Rath, que la Gestapo, ironie du sort, soupçonnait de sympathie envers les Juifs.

Le lendemain, Hitler appelait à la vengeance. Des pogroms présentés par Joseph Goebbels comme des « manifestations antijuives spontanées » furent soigneusement planifiés et coordonnés par le sous-chef de la Gestapo, Reinhard Heydrich, et dans la nuit du

9 novembre, la *Kristallnacht*, les bandes nazies se déchaînèrent dans toute l'Allemagne, l'Autriche et les Sudètes récemment annexés[29].

Un millier de Juifs furent tués ou se suicidèrent. Des maisons de retraite, des hôpitaux, des orphelinats juifs et mille cent dix-huit synagogues furent détruits ou saccagés. Plus de trente mille Juifs furent jetés dans des camps de concentration ou déportés en Pologne.

Cette barbarie stupéfia le monde civilisé. Les compagnies d'assurances allemandes furent, elles, abasourdies par le coût du remplacement de toutes les vitrines cassées. Hermann Göring, compréhensif envers les assureurs, déclara à Heydrich : « J'aurais préféré que vous tuiez deux cents Juifs de plus au lieu de détruire tous ces biens[30]. » Le gouvernement nazi résolut le problème en imposant une amende de deux milliards de francs aux Juifs pour payer les dégâts.

Une tragédie personnelle frappa Einstein, la mort par diphtérie de son petit-fils de six ans, Klaus. Il écrivit à Hans Albert et sa femme qu'ils vivaient là « la pire épreuve que des parents puissent connaître », et partit leur rendre visite en Caroline du Sud.

De retour à Princeton, malade et surmené, il eut un hiver difficile. Il vendit aux enchères des livres et manuscrits, et donna le résultat de la vente pour aider les émigrés.

Les chimistes Otto Hahn et Fritz Strassmann obtenaient pendant ce temps en Allemagne un résultat extraordinaire. Ils fabriquèrent du barium — un élément dont la masse est la moitié de celle de l'uranium — en bombardant de l'uranium avec des neutrons. Hahn écrivit immédiatement à son ancienne collègue Lise Meitner, qui avait contribué à la découverte avant de se réfugier en Suède avec son aide car elle était juive. Elle discuta de cette information avec son neveu physicien, Otto Frisch, et ils se rendirent tous les deux à l'évidence que Hahn et Strassmann avaient accompli ce que beaucoup jugeaient impossible, la fission de l'atome.

Le physicien allemand Paul Harteck communiqua au ministère de la Guerre, dès qu'il l'apprit, « la toute dernière découverte en physique nucléaire » qui permettait d'envisager « un explosif dont la puissance serait supérieure de plusieurs ordres de grandeur à celle des armes conventionnelles[31] ».

Goebbels était ravi. Pas Hahn, l'un des rares Allemands qu'Einstein respecterait toujours. Conscient des effrayantes possibilités ouvertes par sa découverte, il songea à jeter son uranium à la mer et à se suicider.

# 30

# La Seconde Guerre mondiale
# et la menace atomique

*1939-1940*
*60 et 61 ans*

« J'étais pénétré du sentiment de me trouver face à l'un des plus grands savants de l'histoire », dit de sa première rencontre avec Einstein Valentin Bargmann qui venait de fuir le régime nazi. Mais le père de la relativité, dont il deviendrait assistant, se montra si amical que « je me suis rapidement mis à discuter avec lui comme avec un vieil ami. J'étais stupéfait. Peter Bergmann [un autre assistant d'Einstein] et moi pouvions utiliser quand nous le voulions son bureau dans l'immeuble Fine Hall — l'Institut se trouvait alors sur le campus de l'université de Princeton[1] ».

« On parlait allemand car Einstein avait un accent épouvantable, même si son anglais était relativement bon. Il faisait des erreurs de prononciation du genre *"I tink"* pour *"I think"**, ajoute Valentin Bargmann. Niels Bohr était encore pire car il était inaudible. Il parlait trop bas. Les discussions étaient très ouvertes et dépourvues de tout caractère hiérarchique. Einstein nous traitait en égaux, quelle que fût la personne qui parlait. C'était son charme.

« Je n'ai pas remarqué la distance ou la gaucherie observées par Infeld, mais j'ai été frappé comme lui par son rire sonore et ses yeux brillants. Je ne comprends pas le commentaire qu'Einstein fit à Banesh Hoffmann à propos d'un portrait d'Isaac Newton : "La

---

* *I think* : je pense. (*N.d.T.*)

plupart des grands hommes sont entre deux sexes." Il essayait peut-être de faire de l'humour parce que sa coiffure donnait un air efféminé à Newton. » (Les biographes de Newton rapportent qu'il était célibataire, certains avancent que c'était un homosexuel refoulé.)

Infeld raconte qu'Einstein est devenu de plus en plus étrange avec le temps. Ce n'est pas l'avis de Bargmann : « Ce qu'il disait ou faisait n'était pas toujours prévisible, mais ce n'était jamais une grande surprise ni un choc. »

Bargmann aime à raconter : « Einstein était extrêmement détendu. Toutes ces explications sur les raisons pour lesquelles il ne portait pas de chaussettes, ne se faisait pas couper les cheveux, s'habillait de façon négligée, ne correspondent pas au Einstein que j'ai connu. Il faut comprendre qu'il faisait beaucoup de plaisanteries, et qu'on a souvent pris ces plaisanteries au sérieux.

« Je ne l'ai jamais vu bouleversé ou agité, alors qu'il m'a lui-même raconté que, quand il était enfant, il piquait des crises de colère.

« Quand je l'ai rencontré à Princeton, il n'enseignait pas et n'avait donc aucun étudiant. J'ai travaillé avec lui sur la théorie unifiée des champs et sa théorie de la relativité générale. Quand je n'étais pas d'accord, il essayait de me convaincre qu'il avait raison ».

Mussolini ayant à son tour décrété des lois antisémites, Einstein invita Maja, qui habitait Florence, à venir le rejoindre à Princeton. Elle s'était séparée de son mari Paul Winteler, qui n'était pas juif et avait préféré s'installer chez son beau-frère Michele Besso à Genève, en espérant le retrouver quand les dangers seraient écartés en Europe. L'amour et les soins qu'Albert dispensa à sa sœur, surtout quand elle tomba mortellement malade, démentent la peinture brossée par certains biographes d'un homme incapable de tisser des liens affectifs forts, avec qui que ce fût.

Maja Winteler-Einstein participa avec joie aux balades du week-end dans la voiture des Bucky. Une excursion printanière les amena à l'aéroport de Newark où un démonstrateur d'instruments de navigation les aborda. Einstein lui posant des questions sur un altimètre qui était exposé, l'homme lui offrit une plaquette. « Non, non, refusa Einstein. Je veux que *vous* m'expliquiez ce que c'est. » L'employé se lança : « Disons que l'avion vole à 190 milles à l'heure... »

Il s'arrêta si longtemps qu'Einstein intervint, suggéra que $x$ représente la vitesse du Soleil et poursuivit : « Vous disiez donc que l'avion se déplace à 190 milles à l'heure. Si vous considérez $c$ en relation avec... »

Il hocha la tête pour encourager le vendeur à compléter la phrase. Lequel vendeur, totalement perdu, articula péniblement :

« Professeur, ce serait mieux que vous preniez une plaquette. » Il préféra ensuite en rire, en affirmant qu'il savait qu'Einstein plaisantait[2].

Un autre problème mathématique attendait Einstein chez lui, au milieu d'une pile de courrier. Il expliquera plus tard à Gustav Bucky qu'il s'agissait d'« une intéressante proposition mathématique, sans aucun doute exacte et originale. Son auteur la comprenait intuitivement, mais était incapable de la prouver mathématiquement. J'ai corrigé les calculs, mais pour ne pas voler au jeune homme l'antériorité de la bonne démonstration, je lui ai écrit que sa proposition était exacte, et que je tenais à sa disposition la correction de son erreur de calcul. Il conservait ainsi l'antériorité de l'idée et [avait la possibilité] de trouver lui-même la bonne solution[3] ».

Bucky s'émerveille de « la délicatesse d'Einstein qui laissa au jeune homme l'option d'essayer à nouveau lui-même et lui épargna ainsi le sentiment d'un échec ». Il présume que la moyenne des individus aurait simplement renvoyé les calculs corrigés en étant persuadés d'avoir agi pour le mieux. « L'esprit d'Einstein est constamment occupé par des questions des plus complexes, mais il oublie ses affaires personnelles et interrompt le train de ses pensées pour se plonger dans les problèmes des autres. Sans jamais se soucier de la position de la personne, ni même demander de qui il s'agit. Je ne vois pas comment il parvient à trouver le temps de se pencher sur des problèmes qu'on lui adresse par la poste et de se consacrer aux mathématiques, à des questions sociales, légales ou politiques, et à des discussions philosophiques... en plus de toutes les demandes d'aides, parfois ridicules ou même impudentes. Une personne dans le besoin a parfaitement le droit de lui prendre son temps précieux. Il accomplit le tour de force de faire tenir dans la même journée son travail, ses lectures et ses multiples interventions en faveur des gens. »

Sa secrétaire Helen Dukas et son ami Otto Nathan écrivirent des milliers de réponses, mais c'était toujours lui qui décidait quoi dire. Un professeur qui connut bien Nathan se souvient : « Nathan était économiste. Il avait rencontré Einstein en Allemagne lors d'une conférence. Ils se sont revus au début des années trente quand Nathan enseignait l'économie à Princeton. C'était un don du ciel pour Einstein qui se sentait très seul. Tout le monde était très sympathique envers lui, mais personne ne correspondait au profil d'un Allemand de la vieille social-démocratie. Nathan était révolté par le capitalisme et les deux hommes se soutenaient moralement mutuellement face aux événements terribles qui frappaient l'Allemagne sous la férule nazie. Cela engendra une solide amitié à laquelle Einstein était très attaché. Princeton ne garda pas Nathan qui partit pour l'université de New York. Cette dernière s'apprêtant, peu après, à se passer de lui à son tour, Einstein lui adressa une lettre extrêmement élogieuse sur Nathan qui n'avait rien demandé et en fut embarrassé. Cette intervention lui sauva sa place. Une telle amitié était un grand réconfort pour lui. L'université de New York voulut à nouveau se débarrasser d'Otto Nathan par la suite, et lui supprima la moitié de son poste. »

En février, un marin américain d'origine irlandaise envoya à Einstein une lettre tapée à la machine pendant que le navire marchand sur lequel il travaillait essuyait une tempête. Il répondait à un article d'Einstein publié dans le *Collier's Magazine* (26 novembre 1938) : « Je viens d'achever ce que je qualifierais sans exagération d'article le plus réconfortant, le plus utile, en faveur des opprimés que j'aie jamais lu[4]. »

Le « vieux loup de mer », comme il se décrivait lui-même, avait « manifesté devant des bateaux et des consulats allemands et italiens. J'ai défendu plus d'une fois à coups de poing cette minorité à laquelle je n'appartiens pas. Je suis américain d'origine irlandaise ». Il ajoutait qu'il avait sacrifié une journée de paie pour acheter *Histoire du peuple d'Israël* d'Ernest Renan : « Je pense que vous serez d'accord avec moi si vous le lisez. » Il espérait qu'Einstein remédierait à la situation en écrivant lui-même un livre sur le sujet. Il terminait par : « Ce serait sacrément sympathique de me répondre ». Signé : « Un ami de plus ». Il glissa la lettre dans le livre de Renan, et posta le tout.

La réponse parvint au marin quatre mois plus tard. Einstein expliquait qu'il s'était demandé qui lui avait envoyé cet ouvrage et qu'il venait seulement de trouver la lettre à l'intérieur. Il était content que son correspondant se sente concerné par le sort des Juifs et le combat contre les « politiciens criminels qui gouvernent de malheureux pays ». Il ne fondait pas ses espoirs de temps meilleurs sur des hommes d'État, mais sur des hommes honnêtes, comme lui, assoiffés de justice et intransigeants avec leurs idéaux. Il avait l'intention de lire le livre[5].

Des sympathisants nazis parcouraient l'Amérique pour discréditer Einstein en le présentant comme un escroc. Un spécialiste du genre, le professeur Winterkorn, donna à l'université du Missouri une conférence intitulée « L'Allemagne, passé et présent », au cours de laquelle il affirma que des criminels avaient gouverné la république de Weimar sous la présidence de Friedrich Ebert, qu'Einstein avait ardemment soutenu. Comme on lui demandait des détails, Winterkorn raconta qu'en 1919 un haut fonctionnaire de Berlin avait essayé d'arracher cinquante mille francs à un responsable de Prusse orientale en visite dans la capitale. La somme était censée servir à la publication d'un livre d'Einstein, lequel était ainsi complice d'une tentative d'escroquerie. L'affaire avait été révélée dans le livre *Heimkehr*, de l'écrivain Gustav Winning qu'il considérait comme une personne fiable.

Un professeur troublé par cette accusation écrivit à Einstein :

> « Des diffamations bien pires sont certainement proférées contre vous en Allemagne et sont bien sûr indignes de votre attention. Mais cette histoire racontée ici, devant des professeurs de notre université, aura de graves répercussions si on la laisse circuler sans y répondre du tout. Je vous demande par conséquent instamment d'apporter les éclaircissements que vous pourrez sur l'origine de cette ridicule invention[6]. »

Einstein répondit le 23 mars 1939, le lendemain d'un jour où il prononça un appel à la radio en faveur des réfugiés juifs, et où il assista à un concert symphonique de soutien à la Palestine :

> « Aucune des histoires que M. Hans Winterkorn colporte dans les milieux universitaires n'est vraie. Ce sont visiblement des inventions d'un émissaire nazi. Ces gens-là sont vos ennemis. Il n'est pas vrai que la République allemande était corrompue. J'étais très bien placé pour voir ce qui se passait et je suis convaincu de l'honnêteté de tous les hauts responsables de l'État. Je vous serais reconnaissant de bien vouloir le dire à vos collègues[7]. »

C'était désormais une grande partie de son temps qu'Einstein consacrait à aider des parents, des amis ou des inconnus à fuir les territoires occupés par les nazis. Son ami Felix Ehrenhaft, professeur de physique à l'université de Vienne, chassé d'Autriche et « obligé d'abandonner le grand électroaimant dont la construction avait été le phare de sa vie », ne fut pas déçu quand il sollicita son aide pratique et financière[8].

Freud lui envoya son dernier livre avant de quitter Vienne, tombée aux mains des nazis, pour se réfugier en Angleterre. Einstein lui répondit le 4 mai :

> « Votre hypothèse selon laquelle Moïse était un Égyptien distingué et appartenait à la caste des prêtres est remarquable, ainsi que ce que vous écrivez sur le rituel de la circoncision... Je ne connais aucun contemporain de langue allemande qui ait exposé ses idées avec une si brillante maîtrise. J'ai toujours regretté qu'il soit pratiquement impossible pour un non-spécialiste de se faire une opinion sur la perti-

nence des conclusions que vous tirez. Mais il en va, après tout, de même avec les découvertes scientifiques. Il faut s'estimer heureux de comprendre la trame des pensées développées[9]. »

Mais d'autres questions que celles suscitées par Moïse préoccupaient Einstein. Notamment la possibilité que la découverte de la fission nucléaire ne fournisse à Hitler les moyens de dominer le monde.

Eugene Wigner se souvient : « Niels Bohr nous avait apporté à Princeton les dernières nouvelles sur la fission nucléaire. Nous avons aussi appris que les Allemands avaient interdit l'exportation d'uranium de Tchécoslovaquie [annexée par Hitler]. Nous étions inquiets, car n'importe quel physicien connaissant la question mesurait le risque que représentait la fabrication d'une bombe atomique. Fritz Houtermans, un Autrichien qui vivait en Suisse et collaborait avec des chercheurs allemands sur la fission de l'uranium, nous a adressé un câble, à Chicago : "Pressez-vous ! Nous sommes sur la voie !" Houtermans était un adversaire résolu de Hitler et estimait que la liberté du monde entier serait en danger si les nazis fabriquaient la bombe atomique avant les États-Unis. Son message était que nous devions nous dépêcher d'atteindre le but avant eux[10] ».

Leo Szilard était un Juif hongrois brillant et remuant, à la fois stimulant et irritant, qui avait prédit la possibilité d'une utilisation pacifique de l'atome presque cinq ans avant la découverte d'Otto Hahn. La perspective qu'une arme aussi dévastatrice pût tomber dans les mains des Allemands l'obsédait et il ne parlait que de cela. Craignant que « les Allemands ne s'emparent des gisements d'uranium du Congo belge », Wigner et lui se demandèrent comment prévenir le gouvernement belge du danger. Ils connaissaient l'amitié de la reine mère Élisabeth envers Einstein.

« Nous étions en juillet et je savais qu'Einstein était en vacances à Long Island, raconte Wigner. Je n'y étais jamais allé. Tout ce que je savais était qu'Einstein séjournait dans une villa appartenant au docteur Moore, de Peconic. Je m'y suis rendu en voiture avec Szilard. Nous avons cherché en vain pendant une demi-heure quelqu'un qui connaisse la villa du docteur Moore, puis Szilard a demandé à un garçon : "Tu sais où habite Einstein ?" Nous avons tout de suite obtenu la réponse. »

La visite ne surprit pas Einstein. « Nous lui avons parlé du procédé découvert en Allemagne et de la possibilité de l'utiliser pour déclencher une explosion. Contrairement à ce qu'on a affirmé, je ne crois pas qu'Einstein ait jamais dit : "Tiens, je n'y avais jamais pensé", comme s'il ignorait tout de cette découverte. » La plupart

367

des physiciens savaient qu'il était théoriquement possible d'amorcer une réaction en chaîne qui entraînerait une explosion.

« Mais Einstein était plongé dans son propre travail, explique Wigner, et ne suivait sans doute pas les derniers développements en physique. Il lui arrivait souvent de ne pas ouvrir les revues qu'il recevait, *Nature* par exemple, si aucun article ne l'intéressait directement. Il est impossible de lire tous les journaux : j'en reçois quatre-vingt-trois.

« Einstein n'avait pas prévu que l'énergie nucléaire serait maîtrisée de son vivant, mais il pensait que c'était scientifiquement possible. Il ne savait pas qu'on avait découvert un procédé de fission de l'atome. Nous le lui avons expliqué et il a compris en un quart d'heure. J'ai été très impressionné qu'il perçoive si rapidement les dangers que représentait l'éventualité de la fabrication d'une bombe atomique. Et il était parfaitement conscient des problèmes politiques. »

Les souvenirs de Szilard confirment ceux de Wigner :

« [Einstein] saisit immédiatement les implications de ces découvertes et était déterminé à faire ce qu'il faudrait. Il était prêt à prendre la responsabilité de tirer le signal d'alarme, même si c'était peut-être une fausse alarme. S'il y a une chose dont les scientifiques ont peur, c'est de se ridiculiser. Einstein ne connaissait pas ce genre de crainte.

« Einstein conclut de notre visite qu'il y avait un danger que les Allemands conquièrent la planète, même s'ils pouvaient, bien sûr, y parvenir sans la puissance nucléaire[11] », poursuit Wigner.

Einstein préféra ne pas s'adresser à la reine des Belges pour une telle question, mais écrire à un membre du gouvernement belge qu'il connaissait. Wigner estima que ce serait une erreur de contacter un gouvernement étranger sans en informer le Département d'État américain, et ils tombèrent d'accord sur l'envoi d'une copie du texte au Département d'État, en indiquant qu'en l'absence de réponse dans les deux semaines la lettre jointe serait adressée au ministre belge. « Einstein nous a posé sept ou huit questions, explique Wigner, puis m'a dicté une lettre à l'ambassadeur de Belgique. »

La lettre disait qu'il semblait « très vraisemblable (...) qu'on puisse fabriquer des bombes d'une puissance inimaginable avec de l'uranium dont le principal lieu de production était le Congo belge. (...) Il apparaissait indispensable de prendre des précautions pour tenir les stocks hors de portée d'ennemis potentiels ». L'identité de ces ennemis éventuels ne faisait guère de doute : « L'Allemagne, qui avait exporté de l'uranium après avoir pris possession d'une mine tchécoslovaque, venait d'interdire l'exportation de cette matière première. »

Selon Wigner, Einstein « n'a pas signé la lettre parce qu'elle était en allemand et manuscrite ».

La lettre au Département d'État demandait si celui-ci désirait davantage d'informations afin de prévenir lui-même le gouvernement belge, ou si Einstein devait intervenir par l'intermédiaire de l'ambassade de Belgique.

« J'ai emporté la lettre à Princeton, où je l'ai fait traduire en anglais et taper à la machine, raconte Wigner. Puis quelqu'un la lui a rapportée. »

Le quelqu'un en question était Szilard qui avait, entre-temps, écrit à Einstein qu'il avait abordé le sujet avec un proche de Roosevelt, Alexander Sachs, qui proposait de remettre directement la lettre au Président. Wigner étant parti en Californie, il se rendit seul chez Einstein avec lequel il rédigea une nouvelle version, destinée à Roosevelt.

Edward Teller, qui avait conduit Wigner à Long Island dans sa voiture, tint la plume. Il raconte : « Einstein a dit : "Oui, oui, ce sera la première fois que l'homme libérera directement l'énergie nucléaire, et non plus indirectement." Il voulait dire directement à l'aide de la fission, et non plus indirectement à partir du Soleil où une réaction nucléaire différente produit les abondantes radiations qui éclairent la Terre[12]. »

Le 2 août, Szilard envoya à Einstein une version longue et une version abrégée de la lettre à Roosevelt. Einstein signa les deux, en disant qu'il préférait la plus longue, et demanda à Szilard de ne pas perdre de temps.

Sachs était un intermédiaire risqué. Le petit groupe envisagea un moment de recourir à Charles Lindbergh, l'aviateur, avant de découvrir que non seulement il était isolationniste, mais que Roosevelt le détestait. Le problème avec Sachs, d'origine russe, était qu'il se lançait dans « des phrases interminables et tortueuses. Pour employer un de ses mots favoris, son vocabulaire était "fantastiqué*"». Mais il connaissait la fission nucléaire et il était inutile de le convaincre de la gravité de la mission de Szilard ». Le principal était qu'il connaissait Roosevelt.

Le Président était malheureusement trop occupé par des questions de vie et de mort pour le recevoir. Les chars et les avions allemands envahirent la Pologne le 1er septembre. La France et

---

* *Fantasticated. (N.d.T.)*

l'Angleterre déclarèrent la guerre. Roosevelt décréta l'urgence nationale le 8 septembre et tenta de convaincre le Congrès de lever l'embargo sur la vente d'armes. Sachs ne bougea pas pendant deux mois, ce qui rendit fous Wigner et Szilard.

Un journaliste du *New Yorker* contacta Einstein pour une tout autre affaire. Il préparait un portrait du publiciste Frank Finney qui s'était présenté comme l'« Einstein de la publicité » dans le *New York Times* et le *New York Herald Tribune*. Le reporter alla jusqu'à lui suggérer une réponse : « J'ai été aussi stupéfait que M. Finney l'aurait été si je m'étais présenté comme "le Finney de la physique". »

La réponse d'Einstein fut aussi prompte que furieuse. L'utilisation de son nom par Finney était écœurante et déplacée. Il l'aurait empêchée s'il en avait eu les moyens. « Je n'accepterai jamais qu'on imprime des choses de ce genre. »

Le Président semblant toujours trop occupé pour recevoir Sachs, Einstein lui adressa deux articles de *Physical Review*, « pour le mettre au boulot », « Production de neutrons et absorption d'uranium » par H.L. Anderson, E. Fermi et L. Szilard, et « Émissions instantanées de neutrons rapides par l'interaction de neutrons lents et d'uranium » par Leo Szilard et W.H. Zinn. Ces publications décrivaient des progrès qui menaient à la bombe atomique.

Sachs parvint enfin à rencontrer Roosevelt le 11 octobre. Le Président avait l'esprit ailleurs. Le visiteur dut insister. Il avait payé de sa poche son voyage à Washington, qu'il ne pouvait même pas déduire de ses revenus. F.D.R. était prié d'écouter. Craignant que son interlocuteur ne classe la note sans l'avoir étudiée, Sachs préféra la lui lire intégralement. Le Président écouta. Sachs ajouta quelques informations sur le travail des physiciens allemands.

Roosevelt : « Ce que vous êtes en train de faire, Alex, c'est d'essayer d'empêcher que les nazis ne nous fassent tous sauter en l'air. »

Sachs : « Exactement. »

Roosevelt : « Il faut faire quelque chose[13]. »

Le Président appela son conseiller militaire, le général Edwin Watson, « Pa » Watson, lui donna des instructions et conclut : « Dites à Alex de passer me voir avant de repartir. » Sachs revint le soir même à la Maison-Blanche où Roosevelt le mit en contact avec Lyman Briggs, directeur du Bureau des normes.

Certains chefs militaires ne furent pas impressionnés. Des officiers supérieurs s'exclamèrent : « Ce truc-là est tellement préliminaire ! De quoi s'agit-il ? Attendons de voir... » Mais Watson leur répliqua fermement : « C'est la décision du patron, les gars. Mettez-vous au travail. »

La Seconde Guerre mondiale en était à son deuxième mois quand Roosevelt répondit à Einstein, le 19 octobre, en le remerciant pour sa récente lettre et les importants documents qui étaient joints.

> « Ces informations m'ont paru si graves que j'ai réuni un comité composé du chef du Bureau des normes et de représentants de l'armée de terre et de la marine, et chargé d'examiner en détail les possibilités d'application de votre suggestion concernant l'élément radium. Je suis heureux de vous annoncer que le professeur Sachs participera aux travaux du comité. Cela me semble être la méthode la plus simple et la plus efficace pour traiter cette affaire. »

Roosevelt se trompait. Cinq mois s'écoulèrent sans que le comité ne prît la moindre décision. Einstein découvrit que, depuis la déclaration de guerre, le gouvernement nazi dirigeait directement l'Institut de physique de Berlin. On y menait dans le plus grand secret des recherches sur l'uranium, sous la direction de C.P. von Weizsacker, fils du ministre des Affaires étrangères allemand[14]. À Paris, le gendre de Marie Curie, Frédéric Joliot-Curie, était presque parvenu à déclencher une réaction en chaîne. Sachs transmit un message alarmiste d'Einstein à Roosevelt, en espérant que le Président mettrait le comité en branle.

Trois semaines plus tard, le 5 avril, le Président décida de convoquer un colloque qui s'attaquerait sérieusement à la question et proposa à Einstein de dresser la liste des invités. Einstein ne participa pas à la réunion, ni à aucune de celles qui suivraient, en alléguant d'un coup de froid pour la première puis en expliquant qu'il n'était pas spécialiste du sujet. Il continua cependant à faire pression par l'intermédiaire de Szilard, Wigner et leur intermédiaire Sachs pour faire bouger des militaires obtus et des fonctionnaires qui traînaient les pieds.

On demanda à Einstein d'évaluer par le calcul la meilleure méthode de purification de l'uranium, mais son travail fut inutilisable car, en tant qu'étranger, on lui avait caché des données cruciales. Il fut, de son côté, si soucieux de protéger ses « calculs secrets » qu'il préféra ne pas les faire dactylographier.

Puis ce furent la défaite de la France et l'invasion par Hitler d'une grande partie de l'Europe. L'Angleterre restait seule debout.

Craignant que les nazis n'envahissent la Suisse et ne prennent Eduard en otage, Einstein adressa un télégramme à Mileva pour lui conseiller de se cacher dans la montagne ou de se réfugier chez les Winteler.

Szilard, au désespoir, prédit la victoire de l'Allemagne tandis que Wigner démissionnait du comité de l'uranium, désabusé par les retards, des crédits pitoyables – deux mille dollars à l'origine – et l'attitude stupide des militaires. « Ce ne sont pas les armes qui gagnent les guerres, c'est le moral des troupes », répétait un officier supérieur qui comparait ironiquement l'arme atomique à un rayon de la mort. « Il y a une chèvre attachée à un piquet dans l'enceinte du terrain d'essai de l'armée de terre, à Aberdeen, aimait-il à raconter. On a offert une prime élevée à celui qui la tuerait avec un rayon de la mort. Personne ne s'est présenté. »

En juin 1940, Roosevelt nomma Vannevar Bush à la tête de l'ensemble des programmes scientifiques gouvernementaux. Le professeur Fritz Reiche arriva peu après d'Allemagne, porteur d'un nouveau message alarmant de Fritz Houtermans : « Heisenberg ne pourra plus résister longtemps à la pression du gouvernement exigeant qu'il se lance à fond et sérieusement dans la fabrication de la bombe (...). S'ils se sont déjà mis au travail, ils sont certainement en train d'accélérer[15]. »

Les logements étant rares à Princeton, Einstein proposa à Fritz Reiche et sa femme d'occuper sa maison pendant qu'il était en vacances. Quand Reiche lui fit le point sur les dernières découvertes scientifiques, il eut ce commentaire désabusé :

> « Je suis tellement démodé et têtu que je ne crois toujours pas que Dieu joue aux dés. (...) Toutes les apparences contredisent cependant le concept d'un respect total des lois. Je n'en continue pas moins à chercher sans relâche un concept de ce genre. Je m'en prends à moi-même et pas à Lui quand je ne suis pas satisfait de mes résultats[16]. »

Il répondit à une lettre d'Eduard en le félicitant pour ses questions philosophiques intelligentes. Il énonçait de bon cœur ses propres idées, mais lui demandait de garder ces réponses pour lui car ce n'était pas celles d'un philosophe. Freud et Schopenhauer étaient, pour lui, supérieurs à Nietzsche, lequel était certes un grand artiste, mais « l'un des plus horribles coquins qui aient jamais pris la plume ».

Le 18 août 1940, un policier du FBI passa voir Einstein chez lui, à Princeton, pour l'interroger sur le physicien hollandais Petrus Debye*, de l'université Cornell, qu'on soupçonnait d'être un espion nazi[17]. Einstein raconta qu'un agent des services secrets anglais était venu le trouver au printemps pour lui montrer une lettre intercep-

---

* Prix Nobel de chimie en 1936. (*N.d.T.*)

tée par la censure britannique et que lui avait adressée un chimiste du nom de « Feadler » (d'après l'orthographe phonétique des dossiers du FBI) qui vivait en Suisse. L'auteur se demandait si Debye, qui avait eu des liens étroits avec Göring, n'avait pas été envoyé aux États-Unis pour y faire de l'espionnage. Einstein avait répondu au fonctionnaire anglais que Debye avait peut-être simplement demandé à Göring des crédits pour l'Institut Kaiser-Wilhelm, dont il était directeur du département de physique, mais qu'il avait, quoi qu'il en fût, informé la direction de l'université Cornell du contenu de cette lettre.

Il ajouta que Debye lui avait écrit le 15 juin, en démentant les soupçons et expliquant qu'« il avait quitté l'Allemagne à la suite de son refus d'abandonner la nationalité hollandaise pour devenir allemand. Le professeur Debye avait également précisé (...) qu'il avait dû démissionner de son poste de directeur à l'Institut Kaiser-Wilhelm, qu'il n'avait eu aucun rapport avec le gouvernement allemand depuis son arrivée aux États-Unis et qu'il ne retournerait en aucun cas en Allemagne ».

Einstein avait immédiatement répondu à Debye pour lui dire que ce qu'il savait provenait de l'étranger, qu'il « ignorait si ces accusations étaient fondées, mais qu'il avait estimé de son devoir de ne pas le juger et de transmettre l'information à un citoyen américain car elle était potentiellement grave ».

Le rapport du FBI poursuit : « Einstein a raconté que Debye avait peur de Göring [et] qu'en se rendant en Amérique au printemps dernier il avait traversé la Suisse sans rendre visite à ses vieux amis, ce qui ne lui ressemblait pas. C'est pourquoi Feadler s'est méfié de Debye et a demandé à Einstein de vérifier s'il n'était pas venu aux États-Unis pour espionner. »

D'après le policier américain, Einstein ne mettait pas en doute l'intégrité scientifique de Debye mais le considérait comme un opportuniste dont le sens de la loyauté n'était pas un point fort. Il connaissait suffisamment Debye pour ne pas lui faire confiance, surtout s'il avait eu un comportement curieux à l'étranger. Comme l'agent lui demandait de s'expliquer, Einstein avait ajouté qu'on aurait pu s'attendre à ce que Debye, qui était hollandais, soutienne ses collègues allemands persécutés depuis 1933, mais qu'il n'en avait pas aidé un seul à trouver un poste en dehors d'Allemagne.

Einstein pensait également que ses qualités d'organisateur pouvaient faire de Debye un excellent espion et que « de mauvaises motivations peuvent le rendre très dangereux[18] ». Il suggéra de surveiller Debye pendant un certain temps, mais « il savait que Debye avait un fils avec lui aux États-Unis et qu'il n'avait donc peut-être réellement pas l'intention de retourner en Allemagne ».

Si les pressions exercées sur Heisenberg pour qu'il travaille sur la bombe atomique angoissaient Wigner, elles n'ébranlèrent pas le comité de l'uranium. Einstein et Wigner apprirent en novembre 1940 que le comité avait enfin proposé de financer des recherches secrètes pour déterminer si la fission de l'uranium sur laquelle on travaillait pouvait être utilisée pour la propulsion de sous-marins et la fabrication d'armes de destruction massive.

Roosevelt donna son accord avant la fin du mois et le gouvernement signa un contrat de recherche de quarante mille dollars avec l'université Columbia, travail qui fut confié à Leo Szilard et Enrico Fermi. Le projet de bombe atomique était enfin sur les rails.

Le FBI mena une enquête de sécurité sur les scientifiques engagés dans ces recherches. Einstein reçut la visite d'un deuxième agent. Il fit des éloges de Szilard, un idéaliste doué, étranger à toute motivation politique et parfaitement fiable. Szilard travaillait déjà sur l'uranium à l'université Columbia « avec un Italien du nom de Fermi qui était [aussi] un homme tout à fait digne de confiance ».

Parmi les dizaines de réfugiés désormais installés à Princeton, Einstein se lia d'amitié avec l'historien Erich Kahler et sa femme Alice. Le célèbre écrivain allemand, Thomas Mann, qui était un ami commun, les avait précédés dans le New Jersey et encouragés à le rejoindre. Ce géant de la littérature européenne était un antinazi militant. Einstein fit la connaissance des Kahler lors d'une soirée de lecture de poèmes organisée chez eux. Alice Kahler se souvient qu'un voisin, Charles Bell, décrivit Einstein comme « l'idole de ma jeunesse séduite par la science, une idole au visage parcheminé et à la tête ceinte d'une couronne de cheveux, dotée d'une sagesse de sphinx résigné, à mi-chemin entre un saint-bernard et un ange, comme si Einstein avait vécu toute la transition de l'animalité à l'humanité et était l'incarnation des tâtonnements de l'homme ». « C'est un peu exagéré, ajouta-t-elle en riant. Mais quand il était d'humeur, Einstein était l'ami le plus charmant qu'on puisse imaginer[19]. »

Il était de bonne humeur, quand il rencontra avec les Kahler un philosophe japonais, Suzuki Daisetsu, qui leur expliqua le bouddhisme zen. Il écouta attentivement sans le moindre commentaire, mais déclara deux jours plus tard à Alice, au cours d'une discussion sur la philosophie orientale : « "Ce que j'ai compris du bouddhisme zen ne veut pas dire grand-chose pour moi. Mais le confucianisme me plaît." Il trouvait que le confucianisme avait davantage les pieds sur terre que les autres philosophies. »

Son médecin avait interdit à Einstein de fumer. Mais « il aimait fumer, se rappelle Alice Kahler. Sa secrétaire, Helen Dukas, et sa fille (sic), Margot, étaient inflexibles sur les consignes du docteur. Quand on lui offrait du tabac, il l'envoyait à mon mari avec un petit mot. Puis quand il venait chez nous, il demandait à Erich : "Donne-moi un peu de ce truc que je le sente, au moins." Il avait tellement envie de fumer qu'il ramassait des mégots de cigarettes dans la rue. C'était pathétique ».

Les Kahler firent peindre un portrait réaliste de leur ami par Ben Shahn. Einstein refusa de poser pour Marc Chagall alors qu'il acceptait de donner du temps à de nombreux peintres ou photographes inconnus et quelconques. « Il n'avait rien à faire qu'ils soient bons ou mauvais, du moment que cela les aidait financièrement, estime Kahler. C'était un homme extrêmement généreux. Il voulait rendre service. »

« J'étais certaine qu'il ne se remarierait jamais, raconte Alice Kahler. Pourtant, croyez-moi, il aimait les femmes ! Il était fou des femmes... mais son travail passait toujours avant le reste. »

Des admirateurs avaient envoyé à Einstein des pull-overs en cachemire qu'il ne revêtait jamais, apparemment parce qu'il était allergique à la laine. Le sachant, Alice Kahler eut « la splendide idée d'aller dans un surplus militaire pour lui acheter son premier sweat-shirt. À partir de ce jour-là il n'a pratiquement rien porté d'autre. Un jour, je lui ai acheté un pull-over suisse en coton, avec un col bleu. Il m'a téléphoné, heureux comme un gosse, pour me dire : "Je n'ai jamais rien eu d'aussi beau que ce pull-over de toute ma vie. Même ma lingère, qui est presque aveugle, m'a admiré quand elle a vu comme il m'allait bien !" ».

Le couple Kahler adorait « Margot qui était sculpteur, mais Erich la taquinait parce qu'elle était toujours avec des médecins. Il m'a dit : "J'espère que Margot va rester en vie, parce que la perte de son autre belle-fille, Ilse, a été un drame pour Einstein" ». (Margot survivra, en fait, à Albert, Maja et Helen Dukas.)

Einstein, Margot et Helen Dukas reçurent la nationalité américaine le 1er octobre et prêtèrent le serment d'allégeance ensemble à Trenton, dans le New Jersey.

La brutalité de l'occupation nazie en Europe transformait les pacifistes les plus fervents en partisans enthousiastes d'une intervention armée. Bernard Shaw proclama ainsi : « Nous aurions dû déclarer la guerre à l'Allemagne quand la police de Hitler a volé le violon d'Einstein[20]. » Comme on lui demandait si Hitler avait résolu le problème juif, il répondit : « Il l'a créé. » Il écrivit à un musicien : « Comment croire que le pays qui a produit cet immense compositeur [Mozart], l'ami du monde entier, ne puisse aujourd'hui engendrer rien de mieux que le dégénéré Adolf Hitler ? S'il était vivant, Mendelssohn partagerait l'exil d'Einstein[21]. »

Einstein continuait de recevoir des lettres acides. Celle-ci, par exemple, écrite à New York : « Vous êtes peut-être un grand scientifique, mais votre photo parue dans le *New York Times* d'hier est une illustration de plus du fait que l'influence des Juifs pousse la société civilisée vers la dégradation, l'anarchie sociale. Votre tenue – ou son absence – devrait être considérée par les responsables de Princeton comme une insulte envers cette université. Elle montre bien que vous êtes indigne de fréquenter des gens décents. Signé : Hibernicus[22]. »

Son premier amour, Marie Winteler, lui envoya une lettre qu'il ne vit sans doute jamais[23]. Il ne devait pas l'oublier. Il avait promis de ne jamais l'oublier. Pourrait-il lui prêter cent francs pour faire face à des problèmes financiers ? Elle lui rappelait que sa mère l'avait souvent aidé, ainsi que Maja, et promettait d'autres lettres, d'un autre genre, s'il s'intéressait toujours à elle. Marie poursuivait que durant leur liaison elle avait été une gentille enfant innocente qui ne se comprenait pas davantage elle-même qu'elle saisissait les réalités de la vie. Elle menait aujourd'hui une vie saine, dans le respect de Dieu. La secrétaire protectrice d'Einstein classa probablement directement la lettre sans la lui montrer.

Marie écrivit à nouveau trois mois plus tard pour demander à Einstein de lui envoyer de l'argent pour lui permettre d'immigrer aux États-Unis avec son fils[24]. Elle n'avait pas eu de véritable déjeuner depuis un an. Son fils occupait un emploi manuel mal payé, alors qu'il était fait pour une occupation intellectuelle. Ce courrier n'atteignit vraisemblablement pas davantage Einstein que le premier.

(Marie et son fils ne partirent jamais pour les États-Unis. Elle mourut dans un asile psychiatrique à Meiringen, en Suisse, le 24 septembre 1957.)

Il ne fait en revanche aucun doute qu'Einstein lut l'appel au secours d'une parente, Brigitte Alexander-Katz, échouée seule en France avec son bébé, Didier. Son mari s'était engagé dans l'armée française d'Afrique du Nord et n'avait jamais vu son fils. Elle avait quitté Paris devant l'avance des troupes allemandes, traversé toute la France, et se trouvait maintenant à Lourdes, malade. Elle était couverte d'abcès et un médecin lui avait dit qu'elle ne guérirait pas tant qu'elle ne disposerait pas d'une meilleure alimentation. Il lui restait tout juste assez pour vivre un mois de plus. Elle concluait : « Je crois que c'est tout. La réalité ne peut pas être décrite. Elle est trop triste pour des mots[25]. »

La jeune femme parvint finalement à joindre son mari et Einstein apprit par un ami commun que le couple essayait d'immigrer au Mexique. Il offrit immédiatement de se « porter garant de leur fiabilité et de leur honnêteté personnelle et politique. Je connais depuis sa jeune enfance Mme Brigitte Alexander-Katz, dont la famille est parente de la mienne. Son mari est un ingénieur très compétent qui sera certainement utile au pays qui l'accueillera. Je serai heureux d'adresser toutes les lettres de recommandation voulues si vous m'envoyez l'adresse des autorités mexicaines concernées[26] ».

Einstein reçut à la même époque une lettre d'une tout autre tonalité. Un couple du Michigan prétendait communiquer nuitamment depuis près de deux ans avec des extraterrestres et l'invitait à venir étudier le phénomène. « Prendre des somnifères pour éviter les nuits blanches », commenta Einstein dans la marge.

Après une rapide visite chez Hans Albert, Einstein rejoignit Gustav Bucky dans son atelier de Manhattan, pour divers projets. Un voisin ayant répandu le bruit que les deux hommes se claquemuraient dans deux petites pièces pour produire un « rayon de la mort », la direction de l'Urbanisme ouvrit une enquête. Elle ne trouva aucune trace d'expériences sur une arme aussi mystérieuse, mais constata en revanche que l'atelier n'était pas conforme au Code de l'urbanisme et ordonna sa destruction.

Einstein démontra une nouvelle fois sa faiblesse envers les excentriques à la fin de l'année. « Des loufoques tentaient bien sûr de le joindre, se souvient Valentin Bargmann, mais Mlle Dukas le protégeait en général contre eux. Il n'avait rien contre le fait de discuter avec un loufoque. Cela l'amusait. C'était une chose merveilleuse avec Einstein. Il était d'une décontraction incroyable[27]. »

Beaucoup de gens considéraient le psychanalyste Wilhelm Reich comme un excentrique, même s'il enseignait à la fameuse École nouvelle de recherche sociale, était suivi par un groupe de disciples convaincus, et éditait un magazine, *The Orgone Energy Bulletin*, qui publiait les résultats de ses recherches originales. Il affirmait avoir inventé quelque chose qu'il appelait « l'énergie orgone », générée par des accumulateurs de la taille d'une boîte à cigares. Il prétendait avoir obtenu des résultats remarquables sur des souris cancéreuses soumises à un traitement à l'énergie orgone, dans son laboratoire du Maine.

Le 30 décembre, Reich demanda à Einstein un rendez-vous pour lui exposer sa découverte qui, promettait-il, révolutionnerait la lutte contre le cancer. Einstein lui offrit un après-midi entier.

# 31

# Le dossier du FBI

*1941-1943*
*De 62 à 64 ans*

C'est un Wilhelm Reich surexcité qui se présenta chez Einstein l'après-midi du 13 janvier 1941, et qu'on fit monter au premier étage, dans le bureau donnant sur le jardin. Einstein se montra amical et ouvert. Les deux hommes se lancèrent dans une conversation marathon de près de cinq heures au cours de laquelle Reich fit regarder le physicien à travers un « orgonoscope ». On ne sait précisément ce qu'Einstein vit. L'orgone était pour son découvreur « une énergie biologique spécifique et efficace dont le comportement est différent, sous de nombreux aspects, de tout ce que l'on sait de l'énergie électromagnétique ». Einstein fut séduit par la proposition du psychanalyste d'utiliser son invention dans « la lutte contre la peste fasciste[1] ».

Outre ses applications possibles en médecine, la mystérieuse énergie ouvrait, selon Reich, la perspective d'une arme de guerre spectaculaire.

Einstein sembla impressionné. La découverte était sensationnelle si, comme son auteur l'affirmait, la température d'un objet enfermé à l'intérieur augmentait sans aucune source d'énergie apparente. Ce serait une « bombe ». Une concurrente, peut-être, de la bombe atomique en préparation.

Einstein fut surpris d'apprendre que celui qu'il avait pris pour un physicien était en fait psychiatre-psychanalyste. Il avait été l'assistant de Freud pendant plusieurs années, enseignait la psychologie et la biopsychologie expérimentale à l'École nouvelle, et dirigeait une maison d'édition[2]. Ils convinrent que Reich reviendrait avec un accumulateur à orgone qu'Einstein pourrait tester. « Vous comprenez maintenant pourquoi tout le monde pense que je suis fou ? demanda le visiteur sur le point de partir. — Et comment ! » répondit Einstein en se souvenant peut-être de tous les gens qui avaient décrété que ses idées étaient folles[3].

Reich raconta à sa femme « son enthousiasme d'avoir parlé à quelqu'un qui connaît le cadre physique de ces phénomènes et qui saisit immédiatement les conséquences possibles. Il s'est mis à rêver à voix haute d'une collaboration avec Einstein à l'Institut d'études avancées (...). Il s'accrocha à ce rêve pendant plusieurs semaines[4] ».

Reich apporta son engin à Princeton le 1er février, après avoir mis au point un protocole d'expérimentation complexe. Einstein lui envoya son rapport une semaine plus tard. Un phénomène simple, et qui n'avait rien à voir avec les accumulateurs à orgone, expliquait la différence de température observée entre les deux thermomètres. Des courants de convection augmentent la température de l'air près du plafond d'une pièce, par rapport à celui qui se trouve près du sol. Des thermomètres placés au-dessus et au-dessous du plateau d'une table enregistreront des températures différentes, même en l'absence d'accumulateur à orgone.

Einstein conseillait à Reich de ne pas se laisser abuser par une illusion.

L'inventeur le bombarda pendant des mois de lettres enflammées et de documents censés confirmer ses résultats. L'ancien communiste Reich expliqua le silence auquel il se heurta par « une conspiration manigancée par les communistes », Einstein étant, bien sûr, l'un des conspirateurs. Sa femme ne croyait pas à cette théorie de la conspiration, mais estima qu'« Einstein observa les phénomènes, subodora peut-être leur importance, mais ne fut pas prêt à se mêler d'une découverte scientifique très controversée alors qu'il était totalement absorbé par des recherches sur l'énergie atomique ».

Einstein écrivit une seconde fois, brièvement, à Reich, trois ans plus tard, pour affirmer qu'il était étranger à des rumeurs l'accusant de charlatanisme.

Einstein pensait certainement à Reich et à lui-même quand il écrivit à Cornelius Lanczos, qui enseignait à l'université Purdue, qu'il était d'accord avec « votre Schopenhauer adoré » selon lequel les gens obsédés par leurs propres malheurs sont « incapables d'être tragiques, mais condamnés à rester prisonniers d'une tragi-comédie (...). Idolâtrés hier, haïs et couverts de crachats aujourd'hui, oubliés demain et canonisés le surlendemain. Le seul salut est dans le sens de l'humour. Conservons-le jusqu'à notre dernier souffle[5] ».

Son sens de l'humour ne l'empêchait pas d'être lucide. Par exemple quand le professeur Friedrich Foerster le félicita d'avoir trouvé un havre de paix. Regardant son visiteur d'un air triste, Einstein répondit : « Qui sait pour combien de temps ? Je devine les périodes noires qui nous attendent. La barbarie est loin d'être vaincue[6]. »

Il écrivit à Hans Albert qu'il s'inquiétait pour les physiciens français « car la plupart d'entre eux sont en zone occupée », mais que la situation mondiale était un peu moins sombre « grâce à la solide résistance de l'Angleterre et à la réélection de Roosevelt ». Pensant sans doute à la récente invasion soviétique en Finlande, il ajouta : « Seule la Russie est, comme toujours, terriblement décevante. »

Son moral était au beau fixe le jour de son anniversaire, le 14 mars.

« Il m'avait dit de venir de bonne heure pour qu'il m'explique la théorie de la relativité, raconte Alice Kahler. Je suis arrivée une demi-heure en avance. Il a commencé ses explications, puis m'a demandé : "Vous avez compris ?" Je lui ai dit : "Oui, j'ai tout compris. — Mais il s'agissait de la vieille théorie de Newton, pas de la mienne." Il s'est alors lancé dans des images faisant appel à des mouvements de trains, et qui me passaient un peu au-dessus de la tête.

« Le gâteau d'anniversaire était orné d'une garniture représentant un télégramme du journaliste scientifique William Laurence, du *New York Times*. Tout le monde en a mangé, sauf Einstein qui faisait un régime. Je lui ai demandé si cela lui coûtait. Il m'a répondu : "Non, cela ne me coûte pas du tout. Je me rappelle parfaitement quel goût cela a. C'est ce que je n'aime pas chez Gandhi. Il n'a jamais connu le goût de ce genre de chose." Il entretenait une correspondance avec Gandhi.

« Je suis allée le voir au lac Saranac et je lui ai apporté la fameuse croix chinoise, l'un des puzzles les plus compliqués. Il l'a assemblé en trois minutes. J'aurais été incapable de le faire en mille jours. Je lui ai demandé de me montrer comment il avait fait. Il l'a défait et l'a refait en un rien de temps. Son fils Hans Albert vint lui rendre visite. Il assembla le puzzle. Il avait hérité du talent de son père. Einstein s'exclama, ravi : "Il a fait cela d'une façon magnifique ! Exactement comme moi." Il aimait les puzzles. Il en avait d'étonnants qui provenaient des quatre coins du monde. »

Alice Kahler n'est pas d'accord avec les critiques qui jugent l'attitude d'Einstein envers les femmes cavalière ou totalement insensible. La prétendue misogynie du physicien l'amuse : « Écoutez-moi. Il aimait les femmes. Il les attirait et elles lui faisaient tourner la tête. Mais un jour il m'a dit : "Toute l'affaire ne dure que dix minutes, et c'est tout." » Éclat de rire. « Oui, Einstein aimait les femmes. J'ai une photo précieuse de nous deux ensemble sur laquelle il a écrit qu'il regrettait que je ne veuille pas passer la nuit avec lui. Elle est dans ma chambre. Je me serais intéressée à lui si je n'avais pas été mariée. »

Kahler a aussi été marquée par la façon dont Einstein traitait sa sœur : « Albert et Maja avaient des relations magnifiques. Ils s'aimaient énormément. Il lui faisait la lecture tous les soirs, même avant qu'elle ne tombe malade. J'ai assisté à ces soirées, pendant des vacances sur le lac Saranac. Un jour qu'il lisait un passage ennuyeux d'Hérodote, j'ai avancé qu'on pourrait peut-être sauter ces pages. Il a été consterné : "Comment pouvez-vous dire une chose pareille ! Nous risquerions de rater quelque chose d'important. Nous allons lire la moindre ligne de ce texte." »

Les Bucky se trouvaient également sur les rives du lac Saranac en cet été 1941. C'était les neuvièmes vacances que Thomas passait avec sa famille en compagnie d'Einstein. « Maja était presque une copie de son frère, raconte-t-il. Non seulement ils avaient la même chevelure et ils se ressemblaient, mais ils riaient et pensaient de la même façon. Elle était très intelligente et plus accessible que lui. Elle était plus chaleureuse que son génie de frère, enfermé dans sa tour du mont Olympe. Elle était douce et attentive[7]. »

Margot donna à Thomas Bucky l'impression de vivre dans un autre monde, totalement étranger à son beau-père et à Helen Dukas. Elle était gentille, réservée, délicate. Einstein aimait ses dons pour le dessin, la peinture et surtout la sculpture. Elle avait plusieurs animaux de compagnie, dont un perroquet appelé Bibo, et s'occupa du terrier de Thomas Bucky, Chico, quand il partit à l'université.

« On est surpris qu'Einstein n'ait jamais appris à conduire, dit Bucky. Mais pourquoi en aurait-il eu besoin ? En Allemagne, mon père lui fournissait une voiture et un chauffeur. En Amérique, mon frère Peter et moi le conduisions dès qu'il le fallait. On me voit sur une photo au volant de ma première Ford sur la Cinquième Avenue, avec Einstein à mes côtés. Nous passions le prendre à Princeton et l'emmenions où il devait se rendre. Il ne demandait jamais rien. Nous nous en occupions. Quand j'ai commencé à sortir avec des filles, je leur disais que je ne pouvais pas les voir le dimanche, parce que j'allais à Princeton. L'une d'elles m'a un jour demandé :

"Bon Dieu, pourquoi est-ce que tu passes ton temps à Princeton ? Tu vas voir Einstein ?" Je lui ai répondu "oui", avec un visage impassible. »

À l'automne 1941, la crainte que les nazis ne détiennent les premiers la bombe atomique angoissait toujours Eugene Wigner. Il ne partagea sans doute son inquiétude qu'en termes vagues avec Einstein qui n'avait pas accès aux informations secrètes. Mais celui-ci écrivit cependant à Upton Sinclair, le 23 octobre :

> « J'ai l'impression que la majorité des gens dans ce pays ne mesurent pas les dangers de la situation. Je dois aussi avouer que je ressens pleinement la tragédie de la situation russe. [Hitler venait d'envahir l'Union soviétique en juin.] C'est la ruine absurde d'un travail si précieux accompli en vingt ans dans les circonstances les plus difficiles. Il est en vérité très difficile de ne pas perdre confiance dans le sens de l'histoire de l'humanité. »

John Wheeler passa voir Einstein pour, selon ses souvenirs, « lui expliquer l'approche de la mécanique quantique élaborée par Richard Feynman qui était un de mes thésards. J'espérais convaincre Einstein du naturel de la théorie quantique vue sous cet angle et associée si étroitement et si magnifiquement au principe de variation de la mécanique classique. Il m'a écouté patiemment pendant vingt minutes et a répété sa réponse habituelle : "Je ne peux toujours pas croire que Dieu joue aux dés." Puis il a ajouté à sa façon lente, claire, posée et humoristique : "Il est bien sûr possible que je me trompe, mais j'ai peut-être gagné le droit à l'erreur." Je lui ai demandé plus tard : "On doit souvent vous inviter un peu partout. Vous n'êtes jamais tenté de découvrir d'autres endroits ?" Il m'a répondu : "J'aime beaucoup voyager, mais je déteste arriver[8]" ».

Les avions japonais bombardèrent Pearl Harbor quelques semaines plus tard, le 7 décembre 1941. Les États-Unis déclarèrent la guerre au Japon et à l'Allemagne.

Einstein et Wigner redoutaient toujours que l'Allemagne ne gagne la course à la bombe atomique. Le second calcula qu'« ils ont eu, comme nous, presque trois ans pour préparer leur bombe depuis la découverte de la fission. En supposant qu'ils connaissent le plutonium (...) ils devraient pouvoir posséder six bombes d'ici la fin 1942. Quant à nous, nous ne prévoyons pas d'en fabriquer avant fin 1944[9] ».

Il n'était pas loin de la vérité. En avril 1942, le général Friedrich Fromm, commandant des forces armées en Allemagne, informa le ministre nazi de l'Armement, Albert Speer, que les chercheurs allemands « étaient sur la voie d'une arme susceptible d'anéantir des villes entières, peut-être de contraindre l'Angleterre à cesser le combat[10] ». Speer transmit la bonne nouvelle à Hitler, qui nomma Göring à la tête du conseil de recherche du Reich chargé des travaux sur l'énergie nucléaire. Otto Hahn et Werner Heisenberg firent le point de la situation devant les responsables du ministère de l'Armement. Heisenberg se plaignit amèrement que la recherche allemande soit entravée par un manque de crédits et l'enrôlement de scientifiques dans l'armée, alors que l'effort nucléaire américain était largement subventionné. Il conclut que les Américains jouissaient sans doute désormais d'une avance, alors que cela avait été le cas de l'Allemagne quelques années plus tôt.

Heisenberg déclara à Speer qu'il était scientifiquement possible de réaliser une bombe atomique, mais que cela prendrait encore au moins deux ans, même en y consacrant des moyens importants. Il fallait utiliser un cyclotron, et le seul disponible se trouvait à Paris, ce qui rendait difficile le maintien du secret. Speer proposa d'en faire construire un en Allemagne, ce que Heisenberg approuva.

Le 23 juin, Speer discuta du projet de bombe atomique avec Hitler. Le concept « mit à rude épreuve les capacités intellectuelles » du Führer qui ne fut « visiblement pas enchanté » d'apprendre que Heisenberg n'était pas certain de maîtriser la fission nucléaire, et qu'elle pourrait transformer le Troisième Reich en « une étoile flamboyante ». La perspective de réserver ce sort à l'Angleterre était nettement plus radieuse : « Voilà comment nous allons les éliminer ! » s'exclama Hitler.

Le but était encore lointain. À l'automne 1942, les physiciens allemands estimaient qu'il leur fallait encore au moins trois ans. Certain que la guerre serait terminée bien avant, Speer mit un frein au projet. Les recherches qui se poursuivirent portaient sur la réalisation de sous-marins à propulsion nucléaire.

Heisenberg avait raison sur l'avance américaine. Le 2 décembre 1942, Fermi provoqua une réaction en chaîne, dans un court de squash situé en dessous des tribunes du stade de football américain de l'université de Chicago. La production d'énergie nucléaire était domptée.

Les informations de cette nature ne parvenaient pas à Einstein. Il écrivit à son ami Hans Muhsäm, installé à Haïfa :

> « Je suis devenu un vieux type solitaire. Une sorte de patriarche surtout connu parce qu'il ne porte pas de chaussettes et qu'on exhibe comme une curiosité en diverses occasions. Mais je travaille avec plus d'enthousiasme que jamais et garde l'espoir de résoudre les vieux problèmes que me pose l'unité des champs physiques. C'est comme

si je me trouvais dans un avion, au milieu des nuages, sans discerner clairement comment revenir à la réalité, c'est-à-dire sur terre[11]. »

Divers correspondants l'aidèrent à atterrir. L'un lui écrivit depuis Good Hope, dans l'Illinois, pour vanter « un médicament qui soigne tous les maux d'estomac. Mais beaucoup de gens ne vont pas l'acheter parce qu'ils ont des préjugés *[sic]*. Je suis convaincu que votre nom célèbre devrait figurer sur les bouteilles, comme un exemple de quelqu'un qui prend mon médicament. En l'absence de réponse de votre part, je placerai sur mes bouteilles un témoignage disant que vous l'utilisez régulièrement ».

Einstein répondit par un *non* clair et net. Il n'autoriserait jamais l'utilisation de son nom à des fins commerciales, surtout pour tromper le public. Ce qui aurait trompé le public, s'il avait été dévoilé, était le volumineux dossier que le FBI accumulait sur son compte. Le chef de l'agence, J. Edgar Hoover, l'avait classé comme suspect de communisme et d'espionnage, bref comme une menace envers les États-Unis. Des agents surveillaient ses déplacements et rapportaient toutes ses déclarations publiques. On ne négligeait aucun ragot, même les plus invraisemblables. On ne donna jamais à Einstein l'occasion de répondre aux accusations portées contre lui, toujours anonymement. Le FBI semblait craindre une confrontation directe avec lui.

Une lettre caractéristique du genre d'informations recueillies par les agents fédéraux provenait d'un habitant de Beaver Falls, en Pennsylvanie, qui signalait que, lors d'une réunion publique présidée par « le rabbin Wise (...), Louis Lipsky a déclaré : "Einstein mène des expériences sur un rayon qui nous aidera à détruire toute opposition armée – l'aviation, les chars et les blindés. Il espère que cette arme permettra à une douzaine d'hommes d'en vaincre cinq cents. Grâce à elle, cinq pour cent de la population pourra diriger un pays[12]" ».

Le FBI venait d'arrêter Theodore von Laue, fils de l'ami d'Einstein Max von Laue. Citoyen allemand et thésard à Princeton, Theodore était suspecté, quelques mois après l'entrée en guerre des États-Unis, d'espionnage au profit des nazis. Il raconte :

« Le FBI m'a arrêté en 1942 [en tant que citoyen d'un pays ennemi] parce que j'avais fait de la voile sans autorisation officielle le long des côtes du New Jersey. On m'a interné dans un camp, près de Camden. Les sous-marins allemands coulaient de nombreux bateaux américains dans les parages et le FBI avait fait un rapprochement entre mes sorties en voilier et ces torpillages. On était en

1942 et la situation était très tendue. C'était l'atmosphère de l'époque. La suspicion était partout. J'habitais sur le campus de l'université de Princeton et certaines personnes se disaient : "Il y a cet Allemand ici et des bateaux sont coulés. Il a certainement quelque chose à voir là-dedans." On m'a dit que les gardiens m'avaient dénoncé. Sans preuve ni enquête.

« Mon père, qui était resté en Allemagne, était un libéral démocrate profondément antinazi. Il avait fait du voilier avec Einstein à Caputh. Mon père a toujours parlé d'Einstein avec admiration et comprenait qu'il ait quitté l'Allemagne. Mon père a aidé beaucoup de Juifs allemands à émigrer vers les États-Unis. Le physicien Rudolf Ladenburg, par exemple. Il avait maintenu le contact avec Einstein et aidait d'autres gens à fuir les nazis. C'est parce qu'il savait ce qu'était le régime nazi qu'il m'avait envoyé, avant la guerre, faire mes études à Princeton où il avait des amis[13]. »

À la nouvelle de l'arrestation, Einstein écrivit au ministre de la Justice américain, Francis Biddle, le 25 juin, pour faire l'éloge de l'attitude courageuse de Max von Laue face au régime hitlérien. C'était la raison pour laquelle von Laue avait voulu que son fils Theodore suive des études en Amérique, loin du système nazi. Il citait les professeurs Hermann Weyl de l'Institut d'études supérieures et Rudolf Ladenburg de l'université de Princeton comme témoins de moralité, et demandait à Biddle de l'informer de la suite qui serait donnée à l'affaire. Il développa la même argumentation dans une attestation « à toutes fins utiles », en ajoutant que Max von Laue avait aidé de nombreux collègues persécutés pour des raisons raciales ou autres. Il connaissait bien le fils avec lequel il avait joué de la musique de chambre et dont il était convaincu qu'il était opposé au régime nazi et loyal envers les États-Unis.

Ladenburg et Weyl témoignèrent en faveur de Theodore von Laue lors d'une audience tenue le 5 août. À la suite de quoi ils écrivirent au ministre de la Justice :

> « Ce que nous avons eu peur de dire et que nous allons écrire ici est strictement confidentiel. C'est une question de vie ou de mort pour le père. Max von Laue a prêté secours à de nombreux scientifiques victimes des persécutions nazies, en courant parfois de très grands risques personnels pour les aider à fuir l'Allemagne. Nous possédons des messages qu'il nous a fait parvenir à travers des pays neutres, et dans lesquels il nous met en garde, ainsi que son fils, contre des physiciens allemands entrés dans ce pays en 1939 et qu'il soupçonne d'être liés à la Gestapo. Presque toutes ses lettres contiennent des passages qui ridiculisent implicitement le système nazi, et même clairement quand elles ont été postées dans des pays neutres. Max von Laue est l'une des rares exceptions resplendissantes, à une époque où tant de

professeurs et de chercheurs s'inclinent devant la tyrannie ou les succès nazis. Sa décision de rester en Allemagne fut un acte de patriotisme et de courage suprêmes. Nos espoirs en un avenir meilleur pour l'Europe après le renversement de Hitler et de son gang sont fondés sur l'existence d'hommes du caractère et de l'intégrité de von Laue qui sont restés dans le pays et "supportent l'insupportable" (comme le père Laue l'écrit dans une de ses lettres) et n'ont jamais abdiqué. Le père est ainsi. Le fils adopte le mode de vie américain avec un enthousiasme croissant, pas aveuglément mais avec l'esprit ouvert et l'œil sagace d'un historien-né. Son vœu le plus cher est de prouver que sa loyauté envers ce pays vaut celle de l'un de ses citoyens.

« L'internement, qui est déjà par lui-même une épreuve plus dure pour un antinazi convaincu comme lui que pour la plupart des internés, signifiera sans doute la fin de sa carrière dans ce pays. Le père a tenté d'éloigner son fils immature du poison nazi. Il serait tragique que sa vie soit brisée par notre démocratie à laquelle il est si attaché[14]. »

Theodore fut libéré après quatre mois de prison. « J'ai été bien traité au camp d'internement[15] », affirme-t-il. L'aventure ne ruina pas sa carrière. Il reçut la nationalité américaine et devint un historien reconnu.

Quand ce n'était pas le FBI, c'était la Gestapo qui mobilisait Einstein. Theodore von Laue tout juste relâché, il apprit qu'un de ses proches était en danger. Walter Einstein, ancien juge, avait présidé un procès de voyous nazis avant la prise de pouvoir par Hitler. Qu'on le lui fasse payer n'était qu'une question de temps. Albert Einstein écrivit au directeur du département des Visas, à Washington, en lui demandant d'accélérer la procédure d'immigration pour l'ancien magistrat et sa famille, Louis et Rosa Einstein.

Il sut le même mois que son ami Paul Langevin était emprisonné en France. Il avait été « arrêté à son domicile par deux d'agents de la Gestapo et jeté dans une cellule de la prison de la Santé après qu'on lui eut ôté ses bretelles et ses lacets de chaussures[16] ». On accusait Langevin, qui était juif, d'exercer une mauvaise influence sur la jeunesse. Des centaines d'étudiants et d'enseignants étaient descendus dans la rue pour protester contre son arrestation – ce qui avait été la première manifestation depuis le début de l'Occupation. La fille de Langevin, Helène, et son gendre, le physicien Jacques Solomon, avaient été arrêtés à leur tour et accusés d'aider la Résistance. Solomon fut fusillé en mai. Langevin ignorait le sort de sa fille.

Einstein demanda à des scientifiques de pays neutres de faire campagne pour la libération de Paul Langevin et de sa fille. Mais une lettre à un ami témoigne de son pessimisme :

« Les Allemands sont si traumatisés par leurs traditions lamentables qu'il sera très difficile de remédier à la situation en faisant appel aux sentiments, sans parler de méthodes humaines. J'ai espoir qu'à la fin de la guerre, avec l'aide miséricordieuse de Dieu, ils s'élimineront mutuellement. »

Sa référence à Dieu n'était qu'un exercice de style. Il écrivait à la même époque à un autre correspondant que « la Bible est en partie magnifique, en partie pernicieuse », mais que « la prendre pour une vérité éternelle me semble être une superstition qui aurait disparu depuis longtemps si son maintien ne servait les intérêts des classes privilégiées[17] ».

Langevin se réfugia en Suisse et sa fille survécut à Auschwitz.

Les nazis avaient décidé l'arrestation du physicien danois Niels Bohr, également d'origine juive, prix Nobel de physique en 1922. Il quitta le Danemark occupé juste à temps et passa en Suède. Il fut transporté de là en Angleterre par un avion britannique dans lequel il faillit mourir asphyxié à cause d'un masque à oxygène défectueux. Le pilote s'aperçut heureusement à temps que son passager avait perdu connaissance, descendit en catastrophe à basse altitude et finit le voyage au ras de la mer. Bohr débarqua peu après en Amérique où il apporta une précieuse contribution au programme de la bombe atomique.

Einstein s'engagea en juin dans l'effort de guerre en devenant consultant du bureau de l'artillerie de marine, pour vingt-cinq dollars par jour. « Je suis dans la marine, mais on ne m'a pas obligé à recevoir une coupe de cheveux de marine[18] », annonça-t-il à un ami.

La marine désigna un vieil ami d'Einstein, le physicien George Gamow, pour recueillir ses lumières toutes les deux semaines. « Je ne travaillerai sur rien d'autre tant que la guerre durera », dit Einstein à Gustav Bucky. Et il décida de supprimer ses vacances annuelles et de demeurer à Princeton pour se consacrer à sa nouvelle activité. Il n'avait pas besoin du visa des services de sécurité car les armes qu'on lui demandait d'évaluer ou d'améliorer étaient à un stade embryonnaire. Il s'attela à un projet d'instrument électromagnétique destiné à faire exploser des torpilles sous des navires. Il refusa à deux reprises de se rendre à Washington pour y rencontrer son contact, le lieutenant de vaisseau Stephen Brunauer, en juin à cause de son « état de santé », en juillet parce que « les gens snobs m'importuneront trop[19] ».

Ses idées se révélèrent apparemment utiles puisqu'il écrivit en août : « Je suis content d'apprendre qu'on travaille sur la torpille[20]. » Il attendait, le mois suivant, une visite du lieutenant de vaisseau

Brunauer et d'un spécialiste du guidage des projectiles, John von Neumann : « Je n'ai pas l'impression que les calculs mathématiques permettront d'avancer beaucoup dans ce projet. La raison est la même que dans de nombreux autres cas : la nécessité de simplifier nous oblige à introduire tant d'hypothèses arbitraires que le résultat final peut en être profondément modifié. L'expérimentation me semble être la seule méthode de confirmation fiable[21]. »

Rentrant un jour de Yale, où il était en première année de physique, Thomas Bucky trouva son père et Einstein « en train de discuter d'un nouveau système de défense antiaérienne. Ils en parlaient depuis des heures et me décrivirent leur procédé avec enthousiasme. Après avoir écouté quelques minutes, j'ai démoli leur invention en leur montrant qu'elle violait un principe fondamental de physique. Ils étaient sidérés. Après un instant, ils ont éclaté de rire et m'ont félicité d'avoir mis le doigt sur leur erreur[22] ».

# 32

## Einstein part en guerre

*1944*
*65 ans*

La guerre transforma le pacifiste militant en un participant enthousiaste à l'effort de guerre. Einstein fut bouleversé par les récits de Max Born, qui avait fui Göttingen pour se réfugier à Édimbourg, en Écosse, et d'autres correspondants qui lui décrivaient l'extermination systématique des Juifs européens, la famine et les tortures infligées à quelque cinq mille soldats américains prisonniers des Japonais. Et c'est avec joie qu'il recevait un vendredi sur deux George Gamow, porteur d'une sacoche pleine de documents confidentiels – mais pas secrets – sur des armes et des tactiques étudiées par la marine.

L'un des plans envisagés consistait à détruire les cibles ennemies à la fois par le haut et par le bas : largage de mines à l'entrée d'une base navale japonaise puis bombardement des pistes de décollage des porte-avions. Gamow raconta qu'Einstein approuvait d'un enthousiaste « Oh oui, c'est très intéressant, très, très ingénieux[1] ».

La marine attendait également d'Einstein qu'il proposât de nouvelles armes et critiquât celles qui étaient en usage. Il prévint le lieutenant de vaisseau Brunauer qu'il s'était trompé : son idée de torpille qui exploserait au niveau d'un navire n'était pas applicable car l'engin se désintégrerait avant d'être suffisamment proche de sa cible[2]. Il proposa une solution : placer une tête creuse sur la torpille, pour faire tampon entre l'énorme pression de l'eau et l'explosif.

Les services secrets de la marine envoyèrent un de leurs hommes se renseigner auprès d'Einstein sur une employée qu'ils envisageaient d'embaucher, et que celui-ci avait eue pour secrétaire dix ans plus tôt, en Californie. L'agent, George Cook, rencontra Einstein chez lui : « Après de nombreuses questions, je suis arrivé à la conclusion que la postulante était, selon lui, une Américaine loyale totalement intègre et une secrétaire qualifiée. Mais il a dit : *"Not for Naval Intelligence*." Je lui ai demandé pourquoi et il m'a répondu : *"Because she is not intelligent**."* C'est ce que j'ai écrit, mot pour mot, dans mon rapport. Je n'ai jamais su si la femme avait été embauchée[3]. »

Einstein se détourna de la guerre pour réfuter un fameux historien américain d'origine arabe, Philip Hitti. Hitti venait d'être entendu par un comité du Congrès sur la question palestinienne. Einstein et son ami Erich Kahler considéraient son témoignage comme tendancieux et s'associèrent pour remettre les choses au point.

Le principal argument de Hitti était que les Arabes descendaient des Cananéens qui avaient possédé la terre avant les Juifs, et que Jérusalem était leur troisième ville sainte, celle vers laquelle les anciens priaient. Il prétendait aussi qu'Allah leur avait donné cette terre après une *jihad*, une guerre sainte.

Pour Einstein et Kahler, l'argumentation de Hitti était unilatérale. Se présentant comme « Juifs sans parti » et non comme sionistes, ils écrivaient :

> « Jérusalem est seulement la troisième ville sainte des Arabes. Elle est la première et la seule ville sainte pour les Juifs. La Palestine est le berceau de leur peuple, de leur histoire sacrée (...). Les Juifs ne s'appuient pas sur des arguments de pouvoir ou de priorité. On ne va pas très loin en évoquant des droits historiques. Rares seraient les peuples qui auraient droit à leur pays actuel si on appliquait un tel critère.
>
> « (...) Pas plus que la grande majorité des Juifs, nous ne soutenons la construction d'un État par avidité nationale et autoglorification. (...) En défendant une Palestine juive nous voulons promouvoir l'établissement d'un refuge où les hommes persécutés trouveront la sécurité et la paix, et jouiront du droit de vivre selon les lois et dans la société de leur choix[4]. »

Hitti répondit en reprenant ses arguments contre l'implantation d'un État juif.

Einstein et Kahler répliquèrent :

---

\* Pas pour les services secrets de la marine. *(N.d.T.)*

\*\* Parce qu'elle n'est pas intelligente. *(N.d.T.)*

« Le professeur Hitti dit : "Les Hébreux sont venus et sont repartis. Les indigènes sont restés." La réalité est que les israélites – terme que nous préférons employer parce que les Arabes aussi sont des "Hébreux" —, les israélites sont venus, mais ne sont jamais repartis. (...) Après la captivité babylonienne (...) une véritable renaissance de la Palestine juive s'est amorcée. Elle a débouché, d'une part, sur l'élaboration du Talmud palestinien et, d'autre part, sur la naissance du christianisme à partir du judaïsme. Si nous étions vindicatifs, nous pourrions demander au professeur Hitti s'il a entendu parler de la révolte des Maccabées qui a inauguré près de cent années d'indépendance du royaume des Asmonéens. Nul doute qu'il ne connaisse cette histoire (...). Des communautés juives se sont maintenues en Palestine sans interruption à travers les âges.

« (...) Personne ne suspectera de parti pris hostile T.E. Lawrence, "Lawrence d'Arabie", l'un des plus ardents amis que les Arabes aient jamais eus, qui a déclaré : "La Palestine était un excellent pays (dans l'ancien temps) et pourrait aisément le redevenir. Le plus tôt que les Juifs la cultiveront sera le mieux : leurs colonies sont des tâches lumineuses dans le désert."

« Il n'y a qu'un seul point sur lequel nous serions d'accord avec le professeur Hitti : les Juifs aussi ont leurs jusqu'au-boutistes et leurs terroristes, même s'ils sont proportionnellement nettement moins nombreux que dans chez d'autres peuples. Nous ne nions ni n'excusons les actes de ces extrémistes. Ils sont un produit de l'expérience amère selon laquelle dans notre monde actuel seules la menace et la violence sont couronnées de succès, tandis que l'honnêteté, la sincérité et la considération sont toujours perdantes. »

Le jour de la publication du premier de ces textes, le 14 avril, Einstein reçut une lettre d'un inconnu qui l'accusait de nationalisme[5]. Il se défendit en répondant que des propos qu'il avait tenus en allemand avaient été déformés par la traduction, et qu'il croyait qu'un fort sentiment de solidarité internationale était nécessaire aux Juifs pour combattre l'influence dévastatrice de leur environnement social plus ou moins hostile. C'est ce qui lui faisait considérer le sionisme comme une bonne chose car il avait évité, et continuerait d'éviter, que de nombreux Juifs ne sombrent dans le désespoir et ne souffrent d'un sentiment d'infériorité.

Einstein lut le dernier roman d'Upton Sinclair, *The Presidential Agent*, dans lequel le héros, un marchand d'œuvres d'art nommé Lanny Budd, est un agent secret de Roosevelt qui contacte Hitler, Göring, Staline, Pétain, Mao Ze-dong et Einstein. Une lettre qu'il écrivit à l'auteur date de quatre jours après le débarquement en Normandie, auquel elle ne fait pas allusion. Einstein félicita Sinclair pour avoir offert « aux lecteurs américains un aperçu vivant des fondements psychologiques et économiques de la tragédie vécue par notre génération. Seul un authentique artiste pouvait y parvenir. Seule la démarche artistique permet d'atteindre le grand public et d'émouvoir la population. Le meilleur raisonnement objectif ne peut jamais y parvenir. Je suis convaincu que vous avez davantage influencé les idées politiques qu'aucun homme politique de premier plan[6] ».

Malgré les détails décrits par Sinclair, ce qui se passait en Allemagne était toujours un mystère pour les Américains. Ils ignorèrent, par exemple, que la maison de Max Planck à Berlin-Grunewald avait été détruite par une bombe, et sa bibliothèque pillée. Ou encore que les quelques biens que le physicien et sa femme avaient réussi à sauver avaient été volés après leur départ.

Einstein avait, pendant ce temps, à peine besoin de répondre aux questions suscitées par la biographie que son ancien gendre Dimitri Marianoff venait de publier sur lui[7]. Dukas déclara, en son nom, que le livre n'était pas fiable et sous-entendit que l'auteur en savait beaucoup moins que ce qu'il prétendait sur Einstein. Ce dernier fit des gorges chaudes de la prétention de Marianoff d'avoir vécu sous son toit pendant neuf ans. Il n'avait habité son appartement que par périodes de quelques mois, et pour un total de moins d'un an. Les proches d'Einstein approuvèrent.

Nombre de scènes vécues et racontées par Marianoff sonnaient cependant vrai. Sa description du courrier d'Einstein était incontestablement conforme à la réalité. Le contenu des lettres reçues allait du délire à l'exercice littéraire, et celui des lettres expédiées de l'habile au délicieux. Einstein répondit par exemple à un rabbin qui l'invitait à donner une conférence : « Il y a deux sortes de tentations : celles du diable et celles des anges. Dans votre cas, il s'agit de la seconde sorte. Je ne sais pas à quelle tentation il est le plus difficile de résister[8]. »

Il reçut, autre autres, une demande en mariage d'une veuve de Manhattan, une lettre d'un maharaja indien qui désirait une photo dédicacée, ou encore celle de son ami Max Born qui se remettait d'une dépression nerveuse. Ce dernier répondait à l'appel adressé par Einstein aux intellectuels pour la constitution d'une organisation destinée à prévenir les guerres. Il ajoutait qu'il avait appris d'une source digne de foi que la majorité des scientifiques allemands, dont Heisenberg, collaboraient avec les nazis, et que von Laue et Hahn figuraient parmi les rares exceptions.

Einstein répondit le 7 septembre qu'il se remémorait avec amusement leur aventure, vingt-cinq ans plus tôt, quand ils avaient pris le tramway jusqu'au Reichstag, naïvement persuadés qu'ils allaient convaincre les gens de devenir démocrates. Ils ne comprenaient ni l'un ni l'autre que dans des circonstances pareilles l'estomac compte davantage que le cerveau. Il avait, depuis, découvert sans surprise que cela s'appliquait également à la plupart des scientifiques. « Il a été intéressant d'observer comment von Laue, mû par son sens éprouvé de la justice, s'est progressivement coupé des traditions du troupeau[9]. »

Born et lui étaient toujours en désaccord sur la théorie quantique. Selon Einstein : « Tu crois que Dieu joue aux dés et moi, dans les lois et l'ordre d'un monde qui existe objectivement, et que je tente d'appréhender d'une façon largement spéculative. (...) Je crois fermement, mais j'espère que quelqu'un découvrira une approche plus réaliste, ou plutôt un fondement plus tangible que ce que j'ai trouvé. Même le grand succès rencontré par la théorie quantique ne me convainc pas de l'existence d'un jeu de dés des éléments fondamentaux. Je suis parfaitement conscient que nos jeunes collègues mettent cela au compte de la sénilité. »

Hedi Born fut enchantée de renouer une relation interrompue par la guerre. Elle dit à Einstein qu'elle était devenue quakeresse. Elle avait relu plusieurs fois la lettre qu'il avait adressée à son mari, et avait eu l'impression de baigner dans un air clair comme le cristal, au sommet du mont Everest. Elle ne croyait pas, non plus, que Dieu jouait aux dés, mais ne pouvait accepter que tout soit prédéterminé, par exemple si son enfant serait ou non vacciné contre la diphtérie. Hedi répétait une remarque qu'Einstein lui avait faite longtemps auparavant – « Quand il s'agit des femmes, le centre de production n'est pas situé dans le cerveau » – pour montrer « à quel point vos dictons honteux sont incrustés dans ma mémoire ! ». Elle espérait avoir l'occasion de l'entendre « éclater de rire à nouveau[10] ».

Max Born lui écrivit également qu'il ne parvenait pas à comprendre comment il pouvait « concilier un univers entièrement mécanique et l'éthique de la liberté individuelle. (...) Un monde déterministe est exécrable à mes yeux[11] ».

Fin septembre 1944, Einstein reçut des nouvelles déchirantes que son cousin Roberto Einstein, fils de l'oncle JakobEinstein, lui avait fait parvenir d'Italie par l'intermédiaire d'un commandant en poste au quartier général de la 5ᵉ armée. Le militaire avait écrit :

> « Je me suis rendu dans ce village [Troghi, près de Florence] où j'ai rencontré Roberto Einstein pour discuter avec lui d'une tragédie qu'il a vécue. Roberto m'a demandé de vous informer que sa femme et ses deux filles (...) ont été tuées le 3 août par les nazis. Roberto a pu

s'échapper sain et sauf. Il se trouve aujourd'hui dans sa villa où sa belle-sœur et ses nièces prennent soin de lui. Je regrette que la censure m'empêche de vous en dire davantage sur cette tragédie que je connais bien. Je déplore profondément le contenu de cette lettre et suis convaincu que la guerre et ses conséquences dramatiques connaîtront prochainement leur fin avec la défaite totale et définitive des armées allemandes[12]. »

Roberto écrivit lui-même deux mois plus tard. Il était caché dans un bois, à proximité, quand les nazis en retraite avaient tué sa femme Cici et leurs filles, Nina et Luce, et brûlé leur maison. La maison de Maja était en bon état et la bibliothèque n'avait pas souffert. « La commission d'enquête américaine sur les crimes de guerre est venue ici. Je suis sûr que tu m'aideras à obtenir qu'on identifie et punisse les assassins[13]. » Roberto se suicida un an plus tard.

Einstein regardait déjà à peine où il marchait en temps ordinaire. Il s'apprêtait, à quelques jours de là, à traverser la rue après un violent orage, mais était tellement plongé dans les sombres pensées suscitées par les nouvelles d'Italie qu'il tomba dans une bouche d'égout noyée au milieu d'une flaque d'eau. Un photographe qui venait de s'installer à Princeton, Alan Richards, passait dans Mercer Street au volant de sa voiture quand il aperçut soudain, dans le caniveau, « deux bras tendus en l'air et une touffe de cheveux blancs familière. Mû par l'instinct professionnel, je sautai de la voiture, mon appareil à la main, et pris une photo. Je perçus alors ses ronchonnements et découvris l'expression tendue de son visage. Je me précipitai, l'attrapai sous les bras et tirai du trou l'un des plus grands scientifiques que la terre ait jamais portés. (...) Je l'ai raccompagné chez lui, juste à côté, et il m'a imploré de ne pas publier la photo avec des phrases émouvantes teintées d'accent allemand et coupées d'exclamations dues à la douleur. Je lui ai promis de ne pas le faire et ne l'ai jamais fait. Je n'aurais de toute façon pas pu utiliser le cliché, même si je l'avais voulu. Je découvris en rentrant chez moi que la photo était noire. J'étais tellement excité que j'avais oublié d'avancer le film[14] ».

Le 11 décembre, Einstein reçut la visite d'une vieille connaissance de Prague, Otto Stern[15]. On ignore ce que ce dernier lui raconta, mais il travaillait sur le projet Manhattan, nom de code du programme de recherche sur la bombe atomique, et alerta sans doute son interlocuteur sur le potentiel dévastateur de la nouvelle arme. Le lendemain Einstein écrivit à Niels Bohr, avec l'accord de Stern, pour lui proposer de rassembler des scientifiques célèbres, dont Peter Kapitsa en Union soviétique, Frederick Lindemann en Grande-Bretagne et Arthur Compton aux États-Unis, pour tenter d'empêcher « une course secrète aux armements après la guerre (...), [course] qui conduirait inévitablement à des guerres préventives et (...) des destructions encore pires que les ravages actuels. Les hommes politiques n'ont pas conscience de la puissance de ces armes et ignorent, par conséquent, l'étendue de la menace[16] ».

Son projet, dont il avait déjà parlé à Max Born, était de faire pression sur les dirigeants politiques pour une internationalisation de la puissance militaire, « une méthode rejetée depuis trop longtemps car elle serait aventureuse. (...) Ne dites pas "impossible" après une première réaction, mais attendez un jour ou deux de vous être familiarisé avec cette idée ». Ils devaient y réfléchir ensemble, même s'ils n'avaient qu'une chance sur mille de réussir.

Bohr n'hésita pas une seconde. Il avait eu quasiment la même idée quelques mois plus tôt et en avait parlé à Churchill et à Roosevelt. Cela impliquait, bien sûr, un partage de la bombe atomique avec l'Union soviétique. Churchill avait sèchement refusé en le traitant comme un idiot ou un agent soviétique. Roosevelt avait écouté patiemment, mais avait ensuite rejoint l'opinion de son collègue britannique selon laquelle Bohr était une menace potentielle pour la sécurité nationale.

Bohr avait, en revanche, été convaincu que Churchill et Roosevelt savaient pertinemment ce qu'ils faisaient. Il passa voir Einstein à Princeton le 22 décembre 1944 et l'assura que « les hommes d'État responsables en Amérique et en Angleterre sont pleinement conscients » des dangers et des possibilités que représente la bombe atomique[17].

Einstein, rassuré, écrivit à Otto Stern le 26 décembre 1944 qu'ils devraient pour l'instant garder leurs idées pour eux.

# 33

# La bombe atomique

*1945*
*66 ans*

À la fin juin, les troupes soviétiques menaçaient Berlin à l'est, tandis que les Alliés repoussaient dans les Ardennes la dernière contre-offensive désespérée des Allemands. Des centaines de milliers de Juifs étaient extraits des camps de concentration d'Europe centrale et conduits vers l'ouest pour éviter que l'Armée rouge ne les libère. Un adhérent du Comité de Los Angeles pour la Palestine, Theodore Strimling, demanda à Einstein d'intervenir auprès de Robert Millikan pour qu'il prenne position en faveur des réfugiés qui n'allaient pas manquer de chercher un asile.

Millikan répondit à Einstein : « Dieu merci, les jours du pouvoir malfaisant de Hitler sont comptés. » Il avait participé activement à un réseau qui avait tenté de sauver les Juifs « de la persécution et de l'extermination par Hitler et ses bandes », mais, comme beaucoup d'amis juifs, il était contre le sionisme qui « menace la paix mondiale en suscitant un antagonisme entre les musulmans et le monde chrétien ». Et il était convaincu que la moitié de la communauté juive locale pensait comme lui[1].

Einstein appartenait sans équivoque à l'autre moitié. Il expliqua à Strimling : « J'ai reçu une réponse du professeur Millikan qui refuse d'apporter son aide à votre juste cause. Il donne de longues explications qui ne font pas très sincère. Je suppose qu'il veut éviter de déplaire à des gens qui financent son Institut (le pétrole !)[2]. »

La petite centaine de membres de l'Institut d'études supérieures s'était installée en 1939 sur son propre campus, en dehors de celui de l'université de Princeton, et occupait désormais les bureaux flambant neufs d'un bâtiment nommé Fuld Hall. Einstein et quatre autres pionniers toujours actifs de l'institution avaient atteint l'âge de la retraite, soixante-cinq ans.

Le président Roosevelt mourut le 12 avril 1945. Harry Truman le remplaça. La guerre était quasiment gagnée en Europe, la toute-puissance aérienne des Alliés ayant paralysé l'armée allemande. Hitler et sa femme Eva Braun se suicidèrent le 30 avril. La Wehrmacht se rendit sans condition le 7 mai. C'était la fin du IIIe Reich.

Thomas Bucky servait dans les services de renseignements américains en Allemagne, où il découvrit les horreurs du régime nazi. Il se souvient d'avoir « écrit à Einstein que "les seuls bons Allemands sont les Allemands morts", et que "tous les Allemands sont nazis". Einstein répondit qu'"il est très difficile d'aller à contre-courant quand votre vie et votre gagne-pain sont en jeu", et que "beaucoup de gens se sont battus contre les nazis". Contrairement à ce qu'a écrit son biographe Clark, il n'était pas antiallemand d'une façon paranoïaque, mais il a fait ce qu'il a pu contre Hitler[3] ».

Un enseigne de vaisseau du *USS Bougainville* écrivit à Einstein qu'il avait eu « une discussion animée la veille avec un officier catholique formé par les jésuites qui a déclaré que vous étiez athée jusqu'à votre rencontre avec un jésuite qui vous a énoncé un triple syllogisme auquel vous avez été incapable de répondre. Cela vous aurait convaincu de l'existence d'une intelligence suprême qui gouverne le monde. Le syllogisme était : À tout dessin il faut un dessinateur ; l'univers est dessiné ; il doit donc exister un dessinateur[4] ».

Einstein répondit en adressant une copie de la même lettre à chacun des deux hommes : « Je n'ai jamais parlé à un jésuite de ma vie et je suis stupéfait par l'outrecuidance de tels mensonges à mon sujet. Je suis, et j'ai bien sûr toujours été, athée du point de vue d'un jésuite (...). Le recours à des concepts anthropomorphiques pour des entités qui se situent en dehors de la sphère humaine mène à des analogies puériles qui ne peuvent qu'induire en erreur. Nous devons admirer avec humilité la magnifique harmonie de la structure de ce monde, pour autant que nous sommes capables de l'appréhender. Point final[5]. »

À l'aube du 16 juillet, $E = mc^2$ prit vie sous forme d'une gigantesque explosion. La première bombe atomique explosait dans le désert du Nouveau-Mexique. Observant la montée du champignon dans le ciel, le directeur du programme, Robert Oppenheimer, cita un texte sanscrit : « Je suis devenu la Mort, le destructeur des mondes. »

L'Allemagne défaite, les Alliés faisaient encore face au Japon. Pour éviter une longue guerre de conquête et des pertes humaines considérables des deux côtés, le président Truman ordonna d'utiliser deux bombes atomiques, l'une pour détruire Hiroshima, l'autre Nagasaki.

Einstein et Helen Dukas étaient en vacance au bord du lac Saranac. La seconde raconta à Jamie Sayen qu'elle apprit la nouvelle par le bulletin d'information de la radio : « Ils ont dit quelque chose (...) à propos de la guerre. Une nouvelle sorte de bombe avait été lâchée sur le Japon. J'ai compris de quoi il s'agissait parce que je savais vaguement de quoi Szilard s'occupait (...) Je l'ai dit au professeur Einstein quand il est venu prendre le thé. Il s'est exclamé : "Hélas, mon Dieu !"[6] »

Il se montra plus communicatif plus tard dans la journée, avec le journaliste Raymond Swing auquel il déclara que l'humanité n'était pas prête pour l'ère atomique. Il compara l'énergie nucléaire et le pouvoir atomique à la lumière du soleil : « En maîtrisant l'énergie nucléaire et en inventant la bombe atomique, la science n'a pas utilisé de force surnaturelle. Elle s'est contentée d'imiter les rayons solaires. La puissance atomique n'est pas moins naturelle que la pratique de la voile sur le Saranac[7] », d'où il revenait tout juste.

Einstein estimait que le secret de fabrication de la bombe atomique ne devait pas être partagé avec les Nations unies ou l'Union soviétique, mais avec un gouvernement mondial créé par les trois grandes puissances militaires, les États-Unis, l'Union soviétique et la Grande-Bretagne. Il craignait davantage la perspective de nouvelles guerres que celle de la dictature d'un gouvernement mondial. Quelles que soient les décisions politiques adoptées, il ne croyait pas que l'Amérique et le Royaume-Uni (dont des chercheurs avaient collaboré avec les Américains pour réaliser la bombe) conserveraient très longtemps leur secret.

Einstein ne se considérait pas comme « le père de la maîtrise de l'énergie atomique ». Il s'était contenté d'estimer que le processus était théoriquement possible. « La découverte accidentelle de la réaction en chaîne a permis de réaliser la bombe, et je n'avais aucun moyen de la prévoir. C'est Hahn qui l'a découverte, à Berlin, mais c'est Lise Meitner qui a fourni l'interprétation correcte de l'expérience. Elle s'est enfuie d'Allemagne pour remettre l'information entre les mains de Niels Bohr. »

L'avenir prouva la justesse de son commentaire final : « La crainte que suscite l'arme atomique obligera peut-être l'humanité à mettre de l'ordre dans ses affaires internationales, ce qu'elle ne fera jamais sans la pression de la peur. »

Dukas écrivit à son amie Alice Kahler, deux jours après l'explosion du 6 août :

> « J'ai l'impression que la bombe m'a touchée en personne. J'en ai entendu parler depuis 1939, depuis qu'Einstein a écrit à Roosevelt qui a décidé de nommer un comité. J'ai failli attraper une crampe à force de noter des télégrammes téléphonés. Beaucoup de journalistes voulaient une réaction d'Einstein, y compris la presse anglaise et française, mais il a décidé de ne répondre à personne.
>
> « Un conseiller de Churchill, Lord Cherwell, est venu voir Einstein à Princeton au printemps. Le professeur Bohr en a fait autant. On m'a demandé de garder le silence sur leur visite. Je ne savais d'ailleurs même pas moi-même de quoi il retournait, tellement le secret régnait. J'ai présumé que c'étaient des visites amicales puisqu'il s'agissait de deux vieux amis (Lord Cherwell était le professeur Lindemann chez lequel E. descendait toujours à Oxford), mais E. m'a fait donner ma parole de ne jamais parler à quiconque de leur venue ici. J'ai entendu parler de la bombe depuis le début. Un ancien assistant d'E. (Leo Szilard), qui travaillait avec Fermi, est à l'origine de la lettre qu'E. a écrite à Roosevelt. Ils avaient très peur que les Allemands ne gagnent.
>
> « (...) Je redoute l'avalanche de courrier que nous allons recevoir puisqu'il est exact, comme l'ont écrit les journaux, que les équations de masse et d'énergie qu'il a découvertes il y a trente-cinq ans sont les fondements théoriques de la bombe. D'où tous les télégrammes. Ne deviens jamais célèbre, c'est une calamité[8]. »

Dukas ignorait que le FBI s'intéressait maintenant à elle. Après avoir gaspillé des milliers d'heures à espionner Einstein, Edgar Hoover avait ouvert un second dossier, au nom de sa secrétaire. Un informateur mexicain l'avait averti que celle-ci correspondait avec un certain Otto Katz, habitant Mexico et considéré comme agent soviétique[9].

Hoover était, en fait, étonnamment prudent. Il refusait toujours de placer le téléphone d'Einstein sur écoute ou d'interroger le physicien, par crainte qu'il ne fasse un scandale qui mettrait l'agence fédérale en difficulté.

Le FBI se procura une photo récente de Dukas et toutes les informations de son certificat de naturalisation : naissance le 17 octobre 1896 à Freiberg, en Allemagne ; brune ; taille, 1,57 mètre ; poids, 46 kilos. Puis il l'inscrit sur la liste nationale de surveillance et de censure. Toute sa correspondance avec l'étranger fut soumise à des tests chimiques de détection des messages secrets, avant d'être transmise à des spécialistes du décodage qui passèrent des journées entières à tenter d'en percer les mystères.

En septembre, un agent du FBI envoya un rapport à Hoover sur un suspect d'origine russe, Jacob Billikopf. Il n'existait aucune preuve qu'il s'agît d'un espion communiste, mais le policier raconta que l'homme avait pris part à une altercation dans un hôtel de Philadelphie, dans les années trente, au cours de laquelle le nom d'Einstein avait été mentionné. Selon un article de journal cité dans le rapport, Billikopf discutait avec deux autres personnes de la politique antisémite de Hitler quand un certain professeur Wilbur Thomas, client de l'hôtel, avança que c'était une question à envisager sereinement, en se gardant de toute réaction émotionnelle. Billikopf se dressa et énuméra une longue liste de cruautés commises par Hitler envers les Juifs, en déclarant que ce serait un scandale de parler de comportements pareils sans manifester aucune émotion. Sur quoi un autre client, le professeur Friedrich Schoenmann, enseignant de civilisation américaine à l'université de Berlin et professeur associé à l'université Harvard durant la Première Guerre mondiale, tenta de relativiser la politique juive du régime nazi. Comme son interlocuteur lui demandait pourquoi des gens fuyaient l'Allemagne, il répondit : « Il a fallu des semaines pour que votre pays se décide à laisser entrer Einstein. Toute l'Europe sait que le professeur Einstein défend le communisme. Il a été contraint de quitter l'Allemagne parce qu'il était communiste, pas parce qu'il était juif[10]. »

Mais Hoover avait besoin d'autres témoignages que celui d'un zélateur de Hitler pour déporter Einstein au nom de la sécurité nationale. À la fin de l'année, il crut enfin tenir une piste. Jacob Billikopf, encore lui, entretenait une correspondance avec Helen Dukas. C'était peut-être, malgré tout, un espion russe qui contactait Einstein par l'intermédiaire de sa secrétaire. La chasse continua.

# 34

# Vers un État juif

*1946*
*67 ans*

En janvier 1946, la surveillance exercée sur Helen Dukas sembla payer. Elle était, écrivit un agent du FBI, en contact avec « Boenheim, qui appartient à des organisations contrôlées par les communistes, ainsi qu'avec Billikopf, un assistant social d'origine russe qui participe à des collectes pour la reconstruction de la Russie ». Le policier déconseillait d'organiser une filature d'Helen Dukas « à cause de la petite taille de la ville et de la célébrité de son employeur », et admettait que la secrétaire était d'ailleurs peut-être innocente. Il recommandait tout de même de placer sa ligne téléphonique sur écoute. Hoover refusa à nouveau par peur des conséquences si Einstein découvrait que son téléphone était espionné. Il continua cependant à collecter tous les articles de journaux et dénonciations anonymes sur Einstein et Dukas. Les détectives recueillirent ainsi la déposition d'un ancien pensionnaire d'un « asile de fous » qui raconta qu'avant la Seconde Guerre mondiale Einstein avait inventé un robot capable de lire l'esprit humain afin d'envoyer en Allemagne des secrets militaires américains[1].

Aucun des hommes de Hoover ne lui dit la vérité simple : Einstein était de tout cœur avec le peuple russe, mais était un démocrate convaincu qui détestait les dictatures, quelles qu'elles fussent.

Einstein, de son côté, se penchait à nouveau sur le sort de la Palestine. Le gouvernement britannique, détenteur d'un mandat de la Société des Nations, avait proposé d'autoriser l'immigration de mille cinq cents réfugiés par mois, jusqu'à un total de soixante-quinze mille. Les sionistes et l'Agence juive refusèrent.

Einstein comparut le 11 janvier devant une commission d'enquête anglo-américaine sur l'avenir de la Palestine. On l'applaudit quand il pénétra dans la salle, au milieu de l'audition d'un autre témoin. Durant les nouveaux applaudissements qui le saluèrent quand son tour fut venu, il chuchota à un ami : « Ils devraient d'abord attendre de savoir ce que je vais dire. »

À juste titre. Il se lança dans la plus violente dénonciation de la politique coloniale britannique que le comité eût entendue : « En tant qu'ancien admirateur du système britannique », dit-il, il regrettait d'en être venu à la conviction que « la paix entre Arabes et Juifs est impossible tant que les Anglais gouverneront la Palestine[2] ».

Poursuivant sur un ton calme et pesé, il accusa la Grande-Bretagne de régenter la Palestine comme l'Inde, en soutenant les grands propriétaires terriens qui exploitaient les paysans. Il lui reprocha également de pratiquer la politique du diviser pour régner, et d'inciter les deux communautés à s'affronter, de crainte qu'une bonne entente ne rende la présence britannique inutile. Il ajouta que les Britanniques avaient saboté l'application de la déclaration Balfour en restreignant l'immigration et l'achat de terres par les Juifs, et en fermant les yeux sur les agissements de propriétaires terriens arabes corrompus qui provoquaient des attaques contre les colonies juives. Le pouvoir de la classe privilégiée était menacé par l'élévation des exigences de la population, face aux conditions de vie dont bénéficiaient les Juifs.

Une partie de la salle approuva Einstein quand il traita le comité d'écran de fumée derrière lequel le gouvernement britannique défendait ses propres intérêts en ne tenant aucun compte des recommandations qui lui étaient faites.

Einstein accorda à un député anglais membre du comité, Richard Crossman, que le risque que les Arabes assassinent les réfugiés juifs s'ils affluaient en grand nombre n'était pas une « légende inventée par l'impérialisme anglais ». Puis Crossman lui demanda s'il préférait que les Américains remplacent les Britanniques en Palestine.

Einstein répondit qu'il était contre la domination de n'importe quelle puissance. Il proposait que les Nations unies placent le pays sous tutelle collective de plusieurs nations jusqu'à ce qu'il puisse se gouverner lui-même, et que la majorité des réfugiés européens soient autorisés à immigrer sans délai.

On lui demanda ce qui se passerait si les Arabes s'opposaient à cette immigration. Il répondit : « Si on ne les y pousse pas, ils ne le feront pas. »

Puis il exposa sa conception du gouvernement du pays, sans qu'un État juif ou une majorité juive ne soit nécessaire. Il soutenait l'idée d'une administration multi-ethnique garante de la bonne entente. Selon Richard Crossman, « le public s'est retenu de bondir sur ses pieds ».

Mais Einstein répara rapidement le tort qu'il venait de faire à la cause sioniste en signant quelques jours plus tard une déclaration préparée par son ami le rabbin Stephen Wise, qui lui avait écrit : « Toute mention d'un binationalisme à l'heure actuelle pourrait être extrêmement néfaste, alors que le comité ne fait pas preuve d'une grande sympathie envers nous. »

La déclaration stipulait :

> « Je considère comme Foyer national un territoire où les Juifs joui-
> raient de droits leur permettant de s'intégrer librement dans la limite
> des possibilités économiques, et d'acheter des terres sans empiéte-
> ment injuste sur les paysans arabes. L'indépendance culturelle des
> Juifs doit être garantie et leur langue doit être une des langues offi-
> cielles du pays. Le gouvernement qui doit être instauré devra être
> encadré par de strictes lois constitutionnelles garantissant aux deux
> communautés qu'aucune subordination de l'une à l'autre ne soit pos-
> sible. Aucune loi discriminatoire ne doit menacer les intérêts de l'une
> des communautés. »

C'était le maximum auquel il pouvait consentir. Il expliqua au rabbin Wise : « Je suis profondément convaincu que l'exigence rigide d'un "État juif" n'aurait que des conséquences négatives pour nous[3]. »

Le journaliste de gauche I. F. Stone, du journal libéral *PM*, assista à la déposition d'Einstein devant le comité. Il se rappelle : « J'étais et je suis toujours sioniste, mais j'ai été fier d'Einstein. S'opposer à un État juif parce qu'il le considérait comme une injustice envers les Arabes était vraiment noble. Il s'élevait au-dessus des frontières ethniques et se préoccupait du sort des Arabes. [Chaïm] Weizmann lui-même n'était pas pour un État juif. C'est [David] Ben Gourion, l'homme que Weizmann appelait un derviche tourneur, qui a imposé la revendication d'un État juif. Weizmann demeurait évasif sur la question parce que les Juifs étaient une minorité en Pales-tine[4]. »

Stone écrivit à Einstein pour le féliciter. Celui-ci l'invita chez lui et ils devinrent amis.

Einstein ne faisait pas preuve de la même compassion envers les Allemands qu'envers les Juifs et les Arabes. Il refusa de signer un appel rédigé par le professeur Middledorf de l'université de Chicago en faveur d'une atténuation des conditions d'armistice imposées à l'Allemagne. Il estimait, d'après ce que lui avaient dit les quelques Allemands qu'il connaissait et qui n'étaient ni juifs ni mariés à des Juifs, qu'une telle déclaration faisait le jeu des nazis germaniques et de leurs sympathisants américains. Le texte expliquant que « le poids des réparations reposait autant sur les innocents que sur les coupables », il répondit que les Allemands « coupables » profiteraient autant de l'appel, s'il aboutissait, que les « innocents » et que les premiers étaient dix fois plus nombreux que les seconds[5].

Arnold Sommerfeld lui suggéra de réintégrer l'Académie des sciences de Prusse. Il refusa en expliquant : « Les Allemands ont assassiné mes frères juifs. Je ne veux plus rien avoir affaire avec eux. (...) J'ai d'autres sentiments envers les rares personnes qui sont demeurées inébranlables face au nazisme, dans la mesure où c'était possible. Je suis heureux d'apprendre que vous en faites partie[6]. »

Outre des parents assassinés par les nazis en Italie, Einstein avait perdu deux cousines dans les camps, Lina Einstein à Auschwitz et Bertha Dreyfus à Theresienstadt.

Il renoua sa correspondance avec son ami et ancien collègue Erwin Schrödinger, qui avait quitté l'Allemagne à cause du régime hitlérien et s'était installé à Dublin. Il lui adressa la copie de deux articles inédits sur la théorie unifiée des champs, en commentant : « Je ne les envoie à personne d'autre parce que vous êtes la seule personne que je connaisse qui ne porte pas d'œillères en ce qui concerne les questions fondamentales de notre discipline. Mon travail repose sur une hypothèse qui peut, au premier abord, sembler obsolète et sans avenir, l'introduction d'un tenseur non symétrique comme seule quantité de champ appropriée (...) Pauli [de l'Institut d'études supérieures de Princeton] s'est gaussé de moi quand je lui en ai parlé[7]. »

Schrödinger répondit le 9 février qu'il avait étudié les articles pendant trois jours, et qu'il avait été très impressionné. À quoi Einstein répliqua qu'il était surpris de la facilité avec laquelle son correspondant avait maîtrisé la question. Schrödinger écrivit : « Vous chassez un gros gibier. (...) Vous chassez le lion, alors que je poursuis des lapins. » Le 7 avril, Einstein lui répondit : « Cette correspondance m'enchante, parce que vous êtes mon frère le plus proche, et que votre cerveau travaille comme le mien. » Il admit le 20 mai : « En mon for intérieur, je ne suis pas aussi sûr de moi que je l'ai écrit (...). Nous avons perdu beaucoup de temps là-dessus et le résultat ressemble à un cadeau de la grand-mère du diable. » Il se demandait s'il pouvait introduire la probabilité dans la théorie des champs, au lieu d'insister sur la « véritable position » des particules. « Cela faisait longtemps que je n'avais pas autant ri qu'avec votre "cadeau de la grand-mère du diable" », répondit Schrödinger.

Un mois plus tard, Einstein avait progressé : « Nous sommes récemment parvenus à cette conclusion, grâce à l'excellent travail et l'acharnement de mon assistant [Ernst] Straus. » Il maintenait que « le champ d'ondes transversal existe dans la nouvelle théorie, mais ne transporte aucune énergie ». C'était aller trop loin pour Schrödinger qui préférait « une théorie ondulatoire purement classique, dans laquelle la structure de l'espace-temps engendrerait la gravitation, l'électromagnétisme et même les réactions nucléaires fortes ».

L'attitude d'Einstein semblait incompréhensible au futur sénateur de Californie, Alan Cranston, qui vint à Princeton durant le printemps 1946 pour présider un colloque sur l'état du monde, la sécurité américaine et la survie à l'ère nucléaire. « Nous votions de temps à autre à main levée, raconte Cranston, et je voyais Einstein voter tantôt oui, tantôt non, à la même proposition. J'ai profité d'une pause-café pour lui demander pourquoi. Il m'a dit : "Il y a des gens très bien des deux côtés, je ne peux pas me décider à voter contre eux." J'ai trouvé que c'était drôle et soulignait la gentillesse de son caractère. Mais il parlait avec beaucoup de conviction de la nécessité d'éviter une guerre nucléaire et je crois que le fait d'avoir joué un rôle dans la mise au point de ces armes lui pesait sur la conscience, et qu'il estimait qu'il devait faire quelque chose pour limiter et abolir l'armement nucléaire. À propos de la Russie, il pensait qu'il était de notre intérêt mutuel d'éviter une guerre nucléaire et de freiner la course à l'armement pour ne pas affaiblir notre économie. Et que, au lieu d'utiliser notre matière grise à des fins militaires, il fallait concentrer la recherche sur des objectifs qui amélioreraient les conditions de vie[8]. »

Einstein ne se faisait aucune illusion sur la difficulté d'empêcher une guerre atomique. On lui demanda, au cours de la même réunion : « Comment se fait-il, alors que le cerveau de l'homme a réussi la performance de découvrir la structure de l'atome, que nous n'ayons pas été capables de nous donner les moyens politiques d'empêcher l'atome de nous anéantir ? » Il répondit : « C'est très simple, mon ami. Parce que la politique est un art plus difficile que la physique[9]. »

L'écrivain russe Ilia Ehrenbourg estimait qu'Einstein « avait perdu sa capacité d'étonnement ». Il raconta :

« Le 14 mai 1946, sans m'y attendre, je me suis retrouvé idiot comme un enfant qui assiste à un phénomène naturel pour la première fois. On m'a emmené à Princeton et j'ai rencontré Einstein face à face. Je n'ai passé que quelques heures avec lui, mais je me souviens de ces longues heures mieux que bien des événements importants de ma vie. On peut oublier la joie et les ennuis. On n'oublie jamais sa stupéfaction. Ses yeux étaient étonnamment jeunes, tour à tour tristes, vifs ou intenses, avant d'être soudain emplis du rire malicieux d'un enfant. Il était jeune d'une jeunesse que les années ne peuvent entamer. Il dit de lui-même avec désinvolture : "Je vis dans la perplexité et j'essaie tout le temps de comprendre." Je savais qu'il s'intéressait au *Livre noir*, un recueil de documents, journaux, lettres et témoignages de témoins visuels des crimes commis par les nazis contre les Juifs dans les territoires occupés. Einstein examina l'ouvrage attentivement et releva des yeux pleins de douleur. Ses lèvres avaient un léger tic. Il dit : "J'ai souvent dit que les possibilités de la connaissance sont aussi illimitées que l'objet de la connaissance. Je pense maintenant que la bassesse et la cruauté aussi n'ont pas de frontière."[10] »

Ehrenbourg avait adhéré quatre ans plus tôt, en 1942, à un Comité juif antifasciste approuvé par Staline. Il y retrouva le poète yiddish Peretz Markish, son président, le physicien Piotr Kapitsa, l'acteur célèbre et producteur Solomon Mikhoels, le metteur en scène Sergheï Eisenstein et le violoniste David Oistrakh. Une délégation du comité vint trouver Einstein pour lui parler de documents et de photographies qui témoignaient des atrocités nazies contre les Juifs. Celui-ci leur dit qu'il fallait les publier et proposa d'écrire une préface. Il rédigea un texte dans lequel il proposait :

« On doit se débarrasser du principe de non-ingérence qui, ces dernières décennies, a joué un rôle si funeste. Personne maintenant ne peut plus douter de la nécessité d'accomplir ce pas lourd de conséquences. Car aujourd'hui il doit être évident, même pour quelqu'un ne visant qu'à une protection contre les agressions militaires, que les catastrophes provoquées par les guerres n'ont pas pour seule origine des préparatifs militaires et balistiques, mais qu'il faut y voir aussi la conséquence de la manière dont chaque État avait évolué.
« C'est seulement lorsqu'on aura créé des conditions de vie non attentatoires à la dignité de l'homme, égales pour tous, et ressenties comme une obligation commune à tous les États et à tous les hommes, qu'on sera autorisé, dans une certaine mesure, à parler d'une humanité civilisée. »

Ehrenbourg et Einstein parcoururent ensemble le *Livre noir* qui venait d'être publié à New York. Les autorités soviétiques avaient fait pression, avec succès, pour que la préface d'Einstein soit retirée. L'ouvrage ne fut jamais diffusé en Union soviétique. Avec le début de la guerre froide, le Comité juif antifasciste devint suspect aux yeux staliniens et plusieurs de ses membres furent fusillés.

Ehrenbourg dit à Einstein qu'il se rendait dans le Sud pour voir comment les Noirs y vivaient. Celui-ci répondit : « Ils vivent dans des conditions terribles. C'est une honte. Le comportement des autorités dans le Sud est passible de certains chefs d'accusation du procès de Nuremberg. »

Il raconta ensuite à l'écrivain qu'une jeune et jolie Américaine qui défendait la discrimination raciale lui avait demandé : « Que diriez-vous si votre fils vous annonçait qu'il allait se marier à une Noire ? » Il avait répondu : « Je lui demanderais sans doute de rencontrer sa fiancée. Mais si mon fils m'annonçait qu'il se mariait avec vous, j'en perdrais certainement l'appétit et le sommeil *. »

Quand Ehrenbourg fut sur le point de partir, Einstein lui dit : « Le plus important maintenant est d'empêcher une catastrophe atomique. C'est bien que vous soyez venu en Amérique. J'espère que d'autres Russes nous rendront visite. L'humanité doit faire preuve de davantage d'intelligence qu'Épiméthée qui a ouvert la boîte de Pandore et n'a pas pu la refermer. »

Quelques jours plus tard, Ehrenbourg entendit « une voix familière à la radio : Einstein parlait du danger mortel suspendu au-dessus de la tête de l'humanité, de la nécessité de s'entendre avec les Russes pour la renonciation aux armes nucléaires, et d'un arrêt de la course aux armements pour engager un désarmement. Il essayait de refermer la boîte de Pandore ».

Les nouvelles internationales étaient mauvaises. Les Britanniques déportaient à Chypre les immigrants illégaux en Palestine. L'Irgoun répliqua en posant une bombe au quartier général de

---

* Le racisme qu'il rencontrait aux États-Unis révulsait Einstein. Il avait, peu auparavant, répondu à un correspondant : « Votre lettre est une preuve manifeste de la force des préjugés qui règnent contre les Noirs dans ce pays. Vous parlez avec une certitude dans la justesse de vos convictions qui est caractéristique des majorités — quel que soit le sujet dont il s'agisse. Voici quelques siècles, vous auriez défendu les procès en sorcellerie avec le même état d'esprit. (...) La pigmentation de la peau humaine est directement liée à l'intensité des rayons solaires d'une région donnée. (...) C'est pourquoi les populations africaines présentent toutes la même adaptation de leur pigmentation, alors qu'elles sont si diverses d'un point de vue anthropologique. Que cela ait un rapport quelconque avec des traits moraux ou mentaux héréditaires est aussi peu vraisemblable que n'importe quelle superstition. Tout homme censé s'en apercevra, s'il est capable de faire prévaloir des considérations rationnelles sur des sentiments irrationnels » (24 janvier 1946, Archives Einstein, 56709).

l'armée britannique à Jérusalem, le 22 juillet 1946, tuant quatre-vingt-dix personnes, dont des Arabes et des Juifs. Les extrémistes des deux bords n'étaient certainement pas sur le point de suivre les recommandations de la commission anglo-américaine sur la Palestine qui, reprenant les idées d'Einstein, proposait que le pays ne soit « ni arabe ni juif, et que les Arabes et les Juifs jouissent de la même situation ».

Le courrier apportait à Einstein d'autres types de nouvelles. Une femme du Maine se contenta d'un lapidaire : « Je vous aime, tout en sachant que je ne suis pas digne de vous. » Suivi de son nom et son adresse complète[11].

L'épouse d'un médecin lui demanda son aide pour soigner son mari qui entendait des voix :

> « Il a l'impression que ces voix, qui ne sont pas hostiles mais proposent au contraire leur aide, émanent d'une institution qui utilise des ondes atomiques ou électroniques pour le bien de la société. (...) Je suis consciente que tout cela peut vous paraître bizarre. C'est bien sûr ce que j'en pense, ainsi que les médecins. Mais mon mari est intelligent et il nous a dit qu'il admettrait être "fou" si des physiciens lui affirmaient qu'une invention de ce genre est impossible. (...) Votre intervention le rendrait beaucoup plus accessible à la thérapie si vous parveniez à lézarder sa défense. (...) Avec votre aide, il parviendra peut-être encore à avoir une vie sociale normale[12]. »

Malgré ses multiples occupations, Einstein répondit sur-le-champ. Les victimes d'hallucinations croient souvent que les événements qu'ils vivent sont provoqués par des ondes radio agissant directement sur le cerveau. Les scientifiques ne l'ont jamais confirmé, et il estime qu'ils ont raison. Il ajouta :

> « D'un autre côté, on peut comprendre qu'une personne qui souffre de ces symptômes cherche une explication qui corresponde le mieux possible à sa connaissance du monde. Si on prend tout ceci en considération, il est probable que votre mari en vienne à la conclusion que ses symptômes n'ont pas d'origine extérieure, mais sont causés par le fonctionnement de son propre cerveau. J'espère que cela l'aidera à triompher de cette maladie[13]. »

Dorothy Commins, la femme de Saxe, directeur littéraire de Random House, découvrit la passion d'Einstein pour la musique. Le voyant un jour venir à sa rencontre sur Mercer Street, elle descendit du trottoir pour le laisser passer. Elle se souvient :

« Il m'a touché l'épaule et m'a dit en allemand : "Non, s'il vous plaît !" Je suis remontée sur le trottoir.

« Il m'a demandé comment je m'appelais. Quand je le lui ai dit, il a déclaré : "Maintenant je sais, vous êtes pianiste et vous habitez chez le professeur Hermann Weyl." Puis il m'a demandé si nous pouvions jouer ensemble. Je savais qu'il pratiquait le violon et j'ai tout de suite répondu que ce serait un grand plaisir. Il m'a demandé en allemand : "Ce soir ?" J'ai répondu : "Bien sûr !" Il a ajouté : "Je serai ici à huit heures." Je planais sur un nuage.

« J'ai raconté mon aventure à mon mari qui rentrait de New York avec deux amis. Ils m'ont regardée comme si j'avais perdu l'esprit ! Saxe se rendit chez Einstein à huit heures. Il attendait à la porte, son violon à la main. Il tendit des partitions à mon mari : Bach, Archangelo Corelli et des chansons folkloriques allemandes arrangées pour violon et piano par Röntgen, le frère du découvreur des rayons X. Nous avons joué le concerto en do mineur de Bach, avant de passer à Corelli. Une fois, il s'est arrêté et a demandé en allemand : "Pourrions-nous rejouer ce morceau ? J'ai commis beaucoup d'erreurs." En réalité, il adorait ce morceau et voulait seulement l'interpréter à nouveau[14] ».

William Lanouette a découvert en travaillant sur une biographie de Leo Szilard* qu'Einstein avait eu de nombreux rapports avec Hollywood au cours de l'été 1946 car « la Metro-Goldwyn-Mayer voulait tourner un film sur la bombe atomique, *The Beginning or the End*, et avait besoin de son autorisation pour le faire figurer dedans. Se faisant son agent, Szilard effectua des navettes avec Hollywood pour récrire des scènes afin qu'elles soient fidèles. Le film commence comme un documentaire tourné en l'an 2000. Des survivants enterrent des débris radioactifs. Puis un *flash-back* revient sur la fabrication de la bombe. Il y a des aspects comiques[15] ».

Le directeur de la production de la Metro-Goldwyn-Mayer, Louis B. Mayer, réunit tous les producteurs de la société pour leur demander de contribuer à la production de « l'histoire la plus importante qu'on ait jamais filmée ».

Einstein refusait d'être mis en scène car il se méfiait de la « version artistique de la vérité » selon Hollywood. Le scénario situait à Princeton la réunion historique avec Szilard et Wigner sur la nécessité de prévenir Roosevelt du risque que les nazis produisent la bombe atomique, alors que cette rencontre avait eu lieu dans la maison de vacances de Long Island. Mayer accepta quelques modifications qui rétablissaient la vérité « scientifique » d'Einstein. Il est peu probable que celui-ci ait jamais vu le film. Il n'en eut certainement guère envie après avoir lu la critique de Bosley Crowther

---

* *Genius in the Shadows : A Biography of Leo Szilard, The Man Behind the Bomb.*

selon lequel « le film est empreint d'un tel sentimentalisme naïf et théâtral que son impact est totalement gâché. Deux aventures amoureuses fictives se mêlent aux programmes militaires et scientifiques de développement de la bombe[16] ».

Einstein accepta de présider un comité d'urgence des scientifiques travaillant sur l'atome, qui comprenait notamment Harold Urey, Leo Szilard, Victor Weisskopf, Linus Pauling et Hans Bethe – nombre de ceux qui avaient réalisé la bombe. Il raconta à ses amis Sinclair qu'il ne serait qu'un figurant, et que cela « ne le dérangerait pas beaucoup et lui prendrait peu de temps[17] ». Mais il y consacra bientôt beaucoup de temps et d'énergie. L'accueil du public et de la communauté scientifique américains le surprit agréablement. Il se demanda pourtant si cela serait positif : « Il ne faut pas nous abuser nous-mêmes. Les perspectives sont sombres et la campagne menée contre la Russie efficace. La politique du gouvernement me rappelle l'Allemagne de Guillaume II. »

L'un des premiers à réagir fut un anthropologue d'origine anglaise de Princeton, Ashley Montagu, qui préparait pour le Federal American Scientists Group un film sur les dangers et les avantages de l'énergie atomique. Montagu téléphona à Einstein pour lui demander conseil. Dukas répondit. « Quand j'ai dit que c'était pour un film, se rappelle-t-il, elle s'est exclamée avec excitation : "Ah ! Hollywood !" J'ai dit : "Non, Pennsylvanie." Elle a parlé à Einstein qui a tout de suite pris le téléphone. » L'entreprise était sans doute plus séduisante que celle de la Metro-Goldwyn-Mayer, car Einstein invita Montagu à passer le voir[18].

« Il m'a demandé de lire le scénario du film, ce qui lui prit moins d'un quart d'heure, puis il a dit : "Vingt sur vingt. C'est parfait." Le titre était repris d'un livre compilé par Robert Oppenheimer et paru au cours de l'année, *Un seul monde ou aucun*. Il plut à Einstein.

« Lors de notre première rencontre il m'a demandé ce qu'il fallait faire, en plus de films de ce genre, pour amener les gens à se préoccuper de l'utilisation de l'énergie nucléaire. Je lui ai dit : "Qu'est-ce que vous en pensez ?" Il a répondu : "Des lois internationales."

« Je lui ai dit : "Professeur Einstein, les lois internationales n'existent que dans les livres universitaires sur le droit international." »

Einstein sortit la pipe de sa bouche, dit que c'était une remarque choquante et réfléchit un instant. Puis il reprit, d'un ton triste : « Vous avez raison. »

« Tous les traités signés entre des pays ont été violés, à l'exception de celui déterminant la frontière entre les États-Unis et le Canada », ajoute Montagu.

411

Ashley Montagu, qui participait à de nombreux programmes télévisés, fut un jour invité à une émission sur le sommeil et le nombre d'heures de repos d'hommes célèbres. Le producteur lui demanda de se renseigner auprès d'Einstein. « Je lui ai passé un coup de téléphone, se souvient Montagu, et il m'a répondu : "Sept heures." Je lui ai dit que Napoléon déclarait ne dormir que trois heures. Il a répondu : "Eh bien, c'était un sacré fanfaron !" »

Montagu raconta un jour à Einstein une blague juive qui courait à son sujet. Deux tailleurs juifs du Bronx discutent ensemble. L'un mentionne le nom d'Einstein et l'autre lui demande :

— Qui est-ce, Einstein ?

— Espèce d'idiot ! Qui est Einstein ? C'est le plus grand savant au monde.

— Et pourquoi est-il le plus grand savant au monde ?

— La relativité.

— Qu'est-ce que c'est la relativité ?

— Espèce d'idiot ! C'est la relativité... Imagine qu'une vieille femme s'assoie sur tes genoux pendant une minute. Une minute ressemble à une heure. Mais si c'est une jolie fille qui s'assoit pendant une heure, cela ressemble à une minute.

— Et c'est cela, la relativité ?

— Oui. C'est cela.

— Et il gagne sa vie comme cela ?

« Einstein a éclaté de rire, raconte Montagu. C'était la meilleure explication de la relativité qu'il ait jamais entendue. »

Il aurait certainement bien ri également s'il avait appris les efforts déployés par le FBI pour démontrer qu'il était un dangereux communiste. L'ambassadeur américain à Moscou, Walter Bedell Smith, apporta sa pierre en se faisant l'écho d'une rumeur qui circulait dans les milieux juifs moscovites selon laquelle le physicien Piotr Kapitsa, encouragé par le gouvernement, avait invité Einstein à immigrer en Union soviétique. Selon le diplomate :

> « Kapitsa a décrit son pays comme une terre de démocratie véritable, dénuée de tout égoïsme, où ils pourraient poursuivre leurs recherches ensemble sans les entraves de la société capitaliste. On assura Einstein qu'on mettrait immédiatement à sa disposition tout ce dont il aurait besoin. Il répondit en hébreu par l'intermédiaire de membres juifs d'une délégation syndicale. Sa lettre était adressée à Staline. Molotov reçut ses deux envoyés. Einstein disait qu'il appréciait la proposition, mais qu'il devait poser plusieurs questions avant de la prendre en considération. Ses questions étaient : Pourquoi les scientifiques juifs sont-ils écartés des postes de premier plan ? Pourquoi entrave-t-on la carrière des chercheurs juifs avec des obstacles arbitraires ? Pourquoi des professeurs de médecine juifs dont les travaux

étaient très réputés n'avaient-ils pas été élus à l'Académie de médecine créée récemment ? Il posait d'autres questions qui sous-enten-
daient qu'il régnait de l'antisémitisme. (...) Molotov nia tout.
L'invitation faite à Einstein fut renouvelée. Le ministre de l'Intérieur
diligenta immédiatement une enquête sur les cas précis mentionnés
par Einstein. Des dignitaires soviétiques furent révoqués pour antisémitisme. Les professeurs cités dans la lettre furent élus à l'Académie[19]. »

C'était un mélange de faits exacts, d'imagination et d'auto-
intoxication. Le Département d'État prit l'affaire au sérieux,
convaincu que c'était un signe que les Soviétiques tentaient de
recruter aux États-Unis et ailleurs des chercheurs spécialisés dans
l'énergie atomique. Et le FBI se pencha à nouveau sur le dossier
d'Helen Dukas, à la recherche de preuves.

La réalité était que le 28 octobre 1943 Kapitsa avait écrit à Niels
Bohr pour l'inviter à s'installer en Russie avec sa famille. Celui-ci
avait montré le courrier et sa réponse sans engagement aux services
secrets britanniques.

Bohr se trouvait à Princeton en septembre 1946 pour recevoir un
diplôme honorifique décerné par l'université. Il en profita pour passer voir un ancien assistant, Abraham Pais, qui venait d'entrer à
l'Institut d'études supérieures où il disposait d'un bureau au-dessus
de celui d'Einstein. Bohr lui proposa de descendre voir Einstein.
Pais se souvient encore « de la chaleur et de la simplicité avec lesquelles Einstein a accueilli un jeune inconnu comme moi[20] ».

Pais avait été emprisonné par les nazis en Hollande, avant de
travailler avec Bohr au Danemark. Il s'assit dans un coin de la pièce
et assista à la reprise de la discussion sur la mécanique quantique
entre les deux physiciens. Pais collabora par la suite avec Einstein
dont il dit : « Il était différent des autres grands hommes que j'avais
rencontrés. L'enfant était toujours présent chez lui. Ce n'est pas
que son comportement fût juvénile, mais il n'avait jamais perdu une
sorte de curiosité joyeuse. »

Einstein attendait avec impatience une visite de son vieil ami
Maurice Solovine qu'il s'apprêtait à accueillir « dans le meilleur des
mondes possibles[21] ». Un monde sans doute imaginaire, car il venait
d'écrire quelques jours plus tôt à Upton Sinclair qu'il déplorait « la
fabrication par les journaux et la radio d'un sentiment antirusse,
sans mensonge direct mais avec une hypocrisie insidieuse, en mani-
pulant la réalité pour donner une impression fausse. Je pourrais
caractériser ainsi la méthode de gouvernement dans les pays
fascistes et démocratiques : dans les dictatures les gens sont dirigés
par la force et le mensonge, dans les démocraties seulement par le

mensonge ». Il se félicitait qu'il existât sur terre des gens comme Max von Laue qui s'était comporté « très courageusement sous le régime nazi, en aidant des gens persécutés et en exprimant ouvertement son opposition à la politique du gouvernement ». Il concluait en « souhaitant le succès du combat courageux et altruiste pour la raison et la dignité humaines auquel vous avez consacré toute votre vie[22] ».

# 35

# La naissance d'Israël

*1947-1948*
*68 et 69 ans*

Einstein et Erwin Schrödinger poursuivaient leur correspondance, en espérant faire avancer la théorie unifiée des champs. Le jour de l'an 1947, Albert écrivit à Schrödinger : « Vous êtes un intelligent coquin. » À quoi celui-ci répondit : « Aucune lettre de noblesse d'un empereur ou d'un roi, ni l'ordre de la Jarretière, ni le chapeau rouge d'un cardinal ne me ferait davantage d'honneur que d'être ainsi traité par vous d'intelligent coquin. » Puis il insista pour qu'Einstein vienne s'installer avec lui en Irlande, où « on peut vivre dans une paix et une tranquillité incroyables. On profite du manque total d'éducation et de curiosité intellectuelle de la grande majorité de la population. Ce qu'on pourrait exprimer plus gentiment en disant que les gens sont naturels et simples, et que nos élucubrations ne les intéressent pas ». Einstein répondit qu'« il ne pouvait quitter Princeton où on avait tant fait pour lui et que cela mettrait, en plus, un terme à leur correspondance qu'il savourait tant[1] ».

Schrödinger crut soudain avoir découvert la clé de la théorie unifiée des champs, le Saint-Graal qui échappait depuis trente ans à Einstein. Selon son biographe Walter Moore, il pensait être parvenu à unifier l'électromagnétisme et la gravitation grâce à la géométrie affine. Il était transporté. C'était un « miracle », « une grâce de Dieu totalement inattendue ». Il arrangea de toute urgence une réunion avec des représentants distingués de l'Académie royale irlandaise pour leur exposer sa trouvaille. Il était convaincu que sa « théorie affine des champs », comme il l'avait intitulée, lui vaudrait un second prix Nobel[2].

Il neigeait le 27 janvier, quand Schrödinger s'apprêta à rendre sa découverte publique. Le Premier ministre irlandais, Eamon De Valera et une vingtaine d'autres personnes, dont deux journalistes au minimum, avaient affronté les intempéries pour entendre ce que ce grand savant allait annoncer[3].

Schrödinger commença : « Plus on s'approche de la vérité, plus les choses se simplifient. J'ai l'honneur d'exposer devant vous aujourd'hui la clé de voûte de la théorie affine des champs et la solution d'un problème vieux de trente ans. (...) Je supplie mes jeunes collègues de l'Institut d'en tirer une leçon : ne croyez jamais en l'autorité scientifique. Même le plus grand des génies peut se tromper. »

La majorité du discours était passée au-dessus de la tête des journalistes et Schrödinger rentrait chez lui sous la neige quand ils voulurent lui poser des questions. Un envoyé du *Irish Press* le suivit pendant plusieurs kilomètres pour l'interviewer à domicile. Fumant cigarette sur cigarette, Schrödinger affirma que son travail ouvrait « un nouveau domaine de la physique. C'est le genre de chose que des scientifiques comme nous devraient faire au lieu de fabriquer des bombes atomiques ». Le reporter lui demandant s'il avait confiance dans sa nouvelle théorie, le physicien répondit : « Je crois que j'ai raison. Mais si je me trompe, je passerai pour un fou patenté. »

La nouvelle fit le tour du monde. Le rédacteur en chef de la section scientifique du *New York Times*, William Laurence, obtint une copie de l'article de Schrödinger et un résumé de sa présentation, et les transmit à Einstein, Robert Oppenheimer et Eugene Wigner en leur demandant leur avis.

Einstein fut stupéfait. C'était pure fanfaronnade. Les équations finales de Schrödinger étaient non seulement très loin de constituer une théorie convaincante, mais identiques à celles que lui-même et son assistant Ernst Straus avaient déjà écrites. Il était vrai que Schrödinger les avait obtenues par une voie plus directe, mais sa seule « innovation » était l'ajout d'une constante cosmologique – ce qui l'avait déjà égaré lui-même.

Einstein répondit à Laurence : « Le travail que Schrödinger vient de produire (...) ne peut être jugé que du point de vue de sa valeur mathématique et pas de celui de la "vérité" (c'est-à-dire de son accord avec les faits observés). Même de ce point de vue, je ne vois

416

aucun progrès par rapport aux constructions théoriques connues précédemment, et même plutôt l'inverse. »

Il insistait sur le caractère négatif de ce que Schrödinger avait fait, en rendant public un travail préliminaire, et dans des termes sensationnels qui donnent une idée fausse de la recherche scientifique : « Le lecteur recueille l'impression qu'il y a une révolution scientifique toutes les cinq minutes, une sorte de coup d'État dans une petite république instable. En réalité, la progression des théories scientifiques est un processus dans lequel les meilleurs cerveaux des générations successives apportent chacun leur contribution grâce à un travail inlassable. La connaissance des lois de la nature s'approfondit ainsi, lentement. Un journalisme de qualité devrait souligner ce fonctionnement de la recherche scientifique. »

Schrödinger comprit avant de lire l'article humiliant du *New York Times* qu'il s'était abusé lui-même dans son impatience à imprimer sa marque une fois de plus à la physique. Il souffrait de la grippe quand il écrivit à Einstein, le 4 février, de ne pas lui en vouloir, en lui fournissant une explication confuse de son erreur monumentale.

La lecture du commentaire d'Einstein le bouleversa, et la lettre que ce dernier lui adressa le 7 février ne fut que maigre consolation. Einstein disait avec des euphémismes qu'il estimait que c'était du plagiat et proposait de suspendre leur correspondance pour se consacrer entièrement à leur travail.

Les deux hommes ne s'écriraient plus pendant trois ans.

Einstein en avait à peine fini avec Schrödinger que son vieil adversaire Sidney Hook, qui vint à Princeton en février 1947 pour le bicentenaire de l'université, faisait une nouvelle apparition. Hook se rendit à l'Institut et, voyant la porte du bureau d'Einstein ouverte, jeta un coup d'œil à l'intérieur. Einstein lui offrit une chaise et se prépara à une nouvelle discussion.

Pourquoi, demanda Hook, blâmait-il le peuple allemand dans son entier pour les crimes de Hitler, alors que tant d'Allemands avaient été envoyés dans des camps de concentration ? Einstein répondit qu'il faisait, bien sûr, une exception pour les victimes du nazisme, mais que la masse des Allemands majeurs avait soutenu Hitler jusqu'au bout. Les Allemands étaient arrogants et l'attitude américaine envers eux naïve et sentimentale. Einstein ayant estimé que les Soviétiques connaissaient la véritable nature des Allemands, Hook lui parla d'un témoignage récent sur les brutalités de l'Armée rouge à Berlin. Le physicien rétorqua que les Américains étaient toujours empressés à croire le pire à propos des Soviétiques[4].

Il sourit quand Hook l'accusa d'adopter envers l'Union soviétique l'attitude des scientistes chrétiens, à savoir que le mal n'existe pas, et lui répondit qu'il désapprouvait beaucoup de choses que faisaient les Russes, mais qu'il les considérait comme une moins grande menace pour la paix que les Américains qui réclamaient une guerre préventive.

Hook souligna que le gouvernement américain n'était pas partisan d'une guerre préventive, et que les citoyens d'une démocratie étaient libres d'exprimer des opinions irresponsables.

Einstein écrivit à Maurice Solovine en avril 1947. Il se rappelait avec joie le séjour de Solovine chez lui, quelques mois plus tôt. Il parla de Paul Langevin, qui venait de décéder, comme « d'un de mes amis les plus chers, un vrai saint, et en plus très doué ». Il raconta qu'un régime végétarien lui avait permis de retrouver une santé vigoureuse après une maladie de foie[5]. Ce qui était peut-être une exagération car il déclara à la même époque à Leon Watters qu'il se sentait si fatigué qu'il avait préféré passer une soirée seul plutôt que d'assister au *Requiem* de Verdi.

Maja était malade depuis l'été précédent, qu'elle avait passé au lit à la suite d'une attaque d'apoplexie. Margot la soignait avec dévouement et lui tenait compagnie. Einstein lui faisait la lecture tous les soirs, avec notamment la *Cyropédie* de Xénophon, une histoire idéalisée de l'Empire perse et de son fondateur Cyrus le Grand. Puis il passa à *Vie et opinions de Tristram Shandy* de Laurence Sterne.

Einstein recevait de mauvaises nouvelles de Mileva et Eduard. Comme il l'avait promis, il envoyait régulièrement de l'argent à son ancienne épouse, en Suisse, à quoi s'ajoutaient des aides supplémentaires quand elle devait faire face à des dépenses exceptionnelles. Les frais d'hospitalisation d'Eduard avait cependant contraint Mileva à vendre deux des trois maisons achetées avec le prix Nobel. En 1939, Einstein avait acquis la maison que Mileva occupait pour éviter qu'elle ne se retrouve à la rue[6].

En 1947, Mileva se cassa une jambe en glissant sur la glace. Elle prenait toujours Eduard chez elle de temps à autre, mais avait de plus en plus de mal à s'en occuper. Il se lançait dans des crises de violence et elle devait le faire raccompagner par une voiture. Âgé de trente-sept ans, il était gros, fumait constamment, avait un caractère morose, entendait des voix et se comportait parfois de façon totalement irrationnelle. Des gens qui lui ont rendu visite dans sa chambre sans fenêtre du sous-sol de l'hôpital, dont Evelyn Einstein, se souviennent d'un homme amical et même charmant, avec un sourire fugace et attachant, qui était assoiffé d'informations sur le monde extérieur.

Einstein décida de vendre la maison de Zurich et d'utiliser l'argent pour garantir l'avenir d'Eduard. Il écrivit en juillet à un ami avocat de Mileva : « Je pourrai rejoindre ma tombe l'esprit en paix quand la maison aura été vendue et que Tetel [Eduard] aura un bon tuteur, si Mileva n'est plus là. » Une clause laissait à Mileva la jouissance d'un appartement de l'immeuble jusqu'à la fin de ses jours.

La maison fut vendue en août 1947. Einstein attendait que Mileva lui envoie le montant de la transaction, mais les semaines passèrent sans qu'il eût de nouvelles.

Au cours de l'été, la sœur de son vieil ami Michele Besso passa le voir et lui posa une question dont la réponse exigeait quelque diplomatie : « Pourquoi Michele n'a-t-il effectué aucune découverte importante en mathématiques ? » Einstein répondit, en riant : « C'est un très bon signe. Michele est un humaniste, un esprit universel intéressé par des sujets trop nombreux pour devenir monomaniaque. Il n'y a que des monomaniaques qui obtiennent ce qu'on appelle communément des *résultats*[7]. »

Entendant un écho de ces propos, Besso demanda à Einstein si le récit qu'on lui avait fait était fidèle. « Oui », répondit celui-ci, qui fournit une version plus poétique : « Un papillon n'est pas une taupe, et aucun papillon ne devrait le regretter. »

George Wald, biologiste à Harvard et futur lauréat du prix Nobel, se rendit à Princeton muni d'une lettre d'introduction de Philipp Frank. Descendant au Princeton Inn, il demanda à la réception : « Comment est-ce que je peux me rendre au 112 Mercer Street ? » Il se rappelle :

« Tout s'est figé dans le hall, y compris le bruit d'une machine à écrire. Le réceptionniste m'a demandé : "On vous attend ?" J'ai dit : "Non, mais j'ai une lettre de recommandation écrite pour lui par un très bon ami." Il m'a demandé : "Je peux la voir ?" Je lui ai répondu : "Bien sûr." Il m'a dit de revenir une demi-heure plus tard. Quand je suis revenu, il m'a accueilli avec un sourire et m'a dit : "Tout va bien. Allez-y tout de suite." Quand j'ai donné l'adresse d'Einstein au chauffeur de taxi, il a arrêté sa voiture pour me demander : "Vous êtes attendu ?" La ville de Princeton tout entière protégeait Einstein. C'était vraiment extraordinaire.

« Lors de cette première visite, je lui ai demandé de m'expliquer sa controverse amicale avec Niels Bohr sur le principe d'incertitude. Il s'exécuta avec la plus grande simplicité. "Le progrès de la science ne doit pas faire oublier une chose, dit-il, on n'a jamais vu l'autre face de la Lune, mais je suis convaincu qu'il y a une autre face." À un moment il a dit que *"jamais* est très long" et qu'il sera peut-être finalement possible de dépasser les limites actuelles du principe d'incertitude.

« Il était jovial et la conversation avec lui était très facile. Il disait quelque chose, puis se renversait en arrière en éclatant de rire[8]. »

Le FBI continuait à surveiller ses faits et gestes. Un agent signala qu'il avait envoyé un message de soutien à une réunion organisée en septembre par le Conseil sioniste d'urgence de Los Angeles et le comité Justice pour la Palestine. Einstein espérait que les Nations unies prendraient le contrôle de la Palestine et le remettraient aux Juifs.

En septembre également, Einstein envoya ses vœux pour les quatre-vingts ans d'un ami psychiatre, Otto Juliusburger, lui écrivant que les gens vieillissent différemment : « Nous ne cessons jamais d'être comme des enfants curieux face au grand Mystère dans lequel nous sommes nés. Cela interpose une distance entre nous et tout ce qui nous déplaît dans l'humanité. (...) Quand les nouvelles du *New York Times* me donnent la nausée, le matin, je me dis toujours que c'est quand même mieux que le nazisme[9]. »

Apprenant la mort de Max Planck, Einstein envoya à sa veuve une lettre de condoléances dans laquelle il rappela « la période magnifique et féconde » vécue avec un homme dont « le regard était braqué sur des vérités éternelles, mais qui jouait un rôle actif dans tout ce qui concernait l'humanité et le monde qui l'entourait ». Le temps passé avec son « cher mari appartient, pour toujours, à mes meilleurs souvenirs (...). Je partage votre chagrin et vous salue avec ma vieille affection ». Il exprimait aussi son admiration pour le fils de Max Planck, Erwin, qui avait été accusé de complot pour assassiner Hitler, torturé et exécuté par les nazis[10].

En novembre, l'Association de la presse étrangère des Nations unies décerna une récompense au Comité d'urgence des scientifiques du nucléaire pour « ses efforts courageux pour faire comprendre aux nations de la planète la nécessité d'interdire l'usage de l'énergie nucléaire à des fins guerrières et de l'utiliser comme un instrument de paix ». Einstein reçut le prix. Et le FBI le consigna dans ses cahiers. Einstein se garda d'être alarmiste et rassura ceux qui craignaient que l'énergie nucléaire ne détruise le monde. Si cela était possible, « ce serait déjà arrivé à cause des rayons cosmiques qui frappent en permanence la surface du globe ».

Il prévint cependant qu'en cas de guerre nucléaire « il ne resterait pas grand-chose de la civilisation[11] ».

Le 29 novembre 1947, les Nations unies votèrent la division de la Palestine entre Juifs et Arabes. Einstein se réjouit de la perspective d'un État juif.

Les problèmes personnels se multipliaient pendant ce temps. Sa sœur était paralysée, sa propre santé précaire, et il souffrait souvent. Une maladie de foie l'avait contraint à devenir végétarien. Il n'avait plus de nouvelles de Mileva depuis des mois. « Avec son caractère taciturne et méfiant, on peut s'attendre à tout », écrivit-il à Hans Albert. Il se demandait si elle n'avait pas mis le produit de la vente de la maison en sécurité. En dernier recours, il prévint l'avocat de Mileva que, si elle refusait de lui envoyer la somme, il déshériterait Eduard.

Henry Wallace annonça début 1948 sa candidature à la présidence des États-Unis au nom du nouveau Parti progressiste. Il se faisait l'avocat des droits économiques et sociaux pour tous et attaquait violemment la politique étrangère de Truman. Agronome généticien de formation, Wallace avait été un ami intime de Roosevelt et son vice-président de 1941 à 1945. Il recueillait le soutien d'une foule de sympathisants enthousiastes et suscitait l'hostilité d'opposants aussi nombreux. On le traita d'irresponsable de gauche, lui reprochant, pêle-mêle, de parler russe, de jouer avec un boomerang et de converser avec les morts.

Le Comité national de soutien à Wallace annonça qu'Einstein supportait son candidat et avait déclaré que c'était un homme « lucide, honnête et modeste ». Sidney Hook vit rouge et prévint Einstein que « Wallace est prisonnier du parti communiste, dont vous connaissez les méfaits dans d'autres pays bien mieux que la plupart des scientifiques. Ses discours sont écrits par des compagnons de route. Sa ligne est totalement identique à celle de la *Pravda* et du *Daily Worker*... Wallace a tant de choses contre lui que j'espère que vous reviendrez sur le soutien que vous lui avez accordé[12] ».

Einstein répondit :

> « Ce que j'ai réellement fait est de recommander chaleureusement le livre de Wallace [*Vers la paix mondiale*] et, en une phrase, de rendre hommage à l'auteur qui se tient au-dessus des intérêts mesquins (...). Vous manquez d'objectivité. Demandez-vous qui, depuis la fin de la guerre, a représenté la plus grande menace d'action directe envers son adversaire. Les Russes envers les Américains, ou les Américains envers les Russes ? La réponse ne fait aucun doute à mes yeux et est

parfaitement exposée dans le livre de Wallace. Il est d'ailleurs certain que la puissance militaire des États-Unis est aujourd'hui bien plus grande que celle de la Russie soviétique. Chercher la guerre serait, par conséquent, une pure folie de la part des Russes. (...) Je ne suis pas aveugle. Je vois les faiblesses graves du système russe de gouvernement et je n'aimerais pas vivre sous un tel gouvernement. Mais il a par ailleurs de grands mérites et il est difficile de savoir si les Russes auraient survécu avec des méthodes plus douces. Si (...) mon opinion vous intéresse, vous pouvez lire ma réponse, ci-jointe, à des scientifiques russes. »

Quatre soviétiques avaient dénoncé en Einstein un jouet entre les mains des intérêts américains. Ses appels pour un gouvernement mondial n'étaient qu'une vicieuse tentative des Américains pour diriger le monde. La réponse d'Einstein réduisit leurs arguments en miettes et démontra sans appel que sa motivation était d'éviter la catastrophe d'une guerre nucléaire.

Il se moqua d'eux en privé : « On pourrait retourner aux quatre scientifiques russes une résolution qui s'inspirerait de leur prose : Après mûre réflexion et consultation de notre gouvernement, nous ne savons pas ce qu'il ne faut pas croire, ce qu'il ne faut pas espérer, ce qu'il ne faut pas dire et ce qu'il ne faut pas faire[13]. » Il était sans doute également déconcerté par la condamnation récente de la génétique mendélienne, comme antimarxiste, par le parti communiste.

Hook répondit à Einstein :

« Sur quels éléments vous êtes-vous appuyé quand vous avez mis le monde en garde contre l'expansionnisme hitlérien ? Sur ce que Hitler *disait*... au parti nazi, et sur ce que Hitler faisait. J'ai montré en quoi Staline croit – les dogmes dominants du parti communiste – et énuméré la liste de ses actions. Tout cela est révélateur d'un programme de conquête mondiale. Vous ne contestez pas ces preuves. Vous ne présentez aucun élément allant en sens inverse. Vous vous contentez de demander qui "a représenté la plus grande menace d'action directe envers son adversaire. Les Russes envers les Américains, ou les Américains envers les Russes" ? C'est une bonne question... Je dirais que c'est l'Union soviétique par sa violation des principes de la charte de l'Atlantique, sa violation de sa promesse d'élections et d'une presse libres en Bulgarie, Roumanie, Hongrie, etc., par le coup d'État qu'elle a fomenté en Tchécoslovaquie, par la guerre des nerfs qu'elle mène contre la Finlande, et aujourd'hui la Norvège et la Suède, par son comportement à Berlin, par son sabotage des commissions des Nations unies sur la Grèce, les Balkans, la Corée et presque toutes ses agences. Dans tous ces cas, l'Union soviétique a été l'agresseur. Quelle action des États-Unis considéreriez-vous comme une agression équivalente contre l'Union soviétique[14] ? »

Einstein ne répondit pas, peut-être convaincu par Max Born et Upton Sinclair qu'il était vain de tenter de changer une opinion aussi arrêtée. Born, qui n'avait pas vu Einstein depuis près de vingt ans, lui écrivit depuis le Magdalen College, à Oxford, pour lui raconter qu'il venait de voir un film sur l'énergie nucléaire :

> « Vous y apparaissez, aussi grand que nature, parlant de votre voix familière et chère, et souriant de votre façon gentille, mi-sérieuse, mi-cynique. Cela m'a beaucoup ému. (...) N'aurions-nous déchiffré le fonctionnement de la nature que pour aider la race humaine à quitter cette terre magnifique ? Je ne comprends plus rien à la politique : je ne comprends ni les Américains ni les Russes, ni tous les petits saligauds qui deviennent nationalistes. Même nos bons Juifs de Palestine ont discrédité leur cause de cette façon. Il vaut mieux penser à autre chose[15] ».

Einstein était d'accord, même s'il écrivait à Upton Sinclair : « Vous découvrirez inévitablement un jour que les gens sont sourds et bornés, et qu'ils sont donc incapables d'entendre la voix de la raison. Je le sais depuis longtemps, mais cela ne m'a pas empêché de sombrer dans le besoin de prêcher[16]. »

Il joua brièvement avec l'idée de quitter l'Amérique pour un pays où « l'enseignement et le domaine intellectuel jouiraient d'une plus grande liberté[17] ». Mais quand Selig Brodetsky lui suggéra de s'installer en Israël, il répondit qu'à soixante-neuf ans il était trop âgé[18]. Une lettre adressée à Lina Korcherthaler, une cousine vivant en Uruguay, semble trahir une réconciliation avec le *statu quo*. Il y définit la vie comme « une pièce étrange dans laquelle nous jouons tous un rôle. C'est parfait si on ne se prend pas trop au sérieux. La pièce n'a ni début ni fin, et seuls les acteurs changent[19] ».

Il reçut une lettre d'une jeune habitante de l'Iowa qui venait de lire sa biographie par Gordon Garbedian (*Albert Einstein : Maker of Universes*) et avait été surprise de découvrir qu'il était juif :

> « Mon père déteste les Juifs. Un soir, durant le dîner, il a dit que la seule bonne idée que Hitler ait jamais eue avait été de se débarrasser des Juifs. J'ai retourné cela dans ma tête jusqu'à (...) ce que je comprenne ce que cela cachait. Mon père considère sa vie comme un échec. Et comme cet échec ne peut pas être sa faute (...), ce doit être la faute d'un groupe de gens ou de la société. Alors, c'est la faute des Juifs et du système qu'ils représentent, le capitalisme. Il ranime constamment cette flamme haineuse qu'il porte en lui et qui détruit toute sa créativité. (...) Je suis étudiante et je travaille le soir comme caissière dans une confiserie-pâtisserie. L'autre jour, un "gentleman" quelque peu éméché a oublié la taxe d'État en payant ses achats. Je lui ai demandé s'il avait un penny. Il m'a fait une grimace et s'est exclamé, sortant la pièce de sa poche : "Espèce de Juive !" (...) Il

cherchait sans doute seulement à "être drôle". Je ne suis pas juive, mais j'ai compris ce qu'un Juif doit endurer jour après jour. Aujourd'hui, un ami catholique m'a dit que vous aviez changé d'avis, et que vous croyez en l'existence d'un au-delà. Si c'est vrai, pourriez-vous me dire où je pourrais trouver les explications de ce changement[20] ? »

Einstein répondit le 18 avril en la remerciant pour sa « lettre magnifique » :

« Votre père n'aurait pas une fille telle que vous si sa vie était un "échec". La maturité de votre réflexion et la qualité de votre lettre m'ont impressionné, ainsi que l'authenticité de votre soif de justice et de raison. La raison et la réflexion jouent un rôle très modeste dans la comportement des hommes. Les idées et les valeurs traditionnelles sont presque toujours et presque partout acceptées sans critique et considérées comme allant de soi. Les philosophes eux-mêmes sont le plus souvent inconsciemment et puissamment influencés par ces motifs irrationnels. Il n'est par conséquent pas surprenant que la lutte contre les préjugés ne puisse connaître un succès rapide. Mais nous pouvons œuvrer à un succès progressif en défendant la vérité, chaque fois que l'occasion s'en présente dans la vie de tous les jours. Il n'est bien sûr pas vrai que je croie en la vie éternelle des individus. Cette croyance est un curieux produit de notre désir de ne pas mourir (l'instinct de survie). (...) Mes sincères respects[21]. »

Le FBI nota en mai qu'Einstein avait demandé au secrétaire d'État George Marshall l'autorisation d'envoyer à Staline, en sa qualité de président du Comité d'urgence des scientifiques du nucléaire, une lettre dont il lui soumettait la copie et qui portait sur la détérioration des relations entre les États-Unis et l'Union soviétique, et la dérive vers la guerre. Le texte suggérait à Staline de s'adresser par radio au peuple américain pour lui exposer sa conception du monde d'après-guerre, et proposait une série de réunions de scientifiques et de citoyens influents de tous les pays pour aplanir les difficultés existantes.

La lettre fut envoyée et Einstein reçut une réponse. Il avait, dans le même courrier, demandé à Staline d'intervenir en faveur du diplomate suédois Raoul Wallenberg. En poste à Budapest durant l'occupation allemande, Wallenberg avait sauvé la vie de quelque vingt mille Juifs en leur fournissant des passeports. Il avait échappé à la Gestapo à plusieurs reprises, puis avait été fait prisonnier par les troupes soviétiques quand elles avaient pénétré en Hongrie. Ses exploits étaient devenus légendaires, mais sa dernière adresse connue était la cellule 151 de la prison de la Loubianka, à Moscou. On ignorait s'il était encore vivant. Einstein avait écrit : « En tant que vieux Juif, je vous demande instamment de faire tout ce qui est possible pour rechercher et renvoyer dans son pays le Suédois

Raoul Wallenberg, l'une des très rares personnes qui, d'elles-mêmes et au péril de leur propre vie, aient sauvé des milliers de mes malheureux frères juifs pendant les sombres années de la persécution nazie. » Un fonctionnaire répondit au nom de Staline qu'une recherche avait été menée sans succès[22]. C'était un mensonge. Wallenberg était mort d'une crise cardiaque le 17 juillet 1947 et avait été incinéré. Soit quatre mois avant la lettre d'Einstein à Staline. C'est en tout cas ce que le ministre des Affaires étrangères soviétique Andreï Gromyko déclara en février 1957 à l'ambassadeur de Suède.

Le FBI se pencha ensuite sur un article du *Arlington Daily* qui racontait que « Einstein et dix anciens scientifiques nazis ont tenu une réunion secrète au cours de laquelle ils ont observé un rayon de lumière qui faisait fondre un cube d'acier de quarante centimètres de côté. Cette nouvelle arme secrète pourrait être mise en action depuis des avions et détruire des villes entières ». Le colonel Blakeney, des services secrets, vérifia l'information et conclut « qu'elle n'était fondée sur aucun fait réel[23] ».

En Palestine, les deux communautés se battaient pour le contrôle du pays. Comprenant que les six cent mille Juifs étaient largement surpassés en nombre et menacés d'anéantissement par plusieurs armées arabes, Einstein mit à nouveau son pacifisme entre parenthèses. Le 4 mai, il envoya une lettre à sa cousine, en Uruguay, pour qu'elle la vende aux enchères au profit de la Haganah. Cette lettre, qui rapporta cinq mille dollars, disait :

> « Nous ne pouvons attendre que les grandes puissances et les Nations unies tiennent leurs engagements envers nous. Nos frères de Palestine seront sous terre avant que cela ne se produise. Ils ont fait la seule chose possible dans les circonstances actuelles. Ils ont pris leur destinée en main et se battent pour leurs droits. (...) Le destin des Juifs du monde entier dépend de celui de nos Palestiniens. On ne respecte pas et on abandonne à leur sort ceux qui renoncent à se battre pour leurs droits[24]. »

Einstein qualifia d'« accomplissement de nos rêves » la reconnaissance de l'État d'Israël par Truman, moins de vingt-quatre heures après sa proclamation par David Ben Gourion le 14 mai 1948.

Il apprit enfin pourquoi Mileva demeurait silencieuse. Elle était hospitalisée à la suite d'une attaque d'apoplexie qui avait paralysé tout son côté droit et n'avait plus toute sa conscience. L'accident vasculaire avait peut-être été provoqué par une scène de violence d'Eduard, qui avait retourné tout l'appartement de sa mère à la recherche d'un objet apparemment imaginaire.

Einstein écrivit à Hans Albert pour lui suggérer d'adresser une lettre affectueuse à sa mère. Celle-ci n'avait aucun souci à se faire. Il n'abandonnerait jamais Eduard et l'aiderait elle-même financièrement si nécessaire. Il proposa à son fils de lui offrir le voyage s'il désirait se rendre auprès de Mileva, tout en le prévenant que ce serait une épreuve de retrouver sa mère dans un état pitoyable sans être en mesure de soulager ses souffrances.

Mileva décéda à l'hôpital le 4 août. Otto Nathan et la femme de Hans Albert, Frieda, se rendirent à Zurich pour liquider la succession. Ils trouvèrent quatre-vingt-cinq mille francs cachés sous le matelas de la défunte, probablement le montant de la vente de la maison. C'était suffisant pour garantir l'avenir d'Eduard et engager un tuteur qui veillerait sur ses intérêts.

L'assistant d'Einstein le quitta à l'automne pour un poste d'enseignant. Un réfugié hongrois de vingt-deux ans, John Kemeny, se présenta. Le sujet de sa thèse, la logique mathématique, n'était guère susceptible d'intéresser Einstein. « J'ai dû lui expliquer de quoi il s'agissait, se souvient Kemeny. Cela a bien pris une demi-heure. Je me sentais coupable de lui prendre du temps, mais il insistait. Il m'interrompait quand quelque chose n'était pas clair. Puis il a dit : "Tout cela est très intéressant. Je vais maintenant vous dire sur quoi je travaille...", comme si mes travaux et les siens avaient la même importance[25]. »

Einstein dit à Kemeny de revenir quand il aurait achevé sa thèse. Kemeny revint et travailla pour Einstein en 1948 et 1949.

« Einstein avait circonscrit ses recherches sur la théorie unifiée des champs à trois possibilités similaires mais qui possédaient d'importantes différences. L'année que j'ai passée avec lui a été consacrée à décider quelle version publier. Il fallait travailler sur des exemples et comprendre en quoi les trois versions différaient. Il finit par en choisir une et publia sa théorie unifiée des champs un an plus tard. »

Kemeny se souvient d'une discussion entre Einstein et un étudiant de Niels Bohr qui tentait de le convaincre qu'il se trompait totalement sur la physique quantique. « J'étais dans le bureau et je suivais la scène en silence, incapable de juger qui avait raison. Le style des deux était absolument fascinant. Einstein demeura ferme mais parfaitement calme pendant tout le long échange, tandis que son interlocuteur se faisait de plus en plus véhément. Einstein continuait à expliquer patiemment ce qui lui déplaisait dans la mécanique quantique. Par exemple, qu'elle impliquait une action à distance. Plus le visiteur s'enflammait, plus ses arguments se réduisaient à : "Mais Bohr dit ceci et cela." J'avais l'impression qu'Einstein avait le dessus. »

Mais, se rappelle Kemeny, « il ne s'entêtait pas sur sa théorie. Il disait : "S'il existe une théorie adéquate qui suive la démarche que j'ai suivie pour la relativité générale, je crois l'avoir trouvée" – il a peut-être dit : "Je suis sûr." En revanche, je l'ai entendu déclarer à plusieurs reprises qu'en fin de compte la théorie unifiée des champs exigerait peut-être des mathématiques dont il ignorait tout, de même que la théorie de la relativité générale avait nécessité des calculs mathématiques entièrement nouveaux. "Auquel cas, disait-il, je ne la trouverai jamais. Quelqu'un d'autre devra le faire." Il avait peut-être raison, mais personne ne sait aujourd'hui si la théorie unifiée est exacte ou non ».

Einstein était très timide, se souvient encore Kemeny. « Pas seul à seul, mais en groupe. Mlle Dukas m'a raconté qu'un jour il avait été effrayé par une foule en délire qui l'avait entouré à Atlantic City. Il avait ensuite systématiquement évité les foules. Mais à Princeton il était très à l'aise et je l'ai vu détendu et charmant au milieu de groupes pas trop nombreux. »

Des raisons de santé lui interdisaient de fumer, mais il tenait souvent une pipe vide entre ses dents, en mourant d'envie de l'allumer. Il supplia un jour Kemeny de lui donner une cigarette qu'il écrasa dans le foyer et alluma. Il tira deux bouffées.

Kemeny raconte une histoire que répétait souvent son maître. Un homme conduit sa voiture, dont le moteur fonctionne très mal, chez un garagiste. Celui-ci examine l'automobile sous toutes les coutures, s'arrête, prend du recul et donne un coup pied dans la carrosserie. Après quoi l'engin tourne parfaitement bien. Le conducteur est ravi, jusqu'à ce qu'il reçoive une facture de vingt-cinq dollars, ce qui à la fin des années quarante représentait une somme importante. Il se plaint et demande au mécanicien une facture détaillée. Celui-ci écrit : « Main-d'œuvre : coup de pied à la voiture, vingt-cinq *cents*. Savoir où taper : vingt-quatre dollars et soixante-quinze *cents*. »

Fin novembre 1948, Einstein écrivit à Maurice Solovine que sa sœur déclinait à vue d'œil, mais qu'elle ne souffrait pas. Il lui faisait toujours la lecture chaque soir. Après des écrits philosophiques d'Aristote, il venait de lui lire un livre reprenant les « étranges » arguments de Ptolémée contre la conception d'Aristarque de Samos selon laquelle la Terre tournait autour du Soleil.

Il reprochait aux Anglais d'afficher « envers notre petite tribu juive de Palestine une sorte de ressentiment mesquin que je n'aurais jamais imaginé », mais se félicitait qu'ils aient élu un gouvernement socialiste, « le seul, peut-être, qui puisse abolir sans révolution un capitalisme démodé[26] ».

Linus Pauling et sa femme passèrent voir Einstein au cours de l'automne. « La conversation a porté sur la politique internationale. (...) Il est absurde de le considérer comme un jouet des communistes, comme on le fait parfois. On m'a accusé du même péché. Je pense qu'il savait parfaitement pour qui et contre qui il agissait. Je me rappelle que le sénateur Hennings, du Missouri, a dit à mon sujet à un secrétaire d'État adjoint : "Ce n'est pas Pauling qui suit la politique communiste, c'est plutôt les communistes qui suivent la sienne." Cela s'appliquait à Einstein[27]. »

Le 12 décembre, de violentes douleurs d'estomac conduisirent Einstein à l'hôpital juif de Brooklyn[28]. On diagnostiqua d'abord un problème de vésicule biliaire. Rudolph Nissen l'opéra et trouva un gros anévrisme de l'aorte abdominale qui aurait pu être mortel. À son réveil, Einstein dicta des réponses aux questions écrites d'un journaliste, mais refusa de rencontrer la presse, car sa « maladie n'est pas une question d'intérêt public ». Entendant un responsable de l'hôpital passer un savon à un reporter trop insistant, Einstein lui cria : « Ne vous fâchez pas. Il faut bien qu'il gagne sa vie. » Il invita le journaliste à entrer, lui serra la main et lui dit : « Désolé, pas d'interview. »

Mais il conquit ses infirmières en écrivant un petit couplet pour chacune.

Ayant entendu un médecin déplorer que l'hôpital manquât de chambres individuelles, il insista pour dire qu'il « allait beaucoup mieux » et demanda à passer dans la salle commune. On le dissuada en lui expliquant que cela compliquerait le travail du personnel. Il quitta l'établissement quelques jours plus tard, avec Helen Dukas, à travers une foule de journalistes et de cameramen des actualités filmées, auxquels s'étaient mêlés quasiment tous les salariés de l'hôpital.

Sur le chemin qui le ramenait chez lui, il fut pris en photo par un photographe auquel il tira la langue, furieux[29]. Il découpa le cliché, peu après, dans un journal et l'envoya à son chirurgien avec ces mots : « À Nissen mon ventre, au monde ma langue ! »

# 36

# Le FBI s'intéresse à Einstein

*1949*
*70 ans*

Il fallut convaincre Einstein que la Californie n'était pas seulement pour les riches, avant qu'il accepte d'y passer sa convalescence. « On l'a presque forcé à venir avec nous, se souvient Thomas Bucky. Il a loué une maison avec Helen Dukas, Margot et sa sœur, à Lido Beach, à proximité de celle que nous occupions. À l'époque, Sarasota était sauvage et peu habité. Il faisait de la voile et se promenait sur la plage[1]. »

Respectant les consignes de son chirurgien, Einstein refusa toute visite, même celle de Leon Watters. Il réduisit sa correspondance, mais écrivit tout de même à Maurice Solovine auquel il dit que l'opération n'avait pas été totalement inutile car elle avait rectifié quelques anomalies.

Une lycéenne sud-africaine qui le confondait avec Isaac Newton lui écrivit qu'elle était stupéfaite qu'il soit encore en vie. Un garçon de six ans lui adressa ses vœux de nouvel an : « Je suis désolé que vous ayez été malade. Vous êtes un homme bien et j'espère que vous serez bientôt remis. J'ai appris votre existence dans une bande dessinée sur l'atome et j'ai entendu à la radio que vous étiez malade[2]. »

Après avoir été battus pendant des mois par diverses armées arabes, le 13 janvier 1949 les Israéliens mirent les Égyptiens en déroute après six jours d'une violente bataille. Les convictions pacifistes d'Einstein furent à nouveau mises à l'épreuve quand un membre de l'Internationale des opposants à la guerre lui demanda : « Ne pensez-vous pas qu'Israël devrait reconnaître le statut d'objecteur de conscience ? » Il répondit que oui, mais avec une réserve. Ce n'était pas à lui de donner des conseils à des gens qui avaient triomphé d'obstacles insurmontables pour sauver leur pays[3].

Pendant qu'Einstein se promenait sur les plages, manœuvrait un voilier et faisait la sieste, le patron du FBI, Edgar Hoover, secouait ses hommes. Le 11 mars, il adressa une note courroucée au bureau de Newark : « Je vous donne l'ordre d'expliquer pourquoi mes instructions n'ont pas été respectées. (...) Je n'accepterai aucun nouveau retard dans la remise d'un rapport sur cette personne [Helen Dukas]. Je vous donne l'ordre de rédiger un rapport qui devra me parvenir au plus tard le 20 mars 1949. Je vous donne l'ordre de soumettre au bureau vos recommandations sur la suite à donner aux investigations sur cette personne afin de confirmer ou de démentir les allégations portées à son sujet[4]. »

La réponse arriva cinq jours plus tard : « Notre sentiment est qu'il n'existe pas à l'heure actuelle suffisamment d'éléments pour interroger le sujet. Vu les pistes limitées dont nous disposons, nous demandons au bureau de nous faire des recommandations sur la façon de procéder et d'envisager de nous autoriser à suspendre cette enquête[5]. »

Hoover accepta d'interrompre la surveillance d'Helen Dukas, avant de la relancer en recevant de nouvelles accusations en provenance du Pentagone. Ces dénonciations se révélèrent, une fois de plus, infondées.

On préparait, pendant ce temps, la célébration du soixante-dixième anniversaire d'Einstein. Un éditeur prévoyait d'inonder les librairies, le 14 mars, avec une biographie destinée aux lycéens. L'Institut annonça la création d'un prix trisannuel Einstein, doté de quinze mille dollars et destiné à des auteurs de contributions marquantes en physique ou en mathématiques.

L'Institut était également à l'origine d'un livre sur les découvertes d'Einstein. Bohr accepta d'y participer mais, incapable d'écrire, appela rapidement Abraham Pais à l'aide. Ce dernier raconte qu'un jour :

> « Bohr tournait autour de la table en répétant : "Einstein... Einstein... Einstein." Puis il s'est planté devant la fenêtre en regardant fixement dehors, tout en marmonnant : "Einstein... Einstein..."
> « La porte s'est ouverte tout doucement et Einstein a pénétré sur la

pointe des pieds. Un sourire malicieux sur le visage, il a mis un doigt sur ses lèvres pour me faire signe de me taire. (...) Toujours sur la pointe des pieds, il s'est dirigé droit vers la tabatière de Bohr...

« Bohr se retourna à ce moment-là, un "Einstein" déterminé à la bouche, pour se retrouver face à ce même Einstein comme si ses incantations l'avaient fait apparaître. Bohr eut le souffle coupé. Je me sentis mal à l'aise pendant un instant. (...) Puis le mystère se dissipa quand Einstein expliqua la raison de sa visite (il était venu dérober du tabac à Bohr, puisque son docteur lui avait seulement interdit d'en *acheter*), et nous avons tous éclaté de rire[6]. »

On soumit le manuscrit du livre à Einstein en lui proposant de faire des commentaires qui seraient inclus dans l'ouvrage. Piqué au vif par le ton critique – des louanges parsemées d'attaques contre sa résistance à la théorie quantique – il se plaignit : « Ce n'est pas un jubilé en mon honneur, c'est un *impeachment*[7]. » Il défendit une fois de plus sa vieille conception selon laquelle la théorie quantique était peut-être statistiquement juste, mais qu'elle ne rendait pas entièrement compte de la réalité physique. Et il fournissait des exemples d'efforts désespérés des partisans de cette théorie pour y parvenir.

Louis de Broglie lut le livre pendant qu'il donnait un cycle de cours sur la mécanique ondulatoire à l'Institut Henri-Poincaré de Paris et trouva les commentaires d'Einstein brillants. Il cita durant l'un de ses cours les objections d'Einstein envers la mécanique ondulatoire et les arguments de Bohr, en ajoutant qu'il penchait du côté de l'interprétation statistique de Bohr. Puis il continua de réfléchir aux objections d'Einstein et son « allégeance vieille de vingt-cinq ans à l'interprétation statistique sembla s'évanouir dans l'air pur ».

Pour les soixante-dix ans d'Einstein, Princeton avait invité « des grands noms à faire des communications sur des développements issus de la relativité, raconte l'ancien assistant d'Einstein, John Kemeny. On publiait à l'époque une grande quantité d'articles sur des sujets ayant trait à la relativité. La conférence eut lieu dans l'auditorium de deux cent cinquante places de Princeton. L'entrée se faisait sur invitation. J'ai parlé de la soirée avec Einstein, et il m'a dit que tout cela l'embarrassait. Il avait l'impression que c'était une corvée qu'on infligeait à des gens importants et occupés qui allaient se sentir obligés de se montrer aimables envers un vieux savant. J'ai tenté de le convaincre qu'on se battait pour obtenir des places. Il savait que l'homme de la rue l'idolâtrait sans comprendre ce qu'il disait, mais je crois qu'il ne voyait pas que les plus grands physiciens l'admiraient tout autant, à la seule exception peut-être de Bohr[8]. »

Le grand soir arriva. La salle fit silence à l'entrée d'Einstein, puis se leva comme un seul homme pour l'applaudir. Robert Oppenheimer, I. Rabi, Eugene Wigner et Hermann Weyl prirent la parole.

Einstein était d'une mélancolie qui ne lui ressemblait pas. Les souffrances de sa sœur, sa propre mauvaise santé, les jeunes physiciens qui le traitaient d'hérétique démodé, tout concourait à renforcer un sentiment d'échec. Il répondit à une lettre émouvante de Solovine qu'il se demandait s'il avait jamais eu raison sur quoi que ce soit[9].

Il dénonçait avec une force égale la responsabilité de l'Amérique, de la Grande-Bretagne et de l'Union soviétique dans les débuts de la guerre froide.

Einstein retrouva à Princeton Joanna Fanta, belle-fille de Bertha Fanta qui avait reçu chez elle, à Prague, un cercle de jeunes intellectuels juifs dont Einstein et Kafka. Joanna travaillait au service des cartes de la bibliothèque de Princeton et voyait le célèbre physicien quasiment tous les jours. Elle fut aussi sa chroniqueuse car, chaque fois qu'elle lui rendait visite, elle emportait un cahier de notes et consignait ses paroles. Elle vendit par la suite ses cahiers et les lettres reçues d'Einstein[10].

En juin, Ella Winter, ancienne femme de l'écrivain Lincoln Steffens, demanda à Einstein de soutenir un mouvement pacifiste auquel appartenait notamment Irène Joliot-Curie, fille de Marie Curie. Elle désirait qu'il rende son adhésion publique dans une interview. Einstein refusa en expliquant que la seule solution était un mouvement supranational, tel que le préconisait le Mouvement fédéraliste mondial, et que son expérience passée avec le groupe qu'elle représentait lui avait enseigné qu'il était dans le sillage du parti communiste.

La réponse de Winter ne tarda pas. Elle tenta de le convaincre que son mouvement comportait des membres de toutes tendances politiques, et lui expliqua qu'on lui proposait seulement de mettre son nom et son prestige au service de la paix. Einstein répliqua que sa lettre était « très intelligente », mais répéta que les communistes tiraient les ficelles de l'organisation qu'elle essayait de mettre sur pied, et qu'ils étaient hostiles à un État supranational[11].

Einstein eut une bonne surprise. Un cadeau d'un vieil ami, Max Brod, qui était également un ami intime de Kafka. Brod n'avait pas respecté la dernière volonté formulée par Kafka avant sa mort en 1924, brûler tous ses manuscrits. Il les avait conservés et publiés, et ils sont aujourd'hui considérés comme des chefs-d'œuvre.

Brod avait brossé un portrait d'Einstein dans *Le Chemin de Tycho-Brahé vers Dieu*, un roman sur l'astronome du XVIᵉ siècle dont l'assistant et successeur fut Johannes Kepler. Le personnage de Kepler, inspiré d'Einstein, était un être détaché du monde, presque surnaturel et incapable d'amour. Il expliqua ensuite qu'il n'avait pas voulu décrire Einstein comme étant sans cœur, mais comme un homme qui méprisait les idées reçues.

Brod et Einstein avaient passé de nombreuses soirées de détente, occupées par la musique et des discussions, chez Fanta, à Prague, en 1911. Le premier envoyait maintenant au second son dernier livre, *Galilée en prison*.

Einstein apprécia beaucoup le roman, même s'il se faisait une idée différente du héros. Il ne parvenait par exemple pas à comprendre pourquoi Galilée avait perdu ses dernières années à tenter de convaincre des prêtres et des hommes politiques bornés. Il n'aurait jamais pu consacrer autant de temps et d'énergie à défendre la relativité.

Un autre écho du passé lui parvint sous la forme d'un appel au secours de Violet Winteler, sœur de son premier amour Marie Winteler. Elle était abandonnée par sa famille dans une maison de retraite canadienne. Désespérée et souffrant de rhumatismes graves, elle demandait à Einstein de lui envoyer quatre-vingts ou cent dollars pour payer ses dettes et l'aider à se remettre sur pied. Il répondit à la religieuse qui lui avait écrit au nom de Violet que sa sœur, belle-sœur de Violet, avait déjà aidé celle-ci financièrement, et joignit cent dollars.

Deux visiteurs apportèrent une distraction bienvenue : l'écrivain John Kieran et l'ancien joueur de base-ball Moe Berg. Kieran raconta à sa femme : « La première chose que voulut Einstein était que je lui explique les règles du base-ball. J'ai pris une feuille de papier et mon stylo. J'expliquais en même temps que je faisais des dessins. Quand j'ai cru que tout était clair, je lui ai demandé : "Vous voyez ?" Il ne voyait rien du tout. Le base-ball était peut-être trop simple pour qu'il comprenne. Il cherchait sans doute une difficulté intellectuelle absente du base-ball[12]. »

Selon Moe Berg, après leur avoir servi du thé et joué du violon, Einstein lui dit : « Monsieur Berg, vous m'apprenez le base-ball et je vous enseigne la théorie de la relativité. » Puis, après une pause : « Non. Vous apprendrez la relativité plus vite que moi le base-ball[13]. »

Einstein reprit son travail à l'Institut. Il s'y rendait et en revenait à pied, quel que fût le temps, au grand désespoir des nombreux automobilistes qui offraient de le conduire en espérant recueillir quelques précieuses paroles. Robert Jastrow, qui travaillait avec

Robert Oppenheimer à l'Institut, se souvient s'être un jour arrêté au volant de sa voiture pour proposer à Einstein de monter. Celui-ci a répondu : « Non, merci. Je préfère marcher. » « Notre conversation s'est arrêtée là », ajoute Jastrow dans un rire[14].

À la fin de l'année 1949, John Kemeny suggéra à Einstein de « chercher un autre assistant car, même si je l'aidais en travaillant sur des exemples précis et en essayant de vérifier sa théorie, le point crucial était la résolution d'équations. Ce n'était pas mon domaine et il lui fallait un spécialiste. Il a engagé une jeune femme, Bruria Kaufman[15] ». Kaufman, âgée de vingt-deux ans, avait obtenu son doctorat à l'université Columbia, à New York, à l'âge de dix-neuf ans, et avait été l'assistante de Neumann. Elle s'installera plus tard en Israël.

Kemeny dit à Einstein qu'on lui avait proposé de diriger « le mouvement fédéraliste mondial au niveau du pays. J'étais très engagé dans le mouvement, qu'il soutenait également. Il m'a répondu que ce serait une grosse erreur. Personne ne prêtait attention à ce que disait un dirigeant salarié d'une organisation. Si je voulais influencer le monde, je devais me faire un nom dans mon domaine. On écouterait alors ce que j'aurais à dire sur d'autres terrains ».

Kemeny sera président de l'université de Dartmouth pendant onze ans. Ce sera le premier Juif à diriger une des grandes universités nord-américaines. Puis il reviendra à l'enseignement à mi-temps et organisera un vaste programme informatique. Il dit à propos de la biographie pour laquelle je le rencontrai : « Je suis ravi par tout ce qui peut contribuer à maintenir vivant le souvenir d'Einstein. »

# Einstein et le communisme

*1950-1951*
*71 et 72 ans*

« Helen Dukas avait échafaudé un plan avec les voisins, dont ma femme et moi, pour protéger Einstein contre les excentriques, se souvient le professeur de physique Eric Rogers. Nous habitions la maison voisine. Quand un dingue se présentait chez lui, Einstein restait derrière la porte-moustiquaire grillagée fermée à clef tandis que le farfelu crachait ses insultes ou ses idées folles. Le premier voisin venu était supposé s'approcher en disant quelque chose du genre "Je suis certain que le professeur Einstein est très fatigué maintenant", et raccompagner l'importun sur le trottoir. Je crois que cela a toujours parfaitement fonctionné.

« J'ai parlé à Einstein de Whilhelm Reich, le psychiatre aux idées étranges, à la suite de quoi il l'a rencontré. Il m'a dit ensuite : "Bien sûr, il est fou. Mais c'est un homme très sympathique." Une autre chose que je me rappelle est que mon chat se rendait chez Einstein et s'installait sur ses genoux[1]. » Einstein aimait les animaux. Autant que Margot qui recueillait des bêtes abandonnées. Un jour qu'elle revenait de chez des amis qui avaient un gros chien à la fourrure épaisse, elle dit : « Il a tellement de poils qu'on ne sait pas où est la tête et la queue. » À quoi Einstein répondit : « L'important est que lui, il le sache[2]. »

Eric Rogers découvrit qu'Einstein ne portait pas de chaussettes un jour où il devait le conduire à une cérémonie. Il avait neigé et il faisait froid. « Helen Dukas m'a prévenu au moment de partir : "Faites attention à ses pieds. Rappelez-vous qu'il ne porte pas de chaussettes." Comme je lui demandai pourquoi, elle me répondit : "Il pense que c'est indigne de les faire repriser par des femmes." »

Selon le voisin de la maison suivante, Edward Greenbaum, Einstein était « un personnage charmant et merveilleux ». Sa femme et Margot faisaient toutes les deux de la sculpture et étaient amies. Un jour, Dukas a téléphoné à Greenbaum, qui était administrateur de l'Institut, pour lui dire qu'Einstein désirait passer le voir pour discuter de diverses questions concernant leur établissement. Greenbaum insista pour se déplacer lui-même. Ils ont parlé un moment, puis, raconte Greenbaum, « il a dit qu'il aimait beaucoup ma femme, et que Margot l'avait assuré que c'était un excellent sculpteur, mais qu'il n'avait jamais vu ce qu'elle faisait. Je lui ai proposé de venir voir son travail chez nous. Il m'a répondu, comme un écolier : "Quand ?" Je lui ai dit : "Eh bien ! tout de suite." C'était une magnifique matinée printanière. Il est venu en pantoufles. Ma femme était dans la cave, qu'elle appelait son atelier. Je lui ai dit : "Le professeur voudrait voir ton travail." Il descendait déjà l'escalier, quand elle répondit : "Je serais très heureuse qu'il vienne, quand il veut." Il a tout regardé, puis pendant que nous le raccompagnions chez lui, il a commenté : "Maintenant, je sais." C'était tout lui[3] ».

Alors qu'il avait jusque-là toujours pris soin de faire la part égale à l'Union soviétique et aux États-Unis dans ses dénonciations pacifistes, Einstein semblait désormais avoir choisi le camp communiste. Les lubies inquisitrices du sénateur Joseph McCarthy l'avaient peut-être poussé du côté de l'ennemi. Plusieurs de ses amis, dont Harlow Shapley et Ashley Montagu, étaient accusés à tort d'être communistes.

Einstein craignait que les États-Unis ne se transforment en État fasciste. Il est censé avoir dit : « La peste soit sur vos deux maisons. » Il choisit, au moins publiquement, de soutenir ce qu'il considérait comme le moindre de deux maux. Il estimait que les Juifs avaient une chance de survivre, et même de prospérer, sous le communisme, alors que sous le fascisme ils étaient condamnés. C'est peut-être la raison pour laquelle il refusa de protester publiquement contre les atrocités soviétiques, les Juifs en fussent-ils les victimes, alors qu'il condamnait des persécutions bien moins terribles quand l'Amérique était en cause.

Il fut consterné par une escalade du président Truman dans la course aux armements, le 31 janvier 1950. Truman réagit à un essai soviétique de bombe au plutonium en ordonnant l'accélération de la production de diverses armes atomiques dont la plus dévastatrice, la bombe à hydrogène.

Einstein, Linus Pauling et Thomas Mann choisirent le lendemain, alors que l'opinion publique américaine s'inquiétait de préparatifs militaires soviétiques, une prise de position publique qui apparut comme un soutien aux communistes. Ils critiquèrent la condamnation à la prison, pour outrage à la Cour, des avocats de douze dirigeants du Parti communiste américain accusés de conspiration pour renverser le gouvernement par la force. Les trois intellectuels affirmaient qu'ils ne faisaient que réclamer le respect de la Constitution et du droit de tout citoyen à un procès équitable et à une défense libre.

Tandis que le sénateur McCarthy affirmait, le 9 février, détenir une liste de cinquante-sept communistes infiltrés dans le Département d'État, un représentant du Mississippi en avait détecté un de plus à Princeton. *Le New York Post* titra : « "Déportez l'imposteur rouge Einstein", crie le représentant Rankin. »

Les échos de ces cris parvinrent à Hoover. Le 15 février, l'agent du FBI D.M. Ladd envoya à son chef « quelques morceaux choisis » du dossier du professeur Einstein. Sous le titre « Organisations », on lit : « Les documents en possession du bureau montrent qu'Einstein est affilié (...) à au moins trente-trois organisations qui ont été citées par le ministère de la Justice et les commissions des activités antiaméricaines de la Chambre des députés fédérale ou de la Chambre des députés de Californie. Il appartient également de près ou de loin à environ cinquante organisations diverses qui n'ont pas été citées par les trois autorités mentionnées ci-dessus. C'est un pacifiste et on peut le considérer comme un penseur libéral, comme le prouvent ses liens avec les diverses organisations citées ci-dessus[4]. »

Un éditorialiste et chroniqueur de radio toujours en quête de potins, Walter Winchell, ajouta sa pièce à la collection. Il transmit à Hoover une lettre d'un lecteur qui énumérait dix-sept « fronts cocos » auxquels Einstein était censé appartenir. Sans oublier d'ajouter lui-même quelques autres « fronts cocos » de son cru.

Le sous-directeur du service d'immigration et de naturalisation sembla sur le point de prendre de vitesse Hoover, qui hésitait toujours à confronter Einstein. Il envisageait d'annuler la naturalisation du physicien après avoir découvert dans *Tablet*, une publication catholique, qu'Einstein avait combattu les fascistes pendant la guerre civile espagnole. Les catholiques américains s'étaient en majorité ralliés au camp opposé, aux côtés de Hitler et de Mussolini. Einstein avait aussi soutenu la campagne de secours aux réfugiés espagnols, l'un des « fronts communistes » de la commission des activités antiaméricaines de la Chambre des représentants.

La plus grosse bombe fut un rapport établissant un lien entre Einstein et l'espion Klaus Fuchs, condamné par un tribunal anglais à quatorze ans de prison pour avoir communiqué des informations sur la bombe atomique. Un informateur du FBI la désamorça rapidement en révélant que les deux hommes ne s'étaient jamais rencontrés. Einstein était intervenu en faveur de Fuchs auprès du ministère de l'Intérieur britannique en 1943, alors que Fuchs sortait d'un camp d'internement canadien et venait d'être élu à l'Académie royale des sciences. Longtemps avant qu'il ne se livre à l'espionnage.

Le 10 mars 1950, Ladd adressa à Hoover de nouvelles informations qui disculpaient Einstein. Le père de Fuchs avait déclaré qu'Einstein avait intercédé « en faveur de mon fils en ignorant qu'il était communiste ». L'homme avait ajouté qu'Einstein avait été favorablement impressionné par un article de Fuchs sur l'énergie nucléaire, article qu'il considérait comme un apport précieux à l'effort de guerre allié[5].

Mais les soupçons de Hoover furent relancés par une lettre d'une Allemande, Emma Rabbeis, qui écrivit de Berlin :

> « Depuis la révélation de l'affaire d'espionnage du professeur Klaus Fuchs je lis avec une inquiétude de plus en plus grande les articles de journaux concernant le professeur Albert Einstein. (...) Je ne suis pas une dénonciatrice et je n'écrirais pas des choses pareilles si cela ne concernait pas la bombe à hydrogène qui peut détruire des pays entiers. On ne peut pas rester silencieux quand quelqu'un comme Einstein, dont je sais d'une façon certaine qu'il s'agit d'un militant rouge, a accès à la recherche sur des armes aussi horribles. (...) Je peux vous fournir des informations fiables selon lesquelles les accusations contre Einstein sont entièrement fondées. Je suis à votre disposition si vous le désirez et si cela peut aider à empêcher des espions de nuire[6]. »

Rabbeis expliqua à un agent du contre-espionnage américain qu'elle avait tenu un magasin de vêtements à Berlin, dans les années trente. La baronne Schneider-Glend, femme d'un ancien consul allemand au Japon et dont toute la famille était communiste, était une cliente régulière. Une fille de la baronne, Elli, lui avait dit qu'elle travaillait chez Einstein. Elli s'était rendue en Amérique avec Einstein. Pendant le voyage, ils avaient provoqué un incident en refusant de se lever pendant l'hymne national allemand. Ce qui prouvait, selon Rabbeis, qu'Einstein était communiste. Elle croyait, de surcroît, qu'Einstein avait eu une liaison avec Elli et était le père de son enfant[7].

Aucune source ne confirma les dires de la femme, et l'agent identifia une raison susceptible de la pousser à salir le physicien : elle lui avait envoyé une formule mathématique qui permettait de gagner la loterie de Berlin et il n'avait pas répondu. Hoover, toujours enclin à croire le pire, instruisit cependant ses hommes de tenir Einstein et Dukas à l'œil[8].

Robert Oppenheimer, directeur de l'Institut d'études supérieures, était un habitué des investigations, même si les sympathies communistes de sa jeunesse ne l'avaient jamais fait considérer comme une menace pour la sécurité. Il avait été surveillé en permanence, et souvent interrogé par le FBI et le contre-espionnage militaire quand il était directeur scientifique du projet Manhattan. Le 10 mai 1950, il fut l'objet d'une nouvelle enquête menée par le FBI en Californie pour vérifier qu'on pouvait le laisser accéder à des informations secrètes. Un témoin déclara qu'il avait assisté à une réunion communiste en 1941. Il nia avoir jamais participé à la moindre réunion communiste, privée ou publique, mais admit, comme il l'avait déjà fait, avoir eu des relations avec un grand nombre de gens de gauche.

Deux semaines plus tard, le FBI arrêta Harry Gold pour avoir transmis des secrets sur la bombe atomique, qu'il avait obtenus de Klaus Fuchs.

L'été 1950 fut traumatisant. McCarthy intensifiait sa chasse aux sorcières communistes. Le 6 juin, il annonça au sénat que le FBI avait identifié vingt suspects d'intelligence avec l'Union soviétique au sein du Département d'État. Lequel répondit que l'accusation était « totalement dénuée de fondement ».

Le 16 juin 1950, peu après l'explosion de la bombe atomique soviétique, le FBI arrêta David Greenglass pour collaboration avec l'Union soviétique. Celui-ci impliqua son beau-frère, Julius Rosenberg, qui ne tarda pas à se retrouver en prison à son tour. La femme de Rosenberg, Ethel, ne fut pas inquiétée.

Le 25 juin, la Corée du Nord envahit la Corée du Sud et s'empara en trois jours de Séoul. Début juillet, le général Douglas MacArthur fut nommé à la tête des troupes des Nations unies chargées de défendre la Corée du Sud.

Où se situait Einstein en cette période où les journaux multipliaient les articles sur les espions et les assassins communistes ? Louis Budenz, ancien militant syndical et ancien directeur du quotidien communiste *Daily Worker*, livra une analyse plausible dans un livre qui venait de paraître, *Men Without Faces (Des hommes sans visage)*. Einstein était, selon lui, manipulé par les communistes « même s'il manifeste parfois son indépendance[9] ». Il s'expliqua davantage dans une interview : « En tête de la liste des organisateurs de la réunion "pour la paix" de Waldorf Astoria [qui s'était tenue à Manhattan l'année précédente] se trouvaient Thomas Mann et Albert Einstein, qui ne sont pas communistes. Mann est un écrivain qui a longtemps défendu chaudement Moscou. Les relations avec Mann et Einstein sont ce que les communistes appelaient un "contrôle à distance" quand j'appartenais à la direction rouge. La liaison avec Mann passait par des collaborateurs de sa fille Erika. En ce qui concerne Einstein, des contacts avaient été établis à Princeton. Dans les deux cas, on a joué sur la haine du nazisme pour les convaincre d'adopter une position procommuniste. Je le sais d'après ce que j'ai entendu lors de réunions du bureau politique. On ne peut trouver d'illustration plus frappante de la façon dont les communistes trompent et utilisent des hommes et des femmes dont l'intégrité est hors de question. » Budenz appelait cela la « capture des innocents[10] ».

Einstein était loin d'être innocent aux yeux de Hoover, qui écrivit au directeur adjoint de cabinet du Pentagone :

> « Ceci est une réponse à votre courrier du 8 septembre transmettant un rapport du commandement européen sur l'utilisation jusqu'en 1933 par des agents du Komintern du bureau d'Albert Einstein, à Berlin, comme adresse télégraphique. Le rapport mentionnait également des activités menées en faveur de l'Union soviétique, dans le passé, par une secrétaire d'Einstein dont le nom est inconnu. Nous joignons, pour information, une note titrée "Helen Dukas". D'après nos renseignements, Mlle Dukas est entrée aux États-Unis en 1935 comme secrétaire d'Albert Einstein et est employée comme secrétaire et gouvernante à Princeton, New Jersey, où le professeur Einstein habite actuellement. Nous demandons que le commandement européen diligente une enquête pour déterminer si Helen Dukas pourrait être la secrétaire impliquée dans l'espionnage soviétique avant 1933. Nous demandons par ailleurs à recevoir des informations circonstanciées sur l'utilisation du bureau du professeur Einstein comme adresse télégraphique par des agents du Komintern, et sur le rôle de sa secrétaire. (...) Nous soulignons que le service de l'immigration et de la naturalisation envisage l'ouverture d'une investigation sur le professeur Einstein, dans la perspective d'une éventuelle révocation de sa naturalisation[11]. »

Hoover fournissait les noms d'un grand nombre de personnes suspectées d'avoir utilisé l'adresse d'Einstein ou d'avoir su que cette adresse « était employée dans le cadre d'entreprises soviétiques ». Einstein ne lisait pas ces journaux populaires, ni le *New York*

*Daily Mirror* ni le *New York Post*. Mais il devait faire face à un adversaire mieux informé et plus acharné, Sidney Hook. Il alla jusqu'à admettre auprès de Hook avoir participé dans sa jeunesse à des organisations dont les positions étaient nobles mais les desseins malhonnêtes. Hook lui confia, en échange, que pendant la Première Guerre mondiale, il avait failli être exclu du lycée parce qu'il avait mis en doute des histoires atroces selon lesquelles les soldats allemands amputaient systématiquement les mains des enfants belges et faisaient bouillir des corps humains pour les utiliser à des fins industrielles.

Hook se vit confier par les *Annales de l'Académie des sciences politiques et sociales* une critique du livre d'Einstein *Out of My Later Years*, publié en 1950. Il demanda à l'auteur de s'expliquer sur diverses contradictions apparentes de l'ouvrage. Einstein avait écrit à un endroit qu'il ne pourrait vivre dans une société qui refuserait la liberté de parole, et ailleurs que s'il était né en Union soviétique il aurait su s'adapter au mode de vie de ce pays. Il répondit qu'il n'y avait là nulle contradiction. L'immixtion du gouvernement soviétique dans les domaines artistiques et intellectuels était néfaste et stupide, mais la révolution russe aurait échoué si les gens qui avaient à cœur le bien-être de tous n'avaient accepté, comme un moindre mal, de renoncer temporairement à la liberté individuelle[12].

Comment pouvait-il affirmer, rétorqua Hook en renouant leur vieille controverse, que « le sacrifice de la liberté individuelle est temporaire, alors que la terreur ne fait que s'intensifier » ? Comme il le prévoyait, Hook n'obtint aucune réponse. L'attitude d'Einstein le déroutait :

> « Je ne parvenais pas à croire qu'Einstein pût être si mal informé sur la réalité soviétique, avec le flot de révélations publiées dans la presse par des personnes qui avaient vécu en Union soviétique. C'était après la rupture de Staline avec son acolyte sanglant Tito, après le coup de Prague et après le blocus de Berlin. Je me suis tout de même décidé à lui envoyer des informations de première main fournies par des gens qui revenaient du pays, notamment des témoignages sur le sort des Juifs et de personnes accusées de sionisme. »

La réponse d'Einstein déçut amèrement Hook. Il essaiera de trouver le temps de lire les livres que celui-ci lui avait envoyés, mais s'attendait à ne rien y trouver de nouveau. Il s'efforçait de se forger une opinion objective sur la vie en Union soviétique. N'ayant jamais été un partisan enthousiaste du système, il n'avait nulle raison d'être profondément désenchanté par les « défauts de ce vaste empire ». Hook restait perplexe devant « son silence sur le traite-

441

ment brutal des Juifs, notamment des sionistes comme lui, en Union soviétique et dans ses satellites ».

J'ai demandé à Hook comment il expliquait ce silence : « Un libéral est antifasciste. J'ajoute qu'il doit également être anticommuniste. Des gens comme Einstein répondent : "Non, non". C'est une réaction émotionnelle. Les Allemands, et surtout les Juifs allemands, estimaient, comme Einstein me l'a un jour expliqué, que les Américains ne comprenaient pas les Allemands et ne les châtieraient pas assez. Ils espéraient que les communistes puniraient les Allemands comme ils le méritaient. Je crois que c'était dû à cette réaction inconsciente. Lors de notre deuxième discussion, Einstein, qui était d'humeur joyeuse, m'a dit : "Les Allemands sont un peuple arrogant, qui regarde le monde de haut." Je l'ai attaqué sur la responsabilité collective, à laquelle il croyait : "Comment pouvez-vous penser cela ? Deux millions d'Allemands non juifs ont été jetés dans les camps de concentration nazis." Il a dit quelque chose qui signifiait qu'il ne parlait pas de ces Allemands-là. Mais il n'en démordit pas. Tous les Allemands étaient responsables[13]. »

Un témoin de l'époque estime que dans les années cinquante « un sentiment d'impuissance envahit Einstein. Il partageait les critiques formulées contre les États-Unis durant le maccarthysme. Il pensait que la situation devenait très grave. C'était l'époque où il disait que, s'il devait recommencer à zéro, il préférerait devenir plombier que scientifique. Je crois que le pessimisme s'est emparé de lui dans ses dernières années, et que cela affectait son jugement politique. Tout allait mal. L'Union soviétique ne représentait pas davantage un espoir que l'Amérique[14] ». Ce n'est pas l'opinion de Thomas Bucky : « Je ne l'ai jamais vu déprimé. Triste, oui. Mais il retrouvait ensuite son entrain[15]. »

Son ami et ancien assistant Leopold Infeld, communiste lui-même, avança une autre explication :

> « Il ne se laisse pas emporter par les émotions. Il traverse la vie avec un plaisir modéré et une indifférence émotionnelle. La vie est pour Einstein un spectacle qu'il regarde avec un certain détachement, sans jamais être déchiré par des émotions extrêmes comme l'amour ou la haine. C'est un spectateur objectif de la folie humaine et les sentiments n'obscurcissent pas sa capacité de jugement. Son intérêt est purement intellectuel et on peut lui faire davantage confiance qu'à quiconque quand il choisit un camp (et il choisit souvent son camp !) car le "moi" n'est jamais partie prenante dans sa décision. Sa pensée est tournée vers l'extérieur, vers le monde de la réalité[16]. »

Einstein livra dans sa correspondance une interprétation de lui-même. Il écrivit ainsi à une personne inconnue :

« L'être humain est une partie du tout que nous appelons "univers", une partie limitée dans le temps et dans l'espace. Il s'appréhende lui-même, avec ses pensées et ses sentiments, comme séparé du reste, mais ce n'est qu'une sorte d'illusion d'optique de sa conscience. Cette illusion est une prison qui nous enferme dans nos propres désirs et notre affection envers les quelques individus les plus proches de nous. Nous devons nous affranchir de cette prison en élargissant le cercle de notre compassion à tous les êtres vivants et à l'ensemble de la nature dans sa magnificence. Personne ne peut y parvenir entièrement, mais les efforts déployés dans ce sens sont déjà, en eux-mêmes, des éléments de la libération et les fondements d'une sécurité intérieure. »

Il parla plus directement de lui-même à ses amis Max et Hedi Born :

« Je préfère simplement davantage donner que recevoir. Je ne me prends pas trop au sérieux, pas plus le comportement des masses. Je n'ai pas honte de mes faiblesses et de mes défauts, et je prends les choses comme elles viennent avec sérénité et humour. Beaucoup de gens me ressemblent et je ne parviens pas à comprendre pourquoi on m'a transformé en une sorte d'idole. C'est sans doute aussi incompréhensible que le fait qu'une avalanche soit déclenchée par *une particule* précise de poussière et qu'elle suive un certain parcours[17]. »

Peu avant Noël 1950, il répondit à une lettre vieille d'un an de Mlle Markwalder, la fille de sa propriétaire zurichoise de ses années étudiantes. Il affirma ne pas avoir perdu son énergie. Il avait abandonné le violon, mais se lançait parfois dans des improvisations au piano. Après dix-sept années en Amérique, il n'avait adopté en rien la mentalité du pays et « prenait garde à ne pas acquérir des pensées et des sentiments superficiels : cela flotte dans l'air, ici[18] ».

Il expliqua à un professeur de musique d'un lycée du Minnesota pourquoi il n'aimait pas les parades en musique : « Les défilés au pas et en musique sont une façon d'endormir l'esprit d'un individu pendant que son corps est éveillé. Cela a toujours été l'un des meilleurs moyens pour pousser les peuples à se massacrer les uns les autres et, en général, à commettre les crimes les plus horribles sans être troublés par la voix de leur conscience[19]. »

Eduard avait pu quitter l'hôpital psychiatrique grâce à l'argent fourni pas son père. Le pasteur Hans Freimuller prenait soin de lui dans un village montagnard proche de Zurich. Freimuller dispensait à des malades mentaux une thérapie faite d'évangélisme et de psychanalyse. Sa première impression d'Eduard, alors âgé de quarante ans, fut celle d'un homme nerveux et ventripotent dont les yeux « irradiaient une merveilleuse luminosité ». Des yeux qui exprimaient, selon l'homme d'Église, « une bonté en quête de protection[20] ».

Après avoir joué du piano, seul, pendant des semaines, Eduard surmonta sa timidité, se mit à raconter des blagues et à lire des poèmes aux trois jeunes fils du pasteur. Il donna même des concerts aux enfants du village. La femme du pasteur lui procura un travail (remplir des enveloppes) qui lui assura une certaine indépendance.

Les services de contre-espionnage américains en Allemagne tentaient de découvrir si Helen Dukas avait été une espionne soviétique avant de travailler pour Einstein. En février 1951, ils dénichèrent deux personnes qui avaient habité le même immeuble qu'Einstein avant guerre. L'une, un dénommé Tetzlaff, déclara qu'Einstein disposait de bureaux à l'Institut Kaiser-Wilhelm et à l'université de Berlin, mais pas dans son appartement. Il ajouta qu'Einstein et Dukas étaient amis avec une famille Auerbach. Une ancienne femme de ménage des Auerbach, Marie Kulkowski, dit qu'elle avait connu Einstein et qu'il lui envoyait toujours des colis de nourriture. Lotte Schiffer, née Auerbach, fut retrouvée à Londres. Mais aucune des deux femmes ne fournit d'éléments à charge[21].

Le bureau de Newark du FBI suggéra alors qu'« une revue des biographies et écrits consacrés à Einstein révélerait peut-être les noms de ses collaborateurs européens. Par ailleurs, si le bureau dispose de contacts ou d'informateurs qui soient en situation d'approcher Helen Dukas ou Einstein sous prétexte d'écrire un livre ou un article sur l'influence des femmes en général, ou d'une femme en particulier, sur la vie d'Einstein, nous pourrions utiliser cette approche pour connaître ses collaborateurs et employés de Berlin[22] ».

Hoover n'eut « aucune objection » contre ces propositions et, fin août, ses agents étaient en mesure de dresser une liste de noms extraits de la biographie de Philipp Frank (*Einstein : sa vie et son temps*) : Helen Dukas, professeur Ladenburg (« considéré aujourd'hui comme étant le Rudolph Walther Landenburg, professeur de physique à Princeton »), Cornelius Lanczos, Walter (Walther) Mayer, Peter Bergman (Bergmann) et Valentia (Valentin) Bargman (Bargmann). Dans la biographie de Marianoff ils trouvèrent que celui-ci avait été marié avec la belle-fille de leur cible, Margot, et avait reçu une quantité de courrier. Le bureau de Newark estima qu'il était trop risqué de contacter « Landenburg vu sa collaboration étroite avec le professeur Einstein depuis de nombreuses années ». Il cherchait quelqu'un d'autre à Princeton qui soit en mesure de répondre à ses questions.

Julius et Ethel Rosenberg avaient été condamnés à mort le 9 avril 1951 par le juge Irving Kaufman qui avait décrété que leur crime était pire qu'un meurtre car, « en ayant mis la bombe A dans les mains des Russes des années avant » qu'ils ne la trouvent eux-mêmes, ils avaient précipité l'agression contre la Corée.

Le frère d'Ethel, David Greenglass, sauva sa tête en témoignant contre sa sœur et son beau-frère, et fut condamné à quinze ans de prison. La femme de Greenglass, Ruth, écrivit à Einstein que son mari et elle n'avaient pas collaboré avec la justice pour sauver leur peau, mais parce qu'ils avaient compris que c'était leur devoir d'Américains et de parents. Elle s'inquiétait de l'hostilité que leurs enfants risquaient de rencontrer à l'avenir et se demandait si elle ne devrait pas quitter le pays avec sa famille à la libération de son mari[23].

Einstein répondit :

> « Tout homme ou toute femme doit avoir la possibilité de mener une existence honnête, quoi qu'il ait pu faire auparavant. Cela semble difficilement possible dans ce pays, dans le climat psychopolitique actuel. Un homme qui possède un métier devrait pouvoir immigrer ailleurs sans difficulté. [David Greenglass était mécanicien.] Mais il est inutile de discuter davantage de cela aujourd'hui, de vive voix ou autrement[24]. »

En juin 1951, Maja contracta une pneumonie qui lui fut fatale. Maurice Solovine fut parmi les premiers à être informés : « Une mort paisible a délivré ma chère sœur de ses horribles souffrances, voici quatre semaines[25]. » Einstein conclut : « Nous supportons stoïquement de nombreuses afflictions, mais le dieu incertain de Spinoza rend notre tâche plus difficile que ne le prévoyaient nos aïeux. » Il remercia le médecin de famille, le docteur Guy Dean, pour « ses soins précieux » et pour « avoir tout fait pour soulager les souffrances de ma sœur[26] ». Il écrivit à un cousin : « Elle me manque plus qu'on ne peut l'imaginer, mais je suis soulagé que tout cela soit derrière elle[27]. »

David Ben Gourion, en visite aux États-Unis pour lever des fonds pour Israël, passa quelques heures avec Einstein à Princeton en septembre. Une poignée de photographes les fixèrent en train de se serrer la main, puis ils s'assirent côte à côte sur des chaises de jardin.

Ben Gourion raconta ensuite à un ami qu'Einstein était l'homme le plus intelligent au monde. « Vous vous rendez compte que c'est un scientifique qui n'a besoin d'aucun laboratoire, d'aucun équipement, d'aucun outil d'aucune sorte ? Il se contente de s'asseoir dans une pièce vide, avec un crayon, une feuille de papier et son cerveau, et de réfléchir[28]. »

Le FBI continuait de contrôler les activités d'Einstein. « Une lettre du professeur Albert Einstein au NCASP le félicitait, ainsi que d'autres organisations qui soutiennent Willie McGee [décrit dans le *Daily Worker* du 27 mars 1951 comme un nègre du Mississippi victime d'un coup monté l'accusant de viol, et qui fait appel de sa condamnation à mort devant la Cour suprême des États-Unis] qu'ils considèrent comme innocent[29]. »

En septembre, le bureau de New York du FBI eut l'idée d'une manœuvre pour interroger Dukas d'une façon anodine : la questionner sur un autre suspect. Hoover accepta. Cela ne nuira pas à « notre investigation en cours au sujet de Dukas. Cet interrogatoire pourra, d'autre part, aider le bureau de Newark à connaître l'attitude de Dukas et envisager son éventuelle collaboration. (...) Il ne faut en aucun cas l'informer qu'elle est elle-même l'objet d'une surveillance[30] ».

L'échec fut total. Dukas affirma que ni elle ni Einstein ne connaissaient aucun des « suspects » mentionnés par les agents et se contenta de confirmer ce qu'ils savaient déjà – qu'elle était secrétaire personnelle d'Einstein depuis 1928.

Le dossier de Dukas mesurait maintenant deux centimètres d'épaisseur. Six ans avaient passé et Hoover n'en savait pas davantage qu'au début.

Einstein s'attela une fois de plus à sa théorie unifiée des champs. Jusqu'à ce qu'il comprenne qu'il n'irait pas plus loin. La vérification mathématique viendrait de quelqu'un d'autre. Il reprochait à la nouvelle génération de physiciens de ne pas l'avoir épaulé et attribuait leur scepticisme à une incapacité à comprendre ses arguments logiques et philosophiques.

Mais ses réserves de pugnacité et d'hilarité n'étaient pas épuisées. « Je n'ai jamais lu le désespoir sur son visage, écrivit son collègue Abraham Pais. De rares nuages de tristesse n'ont jamais effacé son sens de l'humour[31]. »

# 38

# Discussions et polémiques

*1952*
*73 ans*

Carl Seelig écrivait sa biographie d'Einstein. Il était parvenu à vaincre les réticences du physicien et à le convaincre de collaborer avec lui. Installé à Zurich, il envoyait régulièrement à Einstein des colis de sachets de soupe en poudre que ce dernier appréciait autant pour leur goût que pour les souvenirs qu'ils réveillaient dans sa mémoire.

Seelig fut le premier biographe d'Einstein à s'intéresser au sort d'Eduard après son entrée en hôpital psychiatrique. Einstein fit tous les arrangements nécessaires pour qu'il puisse le rencontrer. « La maladie de mon fils n'est pas très grave », expliqua-t-il à l'écrivain, mais « de puissantes inhibitions émotionnelles » l'empêchent de travailler régulièrement et de mener une vie normale.

Seelig se promena avec Eduard et l'emmena au restaurant et au théâtre. Le jeune homme en vint à le considérer comme son meilleur ami, tandis que Seelig était touché par son « sourire tourmenté, rêveur mais serein, et une impression de véracité qui dégagent un charme certain ». À tel point que Seelig se proposa comme tuteur du garçon, ce qu'Einstein refusa catégoriquement en déclarant que son fils en avait déjà un[1].

Evelyn Einstein, fille adoptive de Hans Albert et pensionnaire dans un lycée zurichois, emmenait également Eduard en promenade. Elle le trouvait attachant et fascinant. « Nous nous entendions très bien, raconte-t-elle. Il était coupé du monde et débordait de questions, quelquefois surprenantes comme : "Alors, est-ce qu'on s'est décidé à construire des voitures électriques ?" » Les seules encyclopédies auxquelles il avait accès dataient des années vingt. « Je me demande s'il était réellement schizophrène[2]. »

Evelyn était choquée par ses conditions de vie : « Il vivait dans une espèce de taudis, une pièce en sous-sol sans fenêtre, qui donnait sur un couloir. Il y avait des meubles et l'électricité, mais c'était sombre et lugubre. Mais, mon Dieu ! il s'y était habitué. On s'habitue à tout. Quand je l'ai rencontré, il était totalement entré dans le moule des institutions. Il n'aurait jamais pu vivre à l'extérieur. » On lui dit qu'Eduard entendait des voix et faisait des crises de violence, mais cela ne s'est jamais produit en sa présence.

Malgré ses nombreuses questions sur « n'importe quoi », Eduard ne parla jamais à la jeune fille de son père, sa mère ou son frère. Quant à Seelig, s'il recueillit ses réactions sur sa famille ou le fait d'être enfermé dans un hôpital psychiatrique, il ne le mentionna pas dans son ouvrage. (Dans sa biographie, publiée peu après la mort d'Einstein, Seelig ne mit pas en cause le diagnostic porté par Einstein sur son fils et ne lui reprocha jamais ce qu'on pourrait considérer comme un abandon de son fils.)

Seelig contacta ensuite Solovine, à Paris, pour l'interroger sur les années de l'Académie d'Olympie. Celui-ci demanda ce qu'il devait faire à Einstein qui lui répondit de raconter ce qu'il trouverait de plus judicieux, en ajoutant : « Passe sur ce que tu préfères garder pour toi. Ce n'est pas toujours une bonne chose de se présenter tout nu au public. » Quant à lui, il ne voulait plus participer au livre, même indirectement. Seelig allait trop loin et dérangeait ses amis[3].

Solovine avait été surpris de lire qu'Einstein avait qualifié de « miraculeuse » la capacité des scientifiques à comprendre le monde et craignait, apparemment, que son ami n'ait perdu le contact avec la réalité. La même lettre d'Einstein le rassurait. Non, il ne tombait pas dans le mysticisme, mais il ne prétendait pas tout expliquer. Le monde est un chaos qui dépasse nos capacités de compréhension. Un aspect échappera toujours à la science : *pourquoi* il existe. « Ne crois pas que je sois devenu religieux avec l'âge, ajoutait-il à l'intention de Solovine, mais je ne veux pas être confondu avec les athées suffisants et positivistes qui croient détenir *toutes* les réponses ».

Johanna Mankiewicz, la fille âgée de quinze ans du scénariste Herman Mankiewicz, demanda à Einstein de l'aider à résoudre un problème de géométrie : trouver la tangente commune à deux cercles tangents de seize et quatre centimètres de rayon. Il retourna un dessin grossier ressemblant à la vue latérale d'un bateau à vapeur, accompagné de la bonne équation.

Robert Oppenheimer était, pendant ce temps, sur la sellette. En 1947, le *Washington Times Herald* avait déjà titré en gros caractères : « LE FRÈRE D'UN SPÉCIALISTE DE LA BOMBE EST COMMUNISTE ET A TRAVAILLÉ SUR LA BOMBE A. Frank Oppenheimer travaillait à l'usine de Oak Ridge, Los Alamos[4]. » Puis, en 1949, il avait été cité comme témoin devant la commission des activités antiaméricaines. Le service du contre-espionnage avait déjà enquêté pendant des années sur son cas sans trancher sur sa loyauté et sa fiabilité. Les investigations et interrogatoires furent poursuivis.

En mai 1952, les enquêteurs se rendirent au bureau d'Oppenheimer à l'Institut d'études supérieures. Einstein proposa à son ami de l'aider, par exemple en répondant de lui devant la commission. L'offre fut apparemment déclinée.

Sidney Hook se manifesta à nouveau. Il était hors de lui à cause d'une accusation lancée par les communistes selon laquelle les États-Unis se livraient à une guerre bactériologique en Corée, ce que Frédéric Joliot-Curie, lauréat du prix Nobel et membre du parti communiste, prétendait avoir vérifié. En tant que président du comité américain pour la liberté culturelle, Hook demandait aux lauréats américains du prix Nobel de signer une lettre enjoignant Joliot-Curie de participer avec eux à une investigation scientifique objective ou de retirer ses accusations. Einstein fut le seul à refuser son nom, en expliquant à Hook que, tout en étant déçu par la déloyauté de Joliot-Curie, il ne croyait pas qu'« une contre-offensive lancée par des hommes politiques » aurait l'effet désiré. Les scientifiques signataires de la lettre n'avaient jamais protesté contre le détournement de la science à des fins militaires, ce qu'il considérait comme une question autrement plus importante.

Hook rétorqua que le groupe qu'il animait avait pour unique but de défendre « les valeurs essentielles à la préservation de la liberté culturelle », et non de restaurer l'image des États-Unis :

> « Nous sommes surtout préoccupés par la violation de la responsabilité morale et de l'intégrité intellectuelle que représentent les accusations proférées par M. Joliot-Curie qui attisent les flammes de la guerre et de la haine. (...) Vous semblez penser aujourd'hui que les lauréats du prix Nobel devraient dénoncer les détournements de la science à des fins militaires. Ce que nous proposons peut, au minimum, être considéré comme un pas dans ce sens. Nous ne voyons par conséquent aucune raison, même en considérant votre position

actuelle, pour laquelle vous refuseriez de signer la lettre à M. Joliot-Curie[5]. »

Einstein admit qu'il était indigne d'un scientifique comme Joliot-Curie de proférer des accusations sans être certain qu'elles soient exactes, mais estima qu'il était inutile de faire du bruit sur cette question car cela n'atteindrait jamais le public soviétique. Cela provoquerait une nouvelle bouffée de haine antisoviétique en Occident et compliquerait encore davantage l'obtention d'un *modus vivendi* acceptable entre les deux camps. Il était cependant favorable à une investigation objective des allégations de Joliot-Curie, tout en estimant qu'« on ne devrait pas s'offusquer de telles accusations quand on n'approuve pas l'interdiction du recours en premier aux armes bactériologiques ».

Au cours de l'automne, Einstein répondit à un groupe de Japonais qui lui avaient demandé quel avait été son rôle dans l'élaboration de la bombe atomique. Il ajouta qu'il considérait Gandhi comme le plus grand génie politique de l'époque, car il avait montré que des manifestations pacifiques pouvaient tenir en échec un pouvoir militaire aux allures invincibles. Après avoir lu la lettre dans le *New York Times*, Hook écrivit à Einstein le 10 novembre :

> « Gandhi ne pouvait réussir qu'avec les Anglais ou un peuple qui partageait les mêmes valeurs humaines. Je crains qu'il n'ait complètement échoué avec l'armée japonaise, la Gestapo ou les SS, et le MVD soviétique. »

Einstein répondit à Hook, par retour du courrier, qu'il était d'accord avec lui. La seule solution était de mettre fin à la course aux armements. Il admettait que les méthodes de l'État soviétique étaient funestes, mais estimait que le premier pas sur la route de la paix devait consister à démilitariser et neutraliser l'Allemagne.

Einstein gardait le contact avec de vieux amis, en Europe et en Israël. L'un d'eux était le docteur Hans Mühsam, âgé de soixante-seize ans, paralysé, aveugle d'un œil et alité depuis onze ans. Son frère, Erich Mühsam, était mort sous la torture dans un camp de concentration nazi. Einstein et Hans Mühsam s'étaient souvent promenés ensemble à Berlin, dans les années vingt, en se livrant à de longues discussions.

Au cours de l'été 1952, Mühsam reçut une lettre dans laquelle Einstein écrivait : « Quand je suis plongé dans des calculs et qu'un insecte se pose sur ma feuille de papier, je me dis qu'"Allah est grand !", et qu'avec toute notre grandeur scientifique nous ne sommes que de pauvres gouttes dans l'océan. » Il admirait les individus éclairés, parmi lesquels « les quelques écrivains de l'Antiquité qui se sont progressivement libérés de la superstition et des doutes qui avaient obscurci leur existence pendant plus de cinq cents ans[6] ».

Le 6 novembre, Einstein écrivit à Upton Sinclair que son dernier livre, *A Personal Jesus : An Essay in Biography*, « témoignait d'une attitude critique honnête et lucide envers les textes officiels ». Son manuscrit ayant été refusé par des dizaines d'éditeurs, Sinclair en avait financé la publication avec un héritage qu'il venait opportunément de toucher.

Le premier président d'Israël, Chaïm Weizmann, décéda le 9 novembre. Le Premier ministre David Ben Gourion demanda à l'ambassadeur israélien aux États-Unis, Abba Eban, d'offrir le poste à Einstein. Un ami et collègue de celui-ci, David Mitrany, était présent quand Abba Eban lui téléphona. « Sa principale préoccupation était d'éviter d'embarrasser le diplomate avec un refus qui était inéluctable », raconte Mitrany. Il répondit : « Je connais un peu le monde physique, mais quasiment pas celui des hommes. » Puis il demanda à Eban de faire ce qu'il pouvait pour « lever le siège des journalistes autour de ma maison[7] ».

Un envoyé de l'ambassadeur se présenta quelques jours plus tard, porteur d'une lettre officielle garantissant à Einstein que la présidence d'Israël ne l'empêcherait pas de poursuivre librement ses recherches. Einstein répondit par écrit :

> « Je suis profondément touché par la proposition de notre État d'Israël, et en même temps attristé et honteux de ne pouvoir l'accepter. Je me suis occupé toute ma vie de faits objectifs. Je n'ai ni la compétence naturelle ni l'expérience nécessaire pour résoudre les problèmes humains et exercer des fonctions officielles. Cela serait suffisant pour me rendre inapte aux devoirs d'une charge élevée, si un âge avancé n'affaiblissait en plus mes forces. Cela me désole d'autant plus que ma vie est marquée par mon affection envers le peuple juif, depuis que j'ai pris pleinement conscience de notre situation précaire parmi les nations du monde. J'espère de tout mon cœur que vous trouverez un homme qui, par son expérience et sa personnalité, sera en mesure d'assumer cette dure responsabilité, après la disparition de celui qui a porté pendant des années sur ses épaules tout le poids de la direction de notre combat pour l'indépendance, dans des situations difficiles et tragiques. »

Einstein se rendit à une conférence donnée à Princeton par George Wald, futur lauréat du prix Nobel de médecine et de phy-

451

siologie. Arrivé en avance, il rejoignit l'orateur qui faisait les cent pas sur le trottoir. Après les salutations d'usage, il lui demanda à brûle-pourpoint : « Pourquoi, à votre avis, tous les acides aminés sont-ils orientés vers la gauche[8] ? »

Wald, l'esprit occupé par son exposé, se contenta de grommeler une réponse.

« Einstein a dit : "Je me suis demandé pendant des années pourquoi l'électron est négatif. Négatif ? Positif ? Ce sont des concepts parfaitement symétriques en physique. Alors, pourquoi l'électron est-il négatif ? La seule réponse que j'aie trouvée est que l'électron négatif a gagné la compétition. C'est la même chose avec les acides aminés orientés à gauche. Ils ont gagné la compétition."

« La compétition dont il parlait était celle entre la matière et l'antimatière, les électrons négatifs et les électrons positifs, les positrons, qui avaient déjà été découverts. Ils s'annulent au contact les uns des autres et leur masse se transforme en radiation conformément à la formule $E = mc^2$. »

Einstein dit à Wald d'un ton « vraiment triste » que « quelqu'un d'autre trouvera la solution » de la théorie unifiée des champs.

Un journaliste de Washington, I.F. Stone, qui avait couvert la déposition d'Einstein devant la commission d'enquête anglo-américaine sur l'avenir de la Palestine, en 1946, lança une lettre d'information, à laquelle il proposa à Einstein de s'abonner. Cet esprit indépendant, iconoclaste et orienté à gauche, recueillit cinq mille trois cents abonnements au *I. F. Stone Weekly*, dont ceux de Bertrand Russell, Eleanor Roosevelt et Einstein. Marilyn Monroe offrit un abonnement à chaque élu du Congrès, peut-être à l'incitation de son mari Arthur Miller[9].

Stone fut si heureux du soutien d'Einstein qu'il « écrivit à la secrétaire de celui-ci pour lui demander l'autorisation de mettre le chèque sous cadre, au lieu de l'utiliser. Elle a répondu : "Non. Tout le monde veut mettre ses chèques sous verre et il est impossible de tenir son compte en banque. Encaissez le chèque et nous vous le renverrons quand la banque nous le remettra*." Ce qu'elle a fait. J'ai toujours le chèque[10] »

Einstein voyait en Stone un antifasciste convaincu qui avait mis au service du journalisme des qualités d'universitaire et d'humaniste. Il invita l'écrivain et sa famille à venir prendre le thé chez lui.

Les deux hommes plaisantèrent sur le refus de Stone d'encaisser le chèque d'Einstein, mais la chasse aux sorcières de McCarthy

---

* Aux États-Unis, les chèques débités sont remis à l'émetteur par sa banque. (*N.d.T.*)

domina la conversation. Ils firent un parallèle avec l'Allemagne hit-lérienne.

« Mais je ne crois pas qu'Einstein ait laissé ce vulgaire et hysté-rique McCarthy le déranger trop, raconte Stone, même s'il voyait sans doute dans l'aventurisme politique de McCarthy un avant-goût de ce qui s'était passé en Allemagne.

« Einstein était un homme extrêmement bienveillant, poursuit Stone. Il y a des gens dont émane la bienveillance. Il était plus que gentil. Il était tendre, très modeste et malicieux. Il s'est tourné vers ma femme en lui disant : "Si les enfants ont envie de poser des questions, je serai content de répondre si je le peux." Mais ils étaient trop impressionnés pour demander quoi que ce soit.

« J'ai écrit ensuite que c'était comme de prendre le thé avec Dieu. Pas le Dieu terrible de la Bible, mais le père des petits enfants, au ciel, gentil et sage. En fait, Einstein lui-même avait tout d'un enfant. »

Un portrait radicalement différent, menaçant même, était brossé par la biographie collectée par le FBI. Hoover, qui redoutait tou-jours d'affronter Einstein directement, demanda à ses agents de résumer l'énorme dossier. La compilation, curieux mélange de faits, d'inventions, de mensonges, de rumeurs et de divagations, fit pas moins de 1 160 pages.

# 39

# Le combat pour la grâce des Rosenberg

*1953*
*74 ans*

Einstein fournit de nouvelles armes à ses adversaires en demandant au président Truman la grâce des Rosenberg, condamnés à mort, alors qu'il gardait le silence sur le sort des Juifs à Moscou. C'était l'heure du procès des « blouses blanches » au cours duquel neuf médecins célèbres, dont six Juifs, furent accusés d'avoir assassiné des dirigeants soviétiques en rendant de faux diagnostics et en prescrivant des doses mortelles de médicaments. Les six Juifs étaient censés appartenir à un réseau d'espionnage sioniste. Il ne faisait aucun doute aux yeux des gens informés que les nouvelles purges de Staline jouaient sur le sentiment antisémite latent en Union soviétique.

Einstein reçut de nombreuses lettres critiquant son attitude sélective. Un Texan de Galveston écrivit ainsi :

> « On m'a toujours dit que l'homme le plus savant dans sa discipline et dans sa profession est le plus grand des abrutis dans les autres domaines. (...) Rappelez-vous qu'en Amérique nous vivons dans le paradis divin. Pas vous, parce que vous êtes un athée, un infidèle. Nous NE VOULONS PAS qu'un immigrant donne des ordres à notre bon gouvernement[1]. »

Un rabbin de Brooklyn estimait, quant à lui :

> « Votre intervention en faveur des Rosenberg m'amène à vous

demander de condamner publiquement le procès à Moscou des prétendus "médecins juifs terroristes". (...) Le *New York Times* du 13 janvier fournit en première page de nombreux détails sur la dernière bouffée antisémite à Moscou et donne la liste des médecins juifs qu'on obligera bientôt à confesser des crimes qu'ils n'ont pas commis et pour lesquels ils seront sans doute exécutés si l'opinion publique mondiale ne s'y oppose pas. Les vies des "médecins juifs terroristes" sont certainement aussi précieuses que celles des Rosenberg. Je vous conjure également de rompre votre silence sur les récents procès antisémites de Prague, qui se sont conclus par l'exécution immédiate de onze hommes, dont neuf Juifs, qu'on a contraints d'avouer qu'ils appartenaient à une conspiration manipulée par l'État d'Israël, le gouvernement américain, le Joint Distribution Committee [une importante association caritative juive] – une conspiration dont vous savez qu'elle n'a jamais existé et qui rappelle Hitler et ses "protocoles[2]". »

Dans sa réponse, Einstein expliqua au rabbin qu'il estimait de son devoir d'Américain de demander la grâce des Rosenberg. Comme son collègue Harold Urey, qui avait également dénoncé les condamnations à mort, il pensait que les preuves de leur culpabilité n'étaient pas suffisantes et que, même s'ils étaient coupables, le châtiment était trop sévère. Il était inutile de sa part de condamner publiquement le gouvernement soviétique pour son recours « aux mensonges et à la torture » en guise de justice, car il ne pouvait guère écrire à Staline « qui est sans doute le criminel en chef » et ses déclarations n'atteindraient pas le public au-delà du rideau de fer. Elles ne feraient qu'attiser la haine ressentie par la majorité des Américains envers l'Union soviétique. Il se joindrait éventuellement à une protestation de l'« intelligentsia internationale » si elle était exempte d'arrière-pensées politiques[3].

En 1953, le sionisme était devenu pour le régime soviétique synonyme de trahison et d'allégeance aux services secrets anglais et américains. De nombreux Juifs avaient été exécutés, des membres du comité juif antifasciste, des intellectuels et des artistes. D'autres avaient disparu dans des circonstances mystérieuses, comme le président du comité, Peretz Markish. Ehrenbourg avait eu la vie sauve, mais était interdit de publication.

« Einstein croyait que ses protestations auprès de Staline auraient été ignorées, estime le spécialiste d'histoire soviétique Adam Ulam. Je pense qu'il se trompait. Sa voix aurait eu un effet. Je ne sais pas si elle aurait arrêté les massacres. Lors des derniers jours de Staline [qui mourut le 5 mars 1953] on apprit qu'il existait un plan pour déporter en Sibérie tous les Juifs de Moscou et des autres villes. Mais les questions de prestige international étaient toujours importantes pour Staline. Même s'il est vrai que les critiques de généticiens étrangers contre les positions officielles soviétiques prolamarckiennes furent totalement occultées, j'ai tout de même l'impression qu'Einstein aurait dû dire quelque chose contre le traitement des Juifs soviétiques[4]. »

En février, le FBI relança une fois de plus sa surveillance d'Einstein. Le juge Kaufman, qui avait condamné les Rosenberg, avait transmis à l'agence une lettre qu'Einstein lui avait adressée le 23 décembre 1952. Un agent nota dans son rapport : « Il dit dans cette lettre (...) qu'il ne révélerait à personne qu'il l'avait écrite. Il ajoute qu'il ne conteste pas le verdict du jury en tant que tel, tout en mentionnant que pour une personne qui n'avait pas assisté au procès la culpabilité des accusés n'était pas prouvée au-delà de tout doute raisonnable. » (Les Rosenberg ont proclamé leur innocence jusqu'à la fin, même s'ils auraient probablement sauvé leur vie en reconnaissant leur culpabilité.) Le rapport citait un passage de la lettre :

> « Quoi qu'il en soit, tout ce qui a été rendu public renforce la conviction que les accusés n'ont pu jouer qu'un rôle mineur dans la transmission à un représentant soviétique du document préparé par M. Greenglass. C'est pourquoi il serait incompréhensible que les Rosenberg reçoivent un châtiment plus grave que Greenglass, dont le crime est confirmé par ses propres aveux. On doit aussi prendre en considération qu'aucune des autres personnes convaincues d'avoir transmis des informations sur l'énergie atomique et qui ont, sans aucun doute, fourni du matériel nettement plus important que l'incompétent Greenglass n'a été exécutée. Puis-je, enfin, en appeler à vous en tant qu'être humain pour que vous utilisiez l'autorité que la loi vous confère afin d'empêcher qu'un geste irréparable ne soit commis[5] ? »

C'est probablement Helen Dukas qui parvint à faire bouger Einstein contre la tyrannie soviétique. Le FBI lui-même en vint à cette conclusion*. L'événement déclenchant fut un télégramme qu'il reçut de la part d'un magazine anticommuniste, *New Leader* : « Nous notons votre soutien pour la grâce des Rosenberg. Au nom des droits de l'homme, nous vous demandons de condamner aussi clairement le procès antisémite de Prague et l'exécution imminente de médecins juifs soviétiques. »

Einstein répondit par un communiqué de presse : « Il va sans dire que la perversion de la justice des procès officiels organisés par le

---

\* Le document NK 100 = 29614 du FBI déclare : « Helen Dukas (...) a probablement une certaine influence sur le professeur Einstein. »

456

gouvernement russe, pas seulement à Prague mais aussi ceux qui ont eu lieu depuis le milieu des années trente, mérite une condamnation inconditionnelle. Une autre question est ce qu'il est possible de faire, d'ici, pour contrecarrer ces méthodes et procédures méprisables. » Il répétait que les hommes au pouvoir en Union soviétique ne seraient jamais influencés par ses prises de position publiques ou celles de n'importe qui d'autre, et que cela ne fera « qu'attiser les flammes d'une haine réciproque. L'action la plus appropriée serait, à mon avis, une condamnation collective d'autorités reconnues dans les domaines scientifique et universitaire. L'avantage de cette démarche serait qu'elle apparaîtrait clairement indépendante de toute manœuvre politique. Une déclaration de ce genre devrait également être distribuée à toute la presse, encore une fois pour éviter de donner l'impression d'un acte de propagande[6] ».

La mort de Staline, le 5 mars 1953, sauva la vie des médecins. Ils furent tous libérés un mois plus tard.

Cela s'ajoutait à d'autres bonnes raisons qu'avait Einstein de fêter dans la joie ses soixante-quatorze ans. Le Syndicat des boulangers de New York lui avait envoyé un gigantesque gâteau au chocolat et à la pâte d'amandes en forme de pupitre soutenant un livre, et décoré de roses, d'œillets, de myosotis et violettes en sucre. Un banquet auquel il assista le jour de son anniversaire fut l'occasion de recueillir plus de trois millions de dollars pour la fondation d'une école de médecine Albert-Einstein, soit près du tiers du coût total du bâtiment.

Le 20 avril, Einstein célébrait un autre anniversaire, les quatre ans de Mark Abrams, fils de son ophtalmologiste, dont il était le parrain. Helen Dukas téléphona aux Abrams : « Le professeur a un cadeau d'anniversaire. Pourriez-vous passer ? » Mark vint avec ses parents et un oncle qui prit une photo où on voit « Einstein s'essayant aux Lincoln Logs – les Lego de l'époque – qu'il m'avait offerts, tandis que je fouille dans un sac de pièces en chocolat qu'il m'avait également donné[7] ».

John Wheeler fit, le mois suivant, un cours sur la relativité restreinte et générale. Einstein l'invita à venir prendre le thé, le 16 mai, avec ses étudiants, en proposant de répondre à leurs questions. Wheeler demanda à chacun de préparer trois questions.

L'un des huit étudiants, Arthur Komar, avait récemment entendu Einstein déclarer au cours d'une conférence que les lois physiques devraient être simples. Un auditeur avait posé la question : « Et si elles ne sont pas simples ? » À quoi il avait répondu : « Alors, elles ne m'intéressent pas. »

On lui demanda pourquoi il s'opposait à la mécanique quantique et il expliqua qu'il ne pouvait accepter le concept de probabilité *a priori*. Quelqu'un avait avancé :

« Mais, c'est vous qui avez introduit la probabilité *a priori*... »

— Je sais, a-t-il reconnu, et je l'ai toujours regretté. Quand on fait de la physique, on ne devrait pas laisser sa main gauche savoir ce que fait sa main droite. »

À la fin de la conférence, à laquelle Komar avait assisté, Einstein s'était assis avec un sourire de soulagement en annonçant : « C'est mon dernier examen. »

Il comparaissait devant un nouveau jury.

Wheeler se souvient : « Ce fut une rencontre agréable et amicale. Pourquoi m'avait-il invité avec mes étudiants ? Je pense qu'il cherchait seulement à se rendre utile. Il était toujours très sympathique envers moi. C'était la première année que je donnais ce cours sur la relativité, et c'est sans doute ce qui l'a motivé[8]. »

Ils s'assirent autour de la table de la salle à manger. Margot Einstein et Helen Dukas servirent le thé. Wheeler se rappella que « les étudiants posèrent des questions sur des sujets très différents depuis la nature de l'électricité et la théorie unifiée des champs, jusqu'à l'expansion de l'univers et sa position sur la théorie quantique. Il répondait longuement et d'une façon captivante ».

Interrogé sur le principe de Mach (selon lequel la résistance des corps à des forces d'accélération est déterminée par les effets à grande distance de la matière de l'univers), Einstein déclara qu'il n'en était plus un aussi chaud partisan qu'auparavant. « Le principe de Mach ne repose peut-être, en fin de compte, sur rien dans la nature. »

À propos de la relativité restreinte, il expliqua : « En l'élaborant je savais que ce n'était pas complet. Tout est comme cela à notre époque : d'un côté nous croyons, de l'autre nous doutons. J'ai cru à une époque que la température était un concept fondamental. Je pense la même chose de la théorie de Maxwell, mais je suis aujourd'hui convaincu qu'il n'existe pas de solution simple. On ne peut affirmer qu'on est sur la bonne voie quand les éléments hypothétiques sont trop nombreux. J'en suis venu à la simplicité logique, ce qui est le dernier recours pour emprunter la bonne voie. Un événement m'a convaincu de l'utilité de la simplicité logique, la relativité générale. (...) La théorie quantique, fondée sur la relativité restreinte, est horriblement compliquée. Pour la plupart des gens la relativité restreinte, l'électromagnétisme et la gravitation sont des facteurs peu importants qu'on ajoute à la fin, quand tout le reste est terminé. Il faut au contraire les prendre en compte dès le début. Autrement, c'est comme si on traitait un problème classique et

458

qu'on le place à la fin dans le cadre de la loi de conservation de l'énergie. »

Alors que les visiteurs s'apprêtaient à partir, un étudiant demanda : « Professeur Einstein, que deviendra cette maison quand vous ne serez plus ici ? » Un sourire amusé illumina le visage d'Einstein et il dit avec son magnifique anglais lent et son léger accent : « Cette maison ne deviendra jamais un lieu où des pèlerins viendront contempler les reliques d'un saint. »

Einstein craignait que les manifestations organisées par les communistes dans le monde entier pour soutenir les Rosenberg n'aggravent leur situation en transformant l'affaire en enjeu politique et en exacerbant les passions dans les deux camps. L'appel des condamnés pour un report de leur exécution fut rejeté par la Cour suprême par 5 voix contre 4. Ils furent conduits à la chaise électrique le 19 juin 1953.

Harold Urey*, de l'Institut d'études nucléaires de l'université de Chicago, écrivit à Einstein le 25 juin :

> « Il m'est impossible d'exprimer mon désarroi à propos de cette affaire. (...) Je ne parviens pas à comprendre comment on a pu croire ce qui a été dit au tribunal à leur sujet [les Rosenberg]. L'un de nos professeurs de droit a étudié l'affaire pendant deux semaines et est revenu à Chicago avec le sentiment très net que les Rosenberg étaient innocents. Il est évident que leur comportement n'était pas celui de coupables. Je pense que cela fait un tort considérable aux États-Unis. (...) Votre soutien et votre lettre ont été un grand réconfort, car très peu de scientifiques ont pris la peine d'étudier un tant soit peu l'affaire. J'ai apprécié votre position sur les inquisitions menées par des commissions du Congrès, mais je crois qu'il aurait mieux valu que vous vous appuyiez sur le premier amendement de la Constitution, au lieu du cinquième**. Je veux dire que ces commissions abusent de leur pouvoir, qu'elles n'ont aucun droit d'interroger les gens sur leurs croyances et que c'est une violation de la liberté de parole, de la presse, etc. Malgré mon désaccord sur ce point particulier, je suis extrêmement heureux qu'un homme de votre stature ait le courage de prendre position sur de telles questions[9]. »

Einstein avait déjà écrit au juge de la Cour suprême William O. Douglas, qui avait voté pour un sursis à l'exécution des Rosenberg : « Vous vous êtes battu pour la formation d'une opinion publique

___

\* Prix Nobel de chimie en 1934.

\** Le premier amendement de la Constitution américaine garantit la liberté d'opinion et le cinquième autorise à refuser de témoigner contre soi-même. (N.d.T.)

saine, dans notre époque troublée. Je ne peux manquer de vous exprimer mes remerciements et ma haute estime[10]. » Douglas répondit : « J'ai bien reçu votre lettre (...) sur l'affaire Rosenberg. Vous me rendez un hommage qui allège le poids de ces heures sombres et qui me sera toujours cher[11]. »

Einstein défendit sa position auprès d'un correspondant d'Albany, en Géorgie, que celle-ci surprenait : « Pour autant que j'en puisse juger, aucune preuve convaincante n'a été produite dans l'affaire Rosenberg. Mais même si on avait fourni des preuves, l'esprit de la loi ne justifiait pas la peine de mort. Ces deux personnes ont été victimes d'enjeux politiques[12]. »

Il écrivit à Bertrand Russell que tous les intellectuels, y compris de jeunes étudiants, se laissaient impressionner par les hommes politiques qui répétaient à l'opinion publique que les communistes russes et américains menaçaient le pays. Russell était la seule personnalité qui « conteste ces campagnes absurdes menées par les hommes politiques. Plus les mensonges sont gros, plus ils se sentent assurés d'être réélus par une population abusée. Cela explique également pourquoi Eisenhower n'a pas osé commuer la peine de mort des deux Rosenberg, alors qu'il savait parfaitement à quel point leur exécution ternirait l'image des États-Unis à l'étranger[13] ».

Einstein reprochait au parti communiste d'avoir contribué à l'issue tragique de l'affaire en faisant des Rosenberg des victimes innocentes du « fascisme américain ». Il écrivit ainsi le 12 septembre 1953 à un correspondant de Los Angeles :

> « L'affaire Rosenberg a malheureusement été utilisée par les communistes, ce qui eut une influence extrêmement négative[14]. »

Einstein avait été contrarié par le refus de l'Union américaine pour les droits civiques (American Civil Liberties Union) de soutenir les Rosenberg en prétendant que « la commutation d'une peine de mort ne soulève pas de question relative aux droits civiques[15] ». Concluant que l'organisation était tombée sous le contrôle d'éléments réactionnaires, il avait participé avec I.F. Stone à la fondation du Comité d'urgence pour les droits civiques (Emergency Civil Liberties Committee).

À l'automne, il assista à une réunion de l'Église unitaire pour la limitation de l'énergie nucléaire où Ashley Montagu prit la parole.

Il invita plus tard Montagu à l'heure du thé, pour discuter du désarmement atomique. Ils tombèrent d'accord sur le fait qu'il fallait convaincre les États-Unis et l'Union soviétique, alors seules puissances détentrices de l'arme nucléaire. Einstein pensait cependant que c'était un rêve sans espoir car l'humanité avait une propension innée à l'agression. Montagu n'était pas de cet avis. « J'ai rappelé à Einstein, raconte Montagu, un échange de lettres qu'il avait eu avec Freud en 1932, et qui avait été publié dans un opuscule intitulé *Pourquoi la guerre ?* Il avait demandé à Freud s'il pensait que les guerres étaient inévitables. Freud avait répondu : "Il est peu probable qu'on puisse supprimer les tendances agressives de l'humanité. On dit que, dans des régions heureuses de la planète où la nature procure en abondance tout ce que l'homme désire, il existe des peuples qui vivent pacifiquement, en ignorant l'agression et la contrainte. J'ai du mal à le croire : j'aimerais en savoir davantage sur ces bienheureux." Freud conclut que les êtres humains avaient un instinct qui les poussait à la destruction et à la guerre. Et il craignait qu'il n'y eût aucun traitement. Einstein s'était ainsi rangé à l'opinion de la grande autorité en la matière[16]. »

Montagu défendit l'idée que l'homme n'avait aucun instinct, ce qu'Einstein combattit énergiquement. Il se référa à son échange de lettres avec Freud. L'instinct d'agression était incontournable et, partant, les guerres étaient inévitables.

« Je n'étais pas surpris qu'Einstein n'ait jamais entendu parler des pacifiques Indiens Hopi ou Zuñi, des Vedda de Ceylan ou des Pygmées du Congo, ajoute Montagu. Les publications à ce sujet n'entraient pas dans ses domaines d'intérêt. J'ai fini par le convaincre qu'il se trompait, qu'il n'existait pas d'instinct d'agression. Pacifiste comme il l'était, il en fut bien sûr ravi.

« Cela confirmait ce que je pensais de lui. Il avait un esprit très ouvert. Il était prêt à accepter n'importe quelle idée, aussi opposée fût-elle aux siennes, si on lui fournissait des explications et des justifications scientifiques suffisantes. »

Einstein estimait que le pire des maux du capitalisme était « l'abaissement des individus. Il disait que tout notre système éducatif en souffrait. On inculque aux élèves un esprit de compétition exacerbé et on développe en eux l'appât du gain ».

Max Born tentait de convaincre Einstein que l'Allemagne n'était pas, contrairement à ce qu'il avait écrit, « une terre de bourreaux[17] ». Sa femme et lui étaient rentrés en Allemagne, après avoir passé les années de guerre à Édimbourg. Il dit à Einstein que nombre d'Allemands avaient beaucoup plus souffert des nazis qu'eux-mêmes, notamment certains de leurs nouveaux amis qui étaient quakers, comme Hedi Born.

Cela n'ébranla pas Einstein, qui mit en garde une Américaine qui s'apprêtait à rejoindre son mari à Berlin : « Les Allemands vont

461

vous sembler affables et intelligents. Ils vous donneront l'impression d'être d'accord avec vous, mais vous ne devez pas en croire un seul[18]. »

Einstein approuvait les projets d'aide à la reconstruction économique de l'Allemagne et le rétablissement de relations politiques et diplomatiques normales avec son gouvernement. Mais il s'opposait farouchement au réarmement du pays.

L'assistant d'Einstein, Ernst Straus, lui proposa de signer une pétition contre la venue à Princeton d'un mathématicien européen qui avait adhéré au parti nazi pendant l'Occupation. Einstein refusa en disant : « Vous voulez que je signe quelque chose qui fera du tort à un autre homme ? » Et il jeta la lettre à la poubelle[19].

Le 8 décembre au soir, un visiteur inattendu se présenta, Albert Shadowitz, physicien au camp militaire d'Aberdeen de 1941 à 1943 puis pendant huit ans aux laboratoires fédéraux des télécommunications d'IT&T. Il parla à Helen Dukas qui le conduisit auprès d'Einstein après une minute de réflexion silencieuse. Apprenant que le syndicat local s'apprêtait à exclure les Juifs et les Noirs, il avait participé à la formation d'une autre union, la Fédération des architectes, ingénieurs, chimistes et techniciens, qui avait adhéré au United Office and Professional Workers of America. Joseph McCarthy venait de le convoquer devant sa commission car il soupçonnait son syndicat d'être dirigé par les communistes et de servir de couverture à un réseau d'espionnage soviétique. Que devait-il faire ?

Einstein ne demanda pas à Shadowitz s'il avait été ou était communiste, car il considérait que le premier amendement garantissait le secret des opinions politiques. Il lui conseilla d'affirmer clairement, si cela était vrai, qu'il ne se livrait ni à l'espionnage ni à aucune autre activité déloyale, et de ne rien dire de plus, sinon d'invoquer les premier et cinquième amendements. Il l'autorisa à utiliser son nom.

Lors de sa comparution à huis clos, quelques jours plus tard, Shadowitz déclara n'avoir jamais été espion. Un adjoint de McCarthy, Roy Cohn, se mit à lui poser des questions jusqu'à ce que, « selon les conseils du professeur Einstein », il refuse de dire s'il était communiste. On lui annonça qu'il serait convoqué pour une audience publique au début de l'année suivante.

Shadowitz écrivit à Einstein : « Je ne sais pas comment ma femme et moi aurions résisté à l'épreuve sans votre soutien. »

En réponse, Einstein félicita Shadowitz pour avoir défendu les droits que lui confère le premier amendement[20].

Le 21 décembre, Einstein assista au mariage de Thomas Bucky. « C'était une soirée en smoking au Plaza de Manhattan, raconte celui-ci. Nous ne l'avions pas invité car nous savions à quel point il détestait les réceptions formelles. Mais il est venu tout de même, après avoir été informé par des gens de la famille. Pour quelqu'un comme lui il était bien habillé, avec un costume noir, une chemise et une cravate. Mais il venait directement de la rue et il portait encore un caban et un vieux chapeau à la russe. Un photographe prit une photo de lui qui parut le lendemain en première page du *New York Daily News*. Personne ne comprenait qu'il s'était en fait mis sur son trente et un. Il devait faire un effort pour assister à des réceptions comme celle-là. C'était une torture. Quand je l'ai vu arriver, j'ai compris qu'il m'aimait réellement. Il n'a pas entièrement perdu son temps. Il a pris du papier à en-tête de l'hôtel et s'est mis à travailler de temps à autre sur des équations. J'ai encadré une feuille en souvenir[21]. »

# 40

# L'affaire Oppenheimer

*1954*
*75 ans*

Un journal titra qu'Einstein avait découvert une nouvelle série de lois qui gouvernaient le cosmos. À tort. Car le père de la relativité se heurtait toujours à un mur et comprenait qu'il ne parviendrait pas à confirmer ses équations des champs dans un avenir prévisible.

Cette difficulté sapait sa confiance en lui-même. Il hésitait à répondre à la pile de lettres qui l'attendait en se disant qu'il serait ridicule de sa part de donner des conseils à quiconque.

George Wald, qui lui rendit visite dans son bureau à cette époque, se souvient : « Il m'a regardé avec un long visage triste et m'a dit : "On n'arrête pas de m'écrire pour me demander quelle est la signification de la vie. Qui suis-je pour le leur dire ?"[1] »

D'autres questions le dépassaient. Celle, par exemple, d'une mère de jeunes garçons qui lui écrivit de San Francisco : « Comment peut-on faire pour avoir une fille ? Vous êtes si intelligent et vous connaissez les réponses à tout. Je suis certaine que s'il existe une possibilité de choisir le sexe d'un bébé vous me le direz[2]. »

Einstein estimait que la surpopulation menaçait la planète et que « certaines campagnes et pratiques des organisations catholiques sont préjudiciables et mêmes dangereuses pour la communauté dans son ensemble, ici et partout dans le monde. Je veux parler de la lutte contre le contrôle des naissances, à une époque où la

464

surpopulation est une menace pour la santé publique de nombreux pays et un obstacle important à l'instauration de la paix dans le monde[3] ».

Albert Shadowitz refusa à nouveau de coopérer lors d'une audience publique de la commission des activités antiaméricaines, le 8 janvier 1954. Le Sénat l'accusa d'outrage à l'autorité et la société Kay Electric le licencia peu après. (Il deviendra professeur de physique.) Des journaux attaquèrent l'« ingratitude » d'Einstein qui s'était réfugié aux États-Unis et avait incité Shadowitz à tourner les lois du pays en dérision. Le courrier d'Einstein se répartissait à parts égales en partisans et opposants. Quelqu'un lui adressa une copie du « credo américain » qui déclarait : « Mon devoir est d'aimer mon pays, de défendre sa Constitution, d'obéir à ses lois, de respecter son drapeau et de le protéger contre tous les ennemis. » Einstein inscrivit dans la marge : « C'est exactement ce que je fais. »

Albert Shadowitz vint remercier Einstein à Princeton, en compagnie de sa femme et de son père. Le père donna l'accolade au physicien et l'embrassa. La femme de Shadowitz expliqua qu'Einstein était « comme un superman pour notre communauté juive. Il était l'incarnation de tout ce que le judaïsme représentait pour nous. Pour le père de Al, c'était le grand Juif ».

Le tout nouveau Comité d'urgence pour les droits civiques tint une conférence à Princeton pour le soixante-quinzième anniversaire d'Einstein. Un dirigeant du Parti socialiste américain refusa d'y assister parce que, expliqua-t-il à Einstein, des membres en vue du Comité « ont fait preuve depuis des années d'un amour de la liberté des plus inconstants [sous-entendu, ils sont communistes]. (...) Je suis entièrement convaincu que la pierre de touche de l'attachement d'un Américain à la liberté (...) est l'aptitude à s'opposer à la fois au communisme et au maccarthysme[4] ».

Einstein répondit que l'Amérique était nettement moins menacée par ses communistes que par la chasse hystérique menée contre eux et contre « des citoyens dont la couleur est moins rouge. (...) Pourquoi le péril serait-il plus grand en Amérique qu'en Angleterre, avec les communistes anglais ? Ou bien, faut-il croire que les Anglais sont politiquement plus naïfs que les Américains et ne comprennent pas quel danger les menace ? Personne, là-bas, n'a recours à l'inquisition, à la suspicion, aux serments, etc., et les "subversifs" ne sont pas pour autant laissés sans surveillance. Aucun enseignant, aucun professeur d'université, n'a été licencié, et les communistes semblent avoir moins d'influence qu'auparavant ».

Il redoutait que l'Amérique n'imite l'Allemagne de 1932 « dont les démocrates ont été tellement affaiblis, par des moyens identiques, que Hitler put sans grande difficulté leur porter un coup mortel. (...) Je suis convaincu qu'il se passera la même chose ici si les individus clairvoyants et capables d'altruisme ne résistent pas[5] ».

Le journaliste Edward Murrow résistait. Sa dénonciation de McCarthy à la télévision, le 24 février, entraîna de nombreux responsables religieux et quelques journaux influents comme le *New York Times*, le *New York Herald Tribune* et le *Washington Post* dans le camp des anti-McCarthy. Même Sidney Hook critiqua « les prétentions et les agissements exagérés et irresponsables » du sénateur. McCarthy sera désapprouvé par le Congrès avant la fin de l'année et perdra rapidement tout pouvoir de mener ses chasses aux sorcières.

L'investigation de Robert Oppenheimer entrait dans sa deuxième année. Une commission décida qu'« Oppenheimer est un citoyen loyal » mais qu'il a « une tendance à se laisser diriger, ou au moins influencer », et vota par six voix contre une le retrait de son accès à des informations sensibles. Le président Eisenhower suivit la recommandation et ordonna qu'à partir du 15 avril 1954 Oppenheimer n'ait plus connaissance de secrets atomiques.

Einstein téléphona sur-le-champ à l'Associated Press pour exprimer son admiration envers Oppenheimer en tant qu'homme et que scientifique. Le lendemain, comme il revenait chez lui pour déjeuner, en compagnie de Kurt Gödel, « il fut entouré de journalistes et de caméras de télévision. Voyant les journalistes qui accouraient, Dukas, qui préparait le repas, se précipita au secours du physicien interloqué[6] ». Dukas se souvient : « Les journalistes allaient à sa rencontre. Je suis sortie en courant avec mon tablier sale en criant : "Professeur Einstein, il y a des journalistes, ne dites rien ! Ne dites rien !" Ils l'ont presque acculé dans les buissons. Ils le poursuivaient et je leur ai claqué la porte au nez. Ils n'étaient pas contents. »

Craignant que les ennemis d'Oppenheimer ne tentent de lui faire perdre son poste de directeur de l'Institut d'études supérieures, Einstein prit les devants et écrivit à un ami, le sénateur Herbert Lehman, administrateur de l'Institut. Il décrivit Oppenheimer comme, « de loin, le meilleur directeur que l'Institut ait connu » et mit en garde contre un renvoi « qui ferait un grand tort à la réputation de l'Institut ». Les appréhensions d'Einstein étaient injustifiées. La fonction d'Oppenheimer fut reconduite.

Frieda lui ayant rappelé que Hans Albert aurait cinquante ans le 11 mai 1954, il lui souhaita ainsi son anniversaire : « C'est une joie pour moi d'avoir un fils qui a hérité l'aspect le plus important de moi-même, transcendé l'existence ordinaire en dépensant l'essentiel de son énergie pour un but désintéressé. Nous avons en commun l'opiniâtreté, un manque d'attrait pour les rangs de la majorité et un intérêt pour la littérature. C'est un mode de vie courageux, presque héroïque. » Il lui conseillait de ne jamais perdre son sens de l'humour, d'être gentil avec les hommes mais de ne pas leur prêter trop d'attention.

Einstein aida, pendant ce temps, un jeune homme handicapé et qui sortait de prison à trouver du travail.

Le 12 juin, Hoover demanda aux services secrets militaires en Allemagne d'interroger Max von Laue sur Einstein et Dukas. Le colonel Perry, chef du département de la Sécurité au Pentagone lui répondit une semaine plus tard que l'interrogatoire aurait lieu dès que possible, et que le rapport lui serait immédiatement transmis. Celui-ci arriva neuf mois plus tard. Von Laue s'était montré prêt à raconter tout ce dont il se souvenait aux deux officiers qui le rencontrèrent. Mais ce n'était pas grand-chose. Un vague souvenir d'avoir rencontré Helen Dukas à Berlin à Noël 1932, vingt et un ans plus tôt. Puis plus rien. Il ignorait tout de ses idées politiques, de ses centres d'intérêt ou de ses activités.

Après neuf années de surveillance de Dukas et Einstein, le FBI se décida en novembre à tirer une « conclusion logique » de tout son travail. On se livra à une analyse des derniers détails rassemblés sur la secrétaire-espion.

L'affaire s'était nouée dans le bureau d'Einstein à Berlin, entre 1929 et 1931. Un véritable foyer d'espions soviétiques, selon des informateurs. « Un lieu utilisé comme boîte aux lettres par un réseau d'espionnage soviétique opérant en Extrême-Orient. D'après des informateurs, le professeur Einstein disposait de deux secrétaires dans son bureau à cette époque, toutes les deux sympathisantes communistes. L'une de ces secrétaires décodait les messages de l'Intelligence soviétique et les transmettait à un agent qui assurait la liaison entre le bureau d'Einstein et les dirigeants soviétiques à Moscou. (...) Un examen du dossier ne fournit aucune preuve manifeste et la piste la plus logique à explorer est d'interviewer Helen Dukas[7]. »

Et le rapport poursuivait : « Une étude du dossier [d'Einstein] incite à penser qu'une des pistes les plus intéressantes à l'heure actuelle serait de s'informer sur le devenir de son fils Eduard Einstein qui a été vu la dernière fois alors qu'il résidait en Suisse. »

Un ami de la famille Einstein, le docteur Clair Gilbert, donne des relations entre Einstein et Dukas une version quelque peu différente de celle des policiers : « Dukas l'idolâtrait littéralement et il prospérait sous sa férule. Elle était parfois très revêche et se mettait en colère contre les gens, mais il se sentait parfaitement à l'aise avec elle. Il savait qu'elle le protégeait. Dukas s'occupait merveilleusement bien de la maison et jouait un rôle de filtre entre le monde et lui. Dans ses dernières années, Einstein était une sorte de gentil grand-père. Mais ce n'était qu'un de ses visages. J'ai toujours pensé qu'il cachait celui d'une sorte de mégère[8]. »

Le 11 novembre 1954, Linus Pauling, qui venait de se voir décerner le prix Nobel de chimie, passa voir Einstein comme il le faisait deux ou trois fois par an. « J'y suis allé quelques jours avant la cérémonie de remise des prix, raconte-t-il. Quelque temps après, j'ai publié une déclaration qui soutenait sans détour Oppenheimer. Je suis certain d'en avoir parlé avec Einstein. Je crois que nous avons également discuté de l'absence de confiance réciproque entre les Russes et les Américains. Notre conclusion était que les stocks d'armes nucléaires étaient si importants qu'ils forceraient les deux pays à s'entendre, malgré leur méfiance mutuelle. »

Einstein dit également à Pauling : « J'ai commis une erreur dans ma vie, c'est d'avoir signé cette lettre » (demandant à Franklin D. Roosevelt de produire la bombe atomique). Le chimiste ajoute : « Il ne l'avait, bien sûr, pas écrite lui-même. Il s'est contenté de la signer. Il l'a peut-être corrigée. Puis Einstein a poursuivi : "Mais on m'excusera peut-être parce que nous avions tous peur que les Allemands ne détiennent la bombe atomique en premier." Il n'a pas dit qu'il n'aurait pas signé s'il avait su que les travaux des Allemands étaient peu avancés[9]. »

# 41

## La dernière interview

*1955*
*76 ans*

Einstein avait fait la connaissance de la contralto afro-américaine Marian Anderson dans les années trente, quand il était allé la féliciter dans sa loge après un concert au Carnegie Hall. Il avait invité la chanteuse chez lui peu après, lors d'un passage de celle-ci à Princeton, après avoir appris que l'hôtel local avait refusé de lui louer une chambre. Elle était à nouveau chez Einstein en janvier 1955, à l'occasion d'un nouvel engagement dans la ville.

« Délabré », selon son propre mot, par une anémie qui le clouait au lit, il fit cependant l'effort de se lever pour descendre la saluer, avant de la laisser entre les mains de Margot et Helen Dukas. Einstein descendit à nouveau précautionneusement pour lui dire adieu quand elle fut sur le point de repartir. « Je ne savais pas que c'était un réel "adieu" [1] », écrivit-elle plus tard.

Loin de faire ses adieux, le FBI s'était enfin décidé à passer à l'action. Hoover accepta la proposition d'un de ses hommes d'interroger Dukas sous prétexte de recueillir des informations sur diverses personnes, et deux détectives se rendirent à Princeton pour rencontrer la secrétaire chez elle.

Selon les agents, Dukas « se montra très amicale et fournit des réponses apparemment sincères. (...) Elle ne tenta pas d'éluder les questions et parla avec une grande liberté, en reconnaissant qu'avec les années elle se souvenait mal des noms, des dates et des lieux.

469

Ses réponses étaient souvent brèves et l'interrogatoire a été mené, conformément aux consignes du bureau, d'une façon discrète [sic] et prudente. (...) Elle ne donna jamais l'impression de se douter que c'était sur elle qu'on enquêtait[2] ».

Dukas raconta qu'elle était secrétaire particulière du physicien depuis 1928 et qu'Elsa et Ilse avaient assuré le secrétariat avant elle. Elsa s'était ensuite occupée de toute la correspondance, pendant qu'elle-même tenait la maison et faisait la cuisine pour toute la famille, tout en travaillant comme secrétaire. Einstein n'avait jamais fait de politique, à la seule exception de sa lutte contre Hitler. « Elle ne s'intéresse qu'à une chose dans la vie, Einstein, et se range à tous ses avis. (...) Elle n'aurait jamais rien fait sans en parler d'abord au professeur Einstein. » Dukas ne connaissait apparemment aucun Allemand susceptible de « tenter d'infiltrer le bureau du professeur Einstein ou d'aucun scientifique de son entourage ».

Dukas indiqua aux policiers où se trouvaient les fils d'Einstein : Hans Albert était professeur d'hydraulique à l'université de Californie à Berkeley (et non derrière le rideau de fer, comme l'indiquait un rapport du FBI), tandis qu'Eduard, « un malade mental sans espoir », était enfermé dans un asile psychiatrique de Zurich depuis 1930. Einstein venait de se remettre d'une grippe suivie d'une anémie qui l'avait retenu chez lui pendant des mois.

Convaincus qu'elle avait dit la vérité, les deux agents conclurent que si les soupçons étaient fondés, et qu'une secrétaire d'Einstein avait été en contact avec des espions soviétiques, les suspects les plus vraisemblables étaient Elsa et Ilse.

Le rapport estimait qu'« il ne semble pas justifié de poursuivre l'enquête, vu le temps qui s'est écoulé depuis l'époque où le bureau d'Einstein aurait été utilisé par les Soviétiques, l'absence de confirmation de ces soupçons et le fait que les personnes concernées sont aujourd'hui dispersées dans de nombreux pays et parfois décédées. Par conséquent, sauf avis contraire du bureau central, le bureau de Newark décide de classer les dossiers Dukas et Einstein et de ne pas les rouvrir sur la base des seuls soupçons actuels ».

Conclusion habile. Hoover pouvait prétendre que l'enquête avait été un succès car les suspects vraisemblables avaient été identifiés. Et comme ils étaient tous les deux décédés, ils ne risquaient pas de démontrer qu'il avait perdu son temps pendant dix ans.

Thomas Bucky estime qu'Einstein « aurait éclaté de rire » s'il avait su qu'il était l'objet d'une investigation du FBI[3].

Richard Alan Schwartz écrivit dans *Nation* :

« Des sommes considérables ont été dépensées pour payer des gens à passer d'innombrables heures pour découper des articles de journaux, taper des résumés de déclarations publiques et suivre les pistes les plus absurdes. (...) Le plus surprenant est peut-être à quel point on a tenu aucun compte de l'histoire contemporaine. Pour le FBI, c'était comme si la dépression, la montée du nazisme et la Seconde Guerre mondiale n'avaient jamais existé. On n'envisagea pas un instant qu'au cours des années trente quelqu'un ait pu soutenir certains combats menés par les communistes, en réaction contre une crise économique qui traduisait un échec, au moins temporaire, du capitalisme ou pour lutter contre le nazisme[4]. »

Michele Besso mourut d'une crise cardiaque le 15 mars 1955, à l'âge de quatre-vingt-deux ans, le lendemain de l'anniversaire d'Einstein. Celui-ci écrivit à la famille du défunt : « Ce que j'admirais le plus chez lui, en tant qu'être humain, c'est d'être parvenu à vivre tant d'années non seulement en paix mais en harmonie avec une femme – une tentative dans laquelle j'ai lamentablement échoué à deux reprises[5]. »

Pour tenter d'éviter le désastre que risquait d'entraîner la course aux armements, Einstein lança avec Bertrand Russell le mouvement Pugwash, un regroupement international dans lequel les scientifiques discuteraient des armes nucléaires et de la responsabilité des chercheurs envers la société. Ils contribuèrent ainsi à la signature du premier traité de non-prolifération nucléaire qui, tout en étant limité, fut cependant un premier pas important.

Einstein n'était pas encore remis de son anémie quand Bernard Cohen, historien des sciences à Harvard, sollicita une interview. Sachant qu'Einstein admirait Newton, Cohen lui écrivit « une lettre dans laquelle j'insistais sur mon travail sur Newton. J'étais certain que cela l'intéresserait[6] ». Dukas lui proposa un rendez-vous un matin, à dix heures.

Cohen se présenta à dix heures précises. La secrétaire le fit monter au premier étage et l'annonça. Einstein sortit de son bureau les yeux brillants, comme s'il avait ri ou pleuré. Il portait une chemise bleue à col ouvert et un pantalon de flanelle gris, et était en pantoufles de cuir. Il salua le visiteur, alla prendre sa pipe déjà bourrée et fit signe de le suivre dans son bureau. C'était une matinée froide de début du printemps. Il s'assit devant une petite table, s'enveloppa les pieds dans un tapis et montra une chaise à Cohen, en face de lui.

L'émotion coupant la parole de l'historien, Einstein vint à son secours en commençant : « Il y a tellement de questions non réso-

471

lues en physique... Tellement de choses que nous ignorons... Nos théories sont loin d'être au point. »

Cohen mentionna la théorie des photons. Son interlocuteur répondit, en riant : « Ce n'est pas une théorie. »

Il avait une conception très précise de ce qu'était une théorie. Les hypothèses sur les photons n'en constituaient pas une, car elles ne rendaient pas entièrement compte du phénomène optique.

« Einstein m'a interrogé sur ma formation, raconte Cohen, et m'a demandé pourquoi je me suis intéressé à Newton. Il critiquait sévèrement l'orgueil des scientifiques, y compris Newton, qui ne reconnaissaient pas les contributions des autres. Il fut choqué d'apprendre que, dans la polémique sur l'invention du calcul, Newton avait accusé Leibniz de plagiat, et avait secrètement dirigé l'enquête de la commission internationale nommée pour tirer l'affaire au clair. Einstein fit une comparaison célèbre à propos de cette controverse : nous connaîtrions le calcul différentiel, même si Newton et Leibniz n'avaient pas vécu, alors que la *Symphonie Héroïque* n'aurait pas existé sans Beethoven. Il ajouta que la théorie de la relativité restreinte aurait été découverte sans lui, et que la personne la mieux placée pour la découvrir aurait été Paul Langevin. Ce qui impliquait que personne, à part lui, n'aurait élaboré la théorie de la relativité générale.

« Il insista sur le fait qu'à son avis le découvreur est la plus mauvaise personne pour raconter comment une découverte a eu lieu. On lui avait souvent demandé comment telle ou telle idée lui était venue, mais il avait toujours eu du mal à fournir des réponses utiles. Il pensait qu'un historien était mieux à même de comprendre le processus intellectuel d'un scientifique, que le scientifique lui-même. »

Einstein se souvenait également avec plaisir de ses visites à Mach et disait que Mach, Lorentz, Planck et Maxwell étaient les scientifiques qu'il admirait le plus. C'était en fait les seuls qu'il ait jamais reconnus comme ses véritables précurseurs.

Cohen fit plusieurs fois mine de se lever, de peur de fatiguer son hôte, mais celui-ci le pria de rester en disant : « Nous avons encore beaucoup de choses à discuter. »

Descendant enfin les escaliers après deux heures de discussion, Cohen se retourna pour remercier Einstein, manqua une marche et faillit tomber. Le physicien lui dit en riant : « Vous feriez mieux de faire attention, la géométrie est complexe, par ici. Descendre un escalier n'est pas un problème de physique. C'est de la géométrie appliquée. »

Cohen était sur le point de sortir de la maison quand Einstein l'appela depuis son bureau : Attendez ! Attendez ! Il faut que je vous montre mon cadeau d'anniversaire. »

L'historien remonta et Einstein lui montra quelque chose qui ressemblait à une tringle de rideaux, avec une coupe à une extrémité et une balle fixée par une ficelle. Un voisin, Eric Rogers, dont il avait aidé les enfants à faire leurs devoirs, le lui avait donné. Ses yeux brillèrent d'excitation quand il fit la démonstration de la façon dont l'étrange assemblage illustrait le principe d'équivalence. Il leva l'extrémité de la tringle au plafond, la redescendit jusqu'au plancher, et la balle sauta dans la coupe[7].

Quelques jours plus tard, Einstein rendit visite avec un ami à Margot, qu'une sciatique clouait dans un lit d'hôpital. En quittant l'établissement, les deux hommes discutèrent de la mort. L'ami d'Einstein cita James G. Frazer selon lequel la peur de la mort était à l'origine des religions primitives (Frazer était l'auteur de *Golden Bough*, une étude sur la magie et la religion *) et ajouta que la mort était un mystère. « Et un soulagement[8] », poursuivit Einstein.

Le 12 avril, son assistante Bruria Kaufman le vit grimacer de douleur. La crise passée, elle lui demanda si tout allait bien. « Tout va bien, répondit-il. Mais je ne vais pas bien[9]. »

Le lendemain matin il se sentait suffisamment en forme pour recevoir l'ambassadeur d'Israël, Abba Eban et Reuven Dafni, officier de renseignements du consulat israélien à New York. Il les avait invités parce qu'il s'inquiétait de la sécurité d'Israël dans un monde hostile et désirait proposer son aide. Eban se rappela qu'« Einstein nous ouvrit la porte lui-même, vêtu d'un pull-over beige fripé et d'un pantalon difforme. Il me demanda si je pensais que les médias accepteraient de diffuser un discours qu'il adresserait au peuple américain et au monde. J'échangeai un regard avec Dafni, convaincu comme moi que ce serait le rêve de n'importe quel journaliste[10] ».

Einstein considérait « la naissance d'Israël comme l'un des rares événements politiques de son vivant qui aient eu un réel sens moral ». Il voulait mettre le monde en garde contre les menaces qui pesaient sur l'existence du nouvel État. « Il faut que je m'adresse à la conscience du monde », dit-il. Il pensait que les téléspectateurs américains changeraient de chaîne s'il se mettait à vanter les succès d'Israël, mais pas s'il « critiquait sans ambages l'attitude des grandes puissances envers Israël ». Les visiteurs étaient enthousiastes. Il fut

---

\* James George Frazer, *Le Rameau d'or*, Éditions Robert Laffont, coll. Bouquins.

décidé qu'Einstein parlerait sur une chaîne nationale à l'occasion du septième anniversaire de l'État hébreu, le 27 avril.

Puis Einstein leur proposa un café. Eban s'attendait à voir arriver une servante, mais à sa grande stupeur « Einstein se rendit à la cuisine d'où nous parvinrent des bruits de casseroles et de verre, agrémentés de temps à autre d'un fracas de vaisselle se brisant sur le sol, comme en hommage à la théorie de la gravitation de l'illustre prédécesseur de notre hôte, Newton ». Quand il revint avec les boissons, Eban dit à Einstein que son discours serait sans doute suivi par soixante millions de téléspectateurs. « C'est ma chance de devenir une célébrité mondiale ! » railla-t-il.

Eban téléphona à sa femme après avoir quitté Mercer Street. Celle-ci lui demandant ce qu'il avait fait, il lui répondit d'une voix parfaitement neutre : « Eh bien ! je suis allé à Princeton et Einstein m'a offert un café[11]. » Il lui dit qu'Einstein était « charmant » mais savait ce qu'il voulait, et qu'il dirait peut-être en direct à la télévision des choses qu'un diplomate aurait préféré éviter. Cela n'empêcherait pas « sa prise de position d'avoir une portée morale considérable ».

Einstein se reposait dans sa chambre, le lendemain après-midi. Dukas l'entendit se précipiter aux toilettes et s'effondrer. Elle appela son médecin, Guy Dean, qui arriva sur-le-champ avec deux collègues. Visiblement gravement malade, Einstein insista pour demeurer chez lui. La morphine le soulagea. Dukas, qui était seule avec lui dans la maison car Margot était toujours hospitalisée, passa la nuit dans le bureau du physicien, à côté de sa chambre. Elle se leva régulièrement pour lui faire boire de l'eau glacée afin de lutter contre la déshydratation.

Le lendemain, il refusa d'être conduit à l'hôpital de Princeton jusqu'à ce qu'on l'eût convaincu qu'il serait un fardeau pour Dukas. En chemin, il discuta avec animation avec un jeune économiste, brancardier bénévole dans la Croix-Rouge[12]. On le mit sous perfusion et on lui administra des analgésiques. Il fut bientôt au téléphone pour demander à Dukas de lui envoyer le premier jet de son discours télévisé, un exemplaire du *I.F. Stone's Weekly* et ses dernières notes sur la théorie unifiée des champs.

Il travaillait sur ses équations quand son ami Otto Nathan vint lui rendre visite. Il était sur le point d'aboutir, affirma-t-il à Nathan.

On amena Margot, dont la chambre n'était pas éloignée, sur une chaise roulante. Il l'accueillit avec chaleur : « Tu te déplaces avec une élégance ! »

Il était si marqué par la douleur et l'hémorragie interne provoquée par une rupture d'anévrisme de l'aorte qu'elle ne le reconnut pas tout de suite. « Mais, raconta Margot, sa personnalité était intacte. Il était content que je me sente mieux, plaisantait et était parfaitement lucide sur sa propre santé. Il affichait une totale sérénité, avec une pointe d'humour à propos des médecins. Il attendait la fin comme un phénomène naturel imminent[13]. »

Gustav Bucky prévint son fils Thomas qu'Einstein était hospitalisé. « Nous nous sommes rendus à Princeton, raconte Thomas Bucky, et nous avons vu qu'il était très malade. Nous avons discuté de sa santé avec le docteur Dean de Princeton et le docteur Rudolf Ehrman de New York, qui avait exercé à Berlin. Ils estimaient que de nouvelles techniques chirurgicales pouvaient le guérir et acceptèrent ma proposition d'en parler au docteur Frank Glenn, chirurgien en chef dans mon établissement, l'hôpital de New York. C'était un pionnier des greffes de l'aorte. Le lendemain matin, j'arpentai le couloir du bloc opératoire dès sept heures trente, une demi-heure avant une intervention que le docteur Glenn devait pratiquer. Il accepta de venir à Princeton en début d'après-midi. Après avoir examiné le malade, il déclara qu'une opération pouvait être tentée et proposa de transférer Einstein à New York, par précaution[14]. »

Malgré la douleur, Einstein refusa de bouger, en expliquant : « Je ne crois pas en la prolongation artificielle de la vie. »

Thomas Bucky poursuit : « Je lui ai parlé. Mon père lui a parlé. Le docteur Dean et la famille ont essayé. La réponse était toujours non. Nous avons discuté avec lui pendant près d'une journée. La déception nous mettait hors de nous. Sa situation s'aggravait et il souffrait de plus en plus. »

Hans Albert arriva de Californie. Il leur redonna de l'espoir après avoir parlé à son père. « Laissez-moi un peu de temps, dit Hans Albert. Je vais m'en occuper. Demain, il me dira oui. » Mais le lendemain ce serait trop tard.

Le docteur Dean passa le voir peu avant minuit. Il dormait. À une heure quinze, le 18 avril, une infirmière de nuit entendit qu'il respirait difficilement. Aidée par une collègue, elle souleva la tête d'Einstein. Dans son sommeil imposé par les narcotiques, il murmura en allemand quelque chose que les femmes ne comprirent pas. Puis il prit deux profondes inspirations et mourut.

« La cause du décès était une rupture d'anévrisme de l'aorte abdominale, dit Thomas Bucky. Et Einstein avait eu raison : l'autopsie indiqua qu'une opération était impossible. » Le docteur Rudolph Nissen, qui avait opéré Einstein en 1948 était d'accord. La lésion était trop proche de l'embranchement de l'artère rénale pour envisager son remplacement par une greffe chez un homme de soixante-seize ans.

« Il fit face à la mort humblement et calmement, aussi intrépide qu'il l'avait été tout au long de sa vie, écrivit Margot. Il a quitté le monde sans sensiblerie ni regrets[15]. »

« Ce monde étrange », comme il l'avait écrit quelque temps plus tôt dans une lettre de condoléances à la veuve de Michele Besso. « Pour ceux d'entre nous qui croient à la physique, la séparation entre le passé, le présent et le futur n'est qu'une illusion, aussi tenace soit-elle[16]. »

Alice Kahler écrivit à une parente :

« Le monde a perdu l'un de ses meilleurs hommes et nous avons perdu notre meilleur ami. Cela s'est produit si soudainement. Nous savions, bien sûr, qu'Einstein n'allait pas bien du tout, et que sa santé était très précaire, mais nous gardions toujours un espoir. Nous parlions souvent à Margot qui était dans le même hôpital. Lundi matin, Erich est sorti pour acheter des œufs chez Jimmy. Il est revenu à la maison blanc comme un linge, à peine capable de marcher. On lui avait dit que la radio avait annoncé la mort d'Albert Einstein. Nous nous sommes précipités au 112 Mercer Street, où les Oppenheim et le docteur Nathan, les meilleurs amis d'Einstein, venaient d'arriver. Le docteur Nathan m'a demandé de rester à la maison avec Kathy, la femme de ménage, pour répondre au téléphone (tous les appels ont ensuite été transférés à l'Institut d'études supérieures). À midi, la maison était assiégée par des voitures de journalistes et un camion de télévision de CBS. L'équipe de CBS a filmé tous les gens qui entraient ou sortaient et a voulu m'interviewer, ce que j'ai évidemment refusé. Le docteur Nathan a lu le testament à l'hôpital. Einstein avait demandé à être incinéré, et que ses cendres soient dispersées par le vent, comme cela avait été fait pour sa sœur Maja.

« Je veux maintenant ajouter ce que m'a raconté Margot, qui peut désormais parler librement. Elle savait depuis l'opération pratiquée quelques années plus tôt par le grand chirurgien Nissen que ce qui s'est passé pouvait arriver à tout moment. Nissen l'avait prédit. Quand il avait opéré Einstein, celui-ci avait le foie rétréci et la vésicule biliaire quasiment intacte (on avait pensé qu'elle était peut-être à l'origine du mal). En revanche, une veine artérioscléreuse (anévrisme) de l'artère principale était dilatée et le chirurgien prédit qu'elle éclaterait un jour en provoquant une hémorragie, et que ce serait la fin. Il a placé un filet autour pour la protéger. Cela a fonctionné pendant sept ans. Les médecins étaient tous d'accord pour dire qu'une nouvelle opération n'aurait rien changé, même si on peut parfois remplacer la partie malade par un greffon en plastique. Margot rapporta à son beau-père que Nissen lui avait dit qu'il s'en irait peut-être un jour comme cela, en s'accompagnant d'un claquement de doigts[17]. »

Otto Nathan organisa la crémation d'Einstein et fit disperser ses cendres dans le Delaware. On conserva son cerveau. Des chercheurs espéraient y découvrir la clé de son génie.

Einstein léguait vingt mille dollars, sa maison et tout ce qu'elle contenait à Margot, vingt mille dollars, ses vêtements et ses objets personnels à Helen Dukas – à l'exception de son violon qu'il donnait à son seul petit-fils en vie, Bernhard Caesar —, quinze mille dollars à Eduard et dix mille dollars à Hans Albert. Il avait désigné Nathan et Dukas comme administrateurs de ses biens et institué un fidéicommis pour la gestion de tous ses manuscrits, droits de reproduction, droits de publication, redevances et cessions de droits, et tous les autres droits et propriétés littéraires, ainsi que les propriétés en tout genre. Les revenus reviendraient à Dukas tant qu'elle était en vie, puis à Margot. Ils furent ensuite transférés à l'Université hébraïque d'Israël, avec les papiers d'Einstein[18].

Dukas distribua des souvenirs aux amis du défunt. Abraham Pais reçut sa dernière pipe (« son fourneau est en terre et son tuyau en roseau ») et les épreuves de la deuxième annexe de la « Théorie générale de la gravitation », qu'Einstein lui destinait[19].

Hans Albert se bâtit une réputation internationale comme professeur de travaux publics à l'université de Californie à Berkeley. Il garda un profil bas pour tâcher de faire oublier qu'il était le fils d'Albert Einstein. Il trouvait cependant troublant de passer devant un buste de son père, érigé entre ceux de Dante et de Copernic, en se rendant à la bibliothèque. « Vous savez quel effet cela fait de voir des statues de votre père ?[20] » demanda-t-il un jour à un visiteur.

Un producteur lui rendit un jour visite, dans sa modeste maison au sommet d'une colline :

« Nous voudrions tourner un film sur votre père, mais il nous faut une histoire d'amour.

— Je ne peux pas vous en raconter davantage que ce qu'il y a dans les livres écrits sur lui, répondit Hans Albert.

— Mais je ne peux pas faire un film seulement avec ses travaux scientifiques. Il me faut une dimension humaine. Je ne peux pas croire que votre père n'ait pas eu d'histoires d'amour, en dehors de ses deux mariages.

— Je n'en connais aucune », dit Hans Albert.

Ce qui était vrai. Le producteur repartit déçu[21].

Hans Albert mourut d'une crise cardiaque à Woods Hole, dans le Massachusetts, en 1973. Sa fille adoptive, Evelyn, habite en Californie où elle s'occupe de la réinsertion d'anciens membres de sectes.

Le premier des cinq arrière-petits-enfants d'Einstein, Thomas Martin, fils de Bernhard Caesar, naquit à Berne sept mois après le décès de son arrière-grand-père. Bernhard se rappelle une anecdote de l'époque où il vivait en Californie. Il discutait d'un problème de mathématiques avec un ami dans un trolleybus. « La conversation s'est échauffée et il a fini par me dire, presque en criant : "Mais enfin, pour qui tu te prends ? Pour Einstein ?" J'ai répondu : "Oui." Et tout le bus a éclaté de rire[22]. » Bernhard devint ensuite physicien expérimental pour l'armée suisse et travailla sur des blindages de tanks. Aucun de ses enfants n'est physicien.

Eduard mourut en 1965 dans l'hôpital psychiatrique suisse où il était retenu depuis vingt ans.

Margot Einstein et Helen Dukas restèrent au 112 Mercer Street. Dukas collabora aux biographies de Jamie Sayen et Abraham Pais, et répondit par courrier et téléphone aux questions d'autres chercheurs.

Margot continua de s'occuper d'animaux abandonnés, de peindre et de sculpter. Elle participa également au travail de Sayen. Elle disparut en 1986.

Helen Dukas et Otto Nathan consacrèrent le reste de leur vie à défendre un souvenir idéalisé de leur maître, collecter des documents pour les Archives Einstein, et tenter d'empêcher les écrivains et historiens de fouiller dans la vie du physicien.

Selon Freeman Dyson qui la connaissait bien, « Dukas entretint une abondante correspondance internationale » pendant un quart de siècle, jusqu'à quelques jours de sa disparition. « Elle dénichait de nouveaux documents en des lieux inattendus et retrouvait leur contexte historique. Elle aidait des historiens du monde entier à localiser et interpréter les documents archivés. Personne d'autre ne pouvait (...) dire au premier coup d'œil de quand datait un texte non daté, de quoi il parlait et quelle place il occupait dans la vie d'Einstein. Personne d'autre ne se rappelait les noms de tous les gens qu'Einstein avait connus, sans parler des dates, des titres, des professions et des liens familiaux[23]. » Elle sut se montrer énergique. Elle insista par exemple auprès d'une femme pour qu'elle rende un livre qu'Einstein, soutint-elle, lui avait prêté et non donné.

Otto Nathan secondait Dukas dans sa chasse aux écrits d'Einstein, avec encore davantage de détermination. Il traîna Hans Albert devant les tribunaux pour lui interdire de publier des extraits de la

correspondance de son père. Il menaça de la même chose un physicien qui refusait de lui remettre un lot de lettres. Le chercheur
s'exécuta. Il parvint à repousser jusqu'en 1987, trente-deux ans
après la mort de leur auteur, la publication par John Stachel du
premier volume des écrits d'Einstein.

## 42

# L'héritage d'Einstein

Einstein disparu, se profilèrent les révisionnistes : sa réputation de superstar scientifique était usurpée, la relativité était sérieusement entachée d'erreurs, l'expansion de l'univers était loin d'être certaine, il avait égoïstement refusé de reconnaître les contributions capitales de Mileva à ses découvertes, il avait gaspillé presque la moitié de sa vie dans une vaine quête mathématique en essayant d'unifier les forces de la nature, il avait, enfin, refusé jusqu'au bout l'ultime vérité — que la théorie quantique expliquait le monde subatomique.

Robert Oppenheimer, qui avait déjà estimé qu'Einstein avait « totalement perdu la boule », récidiva à l'occasion du cinquantième anniversaire de la théorie de la relativité, en 1965[1]. Einstein s'était engagé dans un combat aussi « noble et acharné » que vain contre Bohr « pour démontrer que la théorie quantique était entachée d'illogismes ». Il s'était lancé dans un « projet ambitieux pour combiner les connaissances sur l'électricité et la gravitation [la théorie unifiée des champs] (...) sans tenir compte de beaucoup d'aspects connus des physiciens mais qu'on ignorait quand il était étudiant[2] ». En d'autres termes, les révisionnistes avaient raison, et Einstein était un entêté ou un idiot.

Les révisionnistes avaient tort.

Une confirmation éclatante fut apportée en 1965 quand les astrophysiciens Arno Penzias et Robert Wilson découvrirent le rayonnement de fond de ciel dans le spectre des ondes radio, rayonnement considéré comme un résidu du big-bang. Leur découverte, qui leur valut le prix Nobel, confirmait les hypothèses d'Einstein sur l'expansion de l'univers.

En 1976, Martin Levine et Robert Vessot, de l'observatoire astrophysique du Smithsonian, lancèrent à dix mille kilomètres une fusée contenant une horloge extrêmement précise, puis comparèrent l'heure de cette horloge avec une autre, identique, demeurée sur terre. La théorie d'Einstein prévoyait que l'horloge de la fusée serait 4,3 dix milliardièmes de fois plus rapide que la seconde. Autrement dit elle avancerait d'un centième de seconde par an. Les résultats de l'expérience corroborèrent les calculs.

En 1983, grâce à la théorie d'Einstein encore, des physiciens parvinrent à remonter le temps jusqu'à une fraction de seconde après le big-bang. « Cette fraction de seconde s'exprimerait par un 1 précédé d'une virgule et de 42 zéros, soit 0.000000000000000000000000000000000000000001 », selon l'auteur Rick Gore[3].

Des instruments embarqués sur le satellite Cosmic Background Explorer (COBE) de la NASA apportèrent, dix ans plus tard, une nouvelle confirmation de la théorie de la relativité générale. Des centaines de millions de mesures effectuées par l'engin montrèrent qu'une température proche du zéro absolu est uniformément répartie dans l'espace. Ce qui serait une conséquence du big-bang par lequel avait débuté l'univers, selon Einstein.

En 1994, douze spécialistes reconnus d'Einstein annoncèrent qu'il avait été encore plus brillant qu'on ne le pensait, car il avait conçu sa théorie de la relativité générale en 1912, trois ans plus tôt qu'il ne l'avait cru lui-même — ce qui confirmait l'opinion d'Einstein selon laquelle les scientifiques ne sont pas les meilleurs juges de l'évolution de leurs propres idées[4].

Cette constatation fut le résultat de trois années d'efforts pour déchiffrer les équations d'un carnet de notes noirci par Einstein en 1912. Les pages étaient quelque peu chaotiques. Le physicien avait commencé le cahier par le début, puis l'avait retourné et avait recommencé par l'autre côté. Il avait apparemment entamé certaines pages par le haut et le bas en même temps. D'autres étaient vierges, d'autres encore avaient été arrachées. La présence d'une étiquette de couverture au dos du carnet n'avait pas aidé les déchiffreurs.

Il semble qu'Einstein ait formulé sa théorie en 1912, mais l'ait considérée comme impossible parce qu'elle contredisait la physique newtonienne. Il lui avait fallu trois ans pour changer d'avis et soumettre une série d'articles à l'Académie des sciences de Berlin, en novembre 1915.

Einstein connut un nouveau triomphe en juillet 1995. Des chercheurs de Boulder, dans le Colorado, ont produit une nouvelle forme de la matière en refroidissant des atomes à une température proche du zéro absolu. Einstein et Satyendranath Bose avaient prédit cette possibilité quelque soixante-dix ans plus tôt, dans leur théorie de la condensation de Bose-Einstein.

Quant à la théorie unifiée des champs, le physicien Richard Feynman estima que les dernières recherches d'Einstein avaient échoué parce qu'il avait arrêté de raisonner avec des images physiques concrètes et était devenu un manipulateur d'équations. John Kemeny n'est pas d'accord : « Tout d'abord, nous ne savons pas si Einstein s'est trompé. On n'a pas encore résolu les équations, et personne ne sait si elles sont justes. S'il s'est réellement trompé, c'est sans doute parce que le problème qu'il tentait de résoudre dépassait la physique de son époque[5]. »

Mais la recherche d'une force unificatrice de la nature a connu un récent regain d'intérêt. Un nombre croissant de scientifiques, dont Stephen Hawking par exemple, considèrent qu'Einstein ne poursuivait pas une chimère, et qu'il pourrait exister un principe unifiant la gravitation, l'électromagnétisme et les forces nucléaires fortes et faibles. Le lauréat du prix Nobel Ning Yang affirme que c'est le principal thème de recherche en physique à l'heure actuelle.

John Wheeler, physicien à Princeton, est du nombre des enthousiastes :

« La théorie unifiée des champs d'Einstein a connu une nouvelle vie dans les dix dernières années avec la théorie des cordes cosmiques. C'est l'idée selon laquelle il existe d'autres dimensions que celles que nous percevons et utilisons, trois dans l'espace et une dans le temps, et que la géométrie de ces dimensions est courbée sous forme d'une minuscule sphère, en chaque point.

« Chaque petite sphère ressemble un peu à un tuyau d'orgue. La vibration de l'air engendre un son dont la tonalité dépend de la longueur et du diamètre du tuyau. Chaque petite sphère a ses propres vibrations, plus nombreuses que celles d'un tuyau d'orgue. Et ces vibrations décrivent les différents champs de forces qui donnent naissance aux particules connues. Point.

« Cette théorie a vu le jour avec Theodor Kaluza, collaborateur du professeur Einstein, et Oscar Klein, collaborateur de Niels Bohr. C'est la théorie à cinq dimensions de Kaluza-Klein, qui date de 1926. L'idée actuelle est qu'il existe d'autres dimensions, soit un total de quatre, plus six dimensions. Je pense qu'Einstein aurait beaucoup aimé cela. La théorie de Kaluza-Klein a été généralisée d'une façon magnifique. Le rêve d'Einstein, son espoir, son but de réduire les diverses forces de la physique à de la géométrie pure ont pris forme. C'est un domaine incroyablement actif[6]. »

Abraham Pais dit de la théorie des cordes cosmiques : « C'est une question très complexe. La théorie des cordes cosmiques va dans une direction dont Einstein n'avait jamais rêvé. Je ne suis pas contre, mais je ne lui accorderais pas trop d'importance[7]. »

À la question « Diriez-vous que la théorie unifiée des champs n'est pas morte ? », il répondit : « On peut l'affirmer. »

Un autre spécialiste d'Einstein, Michio Kaku, professeur de physique théorique au City College de l'université de New York et coauteur de *Beyond Einstein*[8], acquiesce avec conviction :

« Einstein travaillait avec un énorme handicap. Dans les années trente, quarante et cinquante, personne ne comprenait ce qu'était la force nucléaire. Nous savons maintenant que c'est un peu le lien manquant qui unit l'électromagnétisme et la gravitation. Einstein était littéralement trente ans en avance sur son temps. Il essayait d'unifier l'électricité, le magnétisme et la gravitation, et sautait l'étape intermédiaire, la force nucléaire.

« Certains en déduisent que la théorie d'Einstein était totalement erronée, et qu'il était tombé dans la sénilité à la fin de ses jours. Mais ce n'est pas mon avis : Einstein était un prophète qui parlait d'unification pendant que Wolfgang Pauli et d'autres riaient dans son dos. Pauli est l'auteur de la fameuse assertion : "Ne laissez personne rassembler ce que Dieu a séparé." De quel droit Einstein voulait-il réunir la gravitation à l'électricité et au magnétisme, si Dieu les avait séparés[9] ?

« L'unification fait rage aujourd'hui en physique. On découvre en fait qu'elle est l'axe principal de la recherche scientifique depuis deux mille ans.

« Nous comprenons donc aujourd'hui qu'Einstein était en avance sur son époque. Il ne comprenait pas la force nucléaire parce qu'on ne l'a expliquée que très récemment. Il avait des visions d'avenir et parlait d'unification quand d'autres jonglaient avec des neutrons et des protons...

« On se trompe sur les objections d'Einstein envers la théorie quantique, ajoute Kaku. Il ne pensait pas que la théorie quantique était fausse, mais incomplète. Il cherchait une théorie unifiée des champs dans laquelle la matière elle-même serait un sous-produit de la géométrie.

« Einstein voulait une super-théorie quantique. La majorité des physiciens croient aujourd'hui que la théorie quantique est exacte telle qu'elle est. Les équations des cordes cosmiques s'intègrent parfaitement bien dans la théorie quantique, et c'est la raison pour laquelle elles ont soulevé tant d'enthousiasme...

« Nous sommes un certain nombre de physiciens à essayer d'étendre la théorie des cordes cosmiques... Si nous y arrivons, cela complétera les efforts d'Einstein pour unifier la gravitation et les autres forces. »

Mais qu'en est-il de l'influence d'Einstein en tant qu'homme sur ceux qui l'ont connu en personne et sur l'ensemble du monde ? Margot Einstein résume son beau-père en une formule : « en parfaite harmonie avec lui-même ». « Il habitait son propre monde, et cela sauve les gens[10]. » Pour Henri Poincaré, Einstein « avait l'esprit le plus original que j'aie jamais rencontré[11] ». « Son génie [était] supérieur à celui de Newton », estime pour sa part Erwin Schrödinger.

Niels Bohr considère que l'apport d'Einstein à la science et à l'humanité « est le plus riche et le plus fécond de toute l'histoire de notre culture », et croit que « l'humanité sera à jamais redevable envers Einstein d'avoir débarrassé notre perspective des œillères de l'espace et du temps absolus. Il a brossé un tableau du monde dont l'unité et l'harmonie surpassaient les rêves les plus fous[12] ». Sur le plan personnel, écrit Bohr, « Einstein était toujours prêt à aider les gens en difficulté, quels que fussent leurs problèmes. Pour lui qui avait connu les maux du racisme, rien ne comptait davantage que l'entente entre les nations ».

Mais une nouvelle génération jette un regard différent sur Einstein : mérite-t-il à lui seul toutes ces louanges ? Dans une tentative pour réduire son rôle, des auteurs et conférenciers ont répété que sa première femme, Mileva Maric, avait été une femme battue, pourrait-on dire, sur le plan intellectuel. Elle mérite, selon eux, une partie de la gloire d'Einstein, car elle fut autant que lui l'artisan de ses triomphes scientifiques, ce qu'il n'aurait jamais admis. Une ancienne rédactrice en chef du *U.S. News World Report*, Andrea Gabor, défend ce point de vue dans un livre récent, *Einstein's Wife*. L'ouvrage fut acclamé dans le *New York Times Book Review* par Jill Ker Conway, ancienne présidente du Smith College : « Maric semble avoir été l'égale intellectuelle d'Einstein, d'abord attirante, mais trop dangereuse pour qu'il maintienne une relation intime avec elle. Le danger ne pouvait pas être pris à la légère[13]. » La critique s'attira une réponse immédiate de deux spécialistes d'Einstein, Robert Schulmann et Gerald Holton. Le magazine publia le 8 octobre 1995 une lettre dans laquelle ils écrivaient :

> « L'opinion [de Jill Ker Conway] va au-delà de l'imagination journalistique de Mme Gabor, elle-même essentiellement fondée sur une biographie de Mileva Maric parue en Serbie en 1969, et qui est un véritable panégyrique nationaliste. Tous les travaux universitaires sérieux publiés sur Einstein par Abraham Pais, John Stachel et d'autres ont montré que la collaboration scientifique au sein du couple était limitée et en sens unique. Les documents connus témoignent que Maric encouragea et aida Einstein au cours des premières années, quand seule leur passion réciproque leur permettait de supporter une vie en marge de la société, quand il partageait librement avec elle et quelques amis ses idées révolutionnaires qu'il élaborait à l'écart de la communauté des physiciens. Il ne fait également aucun doute qu'elle l'aida en cherchant des données et en vérifiant des calculs. Einstein n'a pas manifesté publiquement sa reconnaissance, mais Maric n'a jamais rien revendiqué de plus dans sa correspondance avec Einstein ou d'autres personnes. La véritable collaboration qu'ils avaient prévue à l'origine, quand ils se voyaient tous les deux enseigner dans des lycées, ne s'est jamais concrétisée. On ne connaît pas, non plus, la moindre indication selon laquelle elle aurait eu des idées scientifiques originales. »

À l'époque où Albert et Mileva étaient passionnément amoureux, et notamment quand elle semblait avoir besoin d'un soutien psychologique, il lui parla souvent dans ses lettres de « notre travail », « nos recherches ». Depuis 1990, quelques auteurs entreprennent d'exagérer la signification de ces expressions et avancent que Mileva était, en fait, l'artisan des formules de physique ou des calculs mathématiques des articles sur la relativité publiés par Einstein en 1905, mais que sa contribution n'a jamais été reconnue. Cette allégation fit, un temps, la fortune des journaux du monde entier...

Paradoxalement, l'exagération du rôle de Mileva ne fait qu'occulter sa place réelle dans l'histoire. Même si elle n'en récolta pas les bénéfices, elle fut l'un des pionniers du mouvement qui accorda une place aux femmes dans le monde scientifique. Au prix de grands sacrifices personnels, elle joua un rôle majeur auprès d'Einstein pendant les années les plus créatives de sa vie. Elle fut un soutien affectif et une auditrice compréhensive de ses idées non-conformistes durant la courte métamorphose qui transforma l'étudiant acharné en scientifique de premier plan.

Les secrets éventuels de la vie privée d'Einstein suscitent aussi un intérêt international. En 1995, quarante ans après la mort d'Einstein, un physicien tchèque de soixante-trois ans, Ludek

485

Zakel, prétendit être son fils. Marcela Pekhackova présenta ce qui était censé être des preuves dans un magazine praguois, *DNES*. Selon Zakel, au printemps 1932 Elsa Einstein avait cru souffrir d'un cancer de l'utérus et avait eu peur de s'adresser à des médecins berlinois à cause de la montée du nazisme. Elle avait préféré se rendre à Prague pour voir un ami d'Albert qui était directeur de l'hôpital Apolinare. Celui-ci ne diagnostiqua aucune tumeur... mais découvrit tout simplement une grossesse. Elsa et une femme du nom de Eva Zakel donnèrent toutes les deux naissance à un enfant le même jour, le 14 avril 1932, dans le même hôpital. Le bébé d'Eva mourut le jour de sa naissance, au grand désespoir de la mère qui voulait donner un fils à son mari. Comme Albert, de son côté, ne voulait plus d'enfant, Elsa abandonna son garçon qui reçut le nom de Ludek Zakel. On suppose qu'elle rentra ensuite « guérie » à Berlin[14].

Zakel avançait des documents à l'appui de ses dires : un certificat de naissance certifié conforme et un extrait d'acte de baptême selon lesquels il était le fils d'Einstein, deux papiers datant de l'ère communiste ; les attestations écrites mais non vérifiées de deux infirmières décédées depuis longtemps ; une déclaration signée par sa mère, âgée de quatre-vingt-treize ans, qui ne veut plus aborder la question. Zakel ajoutait que Margot Einstein l'avait un jour informé, par l'intermédiaire d'un ami, qu'il était le fils d'Elsa. En 1979, il avait écrit au quotidien tchèque, *Večerník Praha* : « Au nom de la famille Einstein, je tiens à vous remercier, ainsi que tout le pays, pour la célébration du centième anniversaire de la naissance de mon père. Je vous suis très reconnaissant. » La rédaction du journal avait pris cela pour une plaisanterie ou une astuce pour obtenir un visa pour les États-Unis, et ne l'avait pas imprimé.

Qu'est-ce qui milite contre le fait que Ludek Zakel serait le fils d'Albert et Elsa Einstein ?

Le nom d'Elsa ne figure pas dans les registres de l'hôpital Apolinare, quoiqu'il faille prendre en considération le fait que de nombreux documents furent détruits pendant la Seconde Guerre mondiale, et que son admission n'aurait peut-être pas été enregistrée car elle était juive et étrangère. Les documents peuvent être des faux fabriqués par une mère désireuse d'aider son fils à émigrer. Zakel avait déposé en vain plusieurs demandes de visa auprès de l'ambassade des États-Unis, en prétendant être le fils d'un citoyen américain.

Elsa n'est rentrée à Berlin que le 6 avril 1932, après son voyage avec Albert aux États-unis. Selon le scénario de Zakel, elle lui donna naissance en Tchécoslovaquie huit jours plus tard. Il est peu vraisemblable que nul n'ait remarqué qu'elle était enceinte pendant une période où elle apparut si souvent en public, et que cette grossesse ne soit visible sur aucune photographie.

L'âge d'Elsa est l'argument le plus fort contre les prétentions de Zakel. Née en 1876, elle avait cinquante-six ans en 1932. Une naissance à cette date aurait presque été miraculeuse.

Un manuscrit de soixante-douze pages dans lequel Einstein avait exposé la théorie de la relativité fut vendu aux enchères à Sotheby's, à New York, le 16 mars 1996. La fameuse équation était écrite sous sa première forme : $EL = mc^2$. $E$ représentait l'énergie en général. Einstein avait ensuite apparemment compris que ce $L$ était redondant car il représentait un type d'énergie comme l'énergie cinétique ou l'énergie potentielle. Il avait biffé le $L$ d'un coup de crayon.

« Ce travail est un pont entre la théorie de la relativité restreinte et la théorie de la relativité générale, explique le professeur Schulmann. Einstein avait jusque-là hésité à faire appel à des techniques mathématiques pour résoudre des problèmes de physique. Ce manuscrit montre qu'il était dorénavant prêt à recourir aux mathématiques[15]. »

Un descendant d'Erich Marx, professeur à l'université de Leipzig, avait vendu une première fois le manuscrit aux enchères à Sotheby's en 1987 pour 1,2 million de dollars. Neuf ans plus tard, il fut attribué pour 3,3 millions de dollars, avant d'être cédé peu après à la Fondation philanthropique Jacob-E.-Safra pour environ 4 millions. L'association a l'intention de le donner au Musée d'Israël à Jérusalem.

Malgré les controverses qui font toujours rage autour de l'héritage d'Einstein, une mesure de son impact sur le monde actuel révèle que son nom symbolise la science à lui seul. Une autre est l'engouement indéfectible qu'il suscite dans le monde entier. Son visage est aussi célèbre que ceux d'Elvis Presley ou Marilyn Monroe. Il vous fixe énigmatiquement sur des cartes postales, des couvertures de journaux, des T-shirts et des posters plus grands que nature, et figure sur des publicités. Toutes choses qu'il aurait détestées.

Plus de quatre cents lettres envoyées ou reçues par Einstein ont été découvertes en 1986 dans un coffre-fort de Los Angeles, mais leur contenu fut conservé secret pendant dix ans, jusqu'en novembre 1996. Des copies furent alors diffusées à New York et Jérusalem, à la veille de leur vente aux enchères chez Christie's, à

Manhattan. Une lettre, en particulier, ternit l'image du génie au cœur tendre. Des journaux du monde entier titrèrent sur le « tyran domestique » ou le « génie de la domination ». On promettait aux lecteurs un aperçu inédit et horrifiant du « côté noir d'Einstein ».

Cette fameuse lettre, écrite en juillet 1914, énumère les conditions cyniques et humiliantes qu'Einstein imposa à Mileva si elle voulait demeurer sa femme :

> « A. Vous veillerez à ce que 1) mes vêtements et mon linge soient rangés, 2) on me serve régulièrement trois repas par jour dans ma chambre. Vous rangerez mon bureau et ma chambre. Notamment le bureau auquel vous veillerez que personne ne touche. B. Vous renoncerez à toute relation personnelle avec moi, excepté celles qui sont indispensables pour des apparitions publiques. Vous n'attendrez aucune affection de ma part et ne me le reprocherez pas. Vous promettrez de ne pas me dénigrer aux yeux des enfants, que ce soit par des mots ou des comportements. Vous quitterez immédiatement et sans protester ma chambre ou mon bureau quand je vous le demanderai. »

C'était une véritable aubaine pour les universitaires révisionnistes qui le décrivaient comme un macho fini, fort différent du saint séculaire, de l'humaniste aimable et du plus grand Juif, depuis Moïse, de la littérature.

Le premier mariage d'Einstein, vieux de onze ans, était en fait un désastre lorsque cette note fut écrite. Il nota dans une lettre à des amis intimes que Mileva était « froide » et « dépourvue d'humour », quelqu'un qui « ne sait pas vivre et dont la seule présence éteint la joie de vivre des autres ». Le travail de son mari ne l'intéressait plus. Son succès la contrariait et elle était jalouse de ses amis.

Il faut reconnaître que Mileva avait enduré plusieurs événements tragiques : l'abandon de son premier enfant, le renoncement à ses ambitions scientifiques et l'effondrement de son mariage. Sa jeune sœur, Zorka, souffrait bientôt d'une maladie mentale incurable. Quant à elle, une dépression nerveuse la guettait.

Einstein ne supportait plus l'atmosphère familiale. Il était tombé amoureux de sa cousine Elsa et souhaitait un divorce que Mileva refusait d'envisager. Elle voulait rester son épouse et résistera pendant des années pour éviter une rupture définitive.

Il faut replacer la lettre dans ce contexte. Les termes en sont, bien sûr, inacceptables, mais elle marqua la fin de leur vie commune.

Einstein et Mileva se réconcilièrent par la suite et entretinrent une correspondance amicale. Elle alla jusqu'à l'inviter à séjourner chez elle avec sa seconde femme.

Einstein tint parole et respecta la clause de leur divorce, intervenu en 1919, selon laquelle il devait lui verser l'argent du prix Nobel. Il lui vint également en aide financièrement, ainsi qu'à Eduard, jusqu'à la fin de leurs jours.

Einstein « n'aurait jamais dû se marier, dit un jour son amie Alice Kahler. Il aurait dû se contenter d'avoir des maîtresses[16] ».

Comment se voyait-il lui même ? Avec des sentiments mêlés. En 1949, il affirma ne pas contempler son œuvre avec « une satisfaction tranquille. (...) Je ne suis pas sûr d'avoir suivi le bon chemin. On voit en moi un hérétique et quelqu'un qui réagit. (...) Un sentiment de ne pas avoir été à la hauteur vient de moi-même. C'est sans doute inévitable quand on a un esprit critique et qu'on est honnête. De bonnes dispositions d'esprit et de la modestie permettent de garder les pieds sur terre malgré les influences extérieures[17] ».

Einstein se considérait comme béni des dieux, malgré ses propres doutes et la conscience de ses échecs comme mari et comme père. Un remerciement qu'il écrivit après avoir reçu la médaille d'or de la Société royale astronomique en 1925 le caractérise au mieux :

> « L'homme qui trouve une idée qui permette de percer, ne serait-ce que superficiellement, les mystères de la nature est marqué par la grâce. S'il rencontre, en plus, la reconnaissance, la sympathie et l'appui des meilleurs esprits de son époque, il connaît plus de bonheur qu'un seul individu n'en peut supporter[18]. »

# Annexes

# Le cerveau d'Einstein

Einstein ne voulait pas qu'on vénère ses « vieux os », comme il le disait parfois. Ses vœux furent exaucés : il fut incinéré. Mais pas avant que le pathologiste Thomas Harvey n'eût pris soin de prélever son cerveau. Un cerveau dont la majorité baigne aujourd'hui dans des bocaux au domicile du médecin, dans le Kansas.

Le secret ne fut pas gardé et l'opération fit immédiatement les gros titres de la presse.

« Le fils [Hans Albert], qui était le parent le plus proche donna bien sûr son autorisation pour une autopsie, raconta Helen Dukas. Puis ce monsieur Harvey a prélevé le cerveau sans en parler à personne. Nous n'avons rien pu faire. Il a ensuite demandé au fils [s'il pouvait mener des recherches sur l'encéphale] et le fils lui a dit : "À une condition. Rien ne sera publié dessus, en dehors d'articles scientifiques." Les journalistes l'ont quand même appris. *Cela*, le professeur Einstein ne l'aurait jamais autorisé[1]. »

« Harvey était marié avec une bibliothécaire de Princeton que je connaissais, explique Ashley Montagu. Il a conservé le cerveau d'Einstein dans un bocal, dans le sous-sol de sa maison. Le bocal y était toujours quand il a divorcé, et c'est comme cela que j'ai appris son existence. J'ai été choqué qu'un organe pareil soit caché dans un bocal dans la cave de Mme Harvey, et elle m'a dit qu'elle aimerait bien que quelqu'un l'en débarrasse.

« C'était idiot dès le départ, poursuit Montagu qui est anatomiste de formation. C'était de l'ignorance. Einstein n'y aurait peut-être pas été opposé, mais c'était quelque chose de parfaitement inutile car une caractéristique grossière telle que la taille n'a aucun rapport

492

avec l'intelligence. Le volume moyen du cerveau humain est de 1 350 cm³. Le cerveau le plus gros connu mesure 2 500 cm³, presque deux fois le volume normal. C'est celui d'un hydrocéphale. Des expériences de ce genre ne peuvent déboucher sur la moindre découverte, même si on les mène de la meilleure façon possible[2]. »

En 1979, vingt-quatre ans plus tard, un journaliste du *New Jersey Monthly*, Steven Levy, chercha ce qu'était devenu le cerveau d'Einstein et s'il avait révélé quelque chose. Il retrouva Thomas Harvey à Wichita, dans le Kansas, où il était directeur médical d'un laboratoire d'analyses.

Levy lui demanda où se trouvait le cerveau... et fut surpris de le voir sortir une boîte en carton contenant deux bocaux. Dans le premier, le cervelet, une partie du cortex et quelques vaisseaux aortiques flottaient dans le formol. Le second, plus large, contenait des blocs transparents dans lesquels étaient pris des petits morceaux du cortex.

Au fil des années, Harvey avait envoyé des sections de l'organe à des chercheurs américains, chinois, allemands et japonais. Il avait repoussé les offres de musées et de millionnaires prêts à acheter la relique à prix d'or, et celles de rabbins qui voulaient l'enterrer pour que l'âme d'Einstein repose en paix.

Harvey perdit son autorisation d'exercer en 1988 après avoir échoué à trois jours d'examens et, en 1995, à l'âge de quatre-vingt-deux ans, travaillait le soir dans une usine de plastique.

Einstein obtint en quelque sorte ce qu'il voulait : la majorité des scientifiques qui ont travaillé sur son cerveau ne l'ont pas traité comme une relique sacrée. Mais il n'aurait certainement pas apprécié le bruit fait autour de l'affaire.

Le docteur Harvey explique que, bien qu'il ait distribué des sections du cerveau, « personne n'en détient autant que moi. Une chercheuse, Marian Diamond, affirme que le cerveau d'Einstein est différent de celui d'une personne moyenne. Mais il reste à démontrer si cela traduit une intelligence supérieure[3] ».

Le docteur Marian Diamond, professeur d'anatomie à l'université de Californie à Berkeley, a publié qu'elle avait trouvé dans l'hémisphère gauche, l'aire des mathématiques et du langage, un nombre supérieur à la moyenne de cellules gliales dont la fonction est d'alimenter les neurones. Ashley Montagu est sceptique. Le docteur Lucy Rorke également, une neuropathologiste de Philadelphie qui reçut cinq séries de lames contenant des coupes de l'encéphale :

« J'ai l'impression que le docteur Diamond n'a pas tenu compte du fait que les coupes étaient beaucoup plus grosses que celles qu'on pratique pour un diagnostic de tumeur ou d'une autre pathologie. Je pense que c'est son manque d'habitude des coupes épaisses qui l'a amenée à cette conclusion.

« Ce qui est remarquable dans ce cerveau est qu'il ne présente pas les altérations dégénératives qu'on trouve chez des personnes âgées, notamment l'accumulation importante dans les neurones d'un pigment appelé lipofuscine. C'est un cerveau vraiment magnifique et parfait. On dirait un cerveau de jeune homme. »

Le docteur Rorke est d'accord avec Ashley Montagu sur le fait qu'il est absurde de croire que l'examen physique d'un cerveau puisse révéler quoi que ce soit sur l'intelligence : « On peut bien sûr déterminer s'il est sain. Mais il est impossible d'y déceler l'intelligence ou le génie, même si on ne peut évidemment pas prévoir ce qu'il en sera dans des années. (...) Ce qui est également intéressant, c'est qu'aucune de ses nombreuses maladies ne semble avoir affecté son cerveau[4]. » (Le docteur Harvey n'est pas d'accord. Il estime que le cerveau d'Einstein était normal pour un homme de son âge, et portait les altérations prévisibles.)

Le docteur Harvey envisage de donner ce qui reste du cerveau à l'Université hébraïque, tandis que des scientifiques continuent à chercher dans les coupes histologiques des informations sur le génie d'Einstein.

En travaillant pour un documentaire intitulé *Einstein's Brain* diffusé par la BBC en 1993, le producteur Kevin Hull fit une découverte stupéfiante : l'ophtalmologiste d'Einstein, Harry Abrams, avait extrait et conservé les yeux de son patient.

Abrams raconta que durant l'autopsie « tous les médecins de l'hôpital de Princeton passèrent par curiosité et pour dire adieu ». Se trouvant dans l'établissement, il demanda au directeur, Jack Kauffmann, aujourd'hui décédé, l'autorisation « d'ôter et de conserver les yeux. Kauffmann a répondu : "Oui, aucun problème." L'opération prit environ vingt minutes. Il m'a seulement fallu des ciseaux et des forceps ».

Abrams garde depuis quarante ans les yeux d'Einstein dans un coffre-fort d'une banque du New Jersey. Il les inspecte plusieurs fois par an pour vérifier qu'ils sont en bonne condition, et surveiller la solution du petit flacon dans lequel ils flottent. Il a ainsi l'impression de conférer l'immortalité au grand physicien.

Le *Guardian Weekly* publia un article selon lequel Abrams envisageait de vendre les yeux pour assurer l'avenir de ses petits-enfants[5]. Assailli de demandes d'interview, celui-ci préféra faire suspendre son abonnement téléphonique pendant plusieurs mois. En juin 1995, il acceptait à nouveau de répondre aux questions. « Pendant des années, dit-il, les yeux étaient en sûreté et je n'y ai plus pensé. Je crois qu'un ami ou un membre de la famille en a parlé à l'occasion d'un voyage à l'étranger. Vous savez comment ces informations se répandent. La famille a toujours su. »

Je lui demandai si la citation suivante de lui était exacte : « Ses yeux étaient angéliques. Ils donnaient l'impression qu'il savait tout au monde. C'étaient des yeux divins. » Il répondit : « Je n'ai pas dit qu'il savait tout au monde. J'ai dit : "Quand on regarde ses yeux, on contemple les beautés et les mystères du monde." »

Abrams nia avoir envisagé de vendre son trésor, mais à une question sur ce qu'il deviendrait après sa mort, il répondit : « Il faut que j'en parle à mon avocat[6]. » Son fils Mark, qui est psychologue, estime que c'est la « vénération », sentiment qu'il partage, qui a poussé son père à préserver les yeux. S'il en hérite, il prendra « soin d'eux de la même façon. Je les garderai dans le formol, dans le coffre-fort de la banque[7]. »

# Notes

*Archives*

Les Archives Einstein sont conservées à l'Université hébraïque de Jérusalem. Les universités de Princeton et de Boston en possèdent des copies. Princeton University Press publie les documents sous le titre *The Collected Papers of Albert Einstein.* John Stachel, David Cassidy et Robert Schulmann ont dirigé *The Collected Papers of Albert Einstein, Volume 1 : The Early Years, 1879-1902,* et Martin J. Klein, A.J. Kox et Robert Schulmann, *Volume 5 : The Swiss Years, Correspondence, 1902-1914.*

La correspondance entre Einstein et Upton Sinclair se trouve dans la collection des manuscrits d'Upton Sinclair, département des manuscrits, bibliothèque Lilly, université d'Indiana, Bloomington, Indiana.

D'autres sources ont été la collection de l'Oral History Project de l'université Columbia, à New York, les archives de l'université Caltech, Pasadena, Californie, et celles de la bibliothèque Burndy de Norwalk, Connecticut.

Richard Alan Schwartz, de l'université internationale de Floride à Miami, m'a aimablement remis une copie du dossier du FBI sur Albert Einstein. J'ai obtenu par l'intermédiaire du Freedom of Information Act une copie du dossier du FBI sur Helen Dukas.

La collection Leon L. Watters se trouve dans le Rare Documents File and Box 2813 des Archives juives-américaines, Hebrew Union College, Jewish Institute of Religion, Cincinnati, Ohio.

# Remerciements

Personne ne m'a davantage aidé à faire revivre Einstein que Thomas Bucky, son ami pendant plus de vingt ans, qui le regardait comme un second père. Me racontèrent également leurs rencontres et relations avec Einstein : I.F. Stone et son fils Christopher ; Elizabeth Roboz Einstein (veuve d'un des fils d'Einstein, Hans Albert Einstein) ; Evelyn Einstein ; Dean Hill Jr. ; Ashley Montagu ; Otto Nathan ; Mansfield Williams ; James Blackwood ; Eric Rogers ; Peter Burr ; Mme Joseph Copp ; Jane Leonard Swing Chapman ; Mme Dorothy Joralem ; Mme John Wheeler ; Theodore von Laue ; Freeman Dyson ; docteur Eva Short ; Sidney Hook ; John Oakes ; le sénateur Alan Cranston ; David Sinclair (fils d'Upton) ; Mme John Kieran ; Clair Gilbert ; Henry Abrams ; Mark Abrams ; Gillett Griffin ; Dorothy Commins ; Alice Kahler.

Des collègues d'Einstein, la voix encore vibrante d'enthousiasme quarante ans plus tard, me racontèrent comment ils travaillèrent avec lui dans sa dernière grande quête : la démonstration que les forces fondamentales de la nature, l'électromagnétisme et la gravitation, sont des aspects différents de la même force universelle. D'autres scientifiques m'ont apporté leur éclairage sur sa démarche intellectuelle, ses idées qui sortaient des terrains battus, ses discussions informelles et ses méthodes de travail. Parmi eux, Banesh Hoffmann, John Kemeny, John Wheeler, S.M. Ulam, Valentin Bargmann, Abraham Pais, Peter Bergmann, I. Bernard Cohen, John Stachel, Victor Weisskopf, I.I. Rabi, Eugene Wigner, George Wald, Murray Gell-Mann, Walter Moore, Karl von Meyenn, Linus Pauling et Michio Kaku. Certains d'entre eux reçurent, comme Einstein, le prix Nobel.

Eugene Wigner m'a décrit comment, en compagnie de Leo Szilard, il convainquit Einstein d'adresser une lettre à Franklin D.

Roosevelt pour lui demander de soutenir les travaux sur la bombe atomique. Alice Kahler m'a envoyé une copie d'une lettre d'Helen Dukas sur le tumulte déclenché dans la maison d'Einstein par la nouvelle du bombardement atomique d'Hiroshima. I. Bernard Cohen se souvint de la dernière interview d'Einstein, l'ultime que celui-ci donna, deux semaines avant sa mort. Le chirurgien qui préleva le cerveau d'Einstein, Thomas Harvey, me raconta ce que devint l'organe. Le docteur Lucy Rorke m'expliqua ce qu'elle découvrit en étudiant des coupes de ce cerveau.

Je m'en suis tenu aux sources qui me semblaient les plus fiables. En plus de celles déjà mentionnées, il s'agit des Mémoires inédits de la sœur d'Einstein, Maja, et de lettres que celui-ci reçut ou envoya.

Ma femme Martine m'a beaucoup aidé à toutes les étapes de ce livre, au cours de discussions fréquentes sur un homme qui nous fascinait, en mettant le manuscrit en forme et en collectant des documents en Suisse, à l'université de Princeton, à l'université de Boston, aux Archives nationales américaines et à l'Institut américain de physique.

Mon éditrice Hana Umlauf Lane a fait bénéficier ce livre de conseils judicieux et de questions pertinentes. Mes remerciements aussi à Marcia Samuels pour sa remarquable aide éditoriale.

Je suis également reconnaissant envers le docteur Robert Schulmann du Einstein Papers Project de l'université de Boston, et envers l'Université hébraïque, les Archives Einstein, la bibliothèque Niels-Bohr, la bibliothèque du Congrès, les Archives nationales américaines, les Archives juives-américaines, Charles Niles des collections spéciales de la bibliothèque de l'université de Boston, la bibliothèque Lilly, Caltech, le Smithsonian, l'Institut américain de physique, le FBI, la collection d'histoire orale de l'université Columbia, l'École polytechnique de Zurich (ETH), Stadt Ulm Stadtarchiv, et l'Institut d'études supérieures.

Des remerciements particuliers à Richard Alan Schwartz qui m'a aimablement confié des copies du dossier du FBI.

Des bibliothèques publiques du Massachusetts m'ont beaucoup aidé : Rockport, Gloucester, Newburyport, Beverly, Salem, Marblehead et Ipswich. En Floride, celle de l'université de Floride à Miami, Florida Atlantic à Boca Ratan, Four Arts à Palm Beach, West Palm Beach, et celle de Fort Lauderdale.

Je suis très reconnaissant à mon éditeur, Charles Ronsac, et au traducteur, Bernard Seytre, pour leur excellent travail sur cette édition française de ma biographie d'Einstein.

# Notes des chapitres

## Préface

1. Moore Walter, *Schrödinger : Life and Thought*, Cambridge, Cambridge University Press, 1989, p. VII.
2. Clark Ronald W., *Einstein : The Life and Times*, New York, Avon, 1971, p. 31.
3. Carey John, critique de *The Private Lives of Albert Einstein*, par Roger Highfield et Paul Carter, *The Sunday Times Books*, 29 août 1993.

## Chapitre 1

1. Winteler-Einstein Maja, *Albert Einstein − A Biographical Sketch*, Archives Einstein, Université hébraïque, Jérusalem, p. XVIII.
2. Jette Koch à Hermann et Pauline Einstein, été 1881, Archives Einstein.
3. *Ibid.*, p. XV.
4. *Ibid.*, p. XXII.
5. Einstein Albert, *Comment je vois le monde*, Paris, Flammarion, 1989.
6. Selon la biographie de Philipp Frank, *Einstein : His Life and Times*, traduction de George Rosen, New York, Knopf, 1947. Jamie Sayen cite au contraire une déclaration d'Einstein datant de 1920 : « Les insultes et les agressions physiques étaient fréquentes sur le chemin de l'école, la plupart n'étant pas vraiment méchantes. Elles étaient suffisantes pour renforcer un sentiment d'exclusion, même chez un enfant de mon âge » (Sayen Jamie, *Einstein in America*, New York, Crown, 1985).
7. Paulsen F., *Immanuel Kant*, New York, 1910, p. 82.
8. Lettre de Johann Wolfgang von Goethe à Johannes Voigt, 19 décembre 1798.
9. Moszkowski Alexander, *Einstein the Searcher : His Work Explained From Dialogues With Einstein*, Berlin, Fantana, 1921, p. 80.
10. Winteler-Einstein Maja, *Albert Einstein*, p. XXI.

## Chapitre 2

1. Lettre de Hermann Einstein à Jost Winteler, 30 décembre 1985, citée dans *The Collected Papers of Albert Einstein, Volume One : The Early Years, 1879-1902*, sous la direction de John Stachel, traduction d'Anna Beck, Princeton, Princeton University Press, 1987, n° 14.
2. Seelig, *Albert Einstein*.
3. *Ibid.*
4. *Ibid.*
5. *Ibid.*
6. Lettre d'Einstein à Marie Winteler, 21 avril 1896, reproduite dans Stachel, *The Collected Papers of Albert Einstein*, n° 18.
7. Lettre de Marie Winteler à Einstein, 30 novembre 1896, *ibid.*, n° 30.
8. Lettre d'Albert Einstein à Pauline Winteler, 18 mai 1897, *ibid.*, n° 34.
9. Seelig, *Albert Einstein*.

## Chapitre 3

1. Seelig, *Albert Einstein*.
2. Von Uexküll Margarete, « Erinnerungen an Einstein », *Frankfurter Allgemeine Zeitung*, 10 mars 1956.
3. Frank Philipp, *Einstein : His Life and Times*, p. 20.
4. « Il est idiot de reprocher à Einstein d'avoir manqué les cours de mathématiques, car il faisait au même moment un travail extraordinaire en physique qu'il aurait été stupide de sa part d'interrompre pour faire des mathématiques. La physique lui permettait d'atteindre intuitivement le cœur des problèmes. Il avait presque un don pour distinguer l'essentiel de l'accessoire. C'était une approche de rayon laser » (interview de Banesh Hoffmann par l'auteur).
5. Hoffmann Banesh et Dukas Helen, *Albert Einstein : Creator and Rebel*, New York, Viking, 1972, p. 78.

## Chapitre 4

1. Lettre d'Einstein à Mileva Maric, juillet 1900, citée dans Stachel *et al.*, *The Collected Papers of Albert Einstein*, vol. 1, n° 68. Les autres lettres citées dans ce chapitre ont la même source.
2. Cette calomnie pourrait avoir pour origine soit les Winteler qui pensaient qu'une traînée avait détourné Albert de Marie, soit Maja qui habitait désormais chez les Winteler et devait se marier à un de leurs fils, soit encore les parents et amis d'Albert à Zurich.

Chapitre 5

1. Reiser Anton, *Albert Einstein : A Biographical Portrait*, Albert et Charles Boni, 1930.
2. *Ibid.*
3. Cette forte sudation pourrait expliquer pourquoi Einstein portait rarement des chaussettes.
4. Martin Charles-Noel, *The Universe of Science*, Hill et Wang, 1963.
5. Wilhelm Ostwald, qui obtint le prix Nobel en 1909, se racheta en étant le premier à proposer Einstein pour la même distinction en 1910, puis en 1912 et 1913. Ce dernier l'obtint finalement en 1921.

Chapitre 6

1. À l'occasion du soixantième anniversaire de Max Planck, en 1918.
2. Les cinq étaient Marcel Grossmann, Michele Besso, Jakob Ehrat, Pauline Winteler et Alfred Stern. Les deux autres seraient Conrad Habicht et Maurice Solovine.
Je n'ai pu trouver les notes de Mileva à ce second examen.

Chapitre 7

1. Lettre d'Einstein à Marcel Grossmann, 6 septembre 1901, citée dans Stachel *et al.*, *The Collected Papers of Albert Einstein*, vol 1. Les autres lettres citées dans ce chapitre ont la même source.

Chapitre 8

1. Einstein Albert, *Comment je vois le monde*.
2. Otto Nathan a interviewé Maurice Solovine le 19 août 1957, deux ans après la mort d'Einstein.
3. Beveridge W.I.B., *The Art of Scientific Investigation*, Vintage, 1950.
4. Rosenthal-Schneider Ilse, *Reality and Scientific Proof*, Wayne State University Press, 1980.
5. « Nathan (...) semble particulièrement strict en ce qui concerne les documents portant sur des questions personnelles, notamment familiales. Le fils d'Einstein, Hans Albert, a envisagé à la fin des années cinquante de publier des lettres de son père qu'il détenait, et que celui-ci avaient adressées à sa première femme et à leurs enfants. L'administrateur de la succession demanda à examiner les documents avant publication pour vérifier qu'il n'y ait pas de violation de la vie privée. Le fils d'Einstein refusa et la publication fut bloquée » *(Science*, 17 juillet 1981).
6. Interviews des 30 septembre 1988, 4 octobre 1988 et 16 octobre 1991.

Chapitre 9

1. Clark.
2. Einstein Albert, *Letters to Solovine,* The Philosophical Library, 1987.
3. *Ibid.*
4. *Ibid.*
5. Sayen Jamie.
6. Hoffmann et Dukas.
7. Mémoires inédits de Maja.


Chapitre 10

1. Lettres à des parents.
2. Lettre à Maurice Solovine, 25 novembre 1948.
3. Michelmore Peter, *Einstein, Profile of a Man*, Dodd, Mead, 1962.
4. Einstein Albert, *Letters to Solovine.*


Chapitre 11

1. Alex Moszkowski, *Einstein the Searcher : His Work Explained from Dialogues with Einstein*, Berlin, Fontane, 1921, p. 4.
2. Einstein Albert, « How I Created the Theory of Relativity », *Physics Today*, 35, n° 8, août 1982, p. 45-47.
3. Schilpp, *Albert Einstein : Philosopher-Scientist.*
4. Reiser, *Einstein : A Biographical Portrait.*
5. Hoffmann Banesh, interview par l'auteur, 29 octobre 1982. Einstein fut plus circonspect sur l'origine de sa théorie dans une interview donnée en 1950 à Robert Shankland, professeur de physique au Case Institute of Technology de Cleveland, dans l'Ohio. Il déclara alors qu'en physique les solutions se présentent souvent « par des voies indirectes ». « Conversations with Albert Einstein », *American Journal of Physics*, 31, 1963, p. 37-47.
6. Conférence à l'université de Kyoto, Japon, 1922. Cité par Einstein dans « How I Created the Theory of Relativity », p. 46.
7. Lettre de Stanley Goldberg à l'auteur, 17 février 1994. Goldberg est l'auteur de *Understanding Relativity : Origins and Impact of a Scientific Revolution*, Boston, Berkhaueser, 1984.
8. Herneck Friedrich, *Einstein Privat*, Berlin, Buchverlag der Morgen, 1978, p. 349.
9. Lettre d'Einstein à Moritz Schlick, 14 décembre 1915, cité dans Klein et *al.*, *Collected Papers of Albert Einstein*, vol. 5, p. XXIV.
10. Gamow George, *Thirty Years that Shook Physics : The Story of Quantum Theory*, New York, Doubleday/Anchor, 1966, p. 106.
11. Interview de Gerald Holton par l'auteur, 19 octobre 1995.
12. Selon Maja l'article sur l'électrodynamique des corps en mouvement

avait d'abord été refusé parce que « l'auteur parfaitement inconnu n'accordait aucune valeur aux grandes figures scientifiques, et les attaquait même ». Il soumit alors « un autre travail, plus anodin, qui lui permit d'obtenir son doctorat ».

13. Lettre à Jean Perrin, 11 novembre 1909.
14. Barnett Lincoln, *The Universe and Dr. Einstein*, Mentor, 1952.
15. Eddington Arthur, *The Nature of the Physical World*, Macmillan, 1931.
16. Barnett.
17. Le 26 septembre 1905.
18. Seelig.
19. Plus de 3 400 articles seront cependant publiés sur la théorie de la relativité restreinte d'ici 1922 (Holton Gerald, *American Journal of Physics*, vol. 28, 1960).
20. Giroud Françoise, *Marie Curie : Une vie*, Fayard, 1991.
21. *The New Encyclopaedia Britannica*, vol. 18, *Macropaedia*, 15ᵉ édition, p. 115.
22. Pais, *Subtle is the Lord*, p. 149-150. *Einstein, une vie*. Interéditions, 1993.


Chapitre 12

1. Archives Einstein, et Highfield Roger et Carter Paul, *The Privates Lives of Albert Einstein*, Faber and Faber, 1993.
2. Max Born, qui deviendra un spécialiste du domaine, estimait que la relativité était « si nouvelle et révolutionnaire qu'il fallait faire un effort pour la comprendre, effort que tout le monde n'était pas prêt à fournir ». Y compris, aux débuts, Born lui-même (Cohen Bernard, *Revolution in Science*, Harvard, 1985).
3. *Science Illustrated*, avril 1946. Le radium, élément chimique radioactif, fut découvert par Marie et Pierre Curie en 1898.
4. *Albert Einstein : Creator and Rebel*.
5. Seelig.
6. Einstein Albert, « How I Created the Theory of Relativity », *Physics Today*, vol. 35, 1982.
7. Cohen Bernard.
8. Florence Ronald, *Fritz : The Story of a Political Assassination*, Dial, 1971.
9. *Ibid.*
10. Pais.
11. Born Max, *Physics in My Generation*, Pergamon Press, 1955.
12. Fritz à Victor Adler, octobre 1910.
13. Seelig.
14. Frank.
15. Jung à Seelig, 25 février 1953, *C. G. Jung Letters*, Princeton, 1975.
16. *Ibid.*, Jung à Pascual Jordan, 10 novembre 1934.
17. Kleiner, 18 janvier 1911, et Pais.

18. Klein, extrait d'un texte considéré comme le brouillon de l'oraison prononcée par Ehrenfest pour les funérailles de Lorentz.
19. Highfield Roger et Carter Paul, *ibid.*


Chapitre 13

1. Einstein à Grossmann, mars 1911.
2. Seelig.
3. Frank.
4. Cohen.
5. Frank.
6. Cohen.
7. Seelig.
8. *The Professor and the Prime Minister, The Official Life of Professor F.A. Lindemann, Viscount Cherwell*, The Earl of Birkenhead, Houghton Mifflin, 1962.
9. Frederick Lindemann à son père, 4 novembre 1911.
10. Einstein Albert, *Out of My Later Years*, Philosophical Library, 1950.
11. Klein Martin J., *The Making of a Theoretical Physicist*, American Elsevier, 1970.
12. Mileva à Besso, 26 mars 1911, Highfield et Carter.
13. Albert à Elsa, 30 avril 1912.
14. *Ibid.*, 7 mai 1912.
15. Journal d'Ehrenfest, 25 juin 1913.
16. Einstein à Sommerfeld, 29 octobre 1912.
17. Pflaum Rosalynd, *Grand Obsession : Madame Curie and Her World*, Doubleday, 1989.
18. Straus à Pais, octobre 1979.
19. Kouznetsov.
20. *Ibid.*
21. Pais, *Inward Bound*, p. 208 ; conférence donnée en 1961 par Niels Bohr à l'Institut de physique de Moscou et citée dans Kouznetsov, *Einstein*, p. 271.
22. Einstein à Elsa, décembre 1913.
23. Émission de la BBC, 1967.


Chapitre 14

1. Davies Paul, *The Edge of Infinity*, Touchstone, 1982.
2. Wheeler John Archibald, « Einstein and Other Seekers of the Larger View », The Science Policy Foundation, mars 1979.
3. Hoffmann et Dukas.
4. Siegfried Tom, « Think of gravity as geometrical », *Miami Herald*, 4 février 1987.
5. Traduction en français par Maurice Solovine, Paris, Payot, 1976.

6. Frank, *Life and Times*, p. 174-175.
7. Feuer.
8. Kahn Carla et Franz, « Letters from Einstein to De Sitter on the Nature of the Universe », *Nature*, 9 octobre 1975, vol. 257, p. 451-454.
9. *Ibid.*
10. Born Max, *My Life : Recollections of a Nobel Laureate*, New York, Scribner's, 1978, p. 185.
11. « Einstein, Hedi and Max Born », *Briefwechsel 1916-1955*, et Feuer Lewis S., *Einstein and the Generations of Science*, Basic Books, 1974.
12. Frank.
13. Michelmore Peter, *Einstein : Profile of the Man*, Dodd, Mead, 1962.
14. Sayen Jamie.
15. Douglas Allie Vibert, *The Life of Arthur Stanley Eddington*, Nelson, 1956.
16. Lorentz à Einstein, 7 octobre 1919.
17. Wilson Margaret, *Ninth Astronomer Royal : The Life of Frank Watson Dyson*, Cambridge, 1951.
18. Pais, *Subtle is the Lord*, p. 508 ; *Nobel Foundation Calendar 1975*, p. 59-60.

## Chapitre 15

1. Berger Meyer, *The Story of The New York Times 1851-1951*, Simon and Schuster, 1951.
2. Eddington A.S., *The Nature of the Physical World*, Macmillan and Cambridge University Press, 1931.
3. Son nom a été attribué à une haute couche ionisée de l'atmosphère qui conduit, réfléchit et réfracte les ondes radio *(N.d.A.)*.
4. Falk Bernard, *Five Years Dead*, Londres, Book Club, 1938, et Ayerst David, *The Guardian : Biography of a Newspaper*, Cornell University Press, 1971.
5. *The New York Times*, 16 novembre 1919.
6. Dossier du FBI sur Albert Einstein.
7. Gardner Martin, *Fads and Fallacies in the Name of Science*, Dover, 1957.
8. Dossier du FBI sur Albert Einstein.
9. *Ibid.*
10. *Ibid.*
11. O'Neill John, *Prodigal Genius : The Life of Nikola Tesla*, Ives Washburn, 1944.
12. Popper Karl, *La Logique de la découverte scientifique*, Payot, Paris, 1990.
13. Shirer William, *The Nightmare Years*, Little, Brown and Co., 1984.
14. Friedrich Otto, *Before the Deluge*, Harper & Row, 1972.
15. Rosenthal-Schneider Ilse, *Reality and Scientific Truth*, Wayne State University Press, Detroit, 1980.
16. *Ibid.*

17. Seelig.
18. Michelmore.
19. Albert Einstein à Max Born, 9 décembre 1919, cité dans *Correspondance Born-Einstein*, Paris, Le Seuil, 1988.

Chapitre 16

1. Einstein à Max Born, 27 janvier 1920.
2. Les corps francs, constitués de volontaires armés, avaient été créés pour défendre les frontières orientales de l'Allemagne contre la Pologne et les bolcheviques. Ils se retourneront contre la république et se rallieront à Hitler.
3. *The New York Times*, 2 février 1920.
4. Kirsten C. et Treder H.J., *Einstein in Berlin*, Akadamie Verlag, Berlin, 1979, et *The New York Times*, 12, 17 et 18 février 1920.
5. Clark.
6. Churchill Winston, *The Gathering Storm*, Houghton Mifflin, 1948.
7. Ehrenfest à Einstein, 10 mars 1920.
8. Einstein à Ehrenfest, 17 avril 1920.
9. Reichinstein David, *Albert Einstein : A Picture of His Life and World*, Prague, 1934.
10. Einstein à Ehrenfest, 6 juin 1920.
11. Ehrenfest à Einstein, 16 août 1920.
12. *Ibid.*, 2 septembre 1920.
13. Clark.
14. *Ibid.*
15. Von Elbe Joachim, *Witness to History*, The Max Kade Institute for German-American Studies, Madison, Wisconsin, 1988.
16. Hoffmann et Dukas, et Wallace Irving, *The Writing of One Novel*, Simon and Schuster, 1969 (Wallace rencontra des jurés du prix Nobel).
17. *The New York Times*, 26 septembre 1920.
18. *Berliner Tageblatt*, 27 août 1920.
19. Ehrenfest à Einstein, 28 août 1920.
20. *Ibid.*, 2 septembre 1920.
21. Einstein à Ehrenfest, 10 septembre 1920.
22. Seelig.
23. Planck à Einstein, 5 septembre 1920.
24. Éditorial du *New York Times*, 30 août 1920.
25. Pais, *Subtle is the Lord*, p. 508 ; *Nobel Foundation Calendar, 1975-1976*, p. 60.
26. Einstein écrivit en 1953 à son biographe Carl Seelig qu'il se serait recroquevillé davantage dans sa coquille s'il avait su que chacune de ses remarques désinvoltes serait notée.
27. Les adversaires d'Einstein prirent bien sûr ce commentaire au premier degré.
28. Hedi Born à Einstein, 7 octobre 1920.

29. Max Born à Einstein, 13 octobre 1920.
30. Einstein à Max Born, 11 octobre 1920.


Chapitre 17


1. Lettre d'Einstein à Max Born, 30 janvier 1921, *Correspondance Born-Einstein*.
2. Comte Harry Kessler, *The Diaries of a Cosmopolitan. 1918-1937*, Londres, Weidenfeld and Nicolson, 1971, p. 137-138.
3. Frank.
4. Ehrenhaft Felix, *My Experiences with Einstein*, Washington, Smithsonian Institution Libraries, p. 5.
5. Lettre d'Einstein à Kurt Blumenfeld, 25 mars 1955, citée par Pais. Einstein décéda le 18 avril 1955.
6. *The Washington Post*, 3 avril 1921.
7. *The New York Times*, 4 avril 1921.
8. Vallentin Antonina, *The Drama of Albert Einstein*, Doubleday, 1954.
9. *Ibid.*
10. *The Washington Post*, 3 avril 1921.
11. Mann Arthur, *La Guardia : A Fighter Against This Times, 1882-1933*, Lippincott, 1959, et *The New York Daily News*, 6 avril 1921.
12. Laurence William, *Heroes for Our Times : Albert Einstein*, Giniger, Stackpole, 1968.
13. Weizmann Chaïm, *Trial and Error*, London, 1950, et *The New York Times*, 13 avril 1921.
14. Lettre de Blumenfeld à Weizmann, 15 mars 1921.
15. Frank.
16. Interview de I.I. Rabi par l'auteur, 31 octobre 1980.
17. *The New York Times*, 23 avril 1921.
18. Weizmann Vera, *The Impossible Takes Longer*, Harper, 1967.
19. Richards Bernard, Columbia University Oral History Project.
20. Weizmann rendit hommage à Lawrence comme étant le seul à avoir compris les deux versants de la question « si quelqu'un y est jamais parvenu. Il fit son possible pour être l'interprète d'un peuple et expliquer les aspirations de l'autre, en considérant qu'une étroite coopération entre les deux était dans leur intérêt mutuel. Je chéris sa mémoire comme celle d'un ami et me rappelle avec gratitude comment il a aidé la cause du peuple juif » (*T.E. Lawrence by His Friends : Chaim Weizmann*, édité par A.W. Lawrence, McGraw Hill, 1963).
21. Gilbert Martin, *Winston S. Churchill, The Stricken World, 1916-1922*, Houghton Mifflin, 1975, p. 570 et 584.
22. Selon l'homme politique anglais Richard Crossman cité par Abba Eban, *Abba Eban*, Random House, 1977.
23. Gilbert, p. 585.
24. Michelson A.A., *Studies in Optics*, Chicago, 1927.
25. Livingston Dorothy Michelson, *The Master of Light*, Scribner's, 1973.

26. « *Raffiniert ist der Herrgott, aber boshaft ist er nicht.* »
27. Weizmann Vera, *The Impossible Takes Longer*, récit à David Tutaev, Harper and Row, 1967.
28. Wachhorst Wyn, *Thomas Alva Edison : The American Myth*, MIT Press, 1981.
29. *The New York Times*, 18 mai 1921.
30. *Ibid.*, 17 mai 1921.
31. *Ibid.*, 18 mai 1921.
32. *The Boston Globe*, 18 mai 1921.
33. *The New York Times*, 22 mai 1921.
34. Talmey Max, *The Relativity Theory Simplified*, New York, 1932.
35. *Cleveland Plain Dealer*, 26 mai 1921.
36. *Ibid.*
37. Sommer Dudley, *Haldane of Cloan : His Life and Times*, Allen and Unwin, 1960.
38. Le vingt-cinquième congrès annuel des spiritualistes de l'État de New York se tint au Waldorf-Astoria un mois après la réunion à laquelle Einstein avait assisté. Son président, J.F. Steckenreiter, ne se contenta pas d'affirmer qu'Einstein et Edison étaient spiritualistes mais avança que c'étaient les esprits qui avaient communiqué à Einstein sa théorie de la relativité.
39. Clark, *op. cit.*, p. 276.
40. *The New York Times*, 2 juillet 1921.
41. *Ibid.*, 4 juillet.
42. Einstein Albert, *Ideas and Opinions*, Crown, 1954.
43. *The New York Times*, 8 juillet.
44. *Ibid.*, 9 juillet.
45. En 1960, le magazine *Fortune* demanda à dix-sept lauréats du prix Nobel de citer les « immortels » parmi eux. Ils nommèrent tous Einstein, dont trois uniquement lui.
46. *Berliner Tageblatt*, 7 juillet 1921.
47. Clark, *op. cit.*, p. 322.
48. Eugene P. Wigner cité par Andrew Szanton, *The Recollections of Eugene P. Wigner*, New York, Plenum Press, 1992.
49. Born, *My Life*, p. 167.
50. Infeld, *Quest*, p. 91.
51. Cassidy David, *Uncertainty : The Life and Science of Werner Heisenberg*, New York, W.H. Freeman, 1992, p. 97.
52. Weart Spencer et Weiss-Szilard Gertrud, *Leo Szilard : His Version of the Facts*, Cambridge, Mass., MIT Press, 1978, p. 11.
53. Interview de William Lanouette par l'auteur, 18 juillet 1995.

Chapitre 18

1. Kessler, *Diaries*, p. 155-157.
2. *Neue Rundschau*, 1922.

3. Craig Gordon, *The Germans*, New York, Putnam's, 1982, p. 143.

4. *Technion Journal*, avril 1941.

5. Weizmann Chaïm, *Trial and Error*, Harper, 1949, p. 289.

6. Nordmann Charles, « Einstein à Paris », *L'Illustration*, 15 avril 1922.

7. De Broglie (Louis) *et al.*, *Einstein : Such As We Knew Him*, Édimbourg, Peebles Press, 1979, p. 196.

8. Vallentin, p. 27-28.

9. *Le Figaro,* 1er avril 1922.

10. *L'Humanité*, 31 mars 1922.

11. Philipp Frank, *Life and Times*, p. 197.

12. Clark, *Einstein : The Life and Times*, p. 290.

13. Einstein à Solovine, 20 avril 1922, cité dans Einstein, *Letters to Solovine*, p. 55.

14. Friedrich Otto, *Before the Deluge : A Portrait of Berlin in the 1920s*, Harper & Row, 1971, p. 58-77, et Kessler Harry, Walther Rathenau : *His Life and Work*, Harcourt, Brace and Co., 1930, p. 376-377.

15. *The New York Times*, 5 juillet 1922.

16. Heilbron, p. 120.

17. Lettre d'Einstein à Planck, 6 juillet 1922, cité dans Heilbron, *Dilemmas of an Upright Man*, p. 120.

18. Planck à Wilhelm Wien, 9 juillet 1922, cité dans Heilbron.

19. Pais Abraham, *Einstein Lived Here*, Oxford, 1994.

20. Reinharz Jehuda, *Chaim Weizmann : The Making of a Statesman*, New York, Oxford University Press, 1993, p. 392.

21. Heisenberg Werner, *Physics and Beyond : Encounters and Conversations*, 1971, p. 44.

22. *Newsweek*, 9 août 1971.

23. Plesch, p. 212.

24. Hoffmann et Dukas, p. 150.

25. Wallace Irving, *One Novel*, p. 14, 18, 23-25 ; lettre d'Irving Wallace à l'auteur, 10 mars 1976.

26. Pais, *Subtle is the Lord*, p. 510 ; *Nobel Foundation Calendar 1975-1976*, p. 60.

27. Bentwich Norman et Helen, *Mandate Memories : 1918-1948*, Londres, Hogarth Press, 1965, p. 89.

28. Seelig.

29. Kisch, *Palestine Dairy*, Londres, Gollancz, 1938, p. 31.

30. Hoffmann et Dukas, *op. cit.*, p. 152.

31. Frank, *op. cit.*, p. 154.

32. Michelmore, *op. cit.*,p. 122.

33. *Ibid.*, p. 124.

34. Seelig, p. 188.

35. Cuny, pp. 206-207.

36. *Ibid.*

37. Planck à Ehrenfest, 30 novembre 1923, cité dans Heilbron, p. 121. Einstein séjournait chez Ehrenfest au moment où cette lettre a été écrite.

38. Einstein à Max et Hedi Born, 29 avril 1924, *Correspondance Born-Einstein*.
39. Pais, *Subtle is the Lord*, p. 320.
40. Levine Isaac Don, *Eyewitness to History*, New York, Hawthorn, 1973, p. 169.
41. Einstein avait employé à peu près les mêmes termes dans une lettre à Max Born, en 1920. Selon Born, il « avait cru comme beaucoup de gens que la révolution bolchevique signifierait la libération des principaux fléaux de notre époque, le militarisme, l'oppression de l'État et la ploutocratie », mais avait rapidement perdu ses illusions. « Les auteurs communistes le présentaient souvent comme un sympathisant, ou au moins un précurseur de leur doctrine... [comme le fit le FBI !] Einstein aurait trouvé cela comique » (Max Born, *Correspondance Born-Einstein*).
42. Garbedian G.H., *Albert Einstein, Maker of the Universe*, New York, Funk & Wagnall, 1939.
43. Plesch Janos, *The Story of a Doctor*, Gollancz, 1947.
44. Kouznetsov B., *Einstein*, Éditions du Progrès, Moscou, 1965, p. 228-230.
45. Salaman Esther, « A Talk With Einstein », *Listener*, 8 septembre 1955, p. 370-371.
46. *The Listener*, 8 septembre 1955.
47. Journal d'Einstein, Archives Einstein.
48. Wu C., « Physics "Holy Grail" Finally Captured », *Science News*, 148, 15 juillet 1995, p. 36.
49. Lettre d'Einstein à Mileva, 17 octobre 1925, citée dans Highfield et Carter, *Private Lives*, p. 228.
50. Highfield et Carter, p. 230-231.

Chapitre 19

1. Journal de Kessler, 15 février 1926.
2. *Ibid.*
3. *Science*, 61, 1925, p. 215.
4. Lettre d'Einstein à Michele Besso, *Correspondance Einstein-Besso, 1903-1955*, édité par P. Speziali, Paris, Hermann, 1972, p. 215.
5. Heisenberg, *op. cit.*, p. 62-69. Ces passages sont extraits du récit par Heisenberg de sa longue discussion avec Einstein.
6. Lettre d'Einstein à Max Born, 4 décembre 1926, *Correspondance Born-Einstein*.
7. Seelig, p. 110.
8. Lettre à Sandor Ferenczi, 2 janvier 1927.
9. Selon le psychanalyste anglais Joan Riviere cité par Peter Gay, *Freud : A Life for Our Time*, New York, W.W. Norton, 1988, p. 156.
10. Lettre à Marie Bonaparte, 11 janvier 1927.
11. Sayen.

12. Lettre à Arnold Zweig, 28 janvier 1934.
13. Jones Ernest, *The Life and Work of Sigmund Freud*, Basic Books, 1957.
14. Marianoff Dimitri et Wayne Palm, *Einstein : An Intimate Study of a Great Man*, Doubleday, 1944.
15. Lettre de Hedi Born à Einstein, 11 avril 1938, *Correspondance Born-Einstein*.
16. *Ibid.*
17. Einstein Albert, *Comment je vois le monde*.
18. Marianoff, p. 135.
19. Kessler.
20. *Ibid.*
21. Gamow George, *Thirty Years That Shook Physics : The Story of Quantum Theory*, Doubleday, 1966.
22. Introduction de Heisenberg, *Correspondance Born-Einstein*.
23. Moore Ruth, *Niels Bohr*, Doubleday, 1966.
24. *Ibid.*
25. Weisskopf Victor F., *The Privilege of Being a Physicist*, W.H. Freeman, 1989.
26. Le prix Nobel Harold Urey raconta à l'auteur : « Bohr était mauvais orateur. Il ne parlait pas bien l'anglais, et je ne suis même pas sûr qu'il parlât bien le danois. Il était inhibé. J'avais du mal à le comprendre, que ce soit dans des conférences ou des discussions informelles. »
27. Wolf Fred Alan, *Taking the Quantum Leap : The New Physics for Non-Scientists*, Harper & Row, 1989.
28. Heisenberg Werner.
29. De Broglie Louis, *Nouvelles Perspectives en microphysique*, Albin Michel, 1956.
30. Pais.
31. De Broglie.

Chapitre 20

1. « Je suis un véritable "voyageur solitaire" et n'ai jamais appartenu corps et âme à mon pays, ma maison, mes amis et même ma famille proche » (Einstein, *Living Philosophies*, Simon and Schuster, 1931).
2. Lettre à Johann Laub, 19 mai 1909.
3. Lettre à Hendrik Lorentz, 23 novembre 1911, cité par Pais.
4. Pais.
5. Besso à Einstein, 17 janvier 1928, cité par Bernstein, *Quantum Profiles*, pp. 154-155.
6. Michelmore, qui a rencontré Hans Albert.
7. Clark, p. 347.
8. Plesch Janos, *The Story of a Doctor*, Gollancz, 1947.
9. Sayen Jamie, *op. cit.*, p. 311.
10. Interview par Janet Watts, *Philadelphia Inquirer*, 21 septembre 1973.

11. *Ibid.*
12. Interview de Thomas Bucky par l'auteur, 7 septembre 1993.
13. Introduction de Heisenberg, *The Born-Einstein Letters.*
14. Pais, p. 487.
15. Whitrow, *Einstein : The Man and His Achievement*, p. 154-155.
16. Dukas, « Secretary Says Einstein Was a Lone Traveler ».
17. Einstein Albert, *Ideas and Opinions*, p. 171.
18. Haider Hans, *Die Presse*, cité par Wise Michael, *The Jerusalem Report*, 21 novembre 1991.
19. Wise.
20. Jones Ernest, *The Last Phase*, p. 166.
21. Berkley George E., *Vienna and Its Jews : The Tragedy of Success*, Cambridge, Massachusetts, Abt/Madison Books, 1988, p. 183-187.

## Chapitre 21

1. Lettre d'Einstein à Michele Besso, 5 janvier 1929, Speziali P., *Correspondance Einstein-Besso*.
2. *The New York Times*, 12 janvier 1929.
3. *Ibid.*, 4 février 1929.
4. M.K. Wisehart, « A Close Look at the World's Greatest Thinker », *American*, juin 1930.
5. Forsee, *Einstein : Theoretical Physicist*, p. 131.
6. Mowrer Edgar Ansel, *Triumph and Turmoil : A Personal History of Our Times*, New York, Weybright and Talley, 1968, p. 199.
7. Viereck George Sylvester, *Glimpses of the Great*, New York, Macauley, 1930, p. 430-431.
8. Einstein, préface à *Mental Radio*, par Upton Sinclair, New York, Collier Books, 1971.
9. Vallentin, *op. cit.*, p. 155.
10. Interview d'Helen Dukas par l'auteur, 25 septembre 1976.
11. John Wheeler cité par John Horgan, « Quantum Philosophy », *Scientific American*, 267, juillet 1992, p. 97.
12. « Einstein's Latest Theory », *Popular Mechanics*, avril 1929, pp. 536-539.
13. Lettre d'Arnold Zweig à Sigmund Freud, 18 février 1929, *The Letters of Sigmund Freud and Arnold Zweig*, éd. Ernst L. Freud, New York, Harcourt Brace Jovanovich, 1970, p. 4-5.
14. Garbedian, *Einstein : Maker of Universes*, p. 232-233.
15. Vallentin, *op. cit.*, p. 159.
16. Plesch, *op. cit.*, p. 206.
17. Garbedian, p. 233-234.
18. Frank, *op. cit.*, p. 221-223.
19. Clark, *op. cit.*, p. 421. Clark a utilisé les notes prises par la reine dans son carnet de rendez-vous conservé aux Archives royales de Bruxelles.
20. Pais, *Subtle is the Lord*, p. 302.

21. Highfield et Carter, *op. cit.*, p. 207.
22. Woolf Samuel Johnson, « Einstein at 50 », *The New York Times*, 18 août 1929.
23. Plesch, *op. cit.*, p. 210.
24. Tschernowitz Chaïm, « A Day with Albert Einstein », *Jewish Sentinel*, I, n° 1, septembre 1934, p. 19, 34, 44 et 50.
25. Rose Norman, *Chaim Weizmann*, New York, Viking, 1986, p. 243.
26. Rapport d'une commission d'enquête britannique dirigée par Sir Walter Shaw, mars 1930. La commission accusa les journaux arabes d'avoir incité à l'émeute.
27. Clark, *op. cit.*, p. 402-403.
28. *Nation*, 19 novembre 1941.
29. Interview de John-Alexis Viereck par l'auteur, 29 juillet 1995.
30. Viereck, *Glimpses of the Great*, p. 432-451. Les questions et les réponses qui figurent ici sont une réécriture de l'interview telle qu'elle fut publiée.
31. Interview de John-Alexis Viereck. La femme de Viereck, Margaret, le quitta après sa condamnation. Elle se convertit au catholicisme et devint la secrétaire personnelle de l'évêque de New York, Fulton Sheen. Viereck mourut d'une crise cardiaque au début des années soixante.
32. Whitrow, *Einstein : The Man and His Achievement*, p. 54. Lancelot Whyte devint président de la Société britannique de philosophie des sciences.
33. Heathcote Dudley, manuscrit inédit, Archives Einstein, 47539.
34. Brodetsky Selig, *Memoirs : From Ghetto to Israel*, Londres, Weidenfeld and Nicolson, 1960, p. 137.
35. Lettre d'Einstein à Chaïm Weizmann, 29 novembre 1929, cité par Clark, *op. cit.*, p. 402-403.

## Chapitre 22

1. Interview d'Helen Dukas par l'auteur, 16 juin 1980.
2. Albert Einstein à Maurice Solovine, 4 mars 1930, cité dans *Einstein, Letters to Solovine*, p. 71.
3. Blumbert Stanley et Owens Gwinn, *Energy and Conflict : The Life and Times of Edward Teller*, New York, Putnam's, 1976, p. 43-44.
4. Bernstein Jeremy, *Einstein*, Londres, Fontana/Collins, 1973, p. 172.
5. Menuhin Yehudi, *Unfinished Journey*, New York, Knopf, 1976, p. 96.
6. *The New York Times*, 7 juin 1930.
7. Wisehart, « World's Greatest Thinker », p. 21.
8. Jastrow Robert, « Have Astronomers Found God ? », *The New York Times Magazine*, 25 juin 1978, p. 19.
9. Douglas, *Life of Arthur Stanley Eddington*, p. 104.
10. Berger, *Story of The New York Times*, p. 354.
11. Michelmore, *op. cit.*, p. 146-147.

12. Highfield et Carter, *op. cit.*, p. 234.
13. Einstein, *Living Philosophies*, p. 3.
14. Dr Elizabeth Roboz Einstein, interview par l'auteur du 15 mai 1987.
15. Rubel Eduard, *Eduard Einstein*, Berne, Paul Haupt, 1986.
16. Interview du 26 novembre 1991.
17. *The New York Times*, 27 juillet 1930.
18. Hoffmann et Dukas, *op. cit.*, p. 154-155.
19. Lettre du rabbin F.M. Isserman, Temple Israël, Saint Louis, Missouri, à Otto Nathan, 5 février 1957, Archives Einstein, 50485.
20. Marianoff et Wayne, *Einstein : An Intimate Study*, p. 11.
21. « Universe Creator », *The New York Times*, 19 septembre 1930.
22. Lettre de Sigmund Freud à Arnold Zweig, 7 décembre 1930.
23. Interview de John Wheeler par l'auteur, 30 mai 1988.
24. Bernstein, *op. cit.*, p. 43.
25. Lettre de George Bernard Shaw à John Reith, 20 octobre 1930 (Laurence Dan H., *The Collected Letters of George Bernard Shaw, 1926-1950*, New York, Viking, 1988).
26. Lettre de George Bernard Shaw à Herbert Samuel, 23 octobre 1930, *ibid.*, p. 212.
27. « Professor Einstein in London : Appeal for Jews of East Europe », *The Times*, Londres, 29 octobre 1930, p. 12 ; Patch Blanche, *Thirty Years with G.B.S.*, p. 235-237.
28. Patch, *op. cit.*, p. 235-237.
29. « Einstein Tells Radicals World Is a Riddle, Says Science Cannot Tell How It all Began », *The New York Times*, 15 novembre 1930.
30. Weart et Szilard, *Leo Szilard : His Version of the Facts*, p. 12.
31. « Einstein Puzzled by Our Invitations », *The New York Times*, 23 novembre 1930.
32. « Einstein Attacks Administration Policy », *The New York Times*, 3 décembre 1930.
33. « Einstein Says Jews Seek Truce », *The New York Times*, 7 décembre 1930.
34. « Einstein and New York Reporters », *The Times* (Londres), 12 décembre 1930.
35. « Einstein Receives "Keys" to the City », *The New York Times*, 14 décembre 1930.
36. « Crowds Acclaim Einstein on Arrival in California », *Los Angeles Times*, 1er janvier 1931.
37. Einstein Albert, préface à *Einstein : A Biographical Portrait*, par Anton Reiser.

Chapitre 23

1. « The Progress of Science : Einstein on His Innovations », *The Times*, Londres, 11 mai 1931.
2. D'après une communication de Harlow Shapley devant l'Association

américaine pour l'avancement de la science (AAAS), Cleveland, Ohio, 31 décembre 1930, rapportée par le *Washington Herald*, 1er janvier 1931.

3. « Prof. Einstein Begins His Work at Mt. Wilson, Hoping to Solve Problems Touching Relativity », *The New York Times*, 3 janvier 1931.

4. *Los Angeles Evening Herald*, 3 janvier 1931 ; « Einstein Calls World Misunderstandings Serious Peril : Cosmic Rays Are Mystery, Says Savant », *Washington Herald*, 3 janvier 1931.

5. « First National Studio Technicians Present Trick Picture of Einstein with Wife in Auto », *The New York Times*, 4 février 1931.

6. Jaffe Bernard, *Michelson and the Speed of Light*, New York, Doubleday, 1960.

7. Livingston, *op. cit.*, p. 336-337.

8. « Einstein Completes Unified Field Theory », *The New York Times*, 23 janvier 1931.

9. Harris, *Upton Sinclair*, p. 262.

10. Sinclair Mary Craig, *Southern Belle*, New York, Crown, 1957, p. 339-340.

11. *The Autobiography of Upton Sinclair*, New York, Harcourt, Brace and World, 1962, p. 259-260.

12. « Millionairess Offered Dollars to Sit Next and Violin Offered », *Outlook and Independent*, 24 décembre 1930.

13. Marianoff et Wayne, *op. cit.*, p. 114.

14. Livingston, *op. cit.*, p. 337.

15. « Einstein Drops Idea of Closed Universe », *The New York Times*, 5 février 1931 ; *The Times*, Londres, 6 février 1931.

16. Foss Kendall, « Endorses Move to Have Eastern European Jews Migrate to Peru », *The New York Times*, 8 février 1931.

17. Forsee, *Einstein : Theoretical Physicist*, p. 125.

18. « Einstein Sees Lack in Applying Science », *The New York Times*, 17 février 1931.

19. Interview de David Sinclair par l'auteur, 3 décembre 1982.

20. « The Progress of Science : Einstein and His Innovations », *The Times*, Londres, 11 mai 1931.

21. « Dr. Einstein at Oxford : An Expanding Universe », *The Times*, Londres, 18 mai 1931.

22. « A Unified Field Theory : Electro-Magnetism and Gravitation », *The Times*, Londres, 25 mai 1931.

23. « Einstein Accuses Yugoslavian Rulers in Savant's Murder », *The New York Times*, 6 mai 1931.

24. Bullock Alan, *Hitler, A Study in Tyranny*, New York, Harper & Row, 1964, p. 177-178.

25. « Einstein Defines Aim of Physicists », *The New York Times*, 5 octobre 1931.

26. « California Test Supports Einstein Theory », *The New York Times*, 31 décembre 1931.

27. Pais, *Subtle is the Lord*, p. 347.

Chapitre 24

1. « Einstein Advocates Economic Boycott », *The New York Times*, 28 février 1932.
2. Nathan et Norden, *Einstein on Peace*, p. 163.
3. Flexner Abraham, *An Autobiography*, New York, Simon and Schuster, 1960, p. 250-251.
4. Einstein à Isaac Levine, 15 mars 1932, cité par R. Corson et Robert T. Crowley, *The New KGB : Engine of Soviet Power*, New York, Morrow, 1985, p. 102.
5. Flexner, *An Autobiography*, p. 251.
6. Hoffmann et Dukas, *op. cit.*, p. 164.
7. Frank, *op. cit.*, p. 226.
8. Interview de Thomas Bucky par l'auteur, 7 septembre 1993.
9. Bucky Frida Sarsen, « You Have to Ask Forgiveness... Albert Einstein As I Remember Him », *Jewish Quarterly* 15, n° 4, hiver 1967-1968, p. 31.
10. Interview de Thomas Bucky, 7 septembre 1993.
11. « Chance Led to the Association of Einstein With U.S. Institute », *The New York Times*, 19 avril 1955.
12. Einstein à Abraham Flexner, 30 juillet 1932.
13. Einstein à Sigmund Freud, 30 juillet 1932, Archives Einstein.
14. Sigmund Freud à Einstein, septembre 1932, Archives Einstein.
15. Discours devant la Ligue des droits de l'homme allemande, Archives Einstein.
16. Herneck.
17. Pais, *Subtle is the Lord*.
18. Interview de William Fondiller, collection d'histoire orale de l'université Columbia.
19. Michele Besso à Einstein, 18 septembre 1932.
20. *Ibid.*, 17 octobre 1932.
21. Einstein à Michele Besso, 21 octobre 1932.
22. « Princeton Geologist Dubious », *The New York Times*, 18 octobre 1932.
23. « Einstein Will Head School Here, Opening Scholastic Centre », *The New York Times*, 11 octobre 1932.
24. Lettre de Benjamin Cardozo à Abraham Flexner, 11 octobre 1932.
25. Jungk Robert, *Brighter Than a Thousand Suns*, New York, Harcourt, Brace and Co., 1958, p. 46.
26. Ed Regis, *Who Got Einstein's Office ? Eccentricity and Genius at the Institute for Advanced Study*, Reading, Massachusetts, Addison-Wesley, 1987, p. 16 et 23.
27. *Jewish Telegraphic Agency*, 21 novembre 1932.
28. Interview d'Helen Dukas, 16 juin 1980.
29. Archives du FBI.
30. Einstein Albert, *Comment je vois le monde*.

31. *The New York Times*, 6 décembre 1932.
32. « Einstein Resumes Packing for Voyage », *The New York Times*, 7 décembre 1932.
33. George Bernard Shaw à Blanche Patch, hiver 1932, cité par Laurence, *Collected letters*.
34. Thomas Lowell, *History As You Heard It*, Garden City, New York, Doubleday, 1957.
35. « German Banker Charged with Using Einstein's Name in Stock Swindle », *The New York Times*, 14 décembre 1932.


Chapitre 25


1. « Women Patriots Try New Ban on Einstein », *The New York Times*, 9 janvier 1933.
2. Oursler Fulton, *Behold this Dreamer*, Boston, Little, Brown 1964, p. 293-299.
3. Ross, *Ladies of the Press*, p. 216.
4. Whitrow, *Einstein : The Man and His Achievement*, p. 61 ; « Einstein Oblivious as Earth Trembles », *The New York Times*, 11 mars 1933.
5. Mowrer, *Triomph and Turmoil*, p. 214.
6. Michelmore, *op. cit.*, p. 181.
7. Editorial de Hugenberg, *Lokalanzeiger*, 17 mars 1933.
8. Interview de Thomas Bucky par l'auteur, 8 septembre 1993.
9. Heinrich von Ficker à Einstein, 18 mars 1933, cité dans Heilbron, *Dilemmas of an Upright Man*, p. 156-157.
10. Lettre d'Einstein à De Sitter, 5 avril 1933, citée dans Dukas et Hoffmann, *Einstein : The Human Side*, p. 55.
11. Lettre d'Einstein à Max Planck, 6 avril 1933, cité dans Heilbron, *op. cit.*, p. 159.
12. *Volkischer Beobachter*, mai 1933.
13. Moore Walter, *Schrödinger, Life and Thought*, Cambridge, Cambridge University Press, 1989, p. 270.
14. *Ibid.*, p. 269.
15. Birkenhead, *Professor and the Prime Minister*, p. 164.
16. Heilbron, *Dilemmas of an Upright Man*, p. 153.
17. Perutz Max F., *Is Science Necessary ? Essays on Science and Scientists*, New York, Dutton, 1989, pp. 178-179.
18. « Boycott of Jews », *The Times*, Londres, 3 avril 1933.
19. Churchill, *op. cit.*, p. 78, 80 et 82.
20. Einstein à Max Born, 30 mai 1933.
21. Birkenhead, *Professor and the Prime Minister*.
22. Beyerchen Alan D., *Scientists Under Hitler*, New Haven, Yale University Press, 1978, p. 227.
23. Max Born à Einstein, 2 juin 1933 ; Cassidy, *Uncertainty*, p. 304.
24. « Dr. Einstein à Oxford », *The Times*, Londres, 14 juin 1933.
25. Vallentin, *op. cit.*, p. 231.

26. « Belgium : Einstein, Fearing Nazis, Flees to England », *Newsweek*, 16 septembre 1933.
27. Archives Einstein, 31844.
28. « Dr. Einstein on Liberty, Albert Hall Speech », *The Times*, Londres, 4 octobre 1933.
29. *Truth* 37, n° 9, 30 septembre 1930.
30. « Professor Einstein's Political Views : Victim of Misunderstanding », *The Times*, Londres, 16 septembre 1933.
31. Regis, *Who Got Einstein's Office ?*, p. 4.
32. *Princeton Herald*, 20 octobre 1933.
33. *Princeton Alumni Weekly*, 13 octobre 1933.
34. Lampe John A., « How Einstein Came to Princeton », *Saturday Review*, 7 juillet 1956.
35. Boudin Leonard B., « Otto Nathan », *The Nation*, 14 février 1987.
36. Vallentin, *op. cit.*, p. 235.
37. Einstein à la reine Élisabeth de Belgique, 20 novembre 1933.
38. Dyson Freeman, *From Eros to Gaia*, New York, Pantheon, 1992, p. 301.
39. Abraham Flexner à Franklin D. Roosevelt, 3 novembre 1933, cité par Stern, « History of the Institute for Advanced Study ».
40. Archives Einstein, 31847.
41. Archives Einstein, 31848.
42. Regis, *op. cit.*, p. 55.
43. Interview de John Wheeler par l'auteur, 25 juin 1989.

## Chapitre 26

1. Leopold Nathan F., *Life Plus 99 Years*, New York, Popular Library, 1958, p. 256-257. Leopold fut libéré en 1958, se maria et s'installa à l'étranger où il travailla comme éducateur et laborantin.
2. Sayen, *op. cit.*, p. 66.
3. Watters, American Jewish Archives.
4. Schönberg, *Great Composers*, p. 562.
5. Schoenberg E. Randal, « Arnold Schönberg and Albert Einstein : Their Relationship and Views on Zionism », *Journal of the Arnold Schönberg Institute*, 10, n° 2, novembre 1987, p. 134 et 182.
6. Joralemon Dorothy R., « When Einstein Sat for my Mother », *50 Plus*, juin 1982, p. 43-45.
7. Interview par l'auteur de Dorothy Joralemon, fille de Winifred Rieber, 2 décembre 1982.
8. Interview de Thomas Bucky par l'auteur, 7 septembre 1993.
9. Interview de James Blackwood par l'auteur, 7 septembre 1994.
10. Interview de Freeman Dyson par l'auteur, 6 septembre 1994.
11. Watters, American Jewish Archives.
12. Interview de Harry Darlington par l'auteur, 11 février 1988.
13. Watters, American Jewish Archives.

14. Interview de James Blackwood par l'auteur, 7 septembre 1994.
15. Lettre de James Blackwood à l'auteur, 4 avril 1995.
16. Einstein à George Seldes, 13 octobre 1954, cité dans *The Great Quotations*, compilation par George Seldes, New York, Pocket Books, 1967, p. 1014.
17. Interview de Thomas Bucky par l'auteur, 3 avril 1995.

## Chapitre 27

1. Watters, « Comments on the Letters », p. 12.
2. Sayen, *Einstein in America*, p. 75-76.
3. Interview de John Oakes par l'auteur, 8 septembre 1992. Oakes est devenu rédacteur en chef de la rubrique Éditoriaux du *New York Times* peu après avoir quitté Princeton.
4. Birkenhead, *op. cit.*, p. 165.
5. Dukas et Hoffmann, *Einstein : The Human Side*, p. 110.
6. Interview de James Blackwood par l'auteur, 7 septembre 1994.
7. Marianoff et Wayne, *op. cit.*, p. 200.
8. Interview de Mme Joseph Copp par l'auteur, 8 décembre 1982.
9. Shapley Harlow, *Through Rugged Wharfs to the Stars*, New York, Scribner's, 1969, p. 111-112.
10. Watters, « Comments on the Letters », p. 42.
11. Laubach Taylor Winifred, « The Day Albert Einstein Almost Went Down the Tube », *Yankee*, septembre 1974.
12. Bernstein, *Quantum Profiles*, p. 46.
13. Moore, *op. cit.*, p. 304.
14. Cohen Harry A., « An Afternoon with Einstein », *Jewish Spectator*, janvier 1969.
15. Michelmore, *op. cit.*, p. 204-205.
16. Haydn Hiram, *Words and Faces*, New York, Harcourt Brace and Jovanovich, 1974, p. 164.
17. Ceruti Joseph, *Princeton Alumni Weekly*, 13 octobre 1993.
18. Toutes ces citations sont extraites de lettres conservées dans les Archives Einstein.
19. Heisenberg Élisabeth, *Inner Exile : Reflections of a Life with Werner Heisenberg*, Boston, Birkhauser, 1984, p. 45.

## Chapitre 28

1. Plesch, *op. cit.*, p. 211.
2. Télégramme de Frederick Lindemann à Hermann Weyl, Archives Einstein.
3. Lettre de Bial à Helen Dukas, 12 août 1936, Archives Einstein, 51046.
4. Lettre d'Einstein à Janos Plesch, 1936, Archives Einstein, 51045.
5. Interview du docteur Robert Schulmann par l'auteur, 20 avril 1989.

6. Tolischus Otto D., « Nazis Would Junk Theoretical Physics », *The New York Times*, 9 mars 1936.
7. Interview de Theodore von Laue par l'auteur, 8 avril 1995.
8. *The New York Times*, 28 mars 1936.
9. Lettre d'Einstein à Maja Winteler, 1936, Archives Einstein.
10. Interview de Banesh Hoffmann par l'auteur, 2 septembre 1985.
11. Infeld, *Quest*, p. 285-286.
12. Jones, *The Last Phase*, p. 203.
13. Lettre d'Einstein à Elsbeth Grossman, 26 septembre 1936, citée par Seelig, *Albert Einstein*, p. 207.
14. Lettre d'Elsa Einstein à Leon Watters, 10 septembre 1936, Archives de Caltech.
15. Interview de Bucky par l'auteur, 2 octobre 1988.
16. Interview de Stanislaw Ulam par l'auteur, 2 novembre 1982. Ulam contribua à résoudre le « problème insoluble » et devint l'un des pères de la bombe à hydrogène.
17. Collection du programme d'histoire orale de l'université Columbia.
18. Cette lettre comme les suivantes sont conservées dans les Archives Einstein.
19. Hatch Alden, *Buckminster Fuller : At Home in the Universe*, New York, Crown, 1974, p. 140.
20. Snyder Robert, *Buckminster Fuller : Autobiographical Monologue/Scenario*, New York, St. Martin's Press, 1980, p 68.
21. Hatch, p. 140.
22. Plesch, *op. cit.*, p. 220.
23. Interview de Banesh Hoffmann par l'auteur, 6 septembre 1985.
24. Shirer William L., *Le Troisième Reich*, Paris, Stock, 1990.
25. Hoffmann et Dukas, *Einstein : Creator and Rebel*, p. 232-233.
26. Dukas et Hoffmann, *Einstein : The Human Side*, p. 105.

Chapitre 29

1. Hook Sidney, *Out of Step : An Unquiet Life in the 20th Century*, New York, Harper & Row, 1987, p. 222-223.
2. Interview de Sidney Hook par l'auteur, 27 novembre 1982.
3. Interview de Banesh Hoffmann par l'auteur, 2 septembre 1985.
4. Interview de Valentin Bargmann par l'auteur, 6 novembre 1982.
5. Interview de John Stachel par l'auteur, 29 novembre 1982.
6. Otto Nathan a été conseiller économique de la république de Weimar et du président américain Herbert Hoover, adjoint du sous-secrétaire d'État au Trésor Harry Dexter White. Il est auteur de *The Nazi Economic System* et coauteur de *Einstein on Peace*. Il fut l'un des premiers professeurs blancs de l'université noire Howard.
7. Harper Collins, 1993.
8. Interview de Theodore von Laue par l'auteur, 2 décembre 1994.

9. « Sympathy with Spanish Loyalists Cause Revealed by Spanish Embassy », *The New York Times*, 5 février 1937.

10. Beyerchen, *op. cit.*, p. 170.

11. Stern, *A History of the Institute for Advanced Study, 1930-1950*, p. 179.

12. Eastman Max, *Einstein, Trotsky, Hemingway, Freud and Other Great Companions*, New York, Collier Books, 1962, p. 27-28.

13. Schuster Max, Columbia University Oral History Project.

14. Eastman, *Great Companions*, p. 30.

15. Brennan-Gibson Margaret, *Clifford Odets*, New York, Ahteneum, 1981, p. 478.

16. Interview de Valentin Bargmann par l'auteur, 1er décembre 1982.

17. Interview de John Wheeler par l'auteur, 25 juin 1989.

18. Highfield et Carter, *op. cit.*, p. 241.

19. Lettre d'Einstein à Maurice Solovine, 10 avril 1938, publiée dans *Einstein, Letters to Solovine*, p. 87.

20. Lettre d'Einstein à un apprenti écrivain, Archives Einstein, 52780. Harry Hansen du *New York World-Telegram* et Ralph Thompson du *New York Times* firent des critiques favorables du livre.

21. Archives Einstein, 52794.

22. Archives Einstein, 52795.

23. *The New York Times*, 20 avril 1938.

24. Lettre d'Einstein à Siegmund Livingstone, 21 avril 1938, Archives Einstein.

25. Beyerchen, *op. cit.*, p. 163.

26. Watters, « Comments on the Letters », p. 46.

27. Lettre d'Einstein à Upton Sinclair, 19 décembre 1938, Bibliothèque Lilly, Université d'Indiana.

28. Morse Arthur D., *While 6 Million Died : A Chronicle of American Apathy*, New York, Ace, 1968, p. 181-182.

29. Riefenstahl Leni, *Leni Riefenstahl : A Memoir*, New York, St. Martin Press, 1993.

30. *Ibid.*

31. Irving David, *The German Atomic Bomb : The History of Nuclear Research in Nazi Germany*, New York, Da Capo Press, 1983.

Chapitre 30

1. Interview de Valentin Bargmann par l'auteur, 1er décembre 1982.

2. « Einstein's Algebraic "Xs" et "Cs" Defeat Explaining Airport Aide », *The New York Times*, 23 mars 1939, p. 25.

3. Bucky Gustav, « An Einstein Anecdote », *Jewish Frontier Magazine*, juin 1939, p. 47.

4. Archives Einstein, 52840.

5. Archives Einstein, 52841.

6. Archives Einstein, 52625.

7. Archives Einstein, 52627.

8. Clark, *op. cit.*, p. 568.
9. Jones, *op. cit.*, p. 243.
10. Interview d'Eugene Wigner par l'auteur, 29 juin 1989.
11. Szilard Leo, *The Bulletin of the Atomic Scientists*, mars 1979, p. 58.
12. Rhodes, *Making of the Atomic Bomb*, p. 307.
13. Gunther John, *Roosevelt in Retrospect*, New York, Pyramid, 1962, p. 316.
14. La source d'Einstein était le chimiste Petrus Debye, lauréat du prix Nobel de chimie en 1936, qui avait été expulsé d'Allemagne pour avoir refusé d'abandonner sa citoyenneté hollandaise et de devenir allemand.
15. Powers Thomas, *Heisenberg's War*, p. 106-107.
16. Seelig, *op. cit.*, p. 184.
17. Archives du FBI, 67 CD, 18 août 1940.
18. 1er novembre 1940.
19. Interview d'Alice Kahler par l'auteur, 15 avril 1989.
20. Holroyd Michael, *Bernard Shaw : Volume Three, 1918-1950, The Lure of Fantasy*, New York, Random House, 1991, p. 432.
21. Lettre de George Bernard Shaw à William J. Pickerill, 10 octobre 1940, *The Collected Letters*, p. 540.
22. Archives Einstein, 56 354.
23. Lettre de Marie Winteler à Einstein, Archives Einstein, 31974.
24. *Ibid.*, Archives Einstein, 56356.
25. Lettre de Brigitte Alexander-Katz à Einstein, Archives Einstein, 54 745.
26. Lettre d'Einstein à Eryl Rudlin, 12 mars 1941, The Institute for Advance Study.
27. Interview de Valentin Bargmann par l'auteur, 1er décembre 1982.

Chapitre 31

1. Lettre de Wilhelm Reich à Einstein, 30 décembre 1940.
2. Reich-Ollendorff Ilse, *Wilhelm Reich : A Personnal Biography*, Londres, Elek, 1969, p. 57-59.
3. Cattier Michel, *The Life and Work of Wilhelm Reich*, traduction Ghislaine Boulanger, New York, Avon, 1971, p. 205.
4. Reich-Ollendorff Ilse, *op. cit.*, p. 57-58.
5. Dukas et Hoffmann, p. 79.
6. Seelig, *op. cit.*, p. 199.
7. Interview de Thomas Bucky par l'auteur, 7 septembre 1993.
8. Interview de John Wheeler par l'auteur, 25 juin 1989.
9. Rhodes.
10. Speer Albert, *Inside the Third Reich : Memoirs*, traduction de Richard et Clara Winston, New York, Macmillan, 1970, p. 225-227.
11. Reichinstein, *Albert Einstein : A Picture of His Life*, p. 230 ; Archives Einstein, 56065, 56066.
12. Archives du FBI, 1942, 100-120147-1 (84), p. 76.

13. Interview de Theodore von Laue par l'auteur, 12 décembre 1994.
14. Lettre de Rudolf Ladenburg et Hermann Weyl au ministre fédéral de la Justice, Francis Biddle, Archives Einstein, 55532.
15. Interview de Theodore von Laue par l'auteur, 27 septembre 1994.
16. Reid Robert, *Marie Curie*, New York, Saturday Review Press/E.P. Dutton, 1974, p. 318.
17. Einstein à E.P. Saint-John, 9 mars 1943, cité dans Sayen, *Einstein in America*, p. 156.
18. Pais, *op. cit.*, p. 12.
19. Lettre d'Einstein au lieutenant de vaisseau Stephen Brunauer, 29 juin et 30 juillet 1943, Archives nationales, Washington.
20. *Ibid.*, 13 août 1943, Archives nationales.
21. *Ibid.*, 1er septembre 1943, Archives nationales.
22. Interview de Thomas Bucky par l'auteur, 7 septembre 1993.

## Chapitre 32

1. Gamow George, *My World Line*, New York, Viking Press, 1970, p. 150.
2. Einstein au lieutenant de vaisseau Stephen Brunauer, 4 janvier 1944, Naval Sea Systems Command, Archives nationales.
3. Sayen, *Einstein in America*, p. 150-151.
4. Einstein Albert et Kahler Erich, « Palestine Setting of Sacred History of Jewish Race », *Princeton Herald*, 14 avril 1944, p. 1, 6 et 9.
5. Archives Einstein, 14 avril 1944.
6. Lettre d'Einstein à Upton Sinclair, 10 juin 1944, Bibliothèque Lilly, université d'Indiana.
7. Marianoff Dimitri et Wayne Palm.
8. Lettre d'Einstein à S.H. Goldenson, 28 août 1944, Archives Einstein 55141.
9. Lettre d'Einstein à Max Born, 7 septembre 1944, cité dans *Correspondance Born-Einstein*.
10. Lettre de Hedi Born à Einstein, 9 octobre 1944, *ibid*.
11. Lettre de Max Born à Einstein, 10 octobre 1944, *ibid*.
12. Lettre du major Milton R. Wexler à Albert Einstein, 17 septembre 1944, Archives Einstein, 55048.
13. Lettre de Roberto Einstein à Albert Einstein, 27 novembre 1944, Archives Einstein, 55049.
14. Richards Alan Wilson, *Reminiscences*, Princeton, New Jersey, Harvest House Press, 1979, p. 1-2.
15. Wyden, *Day One*, p. 127-128.
16. Lettre d'Einstein à Niels Bohr, 12 décembre 1944, citée dans Pais Abraham, *Niels Bohr's Times, in Physics, Philosophy, and Policy*, New York, Oxford University Press, 1991.
17. Clark, *op. cit.*, p. 577.

Chapitre 33

1. Lettre de Robert Millikan à Einstein, 7 février 1945, Archives Einstein, 57 222.
2. Lettre d'Einstein à Theodore Strimling, 24 février 1945, Archives Einstein, 57 223.
3. Interview de Thomas Bucky par l'auteur, 7 septembre 1993.
4. 10 juin 1945, Archives Einstein, 57 287.
5. 2 juillet 1945, Archives Einstein, 57 288.
6. Sayen, *op. cit.*, p. 151.
7. Einstein Albert et Swing Raymond, « Einstein on the Atomic Bomb », *Atlantic Monthly*, novembre 1945.
8. Helen Dukas à Alice Kahler, 8 août 1945, collection de l'auteur.
9. 11 janvier 1945, archives du bureau de Newark du FBI, n° 100-29614 ; Special Censorship Watch List, 7 février 1945, 28455.
10. 4 septembre 1945, archives du bureau de Philadelphie du FBI, n° 100-29919.

Chapitre 34

1. 17 janvier 1946, archives du FBI n° 100-338078-26.
2. Hinton Harold A., « Einstein Condemns Rule in Palestine : Calls Britain Unfit but Bars Jewish State and Favor UNO », *The New York Times*, 12 janvier 1946.
3. Sayen, *op. cit.*, p. 234-236.
4. Interview de I.F. Stone par l'auteur, 20 mai 1987.
5. Lettre d'Einstein au professeur Middledorf, université de Chicago, 6 janvier 1946, Archives Einstein.
6. Lettre d'Einstein à Arnold Sommerfeld, citée par Bernstein, *Einstein*, p. 169.
7. Albert Einstein à Erwin Schrödinger, cité par Moore, *Schrödinger*, p. 424.
8. Interview du sénateur Alan Cranston par l'auteur, 25 septembre 1987.
9. Clark Granville, « Letter to the Editor », *The New York Times*, 22 avril 1955.
10. Ehrenbourg Ilia, *Post War Years : 1945-1954*, Cleveland, World, 1967, p. 76-77.
11. Archives Einstein, 32006.
12. Archives Einstein, 57331.
13. Archives Einstein, 57332.
14. Commins Dorothy, « Professor Einstein in Princeton », Mémoires inédits, collection de l'auteur.
15. Interview de William Lanouette par l'auteur, 18 juillet 1995.
16. Crowther Bosley, « Atomic Bomb Film Starts At Capitol », *The New York Times*, 21 février 1947.

17. Lettre d'Einstein aux Sinclair, 3 juin 1946, bibliothèque Lilly, université d'Indiana.
18. Interview d'Ashley Montagu par l'auteur, 5 mai 1994.
19. Note de l'ambassadeur américain à Moscou au FBI via le Département d'État, 19 juillet 1946, archives du FBI n° 21278, dépêche n° 240.
20. Interview d'Abraham Pais par l'auteur, 10 septembre 1988.
21. Lettre d'Einstein à Maurice Solovine, 5 octobre 1946, citée dans Einstein, *Letters to Solovine*, p. 97.
22. Lettre d'Einstein à Upton Sinclair, 26 septembre 1946, bibliothèque Lilly, université d'Indiana.

## Chapitre 35

1. Moore, *op. cit.*, p. 427.
2. Interview de Walter Moore par l'auteur, 14 octobre 1995.
3. Moore, *op. cit.*, p. 432.
4. Hook, *op. cit.*, p. 467-469.
5. Lettre d'Einstein à Maurice Solovine, 9 avril 1947, cité dans Einstein, *Letters to Solovine*, p. 99.
6. Highfield et Carter, *op. cit.*, p. 252-253.
7. Tucci Niccolo, « The Great Foreigner », *The New Yorker*, 22 novembre 1947.
8. Interview de George Wald par l'auteur, 18 mai 1988.
9. Lettre d'Einstein à Otto Juliusburger, 29 septembre 1947, cité par Dukas et Hoffmann, *Einstein : The Human Side*, p. 82.
10. Clark, *op. cit.*, p. 603-604.
11. Brown Harrison, « An Early Brief Encounter », *Bulletin of the Atomic Scientists*, mars 1979.
12. Hook, *op. cit.*, p. 469-471.
13. Michelmore, *op. cit.*, p. 240.
14. Hook, *op. cit.*, p. 472-473.
15. Lettre de Max Born à Einstein, 4 mars 1948, *Correspondance Born-Einstein*.
16. Lettre d'Einstein à Upton Sinclair, 29 mars 1948, bibliothèque Lilly, université d'Indiana.
17. Clark, *op. cit.*, p. 607.
18. Brodetsky, *Memoirs*, p. 289.
19. Clark, *op. cit.*, p. 607.
20. Archives Einstein, 57705.
21. Archives Einstein, 57706.
22. Pais, *op. cit.*, p. 517.
23. Archives du FBI 94-39617-1.
24. Clark, *op. cit.*, p. 605.
25. Interview de John Kemeny par l'auteur, 16 septembre 1988.
26. Lettre d'Einstein à Maurice Solovine, 9 avril 1947, Einstein, *Letters to Solovine*, p. 106-107.

27. Interview de Linus Pauling par l'auteur, 14 mars 1993.
28. *The New York Herald Tribune*, 14 janvier 1949.
29. Lerner Aaron, *Einstein and Newton*, Minneapolis, Lerner, 1973, p. 140-141.


Chapitre 36

1. Interview de Thomas Bucky par l'auteur, 23 décembre 1994.
2. Archives Einstein, 12625.
3. Archives Einstein, 58972.
4. Note du directeur du FBI délivrée par courrier aérien au bureau de Newark, 11 mars 1949.
5. Archives du FBI n° 100-29614, 78245, 24 mars 1949.
6. Pais, *Niels Bohr's Times*, p. 13.
7. De Broglie, *New Perspectives*, p. 152-153.
8. Interview de John Kemeny par l'auteur, 23 octobre 1987.
9. Lettre d'Einstein à Maurice Solovine, 28 mars 1949, *Letters to Solovine*, p. 111.
10. Interview d'Eva Short, nièce de Joanna Fanta, par l'auteur, 23 novembre 1994.
11. Archives Einstein, 59022 et 59024.
12. Lettre de Mme John Kieran à l'auteur, 11 octobre 1994.
13. Dawidoff Nicholas, *The Catcher Was a Spy : The Mysterious Life of Moe Berg*, New York, Pantheon, 1944, p. 250-251.
14. Interview de Robert Jastrow par l'auteur, 10 juin 1995.
15. Interview de John Kemeny par l'auteur, 16 septembre 1988.


Chapitre 37

1. Interview d'Eric Rogers par l'auteur, 27 septembre 1988.
2. Sayen, *op. cit.*, p. 131.
3. Interview d'Edward Greenbaum, Oral History Collection, American Institute of Physics, Center for History of Physics.
4. Note de D.M. Ladd au directeur. Sujet : Professeur Albert Einstein, SP 165KIPB, p. 1-5.
5. *Id.*, 10 mars 1950.
6. Original en allemand. Sujet : Professeur Albert Einstein, sécurité nationale, à l'attention du Département d'État.
7. 22 juin 1950, archives du FBI VIII-12915/D-137899.
8. Archives du FBI, 31 juillet 1950.
9. Budenz Louis, *Men Without Faces*, New York, Harper and Brothers, 1950, p. 211 et 243.
10. *The New York Daily Mirror*, 17 août 1950.
11. John Edgar Hoover to Assistant Chief of Staff, G-2, Department of the Army, Pentagon, Washington 25, D.C.

12. Albert Einstein à Sidney Hook, 16 mai 1950, cité dans Hook, *Out of Step*.
13. Interview de Sidney Hook par l'auteur, 27 novembre 1982.
14. Interview par l'auteur d'une personne qui requiert l'anonymat.
15. Interview de Thomas Bucky par l'auteur, 23 décembre 1994.
16. Infeld Leopold, *Albert Einstein : His Work and His Influence on Our World*, New York, Scribner's, 1950, p. 118.
17. Lettre d'Einstein à Max et Hedi Born, 12 avril 1949, *Albert Einstein et Max Born*, Paris, Seuil, 1988.
18. Seelig, *op. cit.*, p. 39-40.
19. Archives Einstein, 61240.
20. Highfield et Carter, *op. cit.*, p. 255.
21. Rapport de Gustav Bard, CS Team, CIC Region VIII, 14 février 1951, D-280200, VIII-12915 1-714.
22. Archives du FBI, SAC, Newark, Internal Security.
23. Lettre de Ruth Greenglass à Einstein, mai 1951, Archives Einstein, 41557.
24. Albert Einstein à Ruth Greenglass, 3 juin 1951, Archives Einstein, 41559.
25. Lettre d'Einstein à Maurice Solovine, 30 juillet 1951, cité dans Einstein, *Letters to Solovine*, p. 129.
26. Lettre d'Einstein au docteur Guy Dean, 26 juin 1951, Archives Einstein, 59482.
27. Albert Einstein à un cousin, juin ou juillet 1951, cité dans Hoffmann et Dukas, *Einstein : Creator and Rebel*, p. 242.
28. Saint-John Robert, *Ben-Gurion*, Garden City, New York, Doubleday, 1959, p. 234-235.
29. Archives du FBI, 100-138754-835.
30. Archives du FBI, SAC, Newark (65-3916) 100-338078, Subject : Espionage.
31. Pais, *op. cit.*, p. 17.

## Chapitre 38

1. Lettre de Carl Seelig à Einstein, 22 mars 1952, cité dans Highfield et Carter, *op. cit.*.
2. Interview d'Evelyn Einstein par l'auteur, 13 novembre 1994.
3. Lettre d'Einstein à Maurice Solovine, 30 mars 1952, cité dans Einstein, *Letters to Solovine*.
4. *The Washington Times Herald*, 12 juillet 1947.
5. Hook, *op. cit.*, p. 479-481.
6. Lettre d'Einstein à Hans Mühsam, 1940, cité dans Clark, *op. cit.*, p. 612.
7. Eban Abba, *Personal Witness : Israel Through My Eyes*, New York, Putnam's, 1992, p. 228.
8. Interview de George Wald par l'auteur, 9 octobre 1985.

9. Patner Andrew, *I. F. Stone, A Portrait : Conversations with a Non-conformist*, New York, Doubleday/Anchor, 1990, p. 20.
10. Interview de I. F. Stone par l'auteur, 25 septembre 1987.

Chapitre 39

1. 17 janvier 1953, Archives Einstein, 41603.
2. 19 janvier 1953, Archives Einstein, 41600.
3. 21 janvier 1953, Archives Einstein, 41601.
4. Interview d'Adam Ulam par l'auteur, 21 novembre 1996.
5. Archives Einstein, 41547.
6. Publié dans le *Newark Star Ledger*, 22 janvier 1953.
7. Interview de Mark Abrams par l'auteur, 24 juin 1995.
8. Interview de John Wheeler par l'auteur, 25 juin 1989.
9. Lettre de Harold Urey à Einstein, 25 juin 1953, Archives Einstein, 41556.
10. Lettre d'Einstein au juge William O. Douglas, 23 juin 1953, Archives Einstein, 41576.
11. Lettre du juge William O. Douglas à Einstein, 30 juin 1953, Archives Einstein, 41578.
12. 1er août 1953, Archives Einstein, 41568.
13. Russell Bertrand, *The Autobiography of Bertrand Russell : 1944-1969*, New York, Simon & Shuster, 1939, p. 68-69.
14. Archives Einstein, 41565.
15. Schneir Walter et Miriam, *Invitation to an Inquest*, New York, Penguin Books, 1974.
16. Interview d'Ashley Montagu par l'auteur, 3 avril 1995.
17. Lettre d'Einstein à Max Born, 12 octobre 1953, *Correspondance Born-Einstein*.
18. Sayen, *op. cit.*, p. 188.
19. Straus Ernst, « Reminiscences », *Albert Einstein : Historical and Cultural Perspectives, The Centennial Symposium on Jerusalem*, éditeurs Gerald Holton et Yehuda Elkana, Princeton University Press, 1982, p. 419.
20. Sayen, *op. cit.*, p. 273-274.
21. Interview de Thomas Bucky par l'auteur, 23 décembre 1994.

Chapitre 40

1. Interview de George Wald par l'auteur, 9 octobre 1985.
2. 15 janvier 1954, Archives Einstein, 32299.
3. Réponse à un lecteur de *The Tablet* qui s'était demandé si une citation d'Einstein était exacte, Archives Einstein.
4. Swanberg W.A., *Norman Thomas : The Last Idealist*, New York, Scribner's, 1976, p. 369.

5. Sperber A.M., *Murrow : His Life and Times*, New York, Bantman, 1987, p. 427.
6. Sayen, *op. cit.*, p. 286.
7. Archives du FBI, SAC, Newark (100-29614) (100-32986). Objet : sécurité intérieure, 9 novembre 1954.
8. Interview de Clair Gilbert par l'auteur, 14 décembre 1991.
9. Interview de Linus Pauling par l'auteur, 22 février 1993.


Chapitre 41

1. Anderson Marian, *My Lord, What a Morning : An Autobiography*, New York, Viking, 1956, p. 267.
2. Archives du FBI, Newark, 100-29614, 100-32986. Objet : sécurité intérieure, 9 mars 1955.
3. Interview de Thomas Bucky par l'auteur, 2 octobre 1988.
4. Schwartz Richard Alan, « The FBI and Dr. Einstein », *Nation*, 237, n° 6, 3-10 septembre 1983, p. 172.
5. Lettre d'Einstein à la sœur et le fils de Michele Besso, 21 mars 1955, cité dans Pais, *op. cit.*, p. 302.
6. Interview de Bernard Cohen par l'auteur, 9 octobre 1985.
7. Cohen Bernard, « An Interview with Einstein », *Scientific American*, n° 193, 1955, p. 73.
8. Kuznetsov, *Einstein*, p. 360.
9. Highfield et Carter, *op. cit.*, p. 261.
10. Eban, *Personal Witness*, p. 2423.
11. *Abba Eban : An Autobiography*, p. 191.
12. Infeld, *op. cit.*
13. Margot Einstein à Hedi Born, 18 avril 1955, cité dans Einstein et Born, *Correspondance : 1916-1955*.
14. Interview de Thomas Bucky par l'auteur, 23 décembre 1994.
15. Margot Einstein, *ibid.*
16. Lettre d'Albert Einstein à la sœur et au fils de Michele Besso, 21 mars 1955.
17. Lettre d'Alice Kahler à Charlotte, 20 avril 1955, collection de l'auteur.
18. Nass Herbert E., *Wills of the Rich and Famous*, New York, Warner, 1991, p. 221. Le testament était daté du 18 mars 1950.
19. Pais, *op. cit.*, p. 182.
20. Kornitzer Bela, « Einstein Is My Father : An Intimate Glimpse of the World's Greatest Living Genius As Seen Through the Eyes of His Son », *The Saturday Evening Post*, avril 1951, p. 47.
21. Interview d'Elizabeth Roboz Einstein par l'auteur, 15 mai 1982.
22. Kornitzer, « Einstein is my Father », p. 141.
23. Dyson, *From Eros to Gaia*, p. 299-300.

Chapitre 42

1. Sayen, *op. cit.*, p. 181.
2. Oppenheimer, « On Albert Einstein », p. 47.
3. Gore Rick, « The Once and Future Univers », *National Geographic*, 163, n° 6, juin 1983.
4. Mihill Chris, « Einstein Ahead of Himself », *The Guardian*, 20 octobre 1994.
5. Lettre de John Kemeny à l'auteur, 16 septembre 1988.
6. Interview de John Wheeler par l'auteur, 18 juin 1988.
7. Interview d'Abraham Pais par l'auteur, 29 décembre 1994.
8. Kaku Michio et Trainer Jennifer, *Beyond Einstein : The Cosmic Quest for the Theory of the Universe*, New York, Bantam, 1987.
9. Interview de Michio Kaku par l'auteur, 9 janvier 1995.
10. Interview de Margot Einstein, 4 mai 1978, citée dans Sayen, *Einstein in America*, p. 303.
11. De Broglie *et al.*, *Einstein : Such As We Knew Him*.
12. Bohr Niels, « Albert Einstein : 1879-1955 », *Scientific American*, 192, n° 6, janvier 1955.
13. « Having it All (or Most of It) », *The New York Times Book Review*, 27 août 1995.
14. Specter Michael, « Could Physicist Be Einstein's Secret Son ? », *Miami Herald*, 23 juillet 1995.
15. Interview du professeur Schulmann par l'auteur, 18 septembre 1996.
16. Interview d'Alice Kahler par l'auteur, 15 avril 1989.
17. Lettre d'Einstein à Maurice Solovine, citée dans Einstein, *Letters to Solovine*, p. 111.
18. Hoffmann et Dukas, *Einstein : Creator and Rebel*, p. 253.


Le cerveau d'Einstein

1. Interview d'Helen Dukas par l'auteur, 16 juin 1980.
2. Interview d'Ashley Montagu par l'auteur, 23 novembre 1994.
3. Interview de Thomas Harvey par l'auteur, 31 décembre 1994.
4. Interview du docteur Lucy Rorke par l'auteur, 31 décembre 1994.
5. Freedland Jonathan, « In the Name of Science », *The Guardian Weekly*, 17 décembre 1994.
6. Interview du docteur Harry Abrams par l'auteur, 23 juin 1995.
7. Interview de Mark Abrams par l'auteur, 24 juin 1995.

# Index

# Table

*La composition de cet ouvrage*
*a été réalisée par l'**Imprimerie Bussière***
*l'impression et le brochage ont été effectués*
*sur presse Cameron dans les ateliers*
*de **Bussière Camedan Imprimeries***
*à Saint-Amand-Montrond (Cher)*
*pour le compte des éditions Robert Laffont*
*24, avenue Marceau, 75008 Paris*
*en février 1997*

N° d'édition : 37697. N° d'impression : 167-4/207
Dépôt légal : février 1997

*Imprimé en France*